EPEN
D0266262
LLYF
turned
stamped

Helmut de Boor

Helmut de Boor

Helmut de Boor

Kleine Schriften

Erster Band

Mittelhochdeutsche Literatur

Walter de Gruyter & Co., Berlin
vormals G. J. Göschen'sche Verlagshandlung · J. Guttentag, Verlagsbuchhandlung
Georg Reimer · Karl J. Trübner · Veit & Comp.
1964

Kleinere Schriften zur Literatur- und Geistesgeschichte

Herausgegeben von

Roswitha Wisniewski und Herbert Kolb

Archiv-Nummer: 43 38 64/1

Satz und Druck: Franz Spiller, Berlin 36.

INHALT

VORWORT

Helmut de Boor ist durch seine Literaturgeschichte weithin bekannt geworden. Es wird daher von besonderem Interesse sein, den souveränen Darsteller, der das weitverzweigte Gebiet der alt- und mittelhochdeutschen Literatur in anerkannter, ja bewunderter Weise überschaut und überschaubar macht, in der hier vorgelegten Aufsatzsammlung bei minutiöser Forschungsarbeit zu erleben, auf der allein ein solches Werk wie die Literaturgeschichte aufgebaut werden konnte. Gegenstände aus den verschiedensten Gebieten der germanischen Philologie wurden von Helmut de Boor behandelt, so daß auch in den hier abgedruckten Aufsätzen stilistische, metrische, textkritische Studien ebenso vertreten sind wie Interpretationen mittelhochdeutscher Dichtungen und Arbeiten, die aus der Beschäftigung mit Denkmälern germanischer Religion und vor allem germanischer Heldensage hervorgingen, die stets ein bevorzugter Forschungsbereich Helmut de Boors blieb.

Die Auswahl der hier erneut zum Abdruck gelangenden Aufsätze wurde im Einverständnis mit dem Verfasser getroffen. Der erste Band enthält, chronologisch angeordnet, die Arbeiten zur mittelhochdeutschen Literatur; ihnen sind zwei Untersuchungen über religiöse Sprache angefügt, die innerhalb des Germanischen zeitlich und räumlich weiter ausgreifen. Der zweite Band soll die Aufsätze zur germanischen und deutschen Heldensage umfassen. Ein Nachwort und eine Bibliographie der wissenschaftlichen Veröffentlichungen Helmut de Boors werden das Ganze abschließen.

STILBEOBACHTUNGEN ZU HEINRICH VON HESLER
[1925]

Der Kampf des sinkenden dreizehnten und anbrechenden vierzehnten Jahrhunderts um die Erhaltung und Fortführung der klassischen Formkultur, die den Nachklassikern bis zu Konrad von Würzburg ein so selbstverständliches und gerngemehrtes Erbe gewesen war, ist ein sehr beachtliches und für die ganze geistige Umstellung um die Jahrhundertwende charakteristisches Phänomen. Bekanntlich stand der deutsche Orden in seiner geistlichen Dichtung mit an der Spitze bei diesen Formbestrebungen; — nicht zufällig zweifellos, sondern in engem Zusammenhang mit dem kraftvollen Weiterleben ritterlicher Gesinnung und Tatkraft, die dem Orden ein eigenes Gepräge und ideales Ziel gibt. In dieser Atmosphäre entschlossenen politischen Aufstrebens und unbedingten Einsetzens für eine praktisch wie ideell gleich hohe ritterliche Aufgabe gedieh auch eine Dichtung, die stofflich und gedanklich religiös bestimmt war, zugleich aber nach aristokratischer gepflegter Form strebte. Mit in der vorderen Linie steht dabei sicherlich das dichterische Wirken Heinrichs von Hesler, der neben dem Dichter von Passional und Väterbuch[1]) in dieser letzten Generation des dreizehnten Jahrhunderts am stärksten die Stilkunst und die Formpflege der klassischen Zeit vertrat. Nicht umsonst ist Heinrich von Hesler wie eine Generation nach ihm Nikolaus von Jeroschin metrischer Theoretiker gewesen, der zwar schon die mechanische Kunst des Silbenzählens in mißverstandener Beurteilung der glatten Reimzeilen Konrads von Würzburg betreibt, aber noch Formgefühl genug hat, um die Beweglichkeit des mittelhochdeutschen Vierhebers nicht dem öden Gleichmaß bestimmter Silbenzahlen zu opfern[2]). Ihm kam es darauf an, in einer Zeit metrischer Unsicherheit vor sich selbst und anderen über feste und erziehliche Prinzipien Rechenschaft abzulegen, die er sicherlich aus den großen Vorbildern, vor allem aus Konrad von Würzburg ableiten zu können meinte.

Aber auch im stilistischen Schmuck seiner Werke bekennt sich Heinrich von Hesler ausgesprochen zu höfischen Idealen. Er ist nach der üblichen Formulierung als ein Epigone Gottfrieds von Straßburg einzuordnen, dessen

[1]) Neuerdings hat Hermann Schneider in seiner Literaturgeschichte, die unter dem Titel „Heldendichtung, Ritterdichtung, Geistlichendichtung“ als erster Band des von Köster und Petersen herausgegebenen Gesamtwerkes einer deutschen Literaturgeschichte soeben erschienen ist, die Identität des Dichters dieser beiden Werke bezweifelt. Man wird die nähere Begründung hierfür abwarten müssen; ich behandle die beiden Dichtungen wie üblich als Leistung desselben Verfassers.

[2]) Karl Helm, Untersuchungen über Heinrich Heslers Evangelium Nicodemi, Beitr. 24 (1899), Anhang: Zu Heslers und Jeroschins metrischen Regeln, S. 178—187.

Wortkunst ihm, wie seine metrischen Prinzipien, insbesondere durch Konrad von Würzburg vermittelt ist.

Heinrichs Art, zu erzählen, ist einfach und ohne Schwulst. Ihm fehlt der künstlerische Reichtum und die Gewandtheit seiner höfischen Vorbilder. Seine Zeilen stehen schlicht und sauber und nicht ungeschickt nebeneinander, und die Kunst der Reimbrechung beherrscht er, was für einen Dichter seiner Generation schon angemerkt zu werden verdient, noch voll und ohne Schwierigkeit. Aber die Geschmeidigkeit und Mannigfaltigkeit der Ausdrucksmittel, der blitzende, verschwenderische Reichtum klingender Worte, die Leichtigkeit der Variationen und rhetorischen Figuren sind ihm nicht eigen. Er hat auch hier mit einer mehr äußerlichen Bewußtheit bestimmte auffällige Stilmittel der Kunst Gottfrieds und Konrads übernommen und ausgenutzt. Zwar die Bilder, Umschreibungen und Vergleiche des geblümten Stils liegen ihm ganz fern. Heinrich ist in dieser Richtung weder schöpferisch, noch hat er den Ehrgeiz, die großen Meister nachzuahmen. Kaum ein Beispiel außerhalb der geläufigen kirchlichen Bildersprache ließe sich in seinen Werken für die geblümte Rede aufzeigen; vielmehr ist seine Sprache nach dieser Richtung hin ausgesprochen nüchtern. Sein Stil verrät den Intellektualisten. Auf die Stilform der antithetischen Bindung von gegensätzlichen Begriffen verweist Helm, Beitr. 24, S. 112 f. Ich möchte hier eine andere Eigenart behandeln, die mehr als alle anderen Stilmittel Heinrichs von Hesler Werke charakterisiert. Dies ist die Wortwiederholung, die er mit großer Vorliebe, doch immer mit Geschmack und Auswahl zu benutzen weiß. Sie verweist ihn unbedingt unter die Nachahmer Gottfrieds, ohne daß freilich auch hier Gottfrieds teils geistreiche, teils spielerische Eleganz erreicht wäre. Auf einer beliebigen Seite der Apokalypse Heinrichs von Hesler[3]) notiere ich etwa folgende Beispiele:

511–20 *Hir merket rechte den sin:*
Alle dinc haben b e g i n ,
Sie sin groz odir cleine,
Wen Got gar alleine;
Sin b e g i n b e g u n d e nie,
Wen sin wesen daz waz ie.
Noch pruvet diz dinc vordir hin.
Er sich irhube d e r b e g i n
Aller, sachen, do waz nicht
Mer wenne ot daz einic icht:
538 *An deme sich h u b d e r u r h a b.*
546-48 *Der swaren erden burde*
Wurde offe die d u n n e k e i t
des d u n n e n wazzeres geleit,

[3]) Ausgabe der Apokalypse von Karl Helm: DTM 8, Berlin 1907; Nikodemusevangelium von Karl Helm: BLVSt 224, Tübingen 1902.

572-3 *Die werlt also vinster gemacht*
Daz von der vinsterniste
Daz volk umme Got nicht wiste.

Dieselbe Erscheinung kehrt in den Fragmenten des Gedichts von der Erlösung wieder, die ZfdA 32, 111 ff. (durch O. v. Heinemann) und 446 ff. (durch E. Steinmeyer) abgedruckt sind. Zum Beispiel:

S. 111, 9 *Peter trat mit dem trit vore*
S. 111, 14-15 *er larte da ich lerne*
er gab die gift vnde ich bite
S. 112, 74-76 *daz menlich der icht sinne*
habe der sůche sinnes sůch
vnde setze den sin an dit bůch
S. 112, 80-81 *die gottes recht unrichten*
vnde irre an rechten weghen ghen.

Womöglich noch eindringlicher wird dasselbe Stilmittel im Nikodemusevangelium benutzt, wo die Eingangszeilen für die Stilhaltung des Ganzen sprechen mögen:

1-13 *Do got der werlde began,*
und er geschuf den ersten man —
ich sprich iz anderweide:
got geschuf sie beide
den edeln boum und den man,
do er der werlde began,
daz obez unde sinen smac,
da er tot inne lac,
und den man der iz az.
„Ja herre warumme tet er daz,
daz er daz vorboten ris
sazte in das paradis,
da er tot inne lac?“

Diese Einleitung ist charakteristisch für den ganzen Prolog.

Will man die Geschichte dieses Stilmittels kurz skizzieren, so sind die beiden Hauptstationen Gottfried von Straßburg und Konrad von Würzburg. Beide sind in seiner Verwendung bedeutend verschieden. Gottfried ist der virtuose Spieler mit den Formen, dem es, wie manchem der lyrischen Virtuosen, daran lag, sein Feuerwerk prächtig steigen zu lassen. Er liebt die Häufung möglichst zahlreicher Wiederholungen desselben Wortes oder Wortstammes auf möglichst geringem Raum. Auch wenn ich von den Reimspielen der akrostichischen Eingangsstrophen absehe, so wird der ganze Tristanprolog durch dieses Virtuosentum beherrscht und bestimmt:

140-145 *ich entuon es niht; si sprachen wol*
und niwan uz edelem muote
mir unde der werlt ze guote.

benamen si t a t e n ez in g u o t ;
und swaz der man i n g u o t g e t u o t ,
daz ist ouch g u o t und wol g e t a n.

Das Jonglieren nicht nur mit einem, sondern mit mehreren Wörtern ist hier Selbstzweck, das Zusammendrängen der Wortwiederholung auf engstem Raum vorwaltendes Prinzip.

Eine ähnliche Stelle ist:

45-51 *Ich han mir eine unmüezekeit*
d e r w e r l t ze liebe vür geleit
und edelen h e r z e n zeiner hage:
d e n h e r z e n den ich h e r z e trage,
d e r w e r l d e in die m i n h e r z e siht.
ine meine ir aller w e r l d e niht
als die, von der ich hœre sagen.

Auch hier wird mit dem Wort *herze* ein geistreiches Spiel getrieben. Aber es kommt hier noch etwas anderes hinzu. Es wird mit diesem Wort ein Thema angeschlagen, das weiterhin im ganzen Prolog nachklingt und immer wieder, bald dünner, bald dichter gelagert, durch das Wort *herze* aufgenommen wird. Das zunächst stark unterstrichene Thema: *herze* klingt wieder auf in den Zeilen 59; 80 *(herzesorgen);* 87 *(herzeklage);* 88; 99; 109; 110; 116 *(herzewol);* 117; 118. Dann verschwindet es, taucht aber Zeile 170 wieder auf und geht 185 *(herzeliebe);* 186 *(herzeleit);* 194 *(herzeliebe);* 196 *(herzeger);* 197; 200; 213 *(herzewunne);* 214; 216; 232 *(ir herzeliep, ir herzeleit);* 233; 241 weiter.

Etwas später als das Thema *herze* wird das zweite Grundthema: *senede* angeschlagen, ebenfalls zunächst kräftig eingeführt und dann weiter mit dem ersten Thema mannigfach verflochten. Es tritt zuerst in der Partie 82 bis 86 auf und klingt dann 88; 97 *(senelich);* 98 *(senedære);* 103; 104; 121 *(senedære);* 122; 123; 126 *(senedære);* 127 *(sene),* 128 *(senedære, senedærin);* 168 *(senemære);* 211 *(senemære);* 213 weiter. Und mit diesen beiden Themen: *„senedes herze"* ist der ganze Stimmungsinhalt der nun folgenden Erzählung gegeben.

Diese beiden Formen der Wortwiederholung interessieren uns; das rein virtuose Klangspiel und die leitmotivartige Durchführung eines Grundthemas durch immer wiederholte Verwendung desselben Wortes. Es ist ohne weiteres klar, daß Gottfried in seinem Tristanprolog mit einer fast manierierten Eindringlichkeit nach der ersten Form strebt und daß er die durchgeführten Themen *herze* und *senede* nicht nur mit einem reichen Gerank anderer, rein stilistischer Wortwiederholungen umflicht, sondern daß er auch in der stellenweisen dichten Häufung der Themenworte selbst sichtlich Wirkungen dieser Manier erstrebt. Und wie im Prolog, nur minder auffällig, begleitet die Stilform der Worthäufung den ganzen Text, wogegen die thematische Durchführung zwar nicht ganz verschwindet, aber doch stark zurücktritt.

Die thematische Form beherrscht dagegen umgekehrt ganz den Stil Konrads von Würzburg, soweit er von dem Stilmittel der Wortwiederholung überhaupt Gebrauch macht. Die spielend dichte Worthäufung, die Gottfried so gelockt hatte, vermeidet sein ausgeglicheneres und mit feiner Kost verwöhntes Stilgefühl. Die thematische Durchführung kennzeichnet dagegen seine allgemeinen Einleitungs- und Schlußbetrachtungen, sofern er solche vornimmt. Ich berühre auch hier nur Bekanntes, wenn ich darauf hinweise, wie in dem Herzemaere der Hauptgedanke des ganzen Werkchens: „*minne*“ in den einleitenden 27 Zeilen durchgeführt ist (Zeile 2 *minne;* 10 *minne;* 14 *minneclich;* 17 *minneclich;* 19 *minner;* 20 *minne;* 26 *minne);* daß ähnlich, nur noch viel ausgeprägter, Anfang und Ende des Engelhard den Hauptgedanken des ganzen Gedichtes: „*triuwe*“ thematisch durchführt, so daß in den über 200 Zeilen der Einleitung das Wort *triuwe* und seine Ableitungen 45mal erscheinen, um in ähnlicher Weise die Schlußbetrachtung zu beherrschen. Trotzdem kann man kaum irgendwo sagen, daß diese Stilform zu wortspielender Häufigkeit zusammengedrängt sei, wie es Gottfried versucht haben würde.

Ein wenig komplizierter ist der Prolog des Partonopier gebaut, der sich mit der Aufgabe und dem Wert von Dichter und Dichtung beschäftigt. Dementsprechend schlagen die ersten Zeilen das Thema an:

1–5 *Ez ist ein gar vil nütze dinc,*
daz ein bescheiden jungelinc
g e t i h t e gerne hœre
und er niemen stœre,
der s i n g e n u n d e r e d e n kan.

Und nun gleitet durch den ganzen Prolog dieses Thema in mehrfacher Variation hindurch, einerseits das Wort „*tihten*“ mit seinen Abteilungen, andrerseits „*singen*“, meist in Doppelformeln von dem Typus *singen unde reden* in wechselnder Zusammensetzung. Auf diese Weise findet sich das Leitwort „*tihten*“ Zeile 33 *(getihte);* ebenso 41; 47; 51; 57; 61; dann 68 *(tihten);* 71; 74 *(getihte);* 88 *(tihten);* 96 *(getihte);* 98 *(tihten);* 100; 105; 162 *(getihte);* 171; 175. Die Doppelformel findet sich ferner Zeile 9 *(rede — unde sanc);* 18 *(sanc unde rede);* 27 *(singet oder seit);* 36 *(sanges unde rede);* 38 *(gesprochen und gesungen);* 42 *(rede und gedœne);* 67 *(singet oder seit);* 73 *(mit sange und ouch mit rede);* 78 *(sanc);* 83 *(mit ir sange);* 88 *(tihtet unde schribet);* 89 *(rede unde sanc);* 91 *(gesingen und gesprechen);* 107 *(sprechen unde sanc);* 123 *(singet);* 124 *(sanc);* 126 *(ir sanc);* 134 *(singet);* 145 *(sing unde spreche);* 159 *(sanc unde süeze rede);* 163 *(singet oder seit)*[4]). Neben diesem Hauptthema, das sich durch den ganzen Prolog erstreckt, treten

[4]) Dieselbe Betrachtung mit sehr viel weniger konsequenter Durchführung derselben Leitworte bietet einleitend der Trojanerkrieg.

aber für kürzere oder längere Teile Nebenthemen auf, die das Hauptthema teils variieren, teils näher charakterisieren.

Mit dem Abschnitt bei Zeile 97: „*Swie gern ein künste richer man*“ tritt als dritte Bezeichnung des Hauptthemas das Wort *kunst* hinzu, das nun Zeile 102; 109; 112; 135; 137; 140; 148 weiterklingt.

Gleich anfangs wird in Zeile 1 mit „*nütze*“ eine speziellere Charakterisierung der Wirkung reiner Kunst angeführt, die nun wieder hier und da auftaucht, so Zeile 6 *(hohes nutzes)*; 8 *(drier hande nutz)*; 43 *(nützebære)*; 62 *(der nütze wise rat)*; 69 *(ein nütze fröudenspil)*; 117 *(nütze und edel)*. In dieser letzten Stelle verbindet sich *nütze* mit einer weiteren Charakterisierung der Kunst, die kurz vorher zweimal gedoppelt auftritt (102 *edeliu kunst und edeler sin*; 111 *edele dœne und edeliu wort)* und 64 *(edelkeit)* noch einmal wiederkehrt. Als knappstes tritt hinzu die Wiederholung von *süeze* in Zeile 156 und 159.

Eine eigene Zone thematischer Wiederholung ist dann Zeile 38 bis 61, wo der Vergleich der Dichtung mit Blüte und Frucht erscheint, und diese beiden Begriffe thematisch durchgeführt werden 43 *(frühtic)*; 46 *(blüete)*; 48 *(blüete, fruht)*; 50 *(bluot)*; 52 *(frühte)*; 54 *(des maien bluot)*; 60 *(fruht)*; 61 *(getihtes blüete)*. In all diesen Fällen bei Haupt- wie Nebenthemen kann man kein Streben nach den Klangeffekten Gottfriedscher Manier wahrnehmen; nicht einmal den in dieser Richtung am weitesten gehenden Versuch, den Blüte-Frucht-Vergleich, möchte ich zu Gottfrieds Stilkünsten in allzu enge Parallele setzen.

Diese Stileigenheit Konrads von Würzburg, die hiermit kurz charakterisiert ist, bildet nun das eigentliche Vorbild für Heinrich von Hesler. Gehen wir von der Apokalypse aus, so bietet ja diese Dichtung mit ihren theologischen Darlegungen für die thematische Durchführung eines Grundgedankens allenthalben reichlich Gelegenheit. Sie gliedert sich ganz von selbst in eine Folge von Abschnitten mäßigen Umfanges, in denen ein einheitlicher Grundgedanke beherrschend im Vordergrund steht. Wie ein solcher Abschnitt stilistisch aussieht, mag ein Beispiel wie Ap. 485 ff. lehren.

485–510 *Got, der vor weiz alle dinc,*
Her wuste wol den g e r i n c
Da mite wir hute r i n g e n
Vor allen geschafnen dingen,
Und sazte doch d e s t o d e s ris
In daz lebende paradis,
Dar nicht t o d e s mac gewesen.
„Wie mocht Adam do genesen
Da der strik im waz gestalt,
Her entete sich gevalt?
Nicht daz Got vinder were
Der grozen herzeswere,

Daz Got den t o t irdachte;
Adam in im selber brachte!
Zu stunt als her iz gebot zubrach,
So waz der t o t da, der iz rach,
Noch dem Gotes urteil sich gezoch,
Wen er den ewigen l i p vloch.
Wen im Got vor das riz vorbot
In dem vorborgen lac der t o t ,
Do muste dem geschichte
Got volgen mit gerichte;
Wen her im vor vrie kure gab,
Do von waz sin der urhab
Des t o d e s — nicht der gotheit.
Mit dem si daz hin geleit.

Das Thema des Abschnittes, der Eintritt des Todes in die Welt, wird durch die Wiederholung des Wortes *tot* durchgeführt, wogegen man zweifeln darf, ob die hier wie anderswo häufige Wiederholung des Wortes *got* eine bewußte Themendoppelung ist. Mit dem Wort *urhab* wird dann übrigens das Thema des folgenden Abschnittes angeschlagen, der auf das Wort *beginnen* eingestellt ist.

Die weiteren, aus Heinrich von Hesler hier analysierten Textstellen können nicht mehr im ganzen Wortlaut abgedruckt werden. Ich kann im folgenden nur die Leitworte herausheben und auf ihre Durchführung verweisen. Den stilistischen Gesamteindruck und die bewußte Stilbildung, die nicht von der mechanischen Häufigkeit des Leitwortes allein abhängen, kann freilich nur die Lektüre selbst vermitteln.

In derselben Art, wie in dem obigen Abschnitt, zeigt die Apokalypse oft von Abschnitt zu Abschnitt wechselnde Themen. Wenn ich die einleitenden Verse beiseite lasse, so zeigt der Anfang der Apokalypse folgendes Bild:

233–309 Thema: Wie konnte Johannes Künftiges als gegenwärtig sehen?
Leitwort: *gotes tougen.*
Durchführung: 239 *sinen tougen;* 243 *gotes tougen;* 275 *gotes tougen;* 280 *sine tougen;* 296 *des tougen.*

310–346 Thema: Zweck der Offenbarung ist Belehrung der Christenheit.
Leitwort: *leren.*
Durchführung: 320 *lerer;* 326 *lerten,* 331 *larte;* 334 *leren;* 339 *lerten.*
Nebenthema: *bekeren* (325; 328).

347–402 Thema: Drei Arten des Sehens.
Leitwort: *sen, gesicht.*
Durchführung: zuerst angeschlagen im Schluß des vorangehenden Abschnittes: 346 *und waz sider wirt gesen.* Dann 347 *unser gesichte der sin dri;* 349 *gesichte;* 350 *du siez;* 353 *se*

wir; 355 *gesicht;* 359 *sach;* 361 *ensach;* 362 *gesicht;* 366 *sach;* 368 *angesicht;* 382 *sach;* 385 *ich se;* 387 *man siet;* 391 *sach;* 396 *sach;* 401 *sach.*

403–438 Thema: Gott als Engel bezeichnet, weil er ein Geheimnis verkündigt.
Leitwort: *engil:*
Durchführung: Zuerst angeschlagen im Schluß des vorangehenden Abschnittes 401 *den her in engil wis sach;* dann 403; 409; 411; 419; 421.

439–484 ohne Leitwort.

485–510 siehe oben.
Leitwort: *tot.*

511–534 Thema: Gott ist ohne Anfang, alle Schöpfung hat Anfang.
Leitwort: *begin.*
Durchführung: 512 *begin;* 515 *begin, begunde;* 518 *begin;* Vorwegnahme in 508 *dovon waz sin der urhab,* so daß 518 *irhube* hier mit einbezogen werden muß. Das Thema setzt sich in dem nächsten, im übrigen unthematischen Abschnitt fort: 535 *begunnen;* 538 *sich hub der urhab;* 542 *vor dem ersten beginne.*

683–702 Thema: Der Sohnescharakter Christi.
Leitwort: *gebern.*
Durchführung: 686 *geborn;* 690 *gebar;* 693 *geborn;* 697 *gebar;* 700 *gebar.*

755–802 Thema: Notwendigkeit der dunklen Rede in der Apokalypse.
Leitwort: *sin,* verbunden mit dem zweiten charakterisierenden Leitwort *tief.*
Durchführung: 777 *sin;* 788 *tieferen sin;* 789 *tiefer reichet in der sin;* 791 *den sin;* 793–795 *von tiefen gesprochen glosin der meister, die gnuk ho sin gepriset;* 798 *die sinne.*

869–918 Thema: Adams Schuld und Gottes richtende Strafe.
Leitwort: *recht* als Gegensatz zu dem Leitwort des nächsten Abschnittes: *gnade,* womit zugleich die Wesenszüge des Alten und des Neuen Bundes gegeben sind.
Durchführung: 875 *nach gerechtes richteres rechte;* 878 *recht richten;* 902 *gerichte;* 903 *gerecht;* 905 *mit rechten urteilen;* 910 *wieder sinen rechten rechten;* 911 *sin recht;* 912 *sin recht entrichtet;* 919 leitet zum neuen Thema über: *diz recht zubrach die minne.*

919–987 Thema Christi Sühnertätigkeit.
Leitwort: Hauptleitwort ist nicht *minne,* wie zunächst 919 und 922 erwarten lassen, sondern *gnade* mit dem zweiten Leit-

wort *vride,* die von dem zur Behandlung stehenden Vers der Apokalypse (Kap. 1—4) dargeboten werden. Beide werden in zeitliche Abhängigkeit zueinander gebracht, so daß als Leitformel: *gnade vor dem vride* gelten kann.

Durchführung: 925 *uf gnade;* 934–935 *entpfienc — die gnade;* 942 *gnaden;* 943–944 *unde ist daz sie mit minnen die gnade vor gewinnen;* 946 *vride nach den gnaden;* 949–951 *also wart Adam zu gnaden in Gotes hœsten graden geladen lange vor dem vride;* 958 *gnade vor dem vride;* 964–965 *des wart die gnade vorgenumen unde der vride nach getan;* 977 *vride;* 984 *her vritte.*

992–1013 Thema: die sieben Geister vor Gottes Thron.
Leitwort: *geist.*
Durchführung: 992 *von siben geisten;* 998 *siben geiste;* 1000 *der geist;* 1004 *der heilige geist;* 1009 *der arcwillige geist.*

1031–1095 Thema: Christus der Erstgeborene der Toten.
Leitwort: *tot.*
Durchführung:1042 *des todes ungevert;* 1046 *der toten erst geborne;* 1049 *der tot;* 1053 *den tot — doln;* 1056 *mit dem selben tode;* 1059 *der erst den tot irdachte;* 1062 *der toten erst geborne;* 1064 *daz totliche ummekleit;* 1066 *totlich;* 1071 *nach tode;* 1078 *der toten erst geborne;* 1079 *von des todes banden;* 1084 *des todes bant;* 1092–93 *quale des todes.*

1133–1182 Thema: Auslegung von Apokalypse Kap. 1, Vers 6.
Leitwort: *priester.*
Durchführung: 1133–34 *macht uns allengliche zu priestern;* 1139 *pristerliches orden;* 1140 *priester;* 1147 *her ist priester genamet;* 1153 *die sint priester genamet;* 1157 *ein kuniclich priestum;* 1159 *zu priesteren;* 1161 *priester amecht;* 1164 *priester;* 1175 *der priester.*

Der ganze Charakter der stilistischen Anlage von Heslers Kommentarwerk wird damit klar geworden sein. Immerhin empfiehlt es sich, entsprechende Abschnitte aus dem Schlußteil zu analysieren, um zu zeigen, daß das Stilprinzip einheitlich das ganze Werk beherrscht.

17909–18092 Thema: Verhalten von Geist und Fleisch bei der Auferstehung.
Leitworte: *geist* und *vleisch.*
Durchführung: 17932 *der geist;* 17934 *daz vleisch;* 17942 *iren geist;* 17944 *daz vleisch;* 17947 *vor andern lebenden vleischen;* 17950 *der geist lit mit dem vleische tot;* 17954 *der geist sins vleisches wartet;* 17964 *des vleisches;* 17975 *vleisch;* 17990 *der geist;* 17996 *der geist;* 18002 *die ersten geiste;* 18008 *alle geiste;* 18011 *also daz vleisch*

vleisch gebirt; 18012 *geist;* 18014 *der geist;* 18038–18039 *den geist — daz vleisch;* 18040 *der geist von sime geiste quam;* 18044 *an sinen geist;* 18051–18052 *deme geslachten geiste;* 18053 *von sime geiste;* 18054 *daz vleisch;* 18058 *der geist;* 18072 *allen geisten;* 18073 *daz vleisch;* 18087 *daz vleisch.*

Hinzu treten partielle Themen, die das Hauptthema auf Teilstrecken begleiten. Der Anfang des Abschnittes begründet die Möglichkeit der Auferstehung aus Gottes schöpferischer Allmacht, daher erscheint hier das

Leitwort: *schepfen.*

Durchführung: 17918 *irn schepfer;* 17920 *geschaft;* 17926 *schuf;* 17929 *geschaffen.*

Darauf folgt eine Betrachtung über die Verweslichkeit des Fleisches mit dem

Leitwort: *erde.*

Durchführung 17934 *erde;* 17936 *zur erden;* 17937 *des erde;* 17941 *die erde;* 17944 *von der erden;* 17945 *zur erden.*

Dasselbe Leitwort erscheint von neuem 18037, wo Herkunft und Schicksal des unreinen Fleisches behandelt wird.

Durchführung: 18037 *nach der erden smacte;* 18039 *von der erden;* 18050 *von toter erden;* 18056 *in der erden schulen;* 18060 *an der erde.*

22475–22513 Thema: Vergleich des lebendigen Wassers mit weisen Männern und Lehrern.

Leitwort: *wise,* daneben auch *lere.*

Durchführung: 22478 *zu lere geleit;* 22481 *den tummen luten leren;* 22485 *der wisesten man ein;* 22486 *lere;* 22491 *brunne der wisheit;* 22493 *des wisen mannes sinnen;* 22498 *der wise man;* 22501 *brunne der wisheit;* 22508 *iz volk geleren;* 22511 *nikein wiser man.*

22971–23074 Thema: Die Tür der Freuden ist den Bösen verschlossen.

Leitwort: *sunde.*

Durchführung: 22980 *ir sunde;* 22982 *der stinkenden sunden as;* 23008 *an iren sunden;* 23009 *di sunde;* 23015 *durch di sunde;* 23017 *durch die sunde;* 23021 *die sunde;* 23027 *der sunde vergift;* 23033 *sulcher sunde unvlat;* 23049 *mit der sunden;* 23054 *us der sunde erze;* 23057 *us willen der snoden sunden.*

Teilthema: Vergleich der Sünde mit hündischem Verhalten.

Leitwort: *hunt.*

Durchführung: 22974 *glich den gizigen hunden;* 22976 *der*

hunt; 22984 *der hunt;* 22987 *glich sin den hunden;* 22996 *des tobenden hundes zwac.*

23131–23156 Thema: Lügner sind vom Himmelreich ausgeschlossen.
Leitwort: *lugen.*
Durchführung: 23131 *den da lugene libit;* 23136 *ligen;* 23137 *ligen;* 23138 *lugen;* 23139 *lugen;* 23141 *lugenhafte tat;* 23143 *lugen;* 23144 *lugen;* 23145 *louc;* 23147 *lugen;* 23151 *lugenhaftes mundes wort;* 23153 *lugenhafter munt.*

Die formalen Eigenheiten der Wortwiederholung bei Konrad von Würzburg finden wir hier alle wieder: Leitmotivartiges Wiederklingen desselben Wortes, zuweilen Durchführung zweier sich ergänzender Leitworte, dazu Teilthemen, die für den Verlauf ihres Abschnittes oder in irgendwelcher Ergänzung des Hauptthemas auftreten und ihr eigenes Leitwort erhalten. Rein stilistisch-virtuose Wortwiederholung ist dabei fast nirgends festzustellen. Man spürt auch ohne weiteres, daß es dem geistlichen Dichter nicht allein und wohl kaum in erster Linie auf Stilwirkung ankam. Die Eindringlichkeit, mit der schon Gottfried und dann besonders Konrad auf diesem Wege den Hauptgedanken des Werkes ins Bewußtsein des Lesers und Hörers drängten, war auch dem geistlichen Lehrer und Erklärer ein willkommenes Hilfsmittel in seiner schwierigen Aufgabe der Erläuterung der Johanneischen Visionen. So ist die ganze Erscheinung ebenso sehr stilistisch wie paränetisch zu bewerten.

Rein stilistische Wortwiederholung begegnet bei Heinrich von Hesler daneben zwar auch zuweilen, aber dann selten mit dem Geist und dem Schwung Gottfriedscher Formgebung. Doch lassen die Einleitungszeilen etwas von Gottfriedscher Schulung spüren. Ein paar weitere Beispiele sind:

182–183 *Die nu lidet unde do leit*
Leit mit manigen sweren.
260–261 *Und sin nicht irkennen*
Noch recht irkennen wollen.
270 *Gevestent mit hantvesten.*
312 *Den du, wisheit, kumftic wistes*
313 *Er Got irhube daz urhab.*

Die gleichen Eigenheiten treten in den dürftigen Fragmenten des Gedichtes von der Erlösung hervor. Zum Beispiel (ZfdA 32):

S. 112, Zeile 39–85. Thema: Heinrich nennt sich und seine Aufgabe.
Leitwort: *sin.*
Durchführung: 40 *daz ist der sin;* 50 *wie ich den sin bewende;* 68 *sin selbes sin;* 68 *sin;* 74 *der icht sinne habe;* 75 *der sůhe sinnes sůch;* 76 *vnde setze den sin an dit bůch.*

S. 114, 35–73. Thema: Gottes Verhältnis zu Adams Schuld.
Leitwort: *recht,* mit *rechen* vermischt.
Durchführung: 44 *vnrechte tůt;* 46 *gerechin;* 51 *got inplegge*

rechtes nicht; 56 *gerochin;* 59 *gerechin mochte;* 61 *nach ir beider rechte;* 63 *rechte gerichtet.*

S. 115, 100–120. Thema: Gottes Nachsicht gegen Adam.
Leitwort: *irbarmen.*
Durchführung: 104 *des irbarmete sich got;* 110 *des irbarmete sich der gůte;* 116 *vnerbarmich;* 117 *Got ist irbarmich.*

Dieselbe Eigenart wie diese beiden, unter Heinrichs von Hesler Namen ausdrücklich überlieferten Dichtungen hat nun das Nikodemusevangelium, das allgemein Heinrich zugeschrieben wurde, bis es ihm Schumann auf Grund inhaltlicher Kriterien absprechen wollte[5]). Die Stilfrage liegt hier nur insofern anders als bei der Apokalypse, als hier nicht wie in dieser geistlich-gelehrte Betrachtung, sondern epische Erzählung den Hauptinhalt bildet, der nur von geistlichen Exkursen durchflochten ist. Es steht damit der weltlichen Epik stilistisch näher und zeigt darum auch dieselbe Eigenheit wie die Epik Konrads; der eigentliche Text ist frei von auffälligen Wortwiederholungen, der geistliche Exkurs dagegen, der Konrads theoretische Betrachtungen entspricht, zeigt thematische Behandlung.

Namentlich ist auch im Nikodemusevangelium der Prolog ganz stark nach dieser Richtung hin durchgestaltet. Er behandelt die Vorbedingungen des Erlösungswerkes, den Fall Adams und die Frage nach dem Maß der Schuld sowie dem Verhältnis Gottes dazu insbesondere. Diese Frage, die auch in der Apokalypse wieder und wieder auftaucht, führt zu dem Hauptleitwort: *val.*

Sehen wir von den Eingangszeilen ab, so ergibt sich folgende
Durchführung: 21 *den val;* 24 *den val;* 25 *einen velligen last;* 29 *unvellic;* 42 *daz sie niht envallen;* 46 *daz sie niht envellet;* 94 *gotes velliger hantgetat;* 138 *von vellicliher art;* 158 *uz gevallen;* 223 *von velliger art;* 225 *unvellic;* 231 *von villiger art;* 253 *von rate gevallen;* 257 *unvellic;* 261 *an sinem valle schuldic;* 270 *viel;* 271 *vellic;* 275 *sich selben valde;* 277 *vellic worde.*

Daneben laufen bei der Länge des Stückes eine ganze Reihe von Teilthemen.

Thema: Gottes Schöpfung.
Leitwort: *schepfen.*
Durchführung: Zuerst angeschlagen in den Einleitungszeilen 1–2 *got — geschuf;* 4 *got geschuf;* dann 30 *got unse schephere;* 53 *alles des got geschaffen hat;* 55 *gotes gescheffede;* 60–61 *ewig geschaft in gotlicher stete.* Dann verschwindet das Schöpfungsthema, um 208–269 wiederzukehren. 208 *got, der sie hat geschaft ze schephen uber alle*

[5]) C. Schumann, Über die Quellen der Apokalypse Heinrichs von Hesler. Diss. Gießen 1912.

dinc; 224 *geschaffen;* 232 *geschaffen;* 241 *der geschuf alle dinc ensamt;* 244 *so hat iedoch geschaffen got alle dinc;* 258 *sin schepphere.*

Als Begleitthema zu dem Hauptthema tritt die moralische Wendung *schult* hinzu. Es tritt erst ziemlich spät 103–104 auf.

Durchführung: 103–104 *daz er der milde began an dem schuldigen man;* 109 *die schult;* 113 *sin schult;* 129 *schulde von unsen schulden;* 149 *unser schulde (?) losunge.* Dann erst wieder 260 *schulde suchte;* 261 *an sinem valle schuldic;* 296 *schult.* In Hs. G tritt 134 noch hinzu: *Daz was ein al ze sælde schulde, di got an sine schulde nam.*

Teilthema: Der Tod ist der Sünde Sold.

Leitwort: *tot.*

Durchführung: Angeschlagen wird es zuerst in der Einleitung 8 und 13 *da er tot inne lac.* Aufgenommen wird es erst wieder von 119 an, z. T. in Kontrastierung mit *leben.* 122 *beide leben unde tot;* 124–126 *den tot — daz leben;* 133–136 *den tot — daz leben;* 166 *den tot wold er kiesen, daz er den tot getotte;* 177 *in des todes senken;* 189 *an den lebendigen buchen*; 193 *in den ewigen tot.*

Mit diesen Leitworten: Schöpfung, Fall, Schuld, Tod, zu denen wenigstens an ein paar Stellen zweifellos bewußte Häufung von *„got"* tritt, ist die ganze Einleitungg des Weltheilsplanes, die Vorbedingung und Vorbereitung der Erlösungstat Christi, umfaßt. Diesem alttestamentlichen Geschehen stellt dann die Dichtung selbst das Erlösungswerk, das neutestamentliche Geschehen, gegenüber mit starkem Interesse für die Höllenfahrt Christi, die am direktesten die Folgen des Paradiesfalles wieder aufhebt. Der Prolog diskutiert also nicht, wie normalerweise bei Konrad von Würzburg, den Leitgedanken des Gedichtes selbst, sondern er gibt als kontrastierende Einleitung die Vorgeschichte des eigentlichen Werkes.

Neben den großen Themen erscheinen noch eine Reihe beschränkter Nebenthemen, etwa:

rat: 93 *und riet unwizzende den rat;* 95 *in sinem rate;* 108 *mit vorbedahtem rate.*

geist: 170 *den geist abe nam;* 172 *des geistes brame;* 175 *gotis geist.*

nature: 198; 204; 205.

Endlich treten recht reichlich einfache Wortwiederholungen auf.

78 *v o r g a z er sich der nie v o r g a z.*

80–81 *wend Adam an der selben s t e t e*
noch s t e t , als iz got sazte.

84–86 *do nam er von der erden*
Adam, e i n v l e i s c h i n a r t ;
d i e a r t ein strich geleget wart.
149–151 *unser schulde l o s u n g e.*
Der in da zu twunge
daz er uns hie e r l o s t e.
194–195 *Set da l i d e n sie die not*
und alles l e i d e s genuht.

Aber auch solche Wortwiederholungen wecken selten den Eindruck virtuosen Wortspiels. Sie bleiben in der Regel in der Sphäre der Eindringlichkeit, in demselben Gebiet der Zweckmäßigkeit also, in das auch die großen Leitworte gehören. Nur an zwei Stellen spüre ich wirkliche Wortspielkunst Gottfriedscher Schulung. Das sind einmal die schon oben S. 3 zitierten Eingangszeilen, andererseits 124–133[6]):

den tot truc sines obzes smac
und des menschen ubermut,
daz leben brahte Cristes blut,
do er die martir d o l d e.
An dem rise er i r h o l d e
s c h u l d e von unsen s c h u l d e n ,
daz er uns wider zu h u l d e n
sinem vater g e h u l d e ;
mit g e d u l d e er d u l d e
den tot mit guter g e d u l d e.
daz was ein al ze sælde s c h u l d e
di got an sine s c h u l d e nam.

Der Prolog des Nikodemusevangeliums erweist sich also als ein sehr bewußtes Kunstwerk, das mit den gleichen Mitteln wie die Apokalypse, doch mit größerer Häufung und feinerer Ausnützung der Möglichkeiten dem einheitlichen Endzweck vertiefter Wirkung zustrebt. Wie die Apokalypse läßt er ein ernstes und erfolgreiches, wenn auch epigonenhaftes Kunstwollen und Stilstreben erkennen, das die von dem großen Vorbild, Konrad von Würzburg, erarbeiteten Formen mit Selbständigkeit und Geschmack zu benutzen weiß.

Die Betrachtung der übrigen Teile des Werkes bestätigt den gewonnenen Eindruck. Nach einem Gebet, das zunächst noch Wortwiederholungen (307 *wisheite,* 309 *wise,* 310 *wise)* und sogar Wortspiele (315–318; 329–331) zeigt, beginnt die eigentliche Erzählung in einem so anderen, glatten und schmucklosen Stil, daß man zunächst versucht wäre, an zwei verschiedene Dichter zu glauben. Wortwiederholung wird ganz selten — gegen Ende zu wird sie auch im erzählenden Text häufiger —, und sie bestimmt niemals das stilistische Bild.

[6]) Das Wortspiel 167: *daz er den tot getotte* ist traditionell.

Sobald aber wieder Erörterung die Erzählung unterbricht, kehrt die Stilform des Prologs wieder. Dieses geschieht zuerst

533–556 mit dem Thema: Die zwei Schwerter.

Leitwort: *swert*, mit dem Hilfsleitwort: *reht*.

Durchführung: 533 *zwei swert;* 537 *daz swert tragen;* 545 *ein swert;* 546 *daz swert;* 550 *daz geistliche swert;* 553 *daz swert;* 535 *zwei gerihte;* 539 *weder dem rehten;* 540 *in sime rihte.*

1302–1316 Thema: Anklage der Juden, daß Jesus sich König nennt.

Leitwort: *konic.*

Durchführung: 1306; 1308; 1313; 1316.

1670–1696 Thema: Das Verhältnis der beiden Naturen Christi zum Tode.

Leitworte: *mensch* und *got.*

Durchführung: Angeschlagen ist das Thema schon 1659 *die menschliche brode* und 1665 *der menscheit zu rachen.* Dann: 1670 *der gotheite flamme;* 1674 *daz vleisch der broden menscheit, daz die gotheit bedacte;* 1678 *got;* 1684–1685 *die gotheit — die menscheit;* 1686–1687 *die gotheit gotlichen warb, die menschheit menschliche;* 1688 *got;* 1691 *an sime gotlichen namen.*

Dazu tritt Wortwiederholung

1682–1683 *Alsus wart r a t mit r a t e*
und l i s t mit l i s t e n gar zuvurt.

1708-1748 Thema: Sieg der Erlösung am Kreuz.

Leitworte: *holz* und *sige.*

Durchführung: 1717 *an dem holze sigevaht;* 1719 *an dem holze worde sigelos;* 1722 *den sige an deme holze;* 1727 *an dem holze;* 1728 *sus wart der sige ubersiget.*

Dann geht die Vorstellung „Kampf“ in den Vordergrund:

1729–1732 *der kempfe ubervohten*
sine wafen niht entohten;
ein starker kempfe der was komen,
sine wafen worden ime benomen.

Der zweite Teil des Abschnittes geht zur menschlichen Seite des Erlösungswerkes über mit dem

Leitwort: *schult.*

Durchführung: 1741 *schuldic;* 1744 *den schuldigen kneht;* 1745 *den unschuldigen son.*

Auch diese Stelle zeigt die gleiche, wechselvolle und gewandte Art wie der Prolog an einem instruktiven Beispiel. Ich begnüge mich mit den bis hierher durchgeführten eingehenden Analysen und gebe nur noch einen raschen Überblick über die thematisch behandelten Partien in dem restlichen Stück.

1924–1997 Thema: Auslegung von „Mein Gott, mein Gott, warum hast du mich verlassen".
Leitworte: *tot; vleisch; schult.*

2074–2165 Thema: Christi Verhältnis zum Tode.
Leitworte: *mensch, got.* Vgl. oben 1670–1696.

2304–2319 Thema: Joseph von Arimathia verurteilt das Verhalten der Juden.
Leitwort: *rechen.*

2859–2877 Thema: Jesaias' Verkündigung vom Licht für die Völker.
Leitwort: *schinen.*

3328–3463 Thema: Verhandlungen zwischen Christus und Satan.
Leitworte: eine ganze Reihe dem Dialog angepaßte kurzfristige Leitworte.

4009–4193 Thema: Bericht über Jesus vor Vespasian.
Leitworte: Hauptleitwort: *tot.* Daneben eine ganze Reihe von Teilleitworten, die entsprechend dem rekapitulierenden Charakter des Abschnittes aus früheren Stellen wiederkehren: *schult, mensch, sele, vorboten, vleisch.*

5279–5392 Thema: Abschluß.
Leitworte: Hauptleitwort: *got.* Daneben zahlreiche aus dem Werk neubelebte Teilthemen; sowie Wortwiederholungen, die nicht dem Schmuck, sondern der Intensivierung gelten.

Die Stileigenart des Nikodemus-Evangeliums ist damit genügend klargelegt. Es wird in unmittelbare Nähe der Apokalypse gestellt, deren von Konrad von Würzburg beeinflußte Stilform hier in allen Variationen wiederkehrt, nur weniger gleichmäßig über das ganze Werk verteilt, sondern an wenigen Stellen konzentriert, eine Folge des epischen Stoffes und eine Parallele zu Konrads Technik. Auch sind die Stilmittel reicher und wechselvoller verwendet als in der Apokalypse. Namentlich die Schlußpartien sind Beispiele größerer Schmiegsamkeit und Anpassungsfähigkeit an einen wechselnden Gedankenbau. Neben der thematischen Durchführung nimmt auch die eindringliche Wortwiederholung einen größeren Raum ein als in der Apokalypse, und Gottfriedsche Stilvirtuosität klingt hier und da herein. In der Vorliebe für die Wortwiederholung scheint sich das Nikodemus-Evangelium enger mit den Fragmenten des Erlösungsgedichtes als mit der Apokalypse zu berühren; wir sahen oben Seite 127, wie häufig in den kleinen Fragmenten dies Stilmittel verwendet wird.

Der Stilzusammenhang zwischen den unter Heinrichs Namen überlieferten Werken und dem Nikodemus-Evangelium fällt neben dem von Amersbach[7]) und Helm[8]) herausgearbeiteten sprachlichen Zusammenhang

[7]) Karl Amersbach, Über die Identität des Verfassers des gereimten Evangeliums Nicodemi mit Heinrich Hesler. Programm Konstanz 1883 und 1884.

[8]) Karl Helm, Untersuchungen über Heinrich Heslers Evangelium Nicodemi, Beitr. 24 (1899), S. 85—187, und Einleitung zur Ausgabe des Evangeliums Nicodemi.

ganz bedeutend für Heinrich von Hesler als Verfasser des Nikodemus-Evangeliums ins Gewicht. Um dies voll zu würdigen, muß noch gezeigt werden, wie sich Heinrichs Stilgebung aus der umgebenden geistlichen Literatur heraushebt.

Seit den Werken Konrads von Heimesfurt kennen wir den höfischen Einschlag in der geistlichen Dichtung. Speziell die Gottfriedsche Klangspielerei begegnet uns bei ihm zuerst.

Ein jeger ane gejägedes list,
Der doch an jagenne stritec ist

beginnt seine Himmelfahrt Mariae. Vgl. ebenda 920 *da wünne bernde wünne birt;* ferner 159 ff.; 217 ff. u. ö.

Einige weitere Stellen entsprechender Wortspielerei aus geistlicher Dichtung hat John Meier[9]) in seiner Ausgabe der Jolande von Vianden S. 74 in der Anmerkung zu Vers 5: *der sůzer sůze sůzecheit* zusammengebracht. Das Gedicht selbst, dessen stilistische Fertigkeit und Schulung an der höfischen, insbesondere der Gottfriedschen Kunst der Herausgeber meinem Empfinden nach bedeutend unterschätzt (Einl. S. LXXX ff.), gibt auch sonst noch Beispiele Gottfriedscher Wortspielerei, so etwa 36–48 *lov;* 75–84 *sůz;* ganz besonders 5924–5944 *wiv* in Anlehnung an Walthers Strophe 48, 38. Hier ist nicht thematische Durchführung, sondern stilistischer Schmuck die Absicht.

An manierierter Wortwiederholung in einer mißverstandenen epigonenhaften Überbietung des Meisters Gottfried leistet Bedeutendes auch Hugo von Langenstein in seiner Martina[10]). Ein paar derartige Stellen sind: S. 9, 15—20 *leben;* S. 120, 28–51, wo 18 Zeilen hintereinander mit *da froude . . .* beginnen; S. 194 Zeile 84–111; S. 223 Z. 71 bis S. 225 Z. 9 *minne* 33mal in 50 Zeilen. Mit der Martina nähern wir uns der literarischen Sphäre des deutschen Ordens. Für das Passional hat Ernst Tiedemann[11]) auf Wortspielereien im Sinne Gottfriedscher Kunst verwiesen, die freilich neben Hugo von Langenstein bescheiden wirken.

Diese ganze Linie geistlich-höfischer Kunstübung geht an Heinrich von Hesler vorbei oder berührt ihn nur schwach. Umgekehrt zeigen die genannten Werke kaum Spuren der typisch Heslerschen Stilform. Für sie habe ich nur in der unmittelbaren Nachbarschaft, in den zeitlich und kulturell nahestehenden Dichtungen des Passional und des Väterbuches, Parallelen gefunden, wenn auch nicht in der ausgeprägten und beherrschenden Art wie in Heinrichs von Hesler Werken. Immerhin haben hier die Einleitungen und Epiloge der eigentlich erzählenden Teile zuweilen deutlich thematischen Aufbau. Am auffälligsten ist das in der Einleitung zum dritten Buch des Passional (Köpke

[9]) John Meier, Bruder Hermanns Leben der Gräfin Jolande von Vianden (Germ. Abh. 7), Breslau 1889.

[10]) Herausgegeben von A. von Keller, (BLVSt 38), Tübingen 1856.

[11]) Ernst Tiedemann, Passional und Legenda aurea (Palaestra 87), insbesondere S. 120. Vollständigkeit der Belege ist dort nicht angestrebt.

S. 1, Z. 1 bis S. 4. Z. 85), wo das Leitwort *vliezen* zuerst 1, 7 *uz der hohen maiestas gevlozzen ist* angeschlagen und 1, 14 *uzvloz* aufgenommen wird. Nach einer Pause taucht es 2, 25 *sintvlut* wieder auf und geht 2, 25 *in der vlut;* 2, 38 *vloz* weiter. Nach abermals längerer Pause, in die nur 2, 87 *milde vlut* fällt, tritt es mit 3, 69 *vlozetez* voll hervor und wird nun 3, 73 *in den vluz;* 3, 75 *vloz;* 3, 78 *die vlut;* 3, 90 *der vliez;* 3, 93 *gevlozzen;* 3, 95 *mit siner vlut;* 4, 6 *iren vluz;* 4, 14 *vliezen;* 4, 31 *widervluzzen;* 4, 35 *vlozen;* 4, 43 *ir vluz;* 4, 46 *vor deme vluzze;* 4, 48 *ir vluz;* 4, 58 *mit vluzze* reichlich fortgeführt. Als Nebenthema erscheint *lob* 1, 10; 15; 27; 45.

Eine weitere Stelle bei Köpke mit mehreren Themenworten ist Abschnitt 60 von allen Seelen. Hier wird über die Lage der Verstorbenen im Fegefeuer von 2, 47 bis 3, 67 gehandelt mit den Leitworten *sunde, buze, ruwe* und *luter.*

Im ersten und zweiten Buch des Passional (Ausgabe von Hahn) scheint mir der Abschnitt von Christi Taufe eine thematische Durchführung von *touf* (56, 45; 48; 52; 57) zu bieten.

Die Ermahnungen, die der Dichter S. 66 an Christi Leiden knüpft, sind auf das Leitwort *leit* gestellt (S. 66, 47; 78; 81; 83; 84).

Die Vorrede zu Sankt Maria Magdalena (Hahn S. 367, 35–83) zeigt als Leitwort *sunde* (367, 47; 50; 53; 58; 73; 77).

Die Einleitung des Väterbuches hat als Hauptleitwort *minne.* Es erscheint Zeile 9; 17; 21; 27; 36; 38; 40; 44; 51; 56; 68; 89. Daneben ist diese Einleitung mit Wortwiederholungen recht reichlich geschmückt.

So dürfte sich noch manches in den umfänglichen und von mir nicht systematisch durchgearbeiteten Werken finden. Diese Dichtungen und Heinrichs von Hesler Werke bilden damit nicht nur zeitlich und kulturgeschichtlich eine geschlossene Gruppe, sondern treten auch stilgeschichtlich näher zusammen. Auch innerhalb der Ordensliteratur grenzen sie sich damit als enger zusammengehörig ab. Die übrige, ungefähr gleichzeitige Ordensdichtung, die man am bequemsten in dem Aufsatz von Helm: Die Literatur des deutschen Ordens im Mittelalter, Z. f. dt. Unterr. Bd. 30, S. 289 ff.; 363 ff.; 430 ff. übersieht, weist dieses Stilmerkmal nicht auf. Es fehlt sowohl in der vorangehenden[12]) wie in der folgenden Generation der Ordensdichtung. Auch ihre bedeutendsten Vertreter, Tilo von Kulm und Nikolaus von Jeroschin, haben es sich nicht zu eigen gemacht.

Indessen wird das stilistische Band zwischen jenen Werken und Heinrich von Hesler damit keinesfalls so eng, daß man nicht zwei verschiedene Persönlichkeiten ohne weiteres scheiden könnte. Dagegen ist der Stilzusammenhang zwischen den authentischen Werken Heinrichs von Hesler und dem Niko-

[12]) Zur vorangehenden Generation gehört nach Ansicht ihres Herausgebers Palgen auch die md. Judith, für die er gegen den Versuch von Helm, Zum md. Gedicht von der Judith, Beitr. 43 (1918), S. 163—168, sie erst ins Jahr 1304 zu verlegen, an der Datierung von 1254 festhält.

demus-Evangelium so klar und eindeutig, daß an der Identität des Verfassers kein Zweifel mehr erlaubt scheint.

In seiner verdienstlichen Quellenuntersuchung zur Apokalypse Heinrichs von Hesler hat Schumann[13]) von inhaltlichen und gedanklichen Kriterien aus versucht, das Nikodemus-Evangelium dem Dichter abzusprechen. Wie mir scheint, hat er das Gewicht der wenigen wirklichen Abweichungen zwischen Apokalypse und Nikodemus-Evangelium überschätzt und nicht genügend die starke Übereinstimmung der Interessenrichtung auf bestimmte Probleme empfunden, die auch ein inhaltliches Band darstellt. Ich denke dabei in erster Linie an die beunruhigende Frage des Sündenfalles und des Verhältnisses von Gottes vorbedachter, schöpferischer Allmacht zu diesem Ereignis, ein Problem, das sowohl im Anfang der Apokalypse wie im Prolog des Nikodemus-Evangeliums wie auch in etwas anderer Wendung in dem Erlösungsgedicht wiederkehrt. Schumann hat zwei Punkte herausgestellt, in denen sich entscheidende Differenzen ergeben sollen. Das ist einmal die Einstellung zur Beichte und dann insbesondere das Verhalten des Verfassers zur Judenfrage, in der die Apokalypse Toleranz zeigt, das Nikodemus-Evangelium hingegen in seinem langen Schlußexkurs schärfste Feindseligkeit bekundet.

Die Beobachtung ist sicherlich nicht ohne Berechtigung. Indessen läßt sich gerade von ihr aus der Erweis auch inhaltlicher Identität der Verfasser führen. Denn auch die von Schumann nicht berücksichtigten Fragmente des Erlösungsgedichtes, in denen sich Heinrich von Hesler selbst als Verfasser nennt, zeigen die scharf antijüdische Einstellung, ZfdA 32, 112, 77 bis 113, 35.

ob er ift spehes uinde
von der magede kinde
iegen den vbeln wichten
die gottes recht unrichten
vnde irre an rechten weghen ghen
an den gelouben nine sten
ich meine die iuden vnde ir kint
die an gote versteinet sint
vnde sich der warheite schamen.

Dieser Passus zeigt gerade in seiner eigentümlichen Ausdrucksweise so schlagende Übereinstimmung mit einer Stelle des Judenexkurses des Nikodemus-Evangeliums, daß an einem Zusammenhang nicht gezweifelt werden kann. Man vergleiche 5021–27:

Allez daz dem gemeinet,
daz ist an gote vorsteinet,
und gotes reht unrihtet
und wider gote vihtet
und gotes niht enruchet,

[13]) Curt Schumann, Über die Quellen der Apokalypse Heinrichs von Hesler. Diss. Gießen 1912.

daz ist vor gote vorvluchet
und ewiclich vorwazen.

Es wird also dabei bleiben müssen, daß Heinrich von Hesler der Verfasser des Nikodemus-Evangeliums ist. Die Einstellung zur Judenfrage fügt das Evangelium Nicodemi und das Gedicht von der Erlösung zu einer engeren Gruppe zusammen, wofür auch schon stilistische Gründe sprachen (vgl. oben S. 11 f.). Die Stelle des Fragments scheint mir nur als Zitat aus dem eingehenden Judenexkurs des Nikodemus-Evangeliums auffaßbar. Die Chronologie dieser beiden Werke läge somit fest. Ob die Apokalypse älter oder jünger ist als die beiden judenfeindlichen Dichtungen, möchte ich hier nicht entscheiden. Stilistisch scheint mir das Evangelium Nicodemi das reifere und selbständigere Werk, und ich wäre aus diesem Grunde geneigt, die Apokalypse mit ihrem weniger entwickelten Stil und ihren mehr offiziell kirchlichen Anschauungen an den Anfang von Heinrichs poetischer Wirksamkeit zu setzen, das stilistisch reichere und gedanklich eigenere Werk dagegen dem reiferen Manne zuzuschreiben. Indessen kann die Frage der Chronologie vom Stil aus allein nicht entschieden werden. Die Einordnung der Erlösung wird vollkommen sein; im übrigen wird Karl Helm, der die Apokalypse hinter das Evangelium Nicodemi geordnet hat, als der eingehendste Kenner Heinrichs von Hesler hier das letzte Wort zu sprechen haben.

FRÜHMITTELHOCHDEUTSCHER SPRACHSTIL

[1926—1927]

Niemand, der sich zum ersten Mal der frühmittelhochdeutschen Literatur zuwendet, wird sich der Empfindung einer imponierenden Einheitlichkeit entziehen können, die von diesen poetisch sicherlich spröden und nicht leicht eingehenden Dichtungen ausströmt. Und je mehr man sich dieser Literatur ergibt, je tiefer man in die Sonderart einzelner Werke oder einzelner Generationen innerhalb dieser hundert Jahre Literaturgeschichte einzudringen bemüht ist, um so stärker wird das Gefühl für die Geschlossenheit und das feste Gefüge dieser literarischen Erzeugnisse und des geistigen Lebens, das dahinter steht. Ich denke dabei nicht nur an die religiöse Vorstellungswelt, an das Umfangensein jedes einzelnen Dichtwerkes von dem großen historischen Gesamtprozeß des Weltheilsplans, an das Ergriffensein von der ungeheuren Bedeutung und der tiefen Verantwortung des einzelnen diesseitigen Lebens für das Jenseits und das künftige Gottesreich, an die daraus erwachsende sittliche Konsequenz und die eng damit verknüpfte Memento-mori-Stimmung. Diese ganze religiöse Haltung ist naturgemäß der letzte Grund aller Einheitlichkeit, ja Einförmigkeit der Dichtung überhaupt. Sie bedingt den ganz bestimmten, stofflichen Ausschnitt, der immer wieder allein für die dichterische Leistung in Frage kommt; sie erzeugt auch das, was wir etwa als die — freilich nirgends ausgesprochene — poetische Theorie der Zeit bezeichnen könnten, die Auffassung nämlich, daß in der dichterischen Formung nur eine bestimmte Art besonders einprägsamer, die Seelen besonders leicht erreichender Predigt, Belehrung oder Beispielgebung zu sehen sei. Grade ihre Vernachlässigung der feinen formalen Durcharbeitung hat ihre Größe ausgemacht, die nur einer Betrachtungsweise als „roh“ erscheinen konnte, die, verliebt in den klassischen Epenstil, aus ihm alle Gesichtspunkte ableitete.

In dieser Befangenheit hat man die geschlossene und bewußte Kunstform der frühmittelhochdeutschen Dichtung lange übersehen können. In der Forschung hat sich ihr das Interesse meist nur so weit zugewendet, als sprachliche oder textkritisch-philologische Ausbeute zu erwarten war. Diese Denkmäler als Kunstwerke zu bewerten und der ihnen eigentümlichen Form nachzuspüren, daran fehlt noch sehr viel. Einmal ging in dieser Richtung eine starke Anregung von Wilhelm Scherer aus, dem großen Erforscher unserer frühen Literatur, der nicht erst auf die Entdeckung der „Geistesgeschichte“ zu warten brauchte, um feinsinniges Verständnis für die eigenartige Physiognomie einer Epoche und deren literarischer Erzeugnisse zu haben. So viel wir heute auch anders beurteilen mögen, so bleiben doch die beiden Bändchen seiner „geistlichen Poeten der deutschen Kaiserzeit“[1]) der Anfang einer wirklichen Literaturgeschichte des elften und zwölften Jahrhunderts. Die Anregung dieser Schriften ist weithin spürbar, teils in einer Reihe von Einzeluntersuchungen zu bestimmten Denkmälern, namentlich zur alttestamentlichen Dichtung, teils in den Vorbemerkungen zu Ausgaben frühmhd. Denkmäler, wo überall neben Quellenfrage, Stoffbehandlung, Dialekt- und Reimbestimmung den sprachlich-stilistischen Dingen ein mehr oder weniger eingehendes Interesse geschenkt wird. Und in neuster Zeit hat Ehrismanns Gesamtdarstellung dieser Epoche im zweiten Band seiner Literaturgeschichte mit ihrem stets wachen Blick für Stilfragen das Interesse von neuem angeregt. So liegt eine ganze Menge richtiger Beobachtungen verstreut vor, ohne daß doch eine stilistische Gesamtanschauung, wie sie Scherer vorschwebte, schon gewonnen wäre.

Auch die nachfolgenden Zeilen stecken sich ihr Ziel nicht so hoch. Sie wollen keine erschöpfende Darstellung frühmhd. Stilform überhaupt sein. Sie gehen lediglich von sprachlichen Beobachtungen aus und stellen sich die Frage, welche rein grammatisch-syntaktisch zu erfassenden Sonderheiten das sprachliche Stilbild dieser Zeit — dessen starke Eigenart niemand leugnen wird — bedingen und bilden helfen. Als Kontrastbild schwebt dabei die sprachliche Eigenart der klassischen Dichtung des dreizehnten Jahrhunderts vor, hinter dessen gar nicht zu bezweifelnder individueller Verschiedenheit doch auch zuletzt eine Einheitlichkeit steht[2]). Meine Beobachtungen sind auch zeitlich begrenzt, insofern ich hier zunächst die älteste Periode des Frühmittelhochdeutschen allein heranziehe. Diejenigen Dichtungen, die wir als typisch frühmhd. empfinden, liegen — ohne daß eine genaue Zeitgrenze gegeben wäre — doch um die Jahrhundertwende; ganz ungefähr gesagt, bis 1120. Mit den großen Epen Lamprechts und Konrads kommt doch ein neuer Ton auf, eine andersartige Stilbehandlung, die sich auch den rein geistlichen Dichtungen späterer Zeit mitteilt. Diese wichtige Zeit, in der die geheimen Kräfte gären, aus denen hernach die klassische Epik erwächst, bleibt hier außer Betracht. Ihr haben spätere Arbeiten zu gelten. Hier war vielmehr auf das Frühmhd. gewissermaßen in Reinkultur zu achten, um die Kontrastwirkung mit der hundert Jahre jüngeren Epik möglichst klar heraus zu bekommen. Es ist dabei auszugehen von der Einzelanalyse eines bestimmten, dazu besonders geeigneten Denkmals und danach die Betrachtung auf andere in den eben gezogenen Rahmen fallende Dichtungen auszudehnen.

[1]) W. Scherer, Geistliche Poeten der deutschen Kaiserzeit. QF 1 u. 7, Straßburg 1874.

[2]) Eine besondere Wichtigkeit für den sprachlich-stilistischen Eindruck eines literarischen Erzeugnisses bedeutet seine Stellung zu der Frage der Satzform und des Partikelgebrauches. Die Neigung zu Parataxe oder Hypotaxe einerseits, die Armut oder der Reichtum an verbindenden Partikeln andrerseits drängen sich dem Stilempfinden besonders auf. Für einen ganz anderen Zweck und an einer ganz anderen Zeit bestätigte mir Prof. Kittel in Greifswald, daß bei einer schonenden und konservativen Überarbeitung der Lutherbibel grade durch Bewahrung des Lutherschen Partikelgebrauchs der Eindruck der Ursprünglichkeit am besten gewahrt werde.

I. ANALYSE DES EZZOLIEDES

1.

Der Kreis der für unsere Untersuchung in Frage kommenden Denkmäler ist nicht allzu groß. Aus ihm können zwei Dichtungen als Ausgangspunkt der Analyse ausgewählt werden: die Wiener Genesis oder der Ezzo. Die Genesis hat den großen Umfang für sich, der gestatten würde, jeder Erscheinung mit großen Belegmengen nachzugehen. Aber ihre starke Abhängigkeit von lateinischen Vorbildern auch im Stil macht sie weniger geeignet. Der Ezzo dagegen bietet den umgekehrten Vorteil der raschen Übersichtlichkeit eines kleinen, in sich geschlossenen Denkmals. Die sprachliche Architektonik tritt bei ihm übersichtlicher und einheitlicher heraus. Auch ist das kleine Gedicht von ein paar hundert Verszeilen für diese Periode die bezeichnendere Form. Daher gedenke ich, von der genauen Analyse des Ezzo auszugehen und im nächsten Kapitel, wo die Ergebnisse an anderen Denkmälern nachgeprüft werden sollen, die Genesis besonders zu verwerten.

Betrachtet man den Ezzo unter dem Gesichtspunkt der stilistischen Auswahl aus den sprachlichen Möglichkeiten, so wird einem sofort zweierlei klar, was sich scheinbar auszuschließen scheint. Einmal gewinnt man den Eindruck einer sehr bestimmt ausgeprägten Stilform. Auf der anderen Seite fehlen für den ersten Blick alle jene besonderen Mittel, die man sofort als Zubehör speziell poetischer Gestaltung erkennt, wie wir sie sowohl aus der vorangehenden altgermanischen wie aus der folgenden klassischen Zeit reichlich kennen.

So zeigt uns eine Betrachtung des Adjektivgebrauchs, daß dem Adjektivum eine poetische Rolle nicht zukommt, worauf schon Ehrismann aufmerksam gemacht. Weder das typisch untermalende Beiwort der altgermanischen Variationstechnik finden wir hier noch die psychologisch oder malerisch-analytische Verwendung, die dem Adjektivum in der Schilderung der klassischen Epen zukommt. Im Ezzo hat es in der Regel sachliche, keine künstlerischen Aufgaben[3]). Fügungen wie *diu touben oren; der slahente engel; daz rote mere; friliche widervart* u. a. m. sind nur der Sache wegen da. Formelhafte Adjektiva kommen sicherlich recht reichlich vor. Aber es sind ganz abgegriffene und unbildhafte Adjektiva, zu nicht geringem Teil der christlichen Sphäre entnommen, die sich in allen Werken dieser Zeit wiederfinden. Solche Adjektiva sind etwa: *guot* (1, 2, 4, 33, 126, 131, 367, 380), *michel* (105, 147, 172, 180, 244, 293, 296, 369), *alt* (169, 205, 312, 344, 352), *manec, manecvalt* (17, 86, 87, 296, 310), *mære* (339, 341, 349), *tiure* (175, 304), *edele* (197). Allein aus der christlichen Sphäre stammen als formelhafte Epitheta *war* (14, 24, 29, 55, 120, 136, 227, 322, 401, 416), *reht* (16, 128, 399, 404), *vrone* (82, 139, 326, 379) *ewic* (74), *gnædig* (132), *gewaltic* (140), *wunterlich* (= reich

[3]) Bei der Herstellung der Liste von Adjektiven ist hier und in den später behandelten Denkmälern zunächst zwischen attributiver, prädikativer und adverbialer Verwendung nicht geschieden, sondern nur ihr Vorhandensein und ihre Anzahl an sich festgestellt.

an Wundern 167), *himelisc* (160, 294, 378, 391), *unsculdic* (264). Allen diesen Adjektiven ist es gemeinsam, daß ihnen die persönliche Prägung und Bildkraft fehlt und daß sie darum wohl stilbildend, aber nicht künstlerisch formgebend sind. Ich muß hier nachdrücklich betonen, daß ich wenigstens für die erste Periode frühmhd. Dichtung, und zwar einschließlich der Genesis, zu einer anderen Anschauung gelangt bin als die sonst sehr brauchbare Arbeit von Dickhoff[4]) über das Asyndeton. Er sagt S. 58: „Daß diese dem Ornamentalen ergebene Zeit das hierfür signifikanteste Wort, das Adjektiv, mit besonders günstigen Augen ansah, ist begreiflich." Dem gegenüber muß ich eine Pflege des Adjektivums in dieser Dichtung entschieden bestreiten und möchte mich überhaupt gegen die Charakterisierung dieser Zeit als „Drang zum Ornamentalen" wenden. Es haftet ihr die Schiefe aller derartigen schlagwortmäßigen Prägungen an, und mehr Recht scheint mir der zu haben, der im Gegenteil einen „Drang zum Monumentalen" spüren wollte[5]). Was Dickhoff hier besonders im Auge hat, das zweigliedrige attributive adjektivische Asyndeton, kommt denn auch nach seinen eigenen Feststellungen erst ganz am Ende dieser Periode und in Dichtungen auf, die wie die Marienlyrik auch inhaltlich aus der religiösen Vorstellungswelt der streng genommen „frühmittelhochdeutschen" Zeit hinausführen.

In der eigentlich frühmd. Dichtung sind Adjektiva nur ungemein selten um ihrer plastischen Kraft willen da. Der Ezzo zeigt in den beiden Bildungen *diu nebelvinster naht* (116) und *die der eiterbizzic weren* (320) seine einzigen Beispiele nach dieser Richtung. Sonst finden sich noch einige Male Adjektiva des täglichen Sprachgebrauchs verwendet, die in diesem Zusammenhang zu nennen sind, weil sie nicht sachlich unerläßlich sind, sondern nur ergänzen und unterstreichen sollen. Solche sind: *in einer vil engen chrippe* (182), *dei heizzen vieber lascht er duo* (228), *di veste nagelgebente* (250), *der gir Leviathan* (374). Aber das ist eine seltene Erscheinung, und man kann gewiß nicht sagen, daß die künstlerische Eigenart des Ezzoliedes durch die poetisch wirksamen Adjektiva bestimmt wird.

Dementsprechend fehlt auch so gut wie ganz die Verbindung mehrerer Adjektiva an einer Stelle, die den klassischen Epenstil so stark beeinflußt. Man findet noch kaum die später so bedeutsame Paarung zweier Adjektiva zu einer Zwillingsformel. Alles, was der Ezzo in dieser Richtung bietet, sind die drei prädikativen Belege: *sin gewalt ist michel unte breit* (180); *uber di helle ist der sin gewalt michel unte manicvalt* (295 f.); *din wuocher ist suozze unte guot* (380). Attributive Adjektivhäufung zeigt der Ezzo nirgend[6]).

[4]) Emil Dickhoff, Das zweigliedrige Wort-Asyndeton in der älteren deutschen Sprache, (Palaestra 45), Berlin 1906.

[5]) Vgl. Ehrismanns vorsichtige Äußerungen, LG II. 1, S. 51.

[6]) In Z. 326 fassen MSD. (XXXI, 21,4) *vronebote* als substantivisches Kompositum. Das ist sicher richtig und der Form von Waag *der vrone bote guot* bei weitem vorzuziehen. Die Stelle kommt als Beleg für attributive Adjektivhäufung nicht in Betracht.

Ebensowenig läßt sich in der Verwendung des Substantivs eine besondere stilistische Bestrebung nachweisen. Von der alten Variationstechnik sind kaum noch Spuren vorhanden; ganz selten wird für ein und dasselbe Ding mehr als das eine notwendige und ihm zukommende Substantivum verwendet. Weder die Apposition noch die wortschöpferische Kraft der Komposition treten hervor. Die paar Beispiele appositioneller Fügungen gehören nicht in das Gebiet des Stils. Ziehe ich den Kreis weit, so habe ich folgende Belege zu geben:

70 *nah dinem bilde getan,*
nah diner getete[7]).
119 *unze uns erscein der gotes sun,*
warer sunno von den himelen.
326 *Moyses der vronebote guot.*
391 *nu ziuch du, chunich himelisc,*
unser herze dar da du bist,
daz wir di dine dinestman
von dir ne sin gesceiden.

Eine besondere Erscheinung, der man sicherlich stilbildende Kraft zubilligen muß, ist dagegen die Einführung lateinischer Wendungen und Zitate[8]). Grade der Ezzo verwendet sie in reichem Maße. Zu solchen lateinischen Brocken fügt er gern in Form einer Apposition übersetzende oder umschreibende deutsche Entsprechungen hinzu. Hierher gehören im Ezzo:

27 *Lux in tenebris,*
daz sament uns ist:
18 *di uns uz den buochen sint gezalt,*
uzzer genesi unt uz libro regum.
287 *Daz was der herre der do chom*
tinctis vestibus von Bosra,
in pluotigem gewete.
371 *O crux benedicta,*
aller holze besziste.
409 *unt loben es ouch den sinen sun*
pro nobis crucifixum.

Ebensowenig wie die Appositionstechnik bedeutet die Komposition etwas für den Stil des Ezzoliedes. Denn weder können die rein sachlichen Komposita wie *hellesloz* (301), *segelgerte* (396) u. a., die übrigens auch überaus spärlich auftreten, als Stilmittel bewertet werden, noch sind Bildungen wie *werltwuostunge* (142), *daz rote toufmere* (346) hier beizuziehen. Sie bringen die geläufige kirchliche Symbolsprache auf eine knappe Formel: Johannes in

[7]) Die Stelle kann kaum beigezogen werden, da sie nur das biblische: *ad imaginem et similitudinem nostram* übersetzt.

[8]) Für die lateinischen Einschlüsse in der Dichtung dieser Zeit ist hier und öfter auf die Göttinger Dissertation von Aug. Grünewald, Die lateinischen Einschiebsel in den deutschen Gedichten von der Mitte des 11. bis gegen Ende des 12. Jahrhunderts, (1908), zu verweisen.

der Wüste, die die irdische Welt bedeutet; der Zug durchs Rote Meer, der zugleich die Taufe symbolisiert. An sich fähig, als stilbildende Elemente zu wirken, sind diese Bildungen doch so selten, daß sie in der Tat auf den Stil des Gedichtes keinen Einfluß haben[9]). Von rein stilistischen Kompositis, d. h. von solchen, deren Aufgabe im Stilistischen erschöpft ist, indem sie einen einfachen Begriff umschreibend wiedergeben, wüßte ich nur zu benennen *manchunne* (108, 152, 382), eine wirklich wenig besagende Bildung, ferner *magenchraft* (285, 293, 300) und einmal im Reim darauf *hantgescaft* (286).

Vollends die genetische Umschreibung, die syntaktisch hervorstechendste Form der Unterordnung eines Substantivums unter das andere, erschöpft sich in der Bezeichnung *gotes sun* für Christus und in ähnlichen Bildungen wie *der gotes atem; gotes chint; gotes prunno.* Eine Parallele zu der Bildung *toufmere* ist hier *in crucis altare* (342) = auf dem Altar (des Alten Testaments), der das Kreuz (im Neuen Testament) bedeutet.

Von wesentlichem Einfluß auf den Stil des Ezzo sind auf dem Gebiet des Substantivs dagegen die Substantivreihungen, deren prägnanteste Form in der Stilistik als „Zwillingsformel“ bekannt ist. Neben substantivischen gibt es auch adjektivische und verbale Zwillingsformeln. Die wenigen adjektivischen, die im Ezzo vorkommen, sind oben S. 24 angeführt worden. Verbale Zwillingsformeln fehlen im Ezzo. Dagegen spielen die substantivischen eine gewisse Rolle. Ich verweise hierfür auf:

66 *in worten und in werchen.*
110 *duo was naht unte vinster.*
213 *di chrumben unt di halzen,*
di machet er alle ganze.
240 *mit worten jouch mit werchen.*
297 *in bechennent elliu chunne*
hie in erde joch in himele;

und asyndetisch vielleicht als Nachbildung der biblischen Zwillingsformel:

70 *nah dinem bilde getan,*
nah diner getete.

Sie sind teils polare Gesamtheitsbezeichnungen (66, 297), teils anhäufende Verstärkungen (70, 110, 213). Dagegen handelt es sich nicht eigentlich um Zwillingsformeln bei

163 *wante si was muoter unte maget.*
233 *Er was mennisch unt got.*

Dies sind vielmehr disjunktive Formeln, die zwei an sich unvereinbare Gegensätze zusammenkoppeln und bei denen wir in der Übersetzung „und doch“ sagen müßten.

[9]) Sie sind vielmehr individuelle, dem Predigstil nachgeformte Bildungen des Dichters ohne Entsprechung in anderen zeitgenössischen Denkmälern.

Gustav Ehrismann hat in einer wertvollen Besprechung[10]) des Buches von Fr. Wenzlau, Zwei- und Dreigliedrigkeit in der deutschen Prosa des vierzehnten und fünfzehnten Jahrhunderts, (Halle 1906), auf die Bedeutung der Zwillingsformel für das Frühmhd. hingewiesen, und er hat richtig betont, daß hier neben altem, ererbtem Gut, wofür auf R. M. Meyers große Formelarbeit zu verweisen ist, Einfluß des lateinischen Rhetorenstils vorliegt. Und endlich hat er ebenfalls mit vollem Recht dargelegt, daß die höfische Dichtung ihre Zwillingsformel hauptsächlich französischen Vorbildern nachgeahmt hat. Für Gottfried hat dies Ehrismanns Schüler Täuber in einer Greifswalder Dissertation (1922) näher untersucht. Der Abstand der frühmhd. Verwendung dieses Stilmittels von der Gottfrieds ist in der Tat bedeutend. Im Frühmhd. ist die Erscheinung wirklich nicht poetisch, sondern rhetorisch. Sie ist infolgedessen auch nicht in dem Maße wie die klassische Koordination von Substantiven echte Zwillingsformel, sondern Gliederung eines Begriffes in zwei oder auch mehrere Unterteile, aus denen sich die Gesamtheit zusammensetzt. Neben den oben genannten Zwillingsformeln, die wie auch die adjektivischen zum Teil (110, 213) altes Gut sein dürften, finden wir im Ezzo mehrgliedrige Formeln, denen die rhetorische Schulung klar auf der Stirn steht. Als Musterbeispiel führe ich hier an:

58 ff. *ja ne gih ich anderez nehein*
der erde joch des himeles,
wages unte luftes
unt alles des in den vieren ist
lebentes unte ligentes.

Ähnliche Stellen sind 15 ff., 159 ff., 235 ff., 282 ff., 351 ff. Hier sind volkstümliche Vorbilder nicht mehr denkbar, sondern wir betreten den Boden der Predigt, des Gebets und des Traktats, kurz das Feld lateinisch geschulter Redekunst[11]). Aber diese Art des Aufbaus eines Gesamtbegriffes aus einzelnen aneinandergereihten Gliedern fügt sich dem Gesamtstil der frühmhd. Dichtung wieder so gut ein, daß wir nicht von einer mechanischen Nachahmung lateinischer Rhetorik reden dürfen. Wir bewerten die Erscheinung richtiger als die Aneignung einer rhetorischen Stilfigur, die dem ganzen Wesen dieser frühmhd. Dichtung entgegenkommt. Wir werden später sehen, wie wenig einfache Nachbildung lateinischer Prosaformen in den Stilelementen der frühmhd. Dichtung liegt.

2.

Die Betrachtungen der substantivischen Technik streiften bereits mehrfach das Gebiet der Metapher und des Vergleichs und führen zu der Frage,

---

[10]) ZfdPh. 42 (1910), S. 488—491.

[11]) Vgl. in dieser Beziehung die im zweiten Teil näher behandelten Stücke deutscher Übersetzungsprosa des 12. Jahrh., die sich in der Sammlung von Friedr. Wilhelm, Denkmäler deutscher Prosa des 11. und 12. Jahrhunderts (Münchener Texte H. 8) finden. Namentlich ist hier die Gebetsliteratur (St. Lamprechter Gebete) eine Fundgrube für diese aufreihend-zerlegende Stilform.

wie der Ezzo sich in diesem Punkt verhält. Wir kommen damit im Grunde über unser Thema hinaus, das es nur mit der stilistischen Verwendung rein sprachlicher Formen zu tun hat. Es wäre daher nur nach einer bestimmten Technik des sprachlichen Ausdrucks für Bilder und Vergleich zu fragen. Eine solche fehlt indessen, wie schon aus der Armut an Appositionen und Kompositionen hervorgeht, zwei wesentlichen Mitteln zu metaphorischem Ausdruck. Aber auch für das ausgeführte Gleichnis fehlt es an einheitlicher Form. Dies hat seinen Grund darin, daß die ziemlich reichliche Bildersprache des Ezzo nicht aus poetischem Bedürfnis erwachsen ist, sondern aus theologischem, und daß sie nicht ein Schmuck der Darstellung, sondern ein Stück des sachlichen Inhalts ist. Alle Bilder, die wir hier treffen: Johannes als der Morgenstern, Christus als die Sonne unter den Sternen, als das Osterlamm, als der Brunnen Gottes, das Jenseits als unsere Heimat, usw., ob sie nun im knappen Schlagwort zusammengefaßt sind oder predigtartig breit ausgeführt (das Osterlamm 333 ff.; der Kreuzesbaum 371 ff.; die Heimreise 395 ff.) — immer ist das Bild selbst in dem Schatz kirchlicher Symbol- und Bildausdrücke fertig überliefert. Selbst das mehrfach anklingende Bild des ritterlichen Kampfes gehört hier noch hinein. Wenn der Teufel als *der unser alte viant, der alte wuotrich,* Christus als *unser herzoge,* als *der chunich himelisc,* der Mensch als sein *dinestman* erscheint, so ist die Vorstellung zwar unmittelbarer, lebendiger und weniger theologisch als die symbolische Verwendung alt- und neutestamentlicher Vergleiche, bleibt aber darum immer noch im Rahmen des Predigthaften und in weiterem Sinne Theologischen. Auch sie erwächst aus dem Gedanken des großen Weltgegensatzes und ist nicht als Schmuck geprägt, sondern als Predigtbeispiel[12]). Dies Eingetauchtsein in die Sprach- und Denkweise der Symbole gibt dem Ezzo sicherlich starke Zeitfärbung und gehört somit zu seinem „Stil". Nur ist das metaphorische Dichten und Denken nichts, was bei der Form stehen bleibt und als Stilmerkmal im äußeren Sinne bewertet werden kann, wonach wir hier suchen. Vielmehr gehören jene symbolischen Beziehungen für einen Dichter dieser Zeit in den Inhalt, das Notwendige, das Sachliche seines Werkes hinein; sie sind ein Stück des christlich-theologischen Wissensstoffes, der in poetischer Form vermittelt werden soll.

Wenn so die Bilder und Vergleiche nicht zur Form, sondern zum Sachgehalt gehören, so bleibt auf dem bisher behandelten Gebiet des Nomens die Ausbeute großenteils negativ. Das Nomen wird stilbildend nur in der einen Form der Zwillingsformel und der koordinierten Reihe. Alle anderen Möglichkeiten, schmückende Adjektiva, Variation, Apposition, prägnante Komposition, genetivische oder pronominale Abhängigkeitskonstruktionen, spielen im Ezzo keine Rolle.

[12]) Für das Bild selbst vgl. die Anmerkungen von MSD. zur Stelle, sowie die Bemerkungen, die v. d. Leyen in seinen „Kleinen Beiträgen zur deutschen Literaturgeschichte" (Halle 1897), S. 21, beisteuert. Ich glaube, daß Ehrismann (a. a. O. S. 47) das Germanische in diesem Bilde noch überschätzt.

3.

Gehen wir zum Gebiet der Satzbildung über, so begegnen wir hier alsbald Dingen, die von je als Charakteristikum der frühmhd. Dichtung gegolten haben. Wir treffen die Reihung einfacher Hauptsätze, die parataktische Fügung. Als Musterbeispiel diene:

249 *Duo habten sine hente*
di veste nagelgebente,
galle unt ezzich was sin tranch;
so lost uns der heilant.
von siner siten floz daz pluot,
des pir wir alle geheiligot.
inzwischen zwen meinteten
hiengen si den gotes sun.
von holze huob sih der tot,
von holze gevil er, gote lop.
der tievel ginite an das fleisc:
der angel was diu gotheit.
nu ist ez wol irgangen:
da an wart er gevangen.

Das sind vierzehn Zeilen mit elf ausschließlich paraktischen Hauptsätzen. Derartige Perioden sind in dem Gedicht nicht selten, zuweilen nur von einer einfachen Haupt-Nebensatzfügung unterbrochen. Vgl. 37 ff.; 55 ff.; 97 ff.; 179 ff.; 207 ff.; 219 ff.; 395 ff. Daß daneben hypotaktische Fügungen vorhanden sind, und zwar sowohl normale abhängige Sätze als auch recht reichlich Vorder-Nachsatzsysteme, versteht sich von selbst. Aber es darf nicht vergessen werden, daß doch auch schon recht komplizierte Satzsysteme vorkommen, wie etwa 109 ff.:

Duo sih Adam geviel,
duo was naht unte vinster.
duo irscinen an dirre werlte
di sternen bire ziten,
di der vil luzzel liehtes baren
(so berhte) so si waren,
wante siu beschatewote
diu nebelvinster naht,
diu von dem tiefel bechom,
in des gewelte wir alle waren,
unze uns erscein der gotes sun,
warer sunno von den himelen.

Das Charakteristische an diesem Satzgebäude etwa gegenüber einer Periode Gottfrieds oder Konrads von Würzburg ist die Schwerfälligkeit und Unübersichtlichkeit, mit der hier ein Nebensatz an den andern gereiht ist.

Solche Sätze sind nicht organisiert, sondern kettenartig aneinandergehängt, es sind recht eigentliche „Bandwurmsätze“. Ihre volle Eigenart ermißt man erst, wenn man diese Blöcke von Satzungetümen mitten hinein geworfen sieht in den einfachen Parataxenfluß des Gedichtes. Erst die Gegensätzlichkeit, in der z. B. die beiden oben zitierten Stellen stehen, geben das ganze Stilbild des Ezzo. Diese umfänglichen und sprachlich sichtlich noch nicht bewältigten Satzsysteme müssen als der erste Versuch betrachtet werden, die weitverzweigten Konstruktionen des Lateinischen nachzubilden. Das zwölfte Jahrhundert ist die Zeit, in der solche Perioden immer häufiger und mit wachsender Gewandtheit verwendet werden, bis die verfeinerte und vielleicht in keiner anderen Sprachperiode wieder erreichte Geschmeidigkeit der Satzperiode da ist, die wir in der klassischen Epik beobachten.

4.

Aber nicht nur die Satzform als solche, sondern auch die Satzverknüpfung ist zu beobachten. Für die Verbindung koordinierter Sätze gibt es drei verschiedene Möglichkeiten. Die erste ist die Asyndese, die reine Parallelsetzung mehrerer Sätze, ohne daß irgendeine Beziehung zwischen ihnen durch ein eigenes Bindewort ausgedrückt würde. Die zweite ist der Ausdruck einer logischen Beziehung — eine Bezeichnung, die man so, wie ich sie verwende, nicht pressen darf — zwischen den Sätzen, sei es durch die allgemeinste Beziehungspartikel *unde,* sei es durch andere Partikeln oder Adverbien, die speziellere logische Verknüpfungen zwischen den Sätzen andeuten[13]). Dazwischen besteht aber noch eine dritte Form der Satzverknüpfung, die man die anaphorische nennen könnte, weil sie nicht durch eigene Partikeln *(unde; ouch; wande; noh* usw.) geschieht und nicht logische Beziehungen herstellt, sondern durch anaphorische Pronomina und Adverbia, die den vorangehenden Satz oder einzelne Teile desselben zusammenfassend und verweisend wieder aufnehmen. Hierher gehört also vor allem das anaphorische Pronomen *der, diu, daz,* teils in der Satzanaphora durch *daz* oder *des,* teils in der Anaphora eines einzelnen Gliedes des vorangehenden Satzes. Nächstverwandt sind die adjektivischen Pronomina in anaphorischer Verwendung *(dese; derselbe; sulih* u. ä.), deren Rolle aber sehr gering ist. Ferner gehört hierher auch die Anaphora durch *do,* die eine zunächst zeitliche Reihenfolge feststellt, dann aber eine einfache Aufreihung einzelner Sätze vornimmt. Entsprechende, ursprünglich räumliche Anaphora mit Neigung zur Abblassung in reine Aufreihung ist durch *da* gegeben[14]). Anaphora einzelner Satzglieder, die mit prä-

[13]) Die relativ jüngere und fortgeschrittenere Sprachstufe, auf der sich Bindewörter erst entwickelt haben, und das Wesen des Bindewortes als logisches Formwort ist gut charakterisiert in der schon genannten Arbeit von Dickhoff, S. 2 ff.

[14]) Ein Musterbeispiel für eine überreiche Reihung durch *da* ist das Stück „Himmel und Hölle“ (Wilhelm a. a. O. Nr. VIII, S. 31), wo bewußter Stileffekt vorliegt; *da* als Reihungspartikel mit häufig sehr abgeblaßt lokaler Färbung zeigen auch Teile der Gedichte der Ava. Vgl. meine Frühmittelhochdeutschen Studien, Halle 1926, S. 158 f.

positionalen Wendungen geschehen muß, kann ebensowohl von Präpositionen mit einem Kasus des Pronomens *der/diu/daz* als auch durch adverbiale Fügungen vom Typ *darinne; darnach* u. ä. vollzogen werden. Dies Gebiet anaphorischer Syndese ist seinerseits nicht starr gegen die logische Syndese abgegrenzt. Denn wenn auch der Unterschied in der Form leicht aufrecht zu erhalten ist, so treten doch in ihrer Funktion dauernd Glieder der anaphorischen Syndese zur logischen über. Ich erinnere etwa an *darumbe* oder *von diu* als typisch kausale Bindeworte, an *des* ebenfalls in kausaler oder finaler Bedeutung, an unser begründendes nhd. *denn* oder *deswegen* usw. Andrerseits kann eine Partikel wie *so* oder *nu* zu reiner Reihung Verwendung finden und damit zum anaphorischen Typ übertreten. Freilich bleibt wenigstens für den modernen Leser in der Reihung mit *so* ein logischer Unterton, der dem rein temporalen *do* fehlt.

Nach diesen Vorbemerkungen betrachten wir die Syndeseformen im Ezzoliede, und zwar zunächst ausschließlich die Syndese zwischen gleichgeordneten Hauptsätzen oder Satzsystemen. Dabei sind selbstverständlich auch diejenigen Systeme berücksichtigt, die mit einem Vordersatz irgendwelcher Art beginnen. Denn der Vordersatz ist, syntaktisch betrachtet, stets nur ein Glied des nachfolgenden Hauptsatzes, und er kann jederzeit Partikeln in sich aufnehmen, die die Verbindung zum vorangehenden Satze herstellen. Später ist dann die Verbindung von einander über-, resp. untergeordneten Sätzen zu untersuchen, wo ganz andere Bedingungen vorliegen.

Das erste, was bei einer Betrachtung dieses Stilmittels bei Ezzo auffällt, ist seine überwiegende Neigung zu asyndetischer Fügung auch da, wo logische Verbindungen verschiedener Art zu spüren sind. Antithetische Färbung hat etwa:

7 *Ezzo begunde scriben,*
Wille vant die wise.

203 *er wuosch ab unser missetat,*
nehein er selbe nine hat.

257 *von holze huob sih der tot,*
von holze gevil er, gote lop.

Kausale Färbung, die wir im Neuhochdeutschen mit einem „denn“ oder „daher“ ausdrücken würden:

107 *der helle wuohs der ir gewin,*
manchunne allez vuor in.

191 *zwo tuben brahte si fur in:*
dur unsih wolt er armer sin.

Konsekutive Färbung, die wir am besten mit einem Nebensatz ausdrücken:

165 *si was muoter ane mannes rat,*
si bedachte wibes missetat. (daher bedeckte sie)

217 *er loste mangen behaften man,*
den tiefel hiez er dane varen. (er erlöste ...., indem er)
365 *er will uns gerne getaren:*
den wec scul wir mit wige varen. (so daß wir ...)
379 *an dich floz das frone pluot,*
din wuocher ist suozze unte guot. (infolgedessen)

Konzessive Färbung, neuhochdeutsch mit „*dennoch*" auszudrücken:
219 *Mit finf proten sat er*
vinf tusend unte mere,
daz si alle habeten gnuoc:
zwelf chorbe man danne truoc. (und doch trug man — —)

Vollends die reine Aufreihung von Tatsachen und Ereignissen, bei der späteres Stilgefühl auf eine gewisse Mannigfaltigkeit und Abwechslung drängte, wird hier mit einer fast bewußt wirkenden Unvermitteltheit und Gleichförmigkeit in asyndetischen Parallelsätzen gegeben. Diese für frühmhd. Stiltechnik ganz entscheidende Erscheinung werde durch folgendes Beispiel veranschaulicht:

265 *diu erda irvorht ir daz mein,*
der sunne an erde nine scein,
der umbehanc zesleiz sich al,
sinen herren chlagete der sal,
diu grebere taten sih uf,
die toten stuonten dar uz.
mit ir herren gebote
si irstuonten lebentich mit gote.

Derartige Partien, denen Nachdruckskraft und Eindrucksfülle nicht abzusprechen sind, und die nicht aus mangelndem Formvermögen, sondern aus bestimmt gerichtetem Formstreben erwachsen, hat der Ezzo eine ganze Reihe. So 41 ff.: die Schöpfung des Menschen aus den acht Teilen; 91 ff: die vier Paradiesflüsse; 210 ff.: Christi Wundertaten; 395 ff.: der Vergleich des Lebens mit einer Segelfahrt. Neben diesen längeren asyndetischen Reihen stehen dann massenhaft die kleineren, zweisätzigen Asyndesen, von denen nur einige wenige oben unter dem Gesichtspunkt des speziellen logischen Beziehungsausdrucks behandelt worden sind, deren Masse aber reiner Aneinanderreihung und Aufeinanderfolge Ausdruck gibt. Die Asyndese ist die beherrschende Form der Satzverbindung im Ezzo.

Dagegen fehlt im Ezzo die besondere Form asyndetischer Verknüpfung ohne Wiederaufnahme des Subjekts, auf die schon Müllenhoff beim Merigarto, dann C. v. Kraus (Deutsche Gedichte des XII. Jahrhunderts, S. 141 ff.) beim hl. Veit aufmerksam gemacht hat und für die Dickhoff a. a. O. S. 68 ff. reichliche Belege gesammelt hat, insbesondere aus der Genesis, wo diese Asyndeseform eine wichtige Rolle spielt. Die einzige von Dickhoff S. 77 angezogene Stelle des Ezzo 237 f. betrifft einen Nebensatz mit *daz*, gehört also nicht hierher.

5.

Als zweite Form der Bindung tritt dann die anaphorische Syndese kräftig hervor. Besonders ist es die Reihung mit *do*, auf die als Trägerin des Stilgepräges im Ezzo z. B. schon Ehrismann aufmerksam gemacht hat. Sie tritt nicht immer in der auffälligen Häufung auf wie

186 f. *duo begieng er ebreiscen site:*
duo wart er circumcisus,
duo nanten si in Jesus.

Aber sie durchzieht doch das ganze Gedicht mit mehr als zwei Dutzend Belegen.

Demnach folgt die Anaphora mit *daz* resp. *dizze* (311), die sich mehr oder weniger unbestimmt auf den Inhalt des ganzen vorausgehenden Satzes bezieht und jedenfalls nicht lediglich ein einzelnes seiner Glieder anaphorisch wieder aufgreift. Etwa 95: die Paradieseswonnen werden geschildert, die gesamte Schilderung wird aufgegriffen mit *daz scuof er den zwein ze genaden.* Oder 163 ... *si was muoter unte maget,*
daz wart uns sit von ir gesaget.

Auch hierfür liegt ein gutes Dutzend Belege vor.

Parallel steht die entsprechende Anaphora mit *des*, wenn sie nicht Subjekt oder Akkusativobjekt, sondern Genetivobjekt darstellt.

44 *des nist zwivil nehein.*
190 *des ne wirt von ir niht gedaget.*
253 *von siner siten floz daz pluot*[15]),
des pir wir alle geheiligot.
409 *unt loben es ouch den sinen sun.*

In sämtlichen Fällen handelt es sich um reine Anaphora in genetivischer Wendung, nirgends, auch bei den letzten beiden Belegen nicht, um eine kausale Verknüpfung. Indessen dürften derartige Fälle, wie sie 162 und 408 bieten, der Ausgangspunkt für die Entwicklung gewesen sein, die zu kausaler Verwendung von *des* schon in frühmhd. Zeit geführt hat, so daß es schon hier gelegentlich als reine Verbindungspartikel auftritt, die nicht mehr durch eine normale Genetivkonstruktion gerechtfertigt wird.

Ferner ist rein anaphorische Syndese die pronominale Wiederaufnahme einzelner Substantive, wofür ebenfalls genügend Belege vorhanden sind (32, 136, 139, 273, 401, 403, 405, 414), während Wiederaufnahme durch adjektivische Pronomina zufällig nicht belegt ist.

[15]) Auch in 253 f. liegt in dem *des* doch wohl eine bestimmte Beziehung auf *daz pluot* und nicht auf den ganzen vorangehenden Satz. Es wäre also zu übersetzen: „durch dieses sind wir alle heilig gemacht" und nicht allgemein „dadurch", nämlich durch die vorher mitgeteilten Tatsachen.

Endlich ist die Gruppe anaphorischer Syndesen zu betrachten, die nicht von temporaler Reihung ausgehend mit *do* verknüpft, sondern sich lokaler Partikeln bedient. Solange die lokale Vorstellung dabei wirklich lebendig ist, haben wir es nur mit einem Spezialfall der vorangehenden Gruppen zu tun, und die Adverbien *dar, da* sind dann nichts anderes als ein Ausdruck bestimmter Beziehungen, für die uns ein Kasus fehlt. Insbesondere ist dies der Fall, wenn es sich um Verbindungen von *da, dar* mit anderen, spezielleren lokalen Adverbien handelt, die eben durch diesen Zusammentritt anaphorischen Charakter erhalten. Es sind Bildungen wie *darinne, davore* usw., sei es, daß sie sich fest verbinden, oder daß sie getrennt stehen. Indessen geben sowohl das Simplex *da* wie diese Zusammensetzungen Anlaß zu weiteren Entwicklungen. *Da* kann unter Verlust seiner eigentlich lokalen Kraft zu einer reinen Reihungspartikel abblassen, ein Prozeß, der am Ezzo nicht zu beobachten ist, der aber in anderen frühmhd. Gedichten deutlich wird. Auf der anderen Seite könnnen genau, wie es bei *des* möglich war, in die Verbindung von *da, dar* mit anderen Ortsadverbien logische statt rein lokaler Bedeutungen eintreten[16]), wie es ja namentlich bei *darumbe* früh der Fall ist. Auch hier muß daher jeder Beleg einzeln beurteilt werden. Der Ezzo liefert kein sehr großes Material. Seine wenigen Belege für *da, dar* (354; 406; 183) sind lokal eingestellt, wenn auch in dem letzten Beispiel: *der engel meldot in da,* wo Reimbedürfnis (∾*sa*) eingewirkt haben wird, gewisse Abblassung zu spüren ist. Die Komposita sind eindeutig lokal und meist auf einen bestimmten Begriff des vorangehenden Satzes bezogen.

64: *du ne bedorftest helfene dar zuo* (zu der Schöpfung). 262: *da an* (= an der Angel) *wart er gevangen.* 270: *die toten stuonten dar uz* (aus den Gräbern), 332, 358: *der slahente engel vuor da vure* (= an der Tür vorbei). Etwas blasser, weil nicht so unmittelbar auf ein bestimmtes Wort bezogen, aber doch sicher lokal und nicht logisch gewendet, scheint nur:

175 *wie tiure guot wille si,*
daz sungen si sa der bi,

d. h. bei dem *Gloria in excelsis.*

6.

Eine wirklich logische Entwicklung ist also nirgends zu spüren. Überhaupt ist die logische Verknüpfung gegenüber der asyndetischen und anaphorischen außerordentlich schwach entwickelt. Entscheidend ist die auffallend geringe Verwendung von *unde,* dessen Häufigkeit man ebenso geradezu als einen Maßstab für die Entwicklung der logischen Syndese betrachten kann

[16]) Die Entwicklung von rein lokaler zu abgeblaßter oder zuletzt zu eigentlich logischer Bedeutung derartiger Zusammensetzung läuft natürlich parallel mit derselben Entwicklung der in die Zusammensetzungen eingehenden Präpositionen resp. einfachen Adverbien, die ebenfalls aus der lokalen Bedeutung weitergehende ableiten.

wie *do* oder auch *da* für die anaphorische. Man kann einen naturwissenschaftlichen Ausdruck übernehmen und von Leitformen sprechen. Im ganzen Ezzo finden sich nur zwei Belege für die Verbindung zweier Hauptsätze durch *unde*. Diese sind:

278 *daz fleisc ruowote in demo grabe,*
unt an dem dritten tage
duo irstuont er von dem grabe.

408 *des lobe wir got vater al*
unt loben es ouch den sinen sun.

Ferner gibt es eine kausale Verknüpfung mit *wante,* wo ich nicht Hypotaxe, sondern Parataxe annehmen möchte, und eine Verknüpfung mit *so,* das jedoch rein deiktisch (= auf diese Weise) ist und also auf die Seite der anaphorischen Syndese gehört.

163 *des scol si iemer lop haben,*
wante si was muoter unte maget.
252 *so lost uns der heilant.*

Was dann noch bleibt, sind einige Stellen mit *nu,* die nur sehr bedingt hierher zu rechnen sind. Gewiß zieht *nu* ähnlich wie *so* zuweilen die Summe aus einer vorhergehenden Erörterung. So etwa 390 ff.:

nu leste, herre, diniu wort,
nu ziuch du, chunich himelisc,
unser herze dar da du bist.

Diese Sätze ziehen die Folgerung aus dem Vorhergehenden, in dem Gottes Versprechen behandelt wird, uns durch den Tod Christi zu erlösen. Aber wie schon dieser Beleg noch deutlich in einer rein zeitlichen Anreihung wurzelt — ein präsentisch gewendetes *do* —, so ist die zeitlich anreihende Verknüpfung auch für die anderen Belege der vorherrschende Eindruck:

259 *der tievel ginite an daz fleisc:*
der angel was diu gotheit.
nu ist ez wohl irgangen:
da an wart er gevangen.

Ein historischer Bericht würde anknüpfen: *do irgieng ez wol.*

285 *nu richeset sin magenchraft*
uber alle sin hantgescaft.

In beiden Fällen würde mit „jetzt" zu übersetzen sein.

Wesentlich ist die Verwendung in 359 f.:

Spiritalis Israel,
nu scouwe wider din erbe.

Hier ist *nu,* was uns noch häufiger begegnen wird, die Einleitungspartikel einer direkten Rede, insbesondere einer Anrede öffentlichen Charakters. So kann und wird *nu* ähnlich wie *do* und *da* zu einer Partikel, die namentlich größere Abschnitte auch in der Vergangenheitserzählung einleiten kann, wo eine Beziehungsetzung über den tiefen Einschnitt und Ruhepunkt hinweg grade nicht gesucht wird, oder es ist, wo die Absicht der Verbindung ebenfalls grade fehlt, die Einleitung einer direkten Rede. Es kann in diesen Funktionen überhaupt nicht zur Kategorie der verbindenden Partikeln gerechnet werden, denn es sucht nicht Beziehung zwischen Teilen des Berichtes herzustellen, sondern zwischen Redendem und Hörendem. Es kann aber auch kausale Bedeutung annehmen, grade so, wie es als Vordersatzeinleitung kausale Konjunktion werden kann. Der Ezzo bietet jedoch grade für diese Verwendung kein Beispiel.

7.

Auch die Hypotaxe hat ihre eigenen Formen. Die Verbindung zwischen den beiden Sätzen eines hypotaktischen Systems bildet in der Regel die Konjunktion im Nebensatz. Dazu kann eine aufnehmende Partikel im Hauptsatz treten, die die Verbindung noch betonen und unterstreichen soll. Ich beziehe hier auch die im Mhd. noch zahlreicheren Möglichkeiten einer konjunktionslosen Hypotaxe ein und behandle sie nicht getrennt, da sie mir kein besonderes, stilbildendes Merkmal abzugeben scheinen. Ich verzichte auch auf die Behandlung von allen Fragen, die nur ein sprachgeschichtlich-syntaktisches Interesse haben. Ich nehme daher die im Frühmhd. erreichte Entwicklungsform als Ausgangspunkt, daß nämlich alle Konjunktionen als ein Glied des Nebensatzes empfunden werden, und ich lasse die Frage unerörtert, wieweit in unseren Texten noch Spuren vorhanden sind, die darauf deuten, daß die Mehrzahl unsrer Konjunktionen sich nicht im Nebensatz, sondern im Hauptsatz entwickelt haben und dort ursprünglich ein deiktisches Korrelat des untergeordneten Satzes im übergeordneten gewesen sind. Worauf hier vielmehr das Augenmerk zu richten ist, weil sich die frühmittelhochdeutsche und die klassische Dichtung darin unterscheiden, ist die oben genannte Erscheinung junger Korrelate im Hauptsatz, die neben die Konjunktion treten und die Bedeutung des Nebensatzes für den Hauptsatz auszudrücken haben[17]). Als ein, syntaktisch betrachtet, besonderes Gebilde erscheint dabei der Relativsatz, der für unsere Betrachtungen meist praktisch ausscheiden muß. Bei seiner überwiegend attributiven Natur ist ihm mit einem Substantivum ein Korrelat im Hauptsatz meistens gegeben, mit einem Substantivum, das in dem Artikel eine Form neben sich hat, die aus dem deiktischen Pronomen hervorgewachsen ist und deren deiktische Kraft jederzeit neu zu erwecken ist. Es ist daher meist unmöglich, festzustellen, ob der Relativ-

[17]) Ich habe der Erscheinung keine besondere Aufmerksamkeit geschenkt, daß die anaphorische Verbindung zwischen Haupt- und Nebensatz auch durch eine anaphorische Partikel im Nebensatz verwirklicht werden kann. Derartige Fälle bleiben vereinzelt und geben dem Stilbild keinerlei Färbung. Der Ezzo hat dafür beispielshalber folgende Belege: *daz* (85); *den* (52); *da* (319); *da inne* (83; 334); *da vure* (358). Abseits steht dann noch *nu* (21).

satz ein eigenes deiktisches Korrelat besitzt[18]). Die wenigen Relativsätze, die nicht zu einem Substantivum gehören, sind nicht fähig, auf den Stil Einfluß zu nehmen; ihr Verhalten hat daher wohl für eine syntaktische, nicht aber für die vorliegende Untersuchung Interesse.

Eine besondere Betrachtung verlangen die Systeme aus Vorder- und Nachsatz, die ihre eigene Struktur haben. Sie sind für das Stilbild der frühmhd. Dichtung nicht unwichtig, aber ihre Untersuchung im einzelnen führt hier zu keinen klaren Resultaten und muß mit größerem Material einmal speziell durchgeführt werden.

Ausgeschaltet bleibt hier auch die Frage nach der Mittelstellung des Nebensatzes, der O. Kracke eine eingehende Untersuchung in einer Gießener Dissertation (1911) gewidmet hat. Die tabellarische Zusammenfassung seiner Ergebnisse auf S. 242 ff. zeigt, daß die Neigung zur Einschaltung von Nebensätzen erst ganz gegen Ende der mhd. Epoche steigt, so daß man an eine Beeinflussung des Stilbildes dadurch denken kann. Dagegen scheinen die frühmittelhochdeutsche und die klassische Zeit sich in diesem Punkte ganz gleich zu verhalten. Was insbesondere die relativ hohe Prozentzahl betrifft, die Kracke für den Ezzo angibt (5,7 %), so bleibt sie unverbindlich, da sie sich nur auf drei Belege stützen kann. Von Interesse für unsere Zeit ist es immerhin, daß in unseren Denkmälern diese Form, die eine gut entwickelte Syntax voraussetzt, gegenüber der ahd. Dichtung, speziell gegenüber Otfrid erheblich zurückgeht[19]).

---

[18]) Anders verhalten sich darin die nordischen Sprachen namentlich in ihren älteren Stadien, die den angehängten Schlußartikel noch nicht ausgebildet hatten. Aber auch später noch ist es weitgehend möglich, die Absicht eines Korrelates festzustellen, da die beiden Möglichkeiten: „der Mann, welcher" und „dér Mann, welcher" nicht nur akzentuell, sondern auch formal verschieden sind. Vgl. Klockhoff, Relativsatsen i den äldre fornsvenska, Progr. Karlstad 1884; de Boor, Studien zur altschwedischen Syntax, Breslau 1922, S. 122 ff.

[19]) Bei dem unbedingten Vorwiegen der Relativsätze unter den Sätzen in Mittelstellung scheint mir die ganze syntaktische Erscheinung überhaupt eine Trennung der Gesichtspunkte zu erfordern, die bei Kracke S. 4 zwar angedeutet wird, aber die Darstellung selbst nicht beeinflußt hat, da diese sich einseitig auf das Verhältnis der durch die Schaltung getrennten Satzteile richtet. In der Tat sind aber die folgenden beiden Schaltungen syntaktisch und stilistisch etwas sehr Verschiedenes.

Parz. 117, 16 *liute, die bi ir da sint,*
müezen buwen und riuten.
Parz. 538, 20 *helt, nu gich,*
wellestu genesen, sicherheit.

Denn im ersten Beispiel handelt es sich um einen attributiven Satz, der, nur einem Worte zugehörig, hinter diesem Wort steht, wie es jedes andere Attribut auch tun kann und tut. Das erste Beispiel wäre als usuelle Mittelstellung zu betrachten. Dagegen gehört im zweiten Fall der konditionale Schaltsatz als ein Adverbial zum ganzen Satz, und indem er sich — relativ selbständig, wie er ist — zwischen die eng zusammengehörigen Satzglieder, Verb und nahes Objekt, drängt, erzeugt er den Eindruck starker, überraschender Ungewöhnlichkeit. Diese Mitteilung ist ausgesprochen okkasionell. Und man wird sagen dürfen, daß nur das häufigere Auftreten der zweiten Art das Stilbild auffällig beeinflußt.

Für die Nebensatzbildung des Ezzo ist am auffälligsten die unbedingte Herrschaft der Relativsätze und der *daz*-Sätze. Sicherlich stellen diese beiden Typen auch später den größten Prozentsatz aller Nebensätze, aber so ausschließlich wie im Frühmhd. geschieht es doch nicht mehr. Dazu kommt, daß auch innerhalb der *daz*-Sätze eine Spezialisierung noch nicht stattfindet. Die Formen *umbe daz, von diu daz, so daz* u. ä. sind im Ezzo noch nicht vorhanden; das einfache *daz* genügt noch zum Ausdruck der verschiedensten Beziehungen.

Ebensowenig ist im Hauptsatz das Bedürfnis nach einem Korrelat entwickelt. Die einzige Belegstelle für *daz*-Sätze ist:

273 *di sint unser urchunde des*
daz wir alle irsten ze jungest. (Reimbeleg)

Dem stehen vierzehn *daz*-Sätze ohne Korrelat gegenüber.

Bei andersartigen Nebensätzen kann man 305 ff. hier heranziehen:

der fortis armatus
der chlagete duo daz sin hus,
duo ime der sterchore chom.

Indessen möchte ich glauben, daß hier *duo* im Hauptsatz zu anaphorischer Verknüpfung mit dem Vorangehenden dient und nicht als Korrelat zu dem *duo* des Nebensatzes zu betrachten ist[20]). Die übrigen Nebensätze (fünf Belege für *wante;* zwei für *ub;* je einer für *unze, duo, so)* sind korrelatlos.

8.

Besonders liegen die Dinge für den Vordersatz. Auch hierfür ist Krackes Schrift ertragreich. Sie zeigt eine bedeutende Zunahme der Vordersätze gegenüber Otfrid, eine Zunahme von solchem Umfang, daß man hier einen Umschwung im Stil feststellen muß. Seine Tabellen S. 52 und insbesondere S. 242 ff. lassen erkennen, daß grade der Ezzo besondere Neigung zum Vordersatz hat, daß er also für dieses Gedicht erhöhte Bedeutung besitzt.

In der ganzen mhd. Zeit sind zwei Formen der Verbindung von Vorder- und Nachsatz vorhanden. Wir finden einerseits die freie Hauptsatzstellung im Nachsatz, d. h. völlige syntaktische Unabhändigkeit von Vorder- und

[20]) Die obige Interpunktion ist die von MSD. Nach Waags Auffassung kommt ein Zusammenhang der beiden *duo* überhaupt nicht in Frage, da er die beiden Sätze durch Punkt hinter *hus* trennt. Nach ihm ist der erste Satz mit *duo* also alleinstehender, durch *duo* anaphorisch an das Vorangehende angeknüpfter Hauptsatz. Der zweite, mit *duo* eingeleitete Satz wird dann zum Vordersatz für den darauf folgenden Hauptsatz. Ein Korrelatverhältnis besteht auch nicht 87—88:

di genade sint so mancvalt,
so si an den buochen stant gezalt.

Nicht zu interpretieren: „Die Gnaden sind so vielfältig, wie sie in den Büchern aufgezählt stehn.“ Sondern: wie die Parallele mit Z. 18 (= I, 5—6 der Straßburger Fassung) zeigt, ist *so mancvalt* hier rein relativ zu bewerten. Der Sinn ist: „Die Gnaden sind über die Maßen vielfach, so wie es auch in den Büchern zu finden ist.“

Nachsatz. Andrerseits sehen wir die anaphorische Aufnahme des Vordersatzes im Nachsatz durch eine Partikel, die in ihrer Form die Bedeutung des Vordersatzes für den Nachsatz ausdrückt. Die dritte, im Nhd. herrschende Form, die volle Eingliederung des Vordersatzes in den Nachsatz durch Spitzenstellung des Verbums im Nachsatz, kommt für diese frühe Zeit noch nicht in Frage. Das Bild des Vordersatzes ist wesentlich bunter als das des gewöhnlichen Nebensatzes, in dem die Konjunktion *daz* mit großer Eintönigkeit vorherrscht. Und wie schon gesagt, ergibt seine Untersuchung mit dem hier zu Gebot stehenden Material kein klares Bild. Wir finden auch hier eine beherrschende Gruppe, die temporalen Vordersätze mit *duo* als einleitender Partikel. Sie haben zum Teil einfach die Aufgabe der Verknüpfung mit dem Vorangehenden, indem sie sich nicht wie die Anaphora mit einer einfachen Partikel begnügen, sondern indem sie den ganzen Inhalt des vorangehenden Satzes als Vordersatz wiederaufnehmen. Als Beispiel diene:

8 *Wille vant die wise,*
duo er die wise duo gewan,
duo ilten sie sich alle munechen.

Statt des Vordersatzes hätte auch ein einfaches *duo* genügt. Weitere Beispiele hierfür sind 109 f. und 263 f. In anderen Fällen des temporalen Vordersatzes (145-148; 199-201; 313-314; 323-324; 339-343), sowie bei den mannigfachen anderen Verknüpfungsformen relativer (135-137; 195; 419-420), allgemein relativer (333-334; 357-358; 386-388), konditionaler (35-36; 85-86), fragender (97-98; 175-176) oder vergleichender (417-418) Natur sind die Vorder-Nachsatzsysteme dagegen in sich geschlossen. Ihr Vordersatz hat nicht anaphorische Aufgabe, sondern er ist ein notwendiges Satzglied. Was dem Ezzo fehlt, sind die konjunktionslosen Vordersätze konditionaler oder aus konditionalem Verhältnis abgeleiteter Natur. Im allgemeinen verwendet der Ezzo, im Gegensatz also zu normalen Haupt-Nebensatzgefügen, im Vorder-Nachsatzsystem Anaphora im Hauptsatz. Von den temporalen Belegen sind nur 263 und 323 ohne Anaphora mit *duo,* von den relativen nur 195[21]). Auszuscheiden sind die beiden Belege mit *ube* und *swen,* da hier das Vorder-Nachsatzsystem als Ganzes wieder von einem übergeordneten Hauptsatz abhängig ist, so daß auch der Nachsatz zum Nebensatz wird und ein Hypotaxenverhältnis: a—c—b vorliegt. Dem stehen dreizehn Systeme mit Anaphora gegenüber. Für den Ezzo ist die Anaphora also das Normale.

---

[21]) Bei relativem Vordersatz halte ich es für richtiger, nur dann von Aufnahme im Nachsatz zu reden, wenn hier ein wirklich anaphorisches Pronomen auftritt, das allein dem Zweck der Aufnahme dienen kann. Dagegen ist es für uns wenigstens nicht erkennbar, ob ein einfaches Personalpronomen im Nachsatz, das sich auf das Relativum des Vordersatzes bezieht, eine anaphorische Kraft hat oder nicht. Es braucht sie von Hause aus nicht zu besitzen und kann sie erst durch akzentuelle Beschwerung erhalten. In derartigen Fällen, die natürlich überaus häufig, aber selten eindeutig zu beurteilen sind, will ich nicht von Anaphora reden.

Umschreiben wir das Verhalten des Ezzo noch einmal kurz, so ergab sich folgender Befund: Nebensatzgefüge im allgemeinen sparsam, doch vereinzelt ohne Gliederung und Beherrschung gehäuft. Vorder-Nachsatzsysteme beliebt, im allgemeinen anaphorisch gebunden. Gewöhnliche Nebensätze — von Relativsätzen abgesehen — meistens ohne Neigung zu Anaphora; Armut an Konjunktionen; undifferenziertes *daz* genügt zum Ausdruck sehr mannigfacher Beziehungen. Hinzufügen könnte man, daß allgemeine Relativsätze als nachgestellte Nebensätze überhaupt fehlen[22]), als Vordersätze nur sehr selten auftreten (333-334 und der gleiche Wortlaut wiederkehrend 357-358, ferner noch 386).

9.

Indessen wäre damit die Charakterisierung nicht abgeschlossen, wenn sie nicht eine beherrschende Eigenschaft noch heraushöbe: die Kürze des einzelnen Satzes und die damit erzielten stilistischen Effekte. Der knappe Satz, der mit Vorliebe nur eine Zeile, selten ein Zeilenpaar ausfüllt und der, wenn er mehrere Zeilen umfaßt, sich wieder zeilenweise auch sprachlich stark gliedert, gibt vielleicht mehr als alles andere der frühmhd. Dichtung ihr sprachliches Gepräge. Der Mangel an allen überflüssigen sprachlichen Dingen, die nur dem Schmuck dienen, eine Erscheinung, die wir schon auf nominalem Gebiet zu beobachten Gelegenheit hatten, wiederholt sich hier. Der Satz umfaßt nicht mehr als die notwendige Mitteilung, er sagt grade heraus, was gesagt werden soll. Weder baut er den einzelnen Satzteil durch Appositionen, Attribut usw. übermäßig aus, noch liebt er Sätze aus sehr vielen verschiedenartigen Satzgliedern. Auf dieser sprachlichen Enthaltsamkeit beruht der wieder tief ins metrische Gefüge eingreifende Kurzzeilen- und Reimpaarbau der frühmhd. Gedichte, der für die Brechungstechnik entscheidend wird[23]). Wenn ich als einzeilig alle vollständigen Haupt- und Nebensätze rechne und die paar Zeilen hinzunehme, die einen vokativischen Anruf als ein in sich geschlossenes syntaktisches Gebilde enthalten, so sind typisch einzeilig 231 Zeilen = 55 % des ganzen Gedichtes. Dagegen sind mehr als zweizeilig nur 9 dreizeilige (18-20; 69-71; 133-135; 141-143; 145-147; 153-155; 241-243; 282-284; 351-353), zwei fünfzeilige (13-17; 58-62) und ein sechszeiliges (287-292) Satzgefüge. Aber auch diese sind nun keineswegs einheitliche Sätze, die sich über drei oder mehr Zeilen ausdehnen. Dafür liegt nur ein einziges dreizeiliges Beispiel vor:

---

[22]) Allenfalls könnte hierher gehören 114: *so berhte, so si waren.* Aber das ist der Form nach noch ganz Vergleichssatz; später würde es heißen: *swie berhte sie waren.*

[23]) Dieser vorliegende Aufbau aus Kurzzeilen beeinflußt auch die Stellung der frühmhd. Dichtung zum Problem der Brechung. Auf ihm beruht das Ausleben im Rahmen des geschlossenen Reimpaares, indem er die Möglichkeit schafft, zwei solche Zeilen durch syntaktische (z. B. Haupt-Nebensatz) oder stilistische Bänder zusammenzufassen. Sprachlicher Kurzzeilenbau bedeutet also keineswegs metrische Isolierung der Kurzzeile, sondern bietet im Gegenteil Anlaß zu ihrer Bindung.

141 *duo rief des boten stimme*
in dise werltwuostunge
in spiritu Elie.

Sonst gliedern sich diese Sätze scharf in selbständige Unterglieder mit einem Umfang von ein bis zwei Kurzzeilen.

13 *ich will iu eben allen*
eine vil ware rede vor tuon
von dem minem sinne,
von dem rehten anegenge,
von den genaden also manechvalt.
69 *ze aller jungest gescuofe du den man*
nah dinem bilde getan,
nah diner getete.
241 *mit uns er wantelote*
driu unte drizzich jar,
durch unser not daz vierde halp.
153 *in fine seculorum,*
duo irscein uns der gotes sun
in mennisclichemo bilde.
282 *after tode gab er uns den lip,*
des fleisches urstente,
himelriche imer an ente.

Die Betrachtung dieser Beispiele führt auf zwei Prinzipien der Gliederung längerer Satzkomplexe. Das eine ist mit 153-155 gegeben. Aus einem längeren Satzgefüge wird ein einzelnes, eine Zeileneinheit füllendes Glied vorausgenommen und von den übrigen auch sprachlich durch anaphorische Partikeln oder Pronomina abgeschnürt. Der sprachliche Quellpunkt der Erscheinung ist natürlich nicht stilistisch-metrisches Bedürfnis, sondern der Drang nach übersichtlichen Verhältnissen in einem größeren Satzgefüge, das sprachlich noch nicht übersehen und bewältigt werden konnte. Daher erscheint diese Form besonders gern bei Satzgliedern, die durch einen Nebensatz näher bestimmt sind, wofür Kracke in seiner schon zitierten Schrift über die Mittelstellung Beispiele sammelt (bei den einzelnen Denkmälern jeweils im Abschnitt C). Sie nimmt in frühmhd. Dichtung, wo geringere sprachliche Schulung herrscht, gegen Otfrid bedeutend zu. Aber sie hat hier nicht nur sprachliche, sondern auch stilistische Gliederungsaufgaben übernommen.

Auch das zweizeilige Satzsystem macht nicht selten von diesem Mittel Gebrauch.

1 *Der guote biscoph Guntere vone Babenberch*
der hiez machen ein vil guot werch.

Ähnlich 37-38; 99-100; 121-122; 193-194; 213-214; 225-226; 279-280; 305-306; 326-327; 345-346; 363-364. Diese Gliederungsform muß also sicherlich unter die Stilmittel des Ezzo aufgenommen werden.

Das zweite Prinzip ist mit den Beispielen 13-17; 69-71; 282-284 belegt. Es kann als das Prinzip der gereihten Glieder bezeichnet werden und ist die Verwendung des weiter oben (S. 26 f.) eingehend besprochenen Stilmittels der Zwillingsformel, bzw. der Auflösung einer Gesamtheit in einzelne Teile zu Zwecken der sprachlichen und metrischen Gliederung. Dies geschieht, indem jedes der Teilgebiete oder ein Teilgliederpaar von engerer Zusammengehörigkeit eine Zeile in sich abgeschlossen ausfüllt und damit dasselbe erreicht, wie die Füllung mit einem selbständigen Satz. Auch dies Stilmittel macht sich der zweizeilige Satz zur Erreichung der Gliederung 1 + 1 gern zunutze.

83 *daz si da inne weren,*
des sinen obzes phlegen.

Ähnlich 35-36; 159-160; 173-174; 231-232; 235-236; 237-238; 354-355.

Die engen Zusammenhänge, die hier zwischen syntaktischem Aufbau und metrischer Gliederung bestehen, treten deutlich in der Tatsache hervor, daß von den 73 Satzgefügen, die zwei Zeilen umfassen, nur 5 (88-89; 270-271; 326-327; 354-355; 386-387) nicht im Rahmen eines geschlossenen Reimpaares bleiben. Der primitive Stand, auf dem der Ezzo in bezug auf die Brechungstechnik steht, äußert sich zugleich sprachlich in der Vorliebe für ein- und zweizeilige Füllung und in der Einpassung zweizeiliger Satzfüllungen in ein Reimpaar — abgesehen von den eben aufgezählten Ausnahmen[24]).

10.

Diese Gliederung der Satzsysteme führt dann hinüber zu dem stilistisch entscheidenden Merkmal des Parallelbaus. In jüngster Zeit hat Regine Strümpell[25]) namentlich am Material der Wiener Genesis die Erscheinung des

[24]) Vgl. dazu meinen Aufsatz „Brechung im Frühmittelhochdeutschen" in der Festschrift für E. Sievers, 1925.

[25]) Der Parallelismus als stilistische Erscheinung in der frühmhd. Dichtung, Beitr. 49 (1925), S. 163 ff. Die sehr brauchbare und verdienstliche Arbeit hat, wie oben auszuführen sein wird, den Begriff des Parallelismus enger gefaßt, als ich es hier getan habe und als es für die frühmhd. Zeit wünschenswert scheint. Ihr ist darum auch die große metrische Bedeutung des Parallelbaues der Zeilen entgangen, und dies hat sie zu der falschen Annahme geführt, daß die Kurzzeile die metrische Grundeinheit der frühmhd. Dichtung sei. Wer die großen Anstrengungen und die fortgeschrittene Kunst dieser Dichter in der Verbindung zweier, im Reimpaar gebundener Zeilen beachtet, dem kann nicht zweifelhaft sein, daß sie das Reimpaar gewissermaßen als „Langzeile" einheitlich empfunden haben. Das Reimpaar ist so wenig eine klangliche Verkoppelung zweier gleichgültiger Reimzeilen, wie der Stabreimvers eine beliebige Verbindung zweier Kurzzeilen ist. Tiefer gehende, sprachliche und stilistische Fäden verbinden die beiden Zeilen, und der Reim ist letztlich nur das Siegel auf der Einheit. Freilich ist dies die ideale Forderung, von der abzuweichen im Reimpaar viel näher lag und bequemer war als im stabenden Langvers. Doch erst als die Brechung sich als ein vollwertiges, metrisches Mittel durchsetzte und ein prozentual sehr hoher Teil der Reimpaare aus zwei bewußt auseinandergespaltenen Zeilen aufgebaut wurde, schwand Sinn und Gefühl für die Einheit des Reimpaares, und die einzelne Reimzeile wurde der metrische Baustein der epischen Dichtung. Ich sehe darin eine der wesentlichsten und folgenreichsten metrischen Veränderungen, die sich im Lauf des 12. Jh. durchgesetzt haben.

Parallelismus als frühmhd. Stilmittel energisch hervorgehoben, während ich selbst fast gleichzeitig auf die metrisch-formale Erscheinung dieser Bedeutung in meinem schon genannten Aufsatz in der Sievers-Festschrift aufmerksam gemacht habe. Schon viel früher hat Behaghel[26]) dem Parallelismus in einer umfassenden, über das Frühmhd. weit hinausgehenden Untersuchung sein Interesse zugewendet. Das, was jene beiden Untersuchungen interessiert, ist nicht ganz dasselbe wie das, worauf ich hier abziele. In beiden war der Gesichtspunkt der, sich von dem eventuellen Fortleben der germanischen Variationstechnik ein Bild zu machen oder darüber hinaus (Behaghel) zu den prinzipiellen sprachpsychologischen Grundlagen des sprachlichen Variationsbedürfnisses vorzudringen. Was zur Betrachtung steht, ist die Wiederholung, und zwar die Wiederholung desselben Gedankens, sowie die Art, wie sie sprachlichen Ausdruck findet. Die Untersuchung geht vom Inhaltlichen aus und schreitet zum Sprachlichen fort[27]). Mir kommt es umgekehrt auf Inhaltliches nicht an, sondern auf Sprachlich-Syntaktisches, das zu bewußter stilistischer Wirkung benutzt ist. Gleichgültig ist es dabei, ob in einer sprachlichen Folge derselbe Gedanke oder dasselbe Bild wiederholt ausgedrückt wird, oder ob eine Reihe von Gedanken oder Bildern aneinandergefügt wird, sofern nur die sprachliche Form, in der es geschieht, ein Streben nach Parallelität bekundet. Die asyndetische und zum Teil auch die anaphorische Verbindung kurzer Sätze, die die vorherrschende Form der frühmhd. Dichtung ist, gibt von sich aus schon den Eindruck einer Aufreihung der Sätze und der in ihnen mitgeteilten Inhalte. Und dieser Eindruck der Aufreihung wird nicht, wie in Denkmälern eines andersartig gerichteten Stilgefühls, gemieden oder, wo die Dinge selbst im einfachen Fortschreiten der Erzählung aufgereiht werden, doch durch Mannigfaltigkeit des sprachlichen Ausdrucks zu verwischen gesucht. Das ist die Technik der klassischen Dichtung, worauf später hinzu-

[26]) O. Behaghel, Zur Technik der mittelhochdeutschen Dichtung, Beitr. 30 (1905), S. 431 ff.

[27]) Das, was Behaghel als „Wiederholung mit Weiterführung" bezeichnet, geht über das hinaus, was ich als Variation empfinde. Solche Stellen bringen tatsächlich eine Weiterführung des Gedankens, und auf die kommt es im Augenblick an. Das rein Schmuckhaft-Stilistische der echten Variation, die keine Mitteilung wünscht, ist damit durchbrochen. Die von Behaghel S. 441 aufgeführte Stelle der Genesis:

Mit netzen joch mit hunten
Vieng er hirze unde hinten.
Er chund ouch fahen
Reher dei vehen,

ist gewiß ein einleuchtendes Beispiel von Parallelbau — übrigens zugleich ein hübscher Beleg für die noch zu besprechende Erscheinung chiastischen Aufbaus. Doch liegt er nicht im Inhaltlichen; das ist verschieden. Insofern ist es keine Variation. Inhaltlich betrachtet, gehört es vielmehr zusammen mit den unten (S. 49 f.) besprochenen Stellen eines aufreihenden Aufbaues eines Gesamtbegriffs aus seinen einzelnen Teilen. Und diese inhaltliche Aufreihung wird durch den sprachlichen Ausdruck noch bewußt unterstrichen und zu stilistischer Wirkung ausgenutzt. Darüber findet sich Näheres oben im Text.

weisen sein wird. Die frühmhd. Dichtung unterstreicht umgekehrt den Eindruck der Reihung noch dadurch, daß sie die aufeinanderfolgenden Glieder in ihrer syntaktischen Struktur einander annähert und so zu einem sprachlich-syntaktischen Parallelismus vordringt, der als bewußte Stilform wirkt.

Das Vorhandensein wirklicher Variation im Frühmhd. scheint mir Behaghel sicher erwiesen zu haben. Freilich halte ich nicht alles, was er an Material dafür zusammengetragen hat, für stichhaltig. Oft spüre ich in seinen Belegen deutliche Weiterführung, und ich bin geneigt, mit der Annahme wirklicher Variation als stilistischer Zierform im Frühmhd. sehr vorsichtig zu sein[28]). Auch der Ezzo kennt wirkliche Variation. Am reinsten kommt sie in den Zeilen 193-196 heraus:

Antiquus dierum,
der wuhs unter den jaren:
der ie ane zit was,
unter tagen gemert er sin gewahst.

Ferner gehört hierher:

163 *wante si was muoter unte maget*
— daz wart uns sit von ir gesaget —
si was muoter ane mannes rat.
185 *er verdolte, daz si in besniten,*
. . . , duo wart er circumcisus[29]).

Aber schon die mehrfach wiederholende Stelle 145 ff. ist nicht reine Variation:

145 *Duo die vinf werlte*
gevuoren alle zuo der helle
unte der sehsten ein vil michel teil,
duo irscein uns allen daz heil.
duo ne was des langore bite,
150 *der sunne gie den sternen mite:*
duo irscein uns der sunne
uber allez manchunne,
in fine seculorum[29])
duo irscein uns der gotes sun

---

[28]) Daß in frühmhd. Zeit wirkliche Variation vorkommt, scheint mir namentlich für die Wiener Genesis von Behaghel evident erwiesen zu sein, auch wenn ich mir erlauben muß, viele von Behaghels Belegen hier zu entfernen und vielmehr als wirkliche Weiterführung zu betrachten, bei der nur der betonte sprachliche Parallelbau den Gedanken an Variation weckt. Wenn ich ein paar Seiten von Behaghels Aufsatz daraufhin durchgehe, welche der angeführten Belege der Prüfung als echte Variation standhalten, so ergibt sich etwa Folgendes auf den Seiten 449—453:

Wirkliche Variation die Belege Gen. 605; 1891; 3669; 1052; 3475.

Weiterführung Gen. 2132; 2090; 483; 1115; 1873.

[29]) Variierende, freilich oft sehr frei paraphrasierende Übersetzung eines lateinischen Einschubes gehört zu den besonderen Stilformen des Ezzo, aber bei weitem nicht aller frühmhd. Denkmäler. Vgl. oben S. 25.

155 *in mennisclichemo bilde:*
den tach braht er uns von den himelen.

Denn in der letzten Variation wenigstens tritt mit Zeile 155 eine wesentliche Weiterführung des Sinnes ein. Ähnlich ist 55 ff. zu beurteilen:

55 *Warer got, ich lobe dich,*
ein anegenge gih ich an dich.
daz anegenge bistu, trehtin, ein:
ja ne gih ich anderez nehein
der erde joch des himeles,
60 *wages unte luftes*
unt alles des (in den) vieren ist
lebentes unte ligentes.
daz geschuophe du allez eine,
du ne bedorftest helfene dar zuo.
65 *ich wil dich ze anegenge haben*
in worten unt in werchen.

Zeile 56 und 57 sind nicht Variationen, sondern Fortführung: ich will von dem *anegenge* reden (56); dieses *anegenge* bist du, Gott, allein (57). Und ist die Zeile 63, die die vorangehenden summierend zusammenfaßt, bei aller Inhaltsübereinstimmung mit Zeile 57 wirklich eine beabsichtigte Variation dazu? Ich kann diesen Eindruck nicht gewinnen.

Andere Stellen des Ezzo, die in Behaghels Statistik erscheinen würden, ohne daß sie eigentliche Variationen sind, wären etwa: 1-4; 67-68; 230-231; 270-272 — ein besonders einleuchtendes Beispiel für die Betonung des neuen, nicht des variierten Teils —; 302-304; 383-385 (die Übersetzung würde hier ein „nämlich" einfügen müssen und damit zeigen, daß nicht Variation, sondern Fortführung angestrebt ist).

11.

In all diesen Fällen ist die sprachliche Formgebung, nicht die inhaltliche Übereinstimmung das Entscheidende. Denn die sprachliche Behandlung verbindet die Fälle echter Variation mit solchen unzweifelhafter Weiterführung zu einheitlichem stilistischen Bilde.

Die einfachsten Beispiele der zweiten Art bietet die reine Aneinanderreihung kurzer Tatsachenberichte in wörtlich gleichartig gebauten Sätzen.

So etwa

91 *honeges rinnet Geon,*
milche rinnet Vision,
wines rinnet Tigris,
oles Eufrates.

41 *von dem leime gab er ime daz fleisch,*
der tow bezechenit den sweiz,

von dem steine gab er ime daz pein
(des nist zwivil nehein),
45 *von den wurzen gab er ime di adren,*
von dem grase gab er ime daz har,
von dem mere gab er ime daz pluot,
von den wolchen daz muot.
duo habet er ime begunnen
50 *der ougen von der sunnen.*

Hierbei ist die leichte sprachliche Variierung im Schluß des ersten, die stärkere im Schluß des zweiten Beispiels nicht unbeabsichtigt. Eine Reihe weiterer Beispiele mögen etwas kompliziertere Formen des Parallelbaus veranschaulichen.

205 *den alten namen legite wir da hine,*
von der touffe wurte wir alle gotes chint.

Besonders einleuchtend ist die Partie, in der die Wunder Christi aufgezählt werden:

210 *von dem wazzer machot er den win,*
drin toten gab er den lib.
von dem bluote nert er ein wib.
di chrumben unt di halzen,
di machet er alle ganze.

Die drei ersten Zeilen sind in ihrem Aufbau genau übereinstimmend. Jeweils ist das pronominale Subjekt invertiert, so daß die Zeilen den Aufbau: entferntere Bestimmung — Verb — pronominales Subjekt — Akkusativobjekt erhalten. Die letzte Periode hebt sich von den übrigen schon durch den größeren Umfang von zwei Zeilen ab und kehrt in ihrem Aufbau die beiden Außenposten um. Sie zeigt das Bild: Akkusativobjekt — Verb — pronominales Subjekt — entferntere Bestimmung.

Derselbe Aufbau setzt sich bald darauf 219 ff. fort:

Mit finf proten sat er
220 *vinf tusent unte mere,*
daz si alle habeten gnuoc:
zwelf chorbe man danne truoc.
mit fuozzen wuot er uber fluot.
zuo den winten chod er „ruowet".
225 *di gebunden zungen*
di lost er dem stummen.

Auch hier genau der gleiche Aufbau: entfernte Bestimmung, Verb — pronominales Subjekt — Akkusativobjekt, abgeschlossen durch einen zweizeiligen Satz mit Umkehrung der Außenposten.

Oder man nehme 263 ff.:

Duo der unser ewart
also unsculdiger irslagen wart,

265 *diu erda irvorht ir daz mein,*
der sunne an erde nine scein,
der umbehanc zesleiz sich al,
sinen herren chlagete der sal,
diu grebere taten sih uf,
270 *die toten stuonten dar uz.*
mit ir herren gebote
si irstuonten lebentich mit gote.

Wir sehen eine Folge von lauter knappen Sätzen des Typs: Subjekt — Prädikat — Bestimmung, nur leicht variiert vermutlich unter dem Einfluß des Reimbedürfnisses. Auch hier wird die Periode abgeschlossen mit einem Satze, der an Umfang größer und im Aufbau abgeändert ist.

Ähnliche Reihung kann, wenn auch seltener, der Nebensatz zeigen. So etwa 237 f.:

daz wir uns mit triwen trageten,
unser not ime chlageten.

Komplizierter ist der Absatz 123 ff.:

sin lieht daz gab uns Abel,
daz wir durch reht ersterben.
125 *duo lert unsih Enoch,*
daz unsriu werch sin elliu guot.
uz der archa gab uns Noe
ze himele rehten gedingen.
duo lert unsih Abraham,
130 *daz wir gote sin gehorsam,*
der vil guote David,
daz wir wider ubele sin gnadich.

Hier sind einerseits die vier Hauptsätze (123, 125, 127, 129) in sich parallel gebaut nach dem Schema: Satzglied — Verb — pron. Obj. 1. Pers. — Eigenname. Ebenso parallel sind die dazwischenliegenden *daz*-Sätze (124, 126, 130, 132).

Oft dient die asyndetische Reihung parallel gebauter Sätze gradezu als deutlich spürbarer Ersatz logischer Verknüpfung. Man betrachte folgende Beispiele:

165 *si was muoter ane mannes rat,*
si bedachte wibes missetat.

183 *der engel meldot in da,*
die hirte funden in sa.

205 *den alten namen legite wir da hine,*
von der touffe wurte wir alle gotes chint.

237 *von holze huob sih der tot,*
von holze gevil er, gote lop.

12.

Sehr viel seltener ist ein chiastischer Aufbau zweier gleichartiger Parallelsätze im Ezzo zu beobachten. Doch sind die vorhandenen Beispiele sehr lehrreich für diese Kunstform, die auch in anderen frühmhd. Denkmälern eine sehr bedeutende Rolle spielt. Es kann dabei vorkommen, daß sich grammatischer Parallelbau mit inhaltlichem Chiasmus verbindet. Ich gehe zu diesem Zweck eine Reihe von Beispielen durch.

259 *der tievel ginite an daz fleisc:*
der angel was diu gotheit.

Hier verbindet sich grammatische und inhaltliche Kreuzung der antithetischen Begriffe, der Subjekte: *tievel* — *gotheit* und der Bestimmungen: *daz fleisc* — *der angel.*

107 *der helle wuohs der ir gewin,*
manchunne allez vuor in.

Auch bei diesem Beispiel betont der grammatische Chiasmus den inhaltlichen. Zusammengehörig sind einerseits: *der helle* und *in,* andrerseits: *der ir gewin* und *manchunne.*

293 *vil michel was sin magenchraft*
uber alle himelisc herscaft,
uber di helle ist der sin gewalt
michel unte manicvalt.

Antithetisch verbunden sind: *himelisc herscaft — di helle; vil michel — michel unte manicvalt.* In der Wortstellung sind sie gekreuzt.

Zuweilen tritt kein voll ausgebildeter Chiasmus ein, sondern nur eine leichtere Abwandlung in der Anordnung der Glieder. Als Beispiel diene

193 *Antiquus dierum,*
der wuhs unter den jaren:
der ie ane zit was,
unter tagen gemert er sin gewahst.

Der Aufbau der beiden parallelen Partien sieht folgendermaßen aus:

a) vorausgenommenes Subjekt — Anaphora — Verb — Zeitbestimmung.

b) vorausgenommenes Subjekt — Zeitbestimmung — Verb — anaphorisch bestimmtes Objekt. Oder

67 *Got du geschuofe allez daz ter ist,*
ane dih nist nieweht.
ze aller jungest gescuofe du den man
70 *nah dinem bilde getan,*
nah diner getete,
so du gewalt hete.
du blise im dinen geist in,
daz er ewich mohte sin.

75 *noh er ne vorhte den tot,*
ub er behielte din gebot.
zallen eren gescuofe du den man;
du wessest wol den sinen val.

Wir finden hier die beliebte Form, im Aufbau einer Periode von der Spitzenstellung des Subjekts (67) zur Inversion (68 ff.) überzugehen. Das wiederholt sich in umgekehrter Reihenfolge mit Zeile 77, 78.

In dieser Reihung paralleler Sätze tritt häufig das Prinzip der Gliederung einer Gesamtheit in aufgereihte Einzelheiten oder vielmehr der Aufbau des Gesamtbildes aus diesen sehr deutlich hervor. So bildet sich das Gesamtbild: Jesu als Wundertäter aus den aufgereihten, knappen und sprachlich parallel gebauten Mitteilungen über die einzelnen Wunder. So wird der Gesamteindruck seines Todes hervorgerufen durch die kurzen, sprachlich parallelen Sätze über die dabei aufgetretenen Erscheinungen.

Nicht selten ist auch paralleler Aufbau einzelner gereihter Satzglieder, wie sie weiter oben bei der Behandlung der Zwillingsformel und ihrer Weiterbildungen aufgeführt sind. Man nehme als Beispiel hier:

13 *Ich wil iu eben allen*
eine vil ware rede vor tuon
von dem minem sinne,
von dem rehten anegenge,
von den genaden also manechvalt.

282 *after tode gab er uns den lip,*
des fleisches urstente,
himelriche imer an ente.

397 *disiu werlt ist daz meri,*
min trehtin segel unte vere,
diu rehten werch unser segelseil.

Wir können nunmehr zusammenfassend sagen, daß durch den Ezzo ein stilistischer Zug von solcher Einheitlichkeit geht, wie er nur durch eine bewußte Formgebung erreicht werden kann. Der eine Grundzug des Ezzostils ist die Abwendung von aller rein schmuckhaften Verwendung des sprachlichen Materials, aller Bildungen, die nur um der schönen oder poetischen Wirkungen willen da sind. Die Absichten des Ezzostils liegen vielmehr auf rhetorischem Gebiet. Ihr Ziel ist Eindringlichkeit und Nachdruck. Dazu steht ein Sprachmaterial zur Verfügung, das noch keine sehr weitgehende rhetorische oder syntaktische Schulung aufzuweisen hat. Die Mittel, durch die das Ziel zu erreichen gesucht wird, sind darum einfach; wir können Reihung als das Charakteristische im Ezzo bezeichnen. Auf nominalem Gebiet fehlt daher die nur schmückende und ausmalende Kunst des Adjektivums und der zierhaften Variation und Apposition. Aber auch die fortgeschrittneren Formen nominaler Unterordnung: Komposition, Genetivverbindungen und präpositionale Abhängigkeit, die als sprachliche Möglichkeit natürlich nicht fremd sind, werden stilistisch nicht ausgenutzt. Dies geschieht vielmehr einzig mit der „reihenden" Form syndetischer oder asyndetischer Aneinanderfügung, deren einfachste Form die Zwillingsformel ist, die aber auch zu größeren Reihen aufschwellen kann. Mit der aus der Rhetorik gelernten Art der Aufreihung bewältigt diese Dichtung größere Gesamtvorstellungen, indem sie sie in einzelne Teile zerlegt und rein addierend daraus das Gesamtbild hervorgehen läßt.

13.

Viel wichtiger ist indessen für den Stil des Ezzo der Satzbau. Der knappe, einfache Satz ist der eigentliche Baustein des Gedichtes. Die Hypotaxe schafft meist nur ganz leicht übersichtliche Systeme. Dazwischen treten freilich plötzlich große und komplizierte Hypotaxenblöcke auf, die lateinische, hochentwickelte Satzkunst nachbilden wollen, ohne sie zu erreichen. Aber sie zeigen in ihrer Ungelenkheit und häufig anakoluthischen Form, daß die Sprache dem noch nicht gewachsen war. Die Satzverknüpfung bevorzugt Aneinanderreihung der einzelnen Sätze, sei es asyndetisch oder mit anaphorischen, die bloße Aufeinanderfolge betonenden Formwörtchen. Logische Bezüge zwischen einzelnen Sätzen bleiben meistens ohne Ausdruck. Selbst die einfachste Anknüpfung mit Partikeln, nämlich durch *unde,* tritt noch ganz zurück. *Unde* dient hier in erster Linie der Verbindung einfacher Satzglieder und von hier aus weiterhin der Verknüpfung koordinierter Nebensätze, deren engere Verbindung durch Unterordnung unter ein nur einmal gesetztes gemeinsames Subjekt freilich nicht erreicht wird.

Auch die Hypotaxe zeigt den gleichen Mangel an ausgebildeten Formen für den Ausdruck sprachlicher Nuancen. Bindungsmittel sind nicht ausgearbeit. Neben dem Relativsatz, der meistens als Nominalbestimmung besondere Aufgaben hat, herrscht der *daz*-Satz ziemlich allein, ohne daß eine Differenzierung eines logischen Inhalts, sei es durch Korrelate, sei es durch Ausbildung besonderer Variationen des *daz,* versucht wird.

Mehr als alles andre aber dient der Aufreihung die betonte Einordnung der sprachlichen in die metrischen Abschnitte und der parallele Bau enger zusammengehöriger Sätze. Die Reimzeile oder das Reimpaar enthalten fast stets einen geschlossenen Inhalt, und längere Satzgefüge sehen wieder so gut wie durchgängig additiv aus, d. h. sie kommen nicht durch Gliederung des Satzes in viele verschiedenartige Satzglieder von wechselnder grammatischer Funktion zustande, sondern durch Aufreihung mehrerer koordinierter Glieder gleichartiger Funktion, deren jedes wieder dem anschmiegsamen und dehnbaren metrischen Rahmen angepaßt ist. Oder aber die Gliederung kommt dadurch zustande, daß ein längeres, zeilenfüllendes Glied vorausgenommen und durch anaphorische Wiederaufnahme selbständig abgeschnürt ist. Die so metrisch stark von einander abgegrenzten, in einer Reihe mit deutlich markierten Einschnitten angeordneten Sätze oder Satzteile werden endlich in ihrem Reihungscharakter durch den Parallelbau oder durch die fortgeschrittnere Form des Chiasmus besonders betont. Es wird also aus der einfachen und noch nicht mannigfaltigen Ausdrucksmöglichkeit der Sprache eine bewußte künstlerische Wirkung hervorgelockt, indem man diese Einfachheit nicht zu verwischen sucht, sondern unterstreicht und betont.

II. VERWANDTE DENKMÄLER

1.

Wenn wir nunmehr den Kreis der zu betrachtenden Denkmäler über den Ezzo hinaus erweitern, so ist das Wichtigste auf der einen Seite natürlich die umfangreiche Genesisdichtung, die in ihrer ältesten Wiener Fassung sicher noch ins elfte Jahrhundert gehört. Dagegen würde eine Berücksichtigung der Milstätter Überarbeitung in diesem Rahmen zu weit führen. Auch die jüngere Exodus, die eine fortgeschrittnere Stilform vertritt, ist nur so weit berücksichtigt, als ein Hinweis auf Koßmanns Ausgabe möglich war[30]). Sie wird als epische Dichtung breiten Stils sich in manchen Dingen anders verhalten als der knappe Ezzo. Unter den Vorarbeiten, die mir zur Verfügung stehen[31]), ist mir namentlich das Buch von Alfred Weller von besonderem Wert gewesen und hat mir reichliches Material und manche neuen Gesichtspunkte gegeben. Neben der Genesis kommen dann ein paar kurze Stücke in Betracht, und zwar zunächst Nokers Memento Mori, das zeitlich sehr früh liegt, ferner dann die beiden mehr volkstümlichen Erzählungsstücke, ältere Judith — und Lob Salomonis, wobei ich die Streitfrage über die ursprüngliche Einheitlichkeit der beiden Gedichte prinzipiell beiseite lasse[32]). Sie sind hier herangezogen, obwohl sie zeitlich etwas jünger sind, weil sie in ihrem Stil offensichtlich der

[30]) E. Koßmann, Die altdeutsche Exodus, mit Einleitung und Anmerkungen (QF 57), Straßburg 1886. Der stilgeschichtliche Abschnitt S. 56 ff. ist ziemlich eingehend und stellt oft brauchbares Material bereit. Ein paar kurze Bemerkungen hat auch hier wieder Ehrismann LG II. 1, S. 90.

[31]) Für die Genesis wie für die anderen Denkmäler (Salomo, Judith) schalte ich die Streitfrage der Einheitlichkeit aus. Sie ist für meine Fragestellung nicht von erheblicher Bedeutung. Scherers Versuch einer Scheidung von Schichten ist von Pniower (Zur Wiener Genesis, Diss. Berlin 1883) und Rödiger, Die Wiener Genesis, ZfdA. 18 (1875), S. 263 ff. ausgebaut worden. Der Einspruch, den Vogt, Über Genesis und Exodus, Beitr. 2 (1876), S. 208 ff. und in seiner Literaturgeschichte dagegen erhoben hat, ist durch die tüchtigen Arbeiten von Bulthaupt (Milstäter Genesis und Exodus, Palaestra 92, Berlin 1912) und A. Weller (Die frühmhd. Genesis, Palaestra 123, Berlin 1914) kräftig unterstützt worden. Auch Ehrismanns und Schneiders Gesamtdarstellungen halten an der Einheit des Werkes fest.

[32]) Immerhin drängen sich wenigstens für die Judith aus der allgemeinen Stilbetrachtung selbst allerhand Beobachtungen auf, die für die Trennung der 'Drei Männer' und der eigentlichen Judith sprechen. Derartige Beobachtungen sind dann angedeutet, aber nicht systematisch durchgeführt. Sie müssen an passender Stelle mit den übrigen stofflichen und sachlichen Argumenten verbunden werden, die für eine derartige Trennung sprechen.

älteren Schicht zugehören. Endlich ist die Summa Theologiae hier mit einbegriffen, die bekanntlich vom Ezzo inhaltlich und formal stark abhängt, daneben aber geeignet ist, gewisse Ausblicke auf die weiter hier im einzelnen nicht mehr zu berührende Stilentwicklung der geistlichen Poesie des 12. Jahrhunderts zu eröffnen. Auf diese Weise erhalten wir eine breitere Grundlage, und wenn es sich erweist, daß in all diesen Gedichten eine Reihe von Merkmalen durchgehends auftreten, so ist damit eine gewisse Sicherheit für die Stilbetrachtung dieser frühen Gedichte gewonnen[33]). In meiner Darstellung werde ich so vorgehen, daß ich die einzelnen am Ezzo beobachteten Erscheinungen Punkt für Punkt an den genannten Denkmälern durchspreche.

2.

Die Genesisdichtung ist reicher an nominalen Schmuckmitteln als irgend ein anderes der hier zu behandelnden Stücke. Das liegt teils an der episch breiten Darstellung überhaupt, die immer zu nominalem Schmucke neigen wird. Sehr stark kommt aber auch der Anschluß an lateinische Quellen in Betracht, und zwar neben der biblischen Hauptquelle die poetische Darstellung des Avitus, *De spiritualis historiae gestis,* auf dessen Stilbeeinflussung Ehrismann LG II. 1, S. 80, verweist und dem die verschiedenen Spezialuntersuchungen, namentlich die von Bulthaupt und Weller, im einzelnen nachgehen. Hier wie im Satzgefüge ist daher die Genesisdichtung weit beweglicher und mannigfaltiger als der Ezzo. Insbesondere das Adjektivum spielt eine unvergleichlich größere Rolle als in den übrigen kleinen Denkmälern der Zeit, und zwar auch das plastische, schmuckmäßige Adjektivum, das die Bildkraft des Substantivums unterstreicht. Der ausgesprochenen Magerkeit in den kleinen Denkmälern steht hier eine gewisse Fülle gegenüber. Dennoch finden wir auch hier typische frühmhd. Erscheinungen wieder. Die mehrfach und formelhaft wiederkehrenden Adjektiva und Adverbia hat Weller a. a. O. 144 ff. tabellenartig zusammengestellt. Dieses kleine Lexikon umschließt den allergrößten Teil der dürftigen Adjektivlisten des Ezzo und der übrigen hier behandelten Stücke. Aber trotz des recht stattlichen Besitzes an Adjektiven bleibt doch auch die Genesis in der Regel bei den überlieferten blassen Wörtern stehen und wagt selten Prägungen, die etwa dem Typ *nebelvinster* des Ezzo entsprächen. Einzig die Verstärkungen wie: *uberlut, uil wunteren suozze, allutter* und namentlich die Zusammensetzungen mit *bor-* sind hier zu nennen. Dazu käme die verstärkte Neigung zu Adjektivbildungen mit *-lich* und *-eclich* neben gleichbedeutenden einfachen Wörtern. Aber der spätere Reichtum an derartigen abgeleiteten und zusammengesetzten Adjektiven, der in der klassischen Dichtung eine so große Rolle spielt, fehlt hier noch ganz.

[33]) Die Auswahl soll nicht besagen, daß der Kreis der zugehörigen Denkmäler damit erschöpft sei. Beispielsweise stehn Merigarto, Anno und Friedberger Christ auf der gleichen Stufe stilistischer Entwicklung und bieten für alle hier behandelten Details Material in Menge.

Auch geht die Genesis nur selten über ein einzelnes, attributives Adjektivum bei einem Substantivum hinaus. Über adjektivische bzw. adverbiale Zwillingsformeln macht Weller a. a. O. 112 ff. Zusammenstellungen. Prüft man sie nach, so kommt man bei großer Weitherzigkeit, d. h. wenn man alle reinen Substantivierungen von Adjektiven und alle nachweisbaren bloßen Übersetzungen aus der Quelle mitrechnet, auf etwa 45 Belege. Das sind bei 6050 Kurzversen prozentual ungefähr ebensoviel wie beim Ezzo (1 : 135 gegen Ezzo 1 : 140). Auch wiederholt sich die Beobachtung, daß die adjektivische Zwillingsformel fast nur prädikativ auftritt und daß attributive Häufungen nur ganz ausnahmsweise und dann meistens als bloße Quellenübersetzung vorkommen. Für derartige attributive Häufung finden sich folgende Belege:

12,38 *vische, wenige unde michele* (Weller verweist auf Psalm 103,25 als Quelle).

47,24 *unter iungen unt alten, drizzich olbenten* (1. Moses 32,15: *camelos foetas cum pillis suis triginta*).

46,42 *darzuo esile umbare iouch fesile* (ohne Quelle).

60,2 *siben chuo rade, feizte unde scone*
60,5 *magare und unscone*
60,11 *siben eher sconiu unde volliu,*
60,12 *slachiu iouch durriu*
} = 1. Mos. 41, Pharaos Träume.

Es zeigt sich also, daß nur eine einzige zweigliedrige Attributbildung ohne direkt nachweisbare Quelle ist. Alle anderen wirklich adjektivischen Zwillingsformeln sind auch hier prädikativ[34]).

3.

Die kleinen Denkmäler vervollständigen das Bild. Ganz stark, mehr noch als der Ezzo, zeigt das Memento mori diese Enthaltsamkeit in Adjektiven. Von seinen insgesamt nur 20 Adjektiven *(minnesam, churz, michel, ewic, wunderliep, sciere, manicfalt, wise, vruot, arm, tiure, lanc, here scone, süeze, luzil, guot, ubil, sorcsam, fro)* gehören die allermeisten, soweit sie nicht rein sachlich bedingt sind, in den knappen Schatz der umgängigen Scheidemünze. Eine leicht poetische Färbung zeigt einzig *wunderliep* (5,3); sonst ist weder *minnesam* (1,5; 2,5) noch *sorcsam* (17,7) poetisch gedacht, sondern rein sachlich bedingt. Als Zwillingsformel erscheint nur 8,5 das prädikative: *ter eino ist wise unde vruot.*

Nur wenig anders verhalten sich Judith und Salomo, obwohl in ihnen volkstümliche Erzählungsmomente gegenüber der geistlichen Standesdichtung des Ezzo und der paränetischen Beredsamkeit des Memento mori vorliegen. Auch sie haben nicht allzuviel Sinn für nominalen Stilschmuck, wenn auch mindestens der Salomo vereinzelte Anzeichen für eine größere Schätzung des

[34]) Im großen und ganzen scheinen, soweit Koßmanns Zusammenstellungen reichen, die Verhältnisse in der Exodus ähnlich zu sein.

Adjektivums zeigt. Die Judith kommt auf 219 Zeilen mit 35 verschiedenen Adjektiven aus, von denen 26 in den übrigen Denkmälern wiederkehren. Die über sachliche Mitteilungen hinausgehenden Adjektiva sind auch hier durchweg farblos. Es erscheinen namentlich wieder *guot* und *sconi* als Epitheta für Judith. Andere wie *giwaltic, rich, himilisc, senfte, gnadich, diuri, alwaltint, manic* sind marktgängig und stammen überwiegend aus der christlichen Sphäre. Aus weltlicher Heldenepik kommt sichtlich nur das Reimpaar *wiclich* und *baltlich* (211 f.), während *vreissam* in der Zwillingsformel: *michil undi vreissam* (102) wieder zum geläufigen Gut dieser Gruppe gehört. Allenfalls erwähnenswert bleiben dann noch *der grimme* (30) als Bezeichnung des heidnischen Gottes; *mid iri scarphin swerti* (94); *dir argisti lib* (99); *ein wib lussam* (155); *dis armin giloubigin* (197). Individuelle Neuprägungen fehlen. An Adjektivhäufung findet sich nur die Prädikatsreihung: *daz si warin nidic undi niminni gnadich* (89 f.) und in attributiver Verwendung das schon zitierte *michil undi vreissam* (102).

Nur wenig stärker ist der Salomon mit adjektivischen Elementen durchsetzt (48 verschiedene Adjektive auf 258 Zeilen, davon 37 in den übrigen Stücken wiederkehrend). Neben den sachlichen Adjektiven herrschen auch hier die blassen vor; unter ihnen hat allein *michil* dreizehn Belege. Ferner *edele, scone, werde, kuninclich, diure, riche, wise, suoze, guot, feste, mære,* u. ä., sowie die typisch christlichen *himilisc, selic, ewic, vrone*. Aus dem Stil weltlicher Dichtung stammen nur *David, ein duirir wigant* (41), *in eini vil starchi noti* (64), *der vreissami drachi* (75), *die helidi snelli* (244). Einigermaßen bildhaft wirkt nur *die woli gisteinitin chophi* (168). Etwas größer ist auch die Rolle der Zwillingsformel, die freilich nur ganz landläufige Bildung zeigt. Als antithetische Formel, die sich auch in der Genesis wiederholt, erscheint *222: di minnit er dougin und ubirlut*. Ferner finden sich zwei komplettierende Formeln prädikativer Art:

37 *ich machi dinin giwalt*
wit undi manincfalt.

95 *du wirt scarf undi was.*

Über den Rahmen des bisher Beobachteten geht die zweimal verwendete Formel (141; 203) hinaus:

des edilin gisteinis
grozzis undi kleinis,

und zwar haben wir hier sowohl zum ersten Mal mehrfach Häufung von attributiven Adjektiven als auch dreifaches Adjektivum bei ein und demselben Substantivum überhaupt. Freilich sind die drei Adjektiva nicht gleichgeordnet, sondern *edelez gesteine* ist ein einheitlicher Begriff = Edelstein, der durch die ganz ungemein geläufige antithetische Zwillingsformel *groz unde clein* näher bestimmt wird. Immerhin spüren wir doch an leichten Anzeichen hier einen Dichter, der schon eine jüngere Technik vertritt.

Endlich besprechen wir die Summa Theologiae. Auch sie trägt ein etwas reicheres nominales Gewand. Unter den von uns untersuchten Gedichten ist sie die ausgeprägteste Liebhaberin von Zwillingsformeln. Doch auch ihr adjektivischer Wortschatz — obwohl in der Belegzahl ein wenig größer — läßt poetische Prägung vermissen. Er ist individuell nur in einigen theologisch-abstrakten Bildungen wie *ungischeidin* (13), *woliwillic* (26), *abitrunnic* (54), *virdenit* (für die Hände Jesu am Kreuz 170), *ehaltic* (180), *brudirlich* (204), *zwischillic* (248; 286). Sonst sind es die normalen, überall begegnenden Epitheta, wie *guot, erlich, lussam, here, edele, vri, hoh, wise, senfte, tiure, milte, groz, ubele, reht* u. ä., sowie die speziell christlichen *vrone, christenlich, geistlich, schuldic, unschuldic, almehtic, alwaltic.*

Die adjektivische Zwillingsformel ist im Zusammenhang mit der Hochschätzung dieses Stilmittels überhaupt stärker im Brauch, darunter jedoch nur die eine attributive (38) *geisti heri joch vil edili.* Prädikativ erscheinen:

65 *Der selbo der dir wisi undi almechtig ist.*
179 *werdin . . . goti gihorsam undi ehaltig.*
212 *du dir ist scarf undi darihaft.*
213 *swaz dir ist sempfti undi wunniclich.*

Stärker als anderswo tritt, wenn man diese Belege betrachtet, in der Summa der Zusammenhang der frühmhd. Zwillingsformel mit der kirchlichen Rhetorik hervor.

Zusammenfassend ist zu sagen, daß sich ein typisches Verhalten des Adjektivums in allen behandelten Denkmälern wiederholt. Das Adjektivum will nicht schmücken und untermalen; es wird nicht als Kunst- und Stilmittel verwendet. Daher das Auftreten immer wieder derselben matten und typischen Adjektiva, das Fehlen von sprechenden Neubildungen (Beschränkung der Ableitungsbildungen auf *-lich* und *-sam*) und der Mangel namentlich an attributiver Adjektivhäufung. Je ein Fall in Judith, Salomo, Summa und ein von der Quelle nicht nachweislich gestützter Fall in der ganzen Genesis sind die einzigen Belege für diese Erscheinung. Das Substantivum nach seiner eigenen Art möglichst vollständig und mit immer wechselnden Details zu charakterisieren, wie es später namentlich bei Gottfried und seinen Schülern Stilprinzip wird, liegt diesen Dichtern noch gänzlich fern. Wie Dickhoff, Asyndeton S. 64 ff. nachweist, tritt erst im Übergang zur klassischen Zeit in der Marienlyrik und auf epischem Gebiet im Grafen Rudolf die eigentliche Kunst mehrfacher asyndetischer Adjektiva in attributiver Stellung auf.

4.

Auf substantivischem Gebiet hat die Genesis wiederum ziemlich eingehende Behandlung durch Weller erfahren. Für appositionelle Fügungen ist Weller S. 125 ff. zu vergleichen. Die Ausbeute, die unter dem Gesichtspunkt „Nachleben der alten Variationstechnik" geschieht, ist im Verhältnis zum

Umfang der Dichtung höchst dürftig[35]). Weder die Menge noch die Einprägsamkeit dessen, was dort mühsam gesammelt ist, erlaubt hier von einer Stileigenheit zu sprechen. Man kann eher den Schluß daraus ziehen, wie wenig auch in der geistlichen Dichtung, die auf volkstümliche Wirkung ausgeht, das Stilmittel der Variation, das die christliche Stabreimdichtung beherrschte, noch am Leben ist. Auch das, was Weller unter dem Stichwort „Appellativa" S. 138 ff. an umschreibenden Bezeichnungen für Personen zusammenträgt, scheint mir nicht geeignet, diesen Eindruck zu ändern[36]).

Die Komposition endlich, für die bei Weller keine Sammlungen vorhanden sind, wird ebensowenig zum stilistischen Mittel. Wenn ich aufzähle, was in den ersten 2500 Versen (bis S. 41) an Kompositis auch im weitesten Sinne über die notwendig sachlichen Bedürfnisse hinausgeht, so bleibt: 11,15 *hochengele* (= archangeli), 12,16 *gruntveste* (= lat. firmamentum), 15,8 *wazzersaga,* 16,15 *poumgarte,* 16,39 *wentelmere* (wissenschaftlicher Terminus), 31,24 *chaltsmide,* 32,33 *bogestal,* 34,18 *armbouge* (Mos. 24,22 armillas), 35,11 *fristmale*, 35,40 *himilwunne*, 37,11 *hungeriare*, 40,14 *himeltou* (1. Moses 27,39 in rore caeli), 40,25 *heizmuot,* 41,15 *lipnare.* Aber nur 35, 40; 40, 14; 40, 25 zeigen einigermaßen poetische Prägung.

Entsprechend verhalten sich genetivische Wendungen, die nicht wie *diner muoter bruoder* (40,33) u. ä. rein sachlich begründet sind. Es finden sich überhaupt keine eindeutigen Belege für wirklich poetisch umschreibende Genetivkonstruktionen, die nichts als die Aufgabe haben, einen einfachen Begriff umschrieben auszudrücken, der Typ also „Meeresroß" = Schiff. Vielmehr sind sämtliche Genetive sachlich begründet und höchstens inhaltlich poetisch eingefärbt. Von derartigen Genetivkonstruktionen finden sich in dem genannten Abschnitt folgende Belege: *der gotes gewalt* (11,35), *daz gotes wunder* (12,14), *diu gotes chraft* (12,20), *gotes gebot* (18,16), *aller obezze wunne* (16,18), *para-*

---

[35]) Auszuscheiden hat hier Wellers Beleg 13,42:

fure die ilte er machen einen chinnebachen,
zane zuei geuerte, peinin uile herte.

Es handelt sich nicht um variierende Apposition, sondern Kinnbacken und Zähne sind zwei asyndetisch gereihte Glieder. Auch 26, 44 und 27, 24 scheinen mir keine echte Variation; die späteren Glieder sind vielmehr eine Erläuterung zu dem ersten; man könnte ein „nämlich" einschalten. Grade 27, 25 ist ein ausgezeichnetes Beispiel der zergliedernden Aufreihung zur Erzeugung eines Gesamteindrucks, die wir immer wieder als so typisch frühmhd. erkennen werden. Als echte Variation bleiben von Wellers Beispielen nur: 29, 22; 43, 25; 51, 15; 57, 31; 58, 24; 79, 17. Dazu kommt 18, 24: *Euen, adames winegen.* Das ist rund ein Beispiel auf 1000 Reimzeilen.

[36]) Von großem Interesse ist hier nur die von Weller S. 128 beobachtete, von aller sonstigen Gepflogenheit des Dichters abweichende Variationsfreude in der Bezeichnung des Teufels S. 18 f. und 78. Doch scheint mir darin weder ein Stilelement gegeben noch eine für die Psychologie des Dichters bezeichnende Tatsache (Weller: „diese heftig losbrechende, vulkanische Natur des Dichters"). Ich sehe hier nur eine volkskundlich interessante Einzelheit, daß an den Stellen, wo der Teufel nicht als Gegenstand dogmatisch-theologischer Erörterung, sondern in seinem Umgang mit den Menschen auftritt, sich ein Tabubedürfnis auch in der Dichtung einstellt.

dises wunne (19,29 = 1. Mos. 2,8 u. ö. paradisum voluptatis), *des huores achust* (20,35), *des glustes geduenge* (21,8), *hungeres not* (22,15), *der untriuwen galle* (27,33), *alles spiles wunne* (36,5), *siner chlage smerze* (40,12), *der erde veizte* (40,13), *allere wuochere uroude* (40,14), *mit liutes chrefte* (40,36). Das sind 16 Fälle in 2500 Zeilen, ohne daß ein einziger poetische Durchschlagskraft hätte außer 40,13, und grade dies Bild stammt aus 1. Mos. 27,39.

Dem stehen wieder reichlich gereihte Substantive gegenüber, und zwar sowohl Zwillingsformeln, die in der Genesis eine sehr bedeutende Rolle spielen, als auch längere Reihungen, um einen Gesamteindruck zu komponieren. Für die Zwillingsformeln genügt ein Hinweis auf Wellers eingehende Sammlungen a. a. O. S. 91 ff. Hier sind von Weller auch die größeren Reihen untergebracht, sofern sie in sich wieder zu paarweiser Gliederung neigen. Sie sind aber grade auch als Ganzes für die Genesis besonders charakteristisch. Die größte derartige Partie ist die Schilderung des Paradieses 16,27 ff. mit der langen Aufzählung von Pflanzen. Hier handelt es sich denn doch wohl nicht bloß um ein „Herbarium“ oder um eine „poesiearme Blumenlese“ (Weller, a. a. O. 52 ff.), sondern um den Versuch, mit dem typischen Stilmittel der Aufreihung eine Gesamtvorstellung aufzubauen, den Eindruck des wonnevollen Duftes zu erzeugen, der über dem Paradies ruht, ausgeströmt von den Pflanzen, die der Dichter danach ausgewählt und zusammengestellt hat. Oder man nehme die Aufreihung der sieben Öffnungen am Kopf, 13,37 ff. Grade zu diesen beiden Beispielen gibt Weller a. a. O. 43 und 52 die lateinischen Quellen an und ermöglicht damit die direkte Anschauung, wie lateinischer Stil den deutschen hier beeinflußt hat. Doch auch außerhalb der Schöpfungsgeschichte, die als Ganzes ein Schulbeispiel der Reihungsmethode auch auf dem Gebiet des Satzes darstellt, finden wir die größeren koordinierten Substantivverbände reichlich. Ich verweise auf ein paar beliebig herausgegriffene Beispiele:

20,35 *Den einen wirfet er ane glust, des hůres achust.*
23,45 *mit hůre ǒch mit nide, mit ubermůte ǒch mit kire.*
24,30 *dorn unt bramen ilt er uz prechen.*
35 *Hirs unt růbe, wân er ouch ůpte.*
40 *der da zů hate prot unt wazzer.*
27,24 *in der arche hohe was Noe unte sin gezohe,*
er unde sin chone, sine snure unde ire wine.
37 *do liz er uz tier unde wurme, fihe ǒch gefugele.*

Andere Beispiele sind: 35,41; 36,3; 36,32; 70,38; 71,42; 73,40 usw.

Für die geringen lateinischen Einschübe, die die Genesis bietet, vgl. Grünewald a. a. O. S. 9 f.[37]). Zu appositioneller Übersetzung kommt es dabei nicht. Für die Bild- und Gleichnissprache verweise ich auf Weller a. a. O. S. 54, der trotz seines Bestrebens, die dichterischen Qualitäten des Verfassers

[37]) Nachzutragen ist 77,30: *daz chunichliche sceptrum.*

der Genesis sehr hoch zu bewerten, feststellen muß, daß es „leider wenig neue Bilder“ sind, „die unsere Aufmerksamkeit fesseln“, und daß beim Gleichnis „die Originalität ebenso gering“ sei wie beim Vergleich. Bei ihm finden sich auch für die erscheinenden und dann sofort als Fremdkörper fühlbaren Bilder und Gleichnisse die Quellennachweise. Dem poetischen Stil der Zeit ist bildhafte Sprache oder gar durchgeführtes Gleichnis trotz aller Abhängigkeit von der Predigt nicht gemäß.

5.

Ich schließe nun die übrigen Denkmäler an. Das Memento mori ist für substantivische Fügungen ganz unergiebig; weder genetivische noch appositionelle noch kompositorische Bildungen poetischer Form kennt der Dichter[38]). Lateinische Einschübe sind sparsam (Grünewald a. a. O. S. 7), übersetzende Apposition fehlt. Seine Bilder und Vergleiche gehören ins Gebiet der Predigt und Theologie: „der Tod ist wie ein Dieb“ (13,3) oder „so schnell wie der Schlag einer Augenbraue“ (6,6). Auffallend ist namentlich das durchgeführte Predigtgleichnis vom Wandrer, der unterwegs unter dem Baum einschläft, statt unentwegt seinem Ziel zuzustreben. Stilistischen Zwecken dienen solche Bilder nicht.

Auch die Judith ist auf substantivischem Gebiet überaus dürftig. Komposita von Bildkraft bietet allenfalls das Reimpaar *drugidinc* ∾ *ertrinc* (55 f. und 131 f.). Sonst muß man schon ein Wort wie *brutlouft* erwähnen, um überhaupt ein Kompositum nennen zu können. Appositionell, zwar ohne Plastik, doch mit einem Anklang an Variationstechnik, finde ich 7 f. *di herrin, di gutin Israhelin,* dann wohl 102 ff. *ein heri michil undi vreissam ..., der heidin manic tuisunt,* und vielleicht auch 92 f. *nicheini guti redi vundi, nicheini guti antwurti.* Ich bin allerdings geneigt, in dem letzten Fall ein koordiniertes Asyndeton zu finden, das bei Dickhoff a. a. O. S. 60 f. nachzutragen wäre. Lateinische Wendungen sind sehr spärlich (nur 70-71 das Gebet der Jünglinge) und ohne appositionelle Interpretation. In genetivischen Bildungen kommt die Judith nicht über: *gotis vorhti* (16), *du gotis lastir* (106) hinaus.

Dagegen ist das Gedicht — und hier namentlich die eigentliche Judith, nicht so sehr die drei Jünglinge — recht reich an Zwillingsformeln und Reihungen. Der erste Teil zeigt nur die später (130) wiederholte Formel *den himil joch di erdin* (54). Daneben kennt er die typische Reihung des Festorchesters aus den einzelnen Instrumenten (25 ff.). Im späteren Teil finden wir: *der kunic Nabuchodonosor undi sinu abgot* (83); *nicheini guti redi vundi, nicheini guti antwurti* (92 f.); *wazzir undi vuri* (95); *su undi ir wib Avi* (149; 183); *wib undi man* (172). Vielleicht auch: *di spisi also manigi, mit alli di spisi du in demo hero was* (178 f.). Bildlichen Schmuck und Vergleich vermeidet dieses volkstümliche Gedicht ganz und gar, weil derartiges in damaliger Zeit nur der Predigtstil kennt.

---

[38]) 6, 5 *einer stuntwilo* ist doch wohl eine feste adverbiale Fügung. Vgl. dazu MSD. II, 165 Anm. zu der Stelle. Die Lexika haben das Stichwort nicht.

Genau dasselbe Bild bietet der Salomo. Der einzige Fall typischer Variationstechnik, den Waag bietet:

> 74 *daz imo der wurm zu sprach,*
> *der vreissami drachi,*

verschwindet mit der Interpunktion, wie sie MSD. bietet, nämlich Punkt hinter *sprach,* und *der vreissami drachi* als proleptisches Subjekt zu dem folgenden Satz. Diese Interpunktion scheint mir die bessere gegenüber der von Waag, der häufig nicht grade glücklich interpungiert. Denn das vorausgenommene Subjekt fügt sich ausgezeichnet der frühmhd. Stilform ein, und die Zeichensetzung in MSD. vermeidet die Einführung einer Brechung, die nicht grade für Waags Auffassung spricht. An Kompositis ist folgendes zu nennen: *himilcrefti* (4), *scarsachs* (96), *ewarte* (131), dazu die termini technici für Kirchengeräte 127 ff. Genetive: *michilis wundiris gimach* (58), *ein michil gotis craft* (73), *gotis ammicht* (134), *du gotis stimmi* (183), *VIIII chori der eingilo* (214). Sämtliche Bildungen sind christlich-theologisch. Lateinische Brocken sind reichlich (Grünewald S. 7 f.), doch ohne appositionelle Übersetzung.

Gegenüber dieser Kargheit tritt die Fülle der Reihungen wieder stark hervor. Wir finden echte Zwillingsformeln: *richtum odir wisheit* (17), *mit michilin eron, mit manigir slachti wunnin* (48 f.), *uzzir einim buchi . . ., uzzir Archely* (54 f.), *dagis undi nahtis* (133). Daneben spielen auch größere Reihungen eine bedeutende Rolle: *erdin undi lufti unde alli himilcrefti* (3 f.), *meddis undi winis, dis allir bezzistin lidis* (69 f.), *lux undi claritas, suzzi stanc suavitas* (123 f.), *du lagil undi du hantvaz, di viole undi du lichtvaz, du rouchvaz undi du cherzistal* (127 ff.), *michilin scaz, thymiama undi opes, des edilin gisteinis* (139 ff.), *di scuzzilin undi di nepphi, die woli gisteinitin chophi* (167), *si soltin leri di kristinheit truwi undi warheit, mid werchin irvullin, daz si demo luti vori zellin* (233 ff.).

Bild und Vergleich fehlen bis auf 96: *du snidit als ein scarsachs.*

Eine völlige Ausnahmestellung nimmt die Summa ein. Wie schon beim Adjektivum, nur noch stärker, fällt hier der Formenreichtum auf. Und zwar macht sich dies nicht in erster Linie in der Kompositionsbildung bemerkbar. Hier sind prägnante Wörter kaum zu finden, vielmehr sind hier die Nachbildungen theologischer Termini das Auffallendste: *unmuzzi* (10), *unvirwandilheit* (9), *ebinsezzi* (50), *ebinduri* (73), *herzindum* (80), *himilsluzzili* (272), *wizintheit* (303). Die paar anderen Bildungen sind nicht weiter auffällig: *wercman* (35, für Gott auch in der Genesis gebraucht), *mancraft* (4), *einwig* (111), *manchunne* (160), *himelrich* (214), *meindat* (269), *adilvrouwi* (275), *chamerwib* (277).

Schon bedeutsamer ist die Appositionstechnik. Bildung wie *sun gotis, barn der magidi* (122), *Crist, unsir gisil* (235), *gotis brut, du seli adilvrouwi* (275), *insamint in drinchit er den win, zeichin der ewigin mendin* (309 f.), *dih, unsir irloseri* (323), gehen über das bisher Beobachtete bedeutend hinaus[39]).

Insbesonder aber steht die Summa allein in ihrem Reichtum an Genetivkonstruktionen. Ich stelle 53 Belege in den 320 Zeilen des Gedichtes fest. Dazu kommen noch ein paar Belege für präpositionale Abhängigkeit: *vorchti voni helli* (189), *gidingi in daz himelrich* (214), *gidingi zi der cristinlichin minni* (261 f.). Dies Verhalten ist so auffällig, daß es einen besonderen Grund haben muß. Wir werden ihn gleich im lateinischen Predigtstil finden. Zunächst bleibt aber noch weiter die Substantivtechnik der Summa zu behandeln. Neben dem Reichtum an genetivischen Formen steht auch hier der Reichtum an Zwillingsformeln und Reihungen, die wohl noch üppiger gedeihen als in irgendeinem der bisher behandelten Gedichte.

Zwillingsformeln:

10 *an unmuzzi undi ani arbeit.*
35 *er was meistir undi wercman.*
105 *der hendi unde der vuzzi biruridi.*
117 *der engili minni undi gotis huldi.*
121 *sit chom zi der suni unde zi dem giwegidi.*
162 *Crist in cruci joch in douffi hat si bracht.*
169 *der vrunti minnin undi der vianti.*
187 *di sulin leitin vorchti undi zuvirsicht.*
210 *obini gnadi, undini gidwanc.*
232 *di undi giwihiti der heilant undi sin blut.*
236 *zwu nacht undi einin dag.*
285 *der dir ist beidu got undi mennischi.*

Reihungen:

14 *rat, gihugidi mid dim willin.*
25 *er ist kunic, keysir alwaltic*
undi vatir woliwillic.
80 *wunni odir bilidi odir herzindum.*
93 *mit den vligintin, swimmintin undi cresintin.*
313 *got ist ir lib, rawa unde minni.*

Endlich gehört hierher die lange, teils substantivische, teils infinitivische Reihung der menschlichen Tugenden 255 ff.

6.

All dies läßt die Summa in einem besonderen Licht erscheinen, und zwar, wie zu erwarten, als eine engere Nachbildung des lateinischen Predigtstils. Das wird klar, sobald man einen Blick auf die geringen Reste deutscher Prosa des elften und zwölften Jahrhunderts wirft, deren engste Abhängigkeit von

[39]) Auffallen kann der ängstliche Mangel an lateinischen Brocken in diesem so stark lateinisch beeinflußten Gedicht. Man darf aber wohl auf die vielen deutschen Neubildungen seltsamer Abstrakta verweisen und daraus folgern, daß es dem Dichter grade um eine deutsche theologische Terminologie zu tun war und daß er darum das Lateinische bewußt vermieden hat.

lateinischen Vorbildern teils quellenmäßig feststeht, teils auch ohne dies über jeden Zweifel erhaben ist. Das Material dazu liefert Friedrich Wilhelm in seinen Denkmälern deutscher Prosa des 11. und 12. Jhdts., Münchener Texte, Heft 8. Der Gebetsstil, zu betrachten etwa an Otlohs Gebet (Wilhelm S. 1 ff.) oder etwas später an den St. Lambrechter Gebeten (Wilhem S. 96 ff.), zeigt typisch dieselben Formen, wie wir sie in der Summa finden. Beherrschend sind die dauernden drei- und mehrgliedrigen Reihungen; zwei Glieder: *einiger trost unta euuigiu heila; also fron unta kreftigin; chraft iouch du chunst; dir alamahtigemo ... iouch allen den menniscon; soliha subricheit, minan gidanchan iouh minemo lihnamon slaffentemo odo wachentemo, daz ih wirdiglihen unta amphanglihen zi dinemo altari unta zi allen dinemo dionosti megi gen; noh ih noh nieman.* — Mehrere Glieder: 5. *daz ich dina guoti unta dina gnada megi anadenchin unta mina suinta iouh mina ubila.* 9. *uppigaz unta unrehtes odo unsubras.* 14. *durh dina era unta durh dinan namon iouh durh mina durfti odo durh iomannes durfti.* 17. *soliha gloubi, solihan gidingan ..., unta soliha minna, soliha vorhtun unta diemuot unta gihorsama iouh gidult soliha.* 27. *ze erist durh dina heiliga burt unta durh dina martra unta durh daz heiliga cruce ..., unta durh dina erstantununga unta durh dina uffart iouh durh di gnada unta trost des heiligun geistes.*

Das ist der Ertrag der ersten dreißig Zeilen des Otloh. Bei den übrigen Gebeten ist es nicht anders.

Auch die theologische Abhandlung, wofür der Alkuin-Traktat (Wilhelm S. 33 ff.) ein Beispiel bietet, verwendet diese Gliederung, wenn auch bei weitem nicht in der Fülle wie die Gebetsliteratur[40]). Neben der Reihe steht dann als häufigste Form die Genetivkonstruktion. Hier ist die Ausbeute bei den Gebeten magerer, weil in ihnen die zahlreichen Genetive mit *got* in der Anrede durch das Personalpronomen *din* ersetzt sind. Immerhin zeigt das kurze Gebet des Otloh folgende Belege: *ze den giriden des euuigin libes* (10), *durh iomannes durfti* (15), *aller dero tuginde teil* (26), *trost des heiligun geistes* (34), *spensti des leidigin uiantes* (36), *die diga Sanctae Mariun; die diga Sancti Michaelis* usw. (37 ff.), *vara des leidigin viantes* (55), *uonna anaginna minas libes* (84).

Reicher ist hier der Alkuin; *diu uuisheit dirre werlte* (4), *des tiuuels dienest* (6), *nach der warheit siner gebote* (7), *diu channusse des gotes* (17), *diu gewizzede der warheite* (17), *mines trehtenes bote* (24), *in allen gotes*

---

[40]) Folgende Beispiele bietet der Traktat:
3 *diu ware gewizzeda unte diu ware wisheit;* 17 *diu channusse des gotes unte diu gewizzede der warheite;* 33 *weder diu martere noch dirre werlte uermanunge noch almuosen;* 37 *uon allemo dineme herzen unte uon aller diner sela unte uon allem dinem muote* (biblisch); 40 *ellu diu e unte aller der wissagone buoch* (biblisch); 56 *de gedinge unte geloube unte minne* (biblisch); 79 *mitten guoton unt den rehton;* 84 *die ebenhellin unt die bruderlichun minne;* 87 *der gesunlichen unter ungesunlichen uigente;* 104 *uber guote unte uber ubele ... uber rehte unte uber unrehte* (biblisch) 106 *erbarmede unte meigisterscaft.*

geboten (31), *dirre werlte uermanunge* (33), *der wissagone buoch* (40), *des antlazzes gedingen* (63), *gotes gnadon* (65), *gotes helfe* (67), *der gotessun* (69), *diu gebot des wrides* (70), *des wrides herscaft* (74), *gotes chint* (77), *gotes gebote* (42), *ze gotes chinden* (47), *diu gotes gebot* (51), *die gotes minne* (52), *min trehtines gnaden* (59), *in demo gedingen siner rebarmede* (60), *gotes gescaft* (83), *ein muoter der minne* (85), *daz guot der rebarmede* (91), *der gotessun* (92), *die gotes erbarmede* (93; 94), *gotes hulde* (98).

Seltener sind dann appositionelle Fügungen. Die Gebetsrede ist eine Stelle, wo sie häufiger auftreten. So im Otloh *trohtin almahtiger, tu der ...* (3), *Sanctae Mariae, euuiger magidi* (37), *alla unsre rihtara, phaffon iouh leigun* (78), *unsri bruodra virvarana hie bigrabana* (91). Die Sankt Lambrechter Gebete mit ihrem stärkeren Gefühlsschwung haben die Apposition in der Anrede häufiger. Der Alkuin hat nur: *Sanctus Jacobus, mines trehtenes bote* (24), *der gotes sun, unser haltere* (92), *vone gote, sineme herren* (99).

Der so kurz umschriebene Substantivgebrauch der geistlichen Prosa deckt sich überraschend genau inhaltlich wie formal mit dem, was an der Summa zu beobachten war. Inhaltlich ist es eine ganz bestimmte umgrenzte religiöse Sphäre, namentlich das Vorwalten der Genetivzusammensetzung mit *got*[41]). Formal bestimmen hier wie dort Genetivbildungen und zergliederte Koordination das Aussehen der Dichtung; Appositionen sind weit seltener und finden sich hauptsächlich in der Gebetssphäre. Dagegen fehlt die neuschöpfende Kraft poetischer Wörter sowohl beim Adjektivum wie beim Substantivum.

In die frühmhd. Dichtung außerhalb der Summa ist ebenfalls einiges davon übergegangen, aber bei weitem nicht alles. Gegen den Genetivgebrauch sträubt sich die Dichtung ebenso, wie sie im allgemeinen dem Appositionsgebrauch abhold ist. Und auch bei denjenigen Erscheinungen, die in Dichtung und Prosa vorhanden sind, bei Zwillingsformel und Reihe, würde eingehendere Untersuchung sehr bald feststellen können, daß auch hierin zwischen Poesie und Prosa beträchtliche Unterschiede bestehen. Im Gebiet der Zwillingsformel findet sich sicherlich eine ganze Menge altererbten Gutes. Grade dieser Abstand von der reinen Übersetzungsprosa zeigt die frühmhd. Dichtung als eine Kunst mit dem bewußten Streben nach eigener Form. Von den altgermanischen Kunstmitteln der charakterisierenden Wortbildungen, der Apposition und Variation ist ihr nichts oder sind nur noch Spuren erhalten. Aber sie ist darum keine übersetzte lateinische Prosa in deutschen Versen, wenn auch mehr oder weniger stark beeinflußbar von lateinischen Vorbildern oder Sprachgewohnheiten. Jedoch nimmt sie von dem, was die lateinische Prosa bietet, nur das willig auf, was ihr gemäß ist, nämlich die Reihengliederung.

---

[41]) Man beachte, wie sehr auch in den übrigen hier behandelten Denkmälern die Genetivkonstruktionen mit *got* vorwalten, wie aus den angeführten Belegen zu ersehen ist.

7.

Gehe ich nun zum Satzbau über, so erweise ich zunächst mit charakteristischen Belegen das Nebeneinander von längeren Reihen parataktischer Sätze und komplizierten, aber sprachlich nicht bewältigten Hypotaxen-Systemen.

Die Genesis mit ihrem großen Umfang läßt sich natürlich nicht so einfach analysieren. Auch in dieser Richtung schaffen die größeren Anforderungen des weitverzweigten Inhalts ebenso wie die ausgebildeten Satzformen der Quellen und Vorlagen eine Behandlung des Satzbaus, die dem Ezzo und einem Teil der kleinen Denkmäler beträchtlich überlegen ist. Die Hypotaxe, namentlich das Gefüge aus Hauptsatz + Nebensatz, spielt hier denn doch eine ganz andere Rolle und wird mit weit bedeutenderem Geschick gehandhabt. Dennoch ist nicht zu verkennen, daß Serien kurzer Hauptsätze die Stilgrundlage der Dichtung sind, und ebensowenig fehlt es an Satzblöcken, die roh und unbehauen typisch frühmhd. Gepräge tragen. Die überwältigende Bedeutung der Parataxe betont Weller a. a. O. 194 f. Die parataktischen Reihen sind ebenfalls reichlich nachzuweisen. Nur das erste vorkommende Beispiel sei genannt:

10,7 *Ane got en ist niweth mangel, er was ie an anegenge.*
do ne was nieman mere, do hiez er engil werde.
zehen chore er bestifte, mit engelen er si al berihte.
zware wil ich iu daz sagen, er gab iegelichem chore
sinen namen.

Darauf folgt die ebenfalls rein parataktische Aufzählung der Engelchöre mit abermals acht Zeilen. Derartige Partien sind auf jeder Seite zu erweisen und bestimmen den frühmhd. Charakter der Dichtung.

Andrerseits haben wir die unbewältigten Satzblöcke. Auch hier genüge ein Beispiel:

17,12 *Dů wolte unser herre, daz der man in paradiso ware,*
unz er so uile chinde dar inne gewunne,
daz ter chor wurd erfullet, den der tiefel flos durch ubermůt,
daz si denne azen der tiuren obeze,
dei uf deme pŏme wurten, da sie abe nieht ersturben,
unt denne fůren zů den himelisken gnaden,
da sie iemer lebeten, nehein angest habeten.

Andere sind etwa 13,9; 18,17; 21,43; 22,25; 23,6; 23,35; 28,6; 38,17; 44,4; 44,16; 45,39; 46,34; 47,28; 48,19 usw. durch das ganze Gedicht hin.

Im Memento mori sind Reihen knapper Parataxen nicht selten. Besonders lehrreich ist Strophe 17.

Ir bezeichint alle den man,
ir muozint alle hinnan.
ter boum bezechint tisa werlt,
ir bint etewaz hie vertvelit.

5 *ir hugetont hie ze lebinne,*
ir nedahtont hin ze varne.
diu vart diu dunchit iuh sorcsam.
ir chomint dannoh obinan:
tar muozint ir bewinden,
10 *taz sund ir wol bevindin.*
ir ilint alle wol getuon.
ir nedurfint sorgen umbe den lon.
so wol imo der da wol getuot,
is wirt imo wola gelonot.

Viel seltener sind ausgedehntere hypotaktische Gebäude, aber sie kommen doch vor und zeigen dann das typische Bild frühmhd. Periodenbaus, nämlich Formen, die sprachlich nicht recht bewältigt scheinen.

12,1—6 *Gesah in got taz er ie wart,*
ter gedenchet an die langen vart,
der sih tar gewarnot,
so got selbo gebot,
taz er gar ware,
swa er sinen boten sahe.

Vgl. ferner 4,1—6; 19,3—6.
Judith: Parataxe:

59 *wi ubili sis ginuzzin,*
60 *di sin den ovin schuzzin!*
daz fuir slug in ingegini,
iz virbranti der heidinin eini michil menigi.
got mid sinir giwalt
machit in den ovin kalt.
65 *di uzzirin brunnin,*
di innirin sungin:
do sungin si dar inni
du suzzirin stimmi.
do sungin sin dem ovini
70 *„gloria tibi, domine!*
deus meus, laudamus te.“
si lobitin Crist in dem ovini.

Vgl. ferner 143—152; 162—166; 191—194.
Hypotaxe 8 Zeilen:

87 *er hiz di alliri wirsistin*
sinin siti lernin,
daz si warin nidic
90 *undi niminni gnadich*
noch uzzir iri mundi
niman nicheini guti redi vundi,

nicheini guti antwurti,
(ni) wari mid iri scarphin swerti.

Vgl. ferner 169—172; 207—210.
Salomon: Parataxe.

155 *In sinim hovi was vil michil zucht:*
da was inni allis gutis ginucht.
sin richtum imo vil woli schein:
sin stul was gut helphinbein,
woli gidreit und irgrabin,
160 *mid dim goldi was er bislagin.*
sechs gradi gingin dir zu.
zwelf gummin dinotin imo du.
dru thusint manigeri
di giwist er alli mid sinir leri.

Vgl. ferner 101—116; 145—154; 201—208; 213—218.
Hypotaxe:

1 *Inclita lux mundi,*
du dir habis in dinir kundi
erdin undi lufti
unde alli himilcrefti,
5 *du sendi mir zi mundi,*
daz ich eddilichin deil muzzi kundi
di gebi vili sconi,
di du deti Salomoni,
dinir manicfaltin wisheit.

Vgl. ferner 209—212 und die Schlußzeilen 251—253. Sonst ist der Salomon frei von komplizierteren Satzsystemen. Seine Hypotaxensysteme erschöpfen sich sonst in der Bindung eines Hauptsatzes mit einem Nebensatz, eventuell mit Einschiebung des Nebensatzes in den Hauptsatz oder mit Koordination mehrerer gleichgeordneter Nebensätze.

Begreiflich genug ist auch die Summa satztechnisch weiter fortgeschritten als die anderen Denkmäler. Der einfache Hauptsatz herrscht freilich auch hier vor; und wenn er weniger auffällig scheint, so liegt das nicht so sehr an seiner geringeren Häufigkeit als an dem größeren Umfang des einzelnen Satzes. Der knappe Hauptsatz tritt gegen den ausgedehnten zurück. Indessen auch die parataktische Reihe ist leicht nachweisbar. So 43 ff.; 85 ff.; 117 ff.; 135 ff.; 165 ff.; 215 ff.; 225 ff. Andrerseits ist das große Satzsystem im allgemeinen besser gebändigt. Die typisch frühmhd. Ungeschicklichkeit im Periodenbau fällt in diesem Stück nicht so auf, da es sich in seinen hypotaktischen Gefügen selten über die einfache Unterordnung hinauswagt. Aber schon die dreiteiligen Systeme 81 ff.; 321 ff. und 273 f. wirken in frühmhd. Art ungewandt. Und noch mehr tun es die paar größeren Systeme 39 ff.; 266 ff.; 313 ff.

8.

Die Syndeseform koordinierter Sätze erwies sich als ein besonders auffälliges Stilmerkmal des Ezzo. Es ergab sich als seine Eigenart ein starkes Vorherrschen asyndetischer neben reichlich vorhandener anaphorischer Verbindung, dagegen Zurücktreten der logischen Verknüpfungsformen. Immerhin war logische Verknüpfung auch dem Ezzo nicht fremd, so daß selbstverständlich für die frühmhd. Literatur mit allen drei Syndeseformen gerechnet werden muß und daß ein Schwanken der gegenseitigen Häufigkeit zu erwarten ist. Nur muß das Gesamtbild dadurch nicht in seinen Grundlagen verschoben werden.

Die Schichtung der verschiedenen Verknüpfungsmöglichkeiten in einem so umfangreichen Gedicht wie der Genesis ist natürlich nicht in allen Einzelheiten mit ein paar kurzen Worten darzulegen. Es muß genügen, die typischen Züge herauszuheben und mit dem Ezzo in Vergleich zu setzen. Dabei ergibt sich auch hier die Vorherrschaft der Asyndese, die — ohne daß wir dabei nach der sonstigen Form der Sätze fragen — nach umfänglichen Stichproben[42]) überall 60—70 % des ganzen Satzbestandes umfaßt. Diese grobe Feststellung geschieht bewußt mit der Zusammenwerfung sehr verschiedenartiger Typen unter einem großen Oberbegriff. Als nicht asyndetisch gelten dabei nur diejenigen Sätze, die eine tatsächliche Verbindungspartikel, sei es logischer oder demonstrativ-anaphorischer Natur, aufweisen. Alles andere ist Asyndese. Insbesondere laufen unter dieser Rubrik auch alle diejenigen Sätze mit, in denen durch ein Satzglied an sich, sei es nominaler, adverbialer oder verbaler Natur, doch ohne die Beigabe einer spezifischen Syndesebezeichnung, eine Verbindung tatsächlich hergestellt ist.

Innerhalb der Asyndese fallen hier jene Formen besonders auf, für die zuerst Carl v. Kraus[43]) reichlich Belege gesammelt hat unter dem richtigen Gesichtspunkt der asyndetischen Satz-Parataxe, während sie Dickhoff in seiner Arbeit über das Asyndeton § 26, S. 66 ff. als verbale Asyndeta behandelt. Es ist der Typ: *Si tet same der man, wolt sich insculdegen* (17, 18). Es ergibt sich aus den genannten Arbeiten, daß die Genesis ein besonderer Tummelplatz dieser Form ist, so daß sie für dies Gedicht — wie auch für Merigarto — ein besonderes Stilmittel wird. Dem Ezzo fehlte es, wie wir oben sahen, bis auf einen Nebensatzbeleg (Kraus a.a.O. S. 144) ganz.

Massenhaft sind die Belege für den Ausdruck logischer Beziehungen durch die Asyndese. Als einleuchtende Beispiele nehme man:

11,19 *er sprach: min maister ist gewaltich hie in himele*
er wanet ime mege iuweht sin widere.

---

[42]) Vgl. S. 63.

[43]) Die Belege stehn in den Anmerkungen zu dem Bruchstück eines hl. Veit, das v. Kraus in seinen 'Deutschen Gedichten des XII. und XIII. Jahrhunderts' (1894) abgedruckt hat, das. S. 141 ff. Für die Exodus hat Koßmann a.a.O. S. 62 das Material.

ich pin alsame here, *ich ne wil unter ime wesen nie mere.*
ich pin also scone, *ich will mit minem chore*
ebengewaltich ime wesen, *ich wil an in genesen.*

Die Übersetzung dieser Rede Luzifers würde mit logischen Konjunktionen arbeiten müssen: darum meint er ...; aber ich bin ..., daher will ich nicht; auch bin ich ..., daher will ich ... und will.

25,17 *Kain unt sin bruder* *prahten ir oppher.*
Kain was ein accherman: *eine garb er nam,* (daher)
er wolte si oppheren *mit eheren iouh mit agenen.* (und)
20 *daz oppher was ungename,* *got ne wolt iz inphahen.* (aber)
Abel was einvaltich unt semfter, *er hielt siniu lember,* (dagegen)
an nehein ubel er ne dahte, *ein lam zopphere brahte.* (und)

Oder 48,29 *Er tete siben venie* *e er sineme brůdere chome ingegine.*
Sin brůder in ane lief, *er was ime vil lieb,* (denn)
er begunde ime erbarmen. *er duang in an sich mit den armen,*
er chust in minnichliche. *er weinot amerliche,*
er bat ime sagen ze mare, *wer dei wib iouch die chint waren.*

Hier liegt also wesentlich asyndetische Reihung vor, die in der Übersetzung „und“ als Bindepartikel verlangen würde.

Weitere Einzelbelege für die verschiedenen Färbungen derartiger Asyndesen sind so massenhaft, daß von einer Aufzählung im Rahmen dieser Arbeit nicht die Rede sein kann. Neben ihr versinken die beiden anderen Syndeseformen in Bedeutungslosigkeit. Auch die anaphorische Syndese spielt für das Stilbild der Genesis nicht die Rolle, die ihr z. B. im Ezzo und noch stärker in anderen Gedichten wie z. B. bei der Frau Ava[44]) zukommt. Immerhin ergaben die Stichproben, daß die anaphorische Syndese die logische überall erheblich übertrifft und daß von den beiden Leitformen *do* (Material dafür bei Weller a. a. O. 210) und *unde* die erste stets beträchtlich überwiegt. Von den drei Probestücken hat:

I: 12 *do* 2 *unde*
II: 34 *do*, 17 *da* 22 *unde*
III: 39 *do* 13 *unde*.[45])

Oder wenn wir nicht nur die beiden Leitformen, sondern die ganze Masse der logischen und anaphorischen Syndese in Betracht ziehen, so ergibt sich

---

[44]) Vgl. dazu die Zusammenstellungen, die ich in meinem Aufsatz über die Gedichte der Frau Ava in meinen 'Frühmittelhochdeutschen Studien' (Halle 1926) gegeben habe.

[45]) Ich habe, um nicht jedes Mal die gesamte Genesis auch für sehr häufige Erscheinungen statistisch durcharbeiten zu müssen, beliebig drei Stücke aus verschiedenen Teilen des Gedichtes ausgeschnitten und als Versuchsstücke benutzt. Dieselbe Beobachtung der Bevorzugung des *do* vor *unde* gibt für die Exodus Koßmann a.a.O. S. 58.

mit Ausschluß des in seiner Stellung zweifelhaften *nu*[46]) folgende Übersichtstabelle:

I:	anaphorisch 51	logisch 11
II:	anaphorisch 92	logisch 39
III:	anaphorisch 113	logisch 32.

Im einzelnen ist festzustellen, daß die Genetivform *des* (12,3; 15,8; 32,6; 32,16; 53,6; 54,40; 55,38; 56,16; 56,37; 57,23; 58,35; 59,22; 59,41; 60,17; 62,41; 62,44 63,16) noch überall rein anaphorisch zu fassen ist und normalen Genetivkonstruktionen angehört. Am stärksten nach der logischen Seite hin geht 56,37: *des chom er in arbeit* = „dadurch oder deswegen kam er in Not". Aber auch hier steht die gebräuchliche Konstruktion dahinter: *eines dinges in arbeit komen.*

Von diu = „deswegen" begegnet in den Stichproben zweimal (56,2; 61,2).

Die Zusammensetzungen mit *da* —, *dar* — (23 Belege) sind sämtlich eindeutig anaphorisch mit Ausnahme des vielleicht kausal zu fassenden *darumbe* in 53,13: *er ward dar umbe uerchouffet.*

So ist zum Teil rein anaphorisch = „auf diese eben genannte Weise". Zum Teil ist es auch logisch folgernde Partikel = „also, dann".

14,7 *so ist der grozeste unter in der nutzeste.*
26,46 *so begunde unseren trehtin uile harte riuwen.*
29,17 *so mach man den bosen aller lihtest chiesen.*
65,31 *nemet zuisken scatz; so getriuwet man iu deste baz.*

Gelegentlich häuft sich dieses *so* in einer Art und Weise, wie sie anderen Dichtungen (z. B. Jüngstes Gericht und Antichrist der Frau Ava) recht geläufig ist, zu anaphorischen Reihen. Ein Beleg dafür findet sich innerhalb der analysierten Partien. Im Anschluß an ein Vorder-Nachsatz-System mit *so* — *so* greift dieses *so* auf die nächsten Hauptsätze über.

60,38 *so iz so tiuren beginnet daz niemen nieht uindet,*
so scolt du in da mite helfen, bedeu geben iŏch uerchouffen:
so genisit dir daz liut, daz wirt dir uil liep,
so mag man dir gesan: so dunchet iz mich wole getan.

Ein zweites Beispiel findet sich 20,29ff., wo ebenfalls ein Vorder-Nachsatzsystem vorausgeht.

Nu ist durchaus Requisit der direkten Rede, nirgends Verknüpfungspartikel der Erzählung. Vorliebe für *nu* im Redebeginn zeigt sich auch hier (12,9; 12,14; 12,27; 13,5; 34,7; 53,19; 54,2; 54,15; 55,20; 61,10; 64,42). Auch die Anrede des Dichters an sein Publikum verwendet *nu* (10,1 der Anfang des ganzen Gedichtes; 12,25). Daneben aber erscheint im Innern der Rede jenes abschließende *nu*, das als präsentisch gewendetes *do* aus einer

[46]) Zur Beurteilung des *nu* als Syndesepartikel vgl. das darüber im ersten Teil dieser Untersuchung (oben S. 35 f.) anläßlich des Ezzo Gesagte.

Reihe vorangehender Tatsachen das Fazit zieht (30,19; 32,11; 54,3; 54,6; 57,16; 58,25; 63,37; 64,36). Zu reiner Reihung verblaßt es 63,37—38, wo es in zwei Zeilen dreimal vorkommt.

Auf dem Gebiet der logischen Syndese herrscht naturgemäß *unde* vor. Die Bedeutung, die es in der Genesis immerhin hat, wird zum guten Teil auf Konto der lateinischen Quellen zu setzen sein. (So etwa 25,23 = I. Mos. 4,4; 27,2 = I. Mos. 6,6; 27,38 = I. Mos. 8,17; 28,2 = I. Mos. 9,1; 28,3 = ebda; 28,37 = I. Mos. 9,23; 30,10 = I. Mos. 12,16; 30,20 = I. Mos. 12,19; 30,36 = I. Mos. 15,2; 31,17 = I. Mos. 16,11; 34,19 = I. Mos. 24,23; 58,13 = I. Mos. 37,17; 58,31 = I. Mos. 40,17). Doch kommt es weniger auf den einzelnen Stellennachweis an, als auf die leise Einfärbung durch die lateinische Quelle überhaupt, die auch an diesem Punkt in unserem Gedicht zu beobachten ist. Diese Einfärbung ist um so stärker, je mehr ein deutsches Gedicht Übersetzung einer lateinischen Quelle ist und sein will[47]). Grade der Konjunktionsgebrauch ist dabei besonders interessant. Doch kann man ganz allgemein sagen, daß deutsche Texte dieser Zeit zur Verminderung des überaus stark durchgebildeten Systems lateinischer satzverbindender Partikeln neigen. Was die gleichzeitige deutsche Übersetzungsprosa angeht, vergl. S. 79. So ist auch die Genesis sehr weit entfernt von der Partikelfülle ihrer Quellen; und die wenigen vorhandenen *unde* sind im Verhältnis zu der Menge der *et* bzw. *-que* des biblischen Textes fast charakteristischer für die Ablehnung von Konjunktionen, als daß sie für ihre Beliebtheit etwas besagen.

Neben *unde* spielt nur noch *ouch* (bzw. *jouch*) in der Genesis eine gewisse Rolle (14 Belege). Alles übrige (*wande, noh, doh, e, so* u. ä.) ist nur ganz vereinzelt, auch sind nicht alle Belege immer eindeutig.

9.

Mannigfache logische Beziehungen drückt das Memento mori durch Asyndese aus. Antithetisch:

2,3 *sie minnoton tisa wencheit:*
iz ist in hiuto vil leit. (aber)

Kausal:

10,7 *da muoz er iemer inne wesen:*
got selben hat er hin gegeben. (denn)

13,3 *ter tot ter bezeichint ten tieb,*
iwer nelat er hie niet: (denn)
er ist ein ebenare.

Konzessiv:

3,1 *Sie hugeton hie ze lebinne,*
sie gedahton hin ze varne (und doch)
ze der ewigin mendi.

---

[47]) Besonders deutlich tritt dies Streben nach Nachahmung des lateinischen Vorbildes und die dadurch bedingte Einfärbung des Stils in der deutschen Tundalusdichtung zu Tage, die sich bei v. Kraus, Deutsche Gedichte S. 46 ff. findet.

6,1 *Ir wanint iemer hie lebin:*
ir muozint ze jungest reda ergeben. (jedoch)

Final:

11,7 *daz ander gebent ir dien armen:*
ir muozint iemer dervor sten. (damit ihr nicht ...)

Hierzu kommen dann noch die häufigen Belege rein aufreihender Asyndese, deren wichtigstes Beispiel weiter oben S. 63 f. mitgeteilt ist.

Auch die anaphorische Syndese ist kräftig entwickelt. Freilich ist für das *do* der fortschreitenden Erzählung in diesem rein predigthaften Stück kaum Verwendung (einziger Beleg 7,3: *to gebot er iu ze demo lebinne*). Aber die pronominale Anaphora mit *daz, des* ist reichlich vorhanden (5,7; 6,7; 7,6; 9,6; 12,7; 13,8; 17,10). Die lokale Verknüpfung mit *da* (14,7) oder *dar* (4,1; 17,9) und ihre Zusammensetzungen *(da ... inne* 10,7; *tar undir* 16,4*)* dringen zwar nirgends zur Reihungspartikel vor, entwickeln sich aber auch nicht zu Partikeln logischer Verknüpfung und bleiben ganz im Rahmen der Anaphora.

Daneben hat aber das Memento mori die logische Verknüpfung stärker entwickelt als der Ezzo. Zwar sind besondere logische Partikeln auch hier nur äußerst gering vertreten. Es findet sich nur ein Beleg für *unde:*

1,3 *ir minnont tisa brodemi*
unde wanint iemer hie sin.

Ouch, aber, oder, wande, doh, noh fehlen ganz. Aber aus der anaphorischen Syndese haben sich kausale Bedeutungen losgespalten. Insbesondere zeigt *des* mehrfach die Bedeutung von nhd. „deswegen“, eine Entwicklung, die weder aus dem Ezzo noch aus der Genesis zu belegen war. Dieselbe Färbung hat einmal das uns schon von der Genesis her bekannte *von diu,* das hier durch Hinzutreten des *so* noch besonders zur Konjunktion gestempelt wird. Endlich zeigt *dannoh* in konzessiver Entwicklung die Bedeutung von nhd. „dennoch“.

9,4 *tes wirt er verdamnot.*
9,8 *tes varnt se al ze hello.*
18,4 *des sin wir alle besvichin.*
11,6 *von diu so nemugent ir gen drin.*
17,8 *ir chomint dannoh obinan.*

Das eigentliche Charakteristikum dieses Predigers ist aber die häufige Verknüpfung mit logisch folgerndem *so.* Die Art und Weise, wie diese Partikel im Memento mori verwendet wird, zeigt deutlich ihre Verblassung zur reinen Reihungspartikel. Man nehme etwa

10,3 *so vert er hina dur not.*
so ist er iemer furder tot.
wanda er daz reht verchoufta,
so vert er in die hella.

Man sieht deutlich, wie hier *so* als Verbindungspartikel zuerst auftritt und wie nachher die Nachsatzpartikel *so* die Reihung bewußt fortsetzt und unterstreicht. Ähnlich sieht 16,5 f. aus:

so truchit in der slaf ta,
so vergizzit er dar er scolta.

Beide Beispiele zeigen, daß *so* hier keine eigentlich logisch folgernde Aufgabe hat, sondern der rein aufreihenden Aufeinanderfolge in der Gegenwartsdarstellung gilt, wie *do* es für den Vergangenheitsbericht tut. Diese neue Reihungsform, in der Genesis schon an einzelnen Stellen zu beobachten, tritt mit dem Memento mori vollgültig in den Formenschatz der frühmhd. Stilmittel ein[48]).

Die zeitlich etwas jüngeren Stücke, Judith und Salomo, zeigen die asyndetische Bindung nicht in derselben starken Ausbildung wie der Ezzo. Doch lassen die oben gegebenen Beispiele für Reihung erkennen, daß die Asyndese auch hier noch eine bedeutende Rolle spielt. Und auch der Ausdruck spezifisch logischer Beziehungen durch asyndetische Verbindung kehrt wieder.

Judith: 23 *si irvultin alli sin gibot,*
si giloubtin vil vasti an du abgot. (denn)
55 *sin ist al der ertrinc:*
kunic Nabochodonosor, dinu abgot sint ein drugidinc; (aber)

ebenso 65–66; 115–118.

Salomo: 143 *su waz ein vrouwi vil rich,*
iri gebi was vil kuniclich; (denn)

ebenso doch wohl auch 65–66.

60 *der irdranc alli di brunni,*
di dir in der burch warin.
di cisternin wurdin leri. (so daß)

Ferner 96–98; 185–186. Eine typische Reihung logischer Beziehungen bietet ferner 105–108.

Ist Asyndese hier weniger ausgeprägt als im Ezzo und im Memento mori, so sind in diesen erzählenden Stücken die verschiedenen Arten anaphorischer Syndese um so kräftiger entwickelt. Unter den hier behandelten Dichtungen sind sie die ausgesprochenen Vertreter eines anaphorischen Stils. Der stilistische Eindruck beider Denkmäler, und zwar noch stärker der Judith als des Salomo, wird durch die anaphorische Reihung mit *do* bedingt. Die Judith hat auf ihre 220 Zeilen 21 Belege für *do*-Verknüpfung, der Salomo auf 258 Zeilen 10. Dafür ist in diesem Gedicht die anaphorische Pronominal-Verknüpfung mit 19 Belegen stärker entwickelt als in der Judith mit 9 Belegen. Hinzu treten die kleinen Gruppen: *da, dar* (Judith 33, 107, 108, 164; Salomo —); Zusammensetzungen mit *da, dar* (Judith 5; Salomo 121, 123,

[48]) Auch hier verweise ich auf entsprechende Zusammenstellungen für die Gedichte der Frau Ava in meinem genannten Aufsatz, sowie auf weitere Materialsammlungen bei W. Scherer, QF 7, S. 77, und bei A. Langguth, Untersuchungen über die Gedichte der Ava (Budapest 1880), S. 68 ff.

151, 155, 217); *dannen* (Salomo 131). Alles in allem kommt auf durchschnittlich 7 bis 8 Zeilen eine anaphorische Syndese.

Typisch schwach entwickelt, wenn auch ein wenig stärker als im Ezzo, ist in beiden Gedichten die logische Syndese des Hauptsatzes. Die entscheidende Leitform *unde* ist in der Judith immerhin 5 mal belegt (3; 95; 203; 211; 216), doch immer noch sehr knapp gegenüber der anaphorischen Leitform *do.* Noch geringer sind andere logische Partikeln vertreten: adversatives *doh* (4; 199), temporales *sit* (100). Nicht hierher gehört *abir* 133 *(do sprach abir einir der selben burgeri).* Es hat vielmehr noch stark adverbiale Prägung und gehört speziell steigernd zu *einir,* nicht verbindend zum ganzen Satz.

Logische Sproßformen anaphorischer Syndesepartikeln hat die Judith nicht aufzuweisen. Als wiederholte einleitende Partikel der direkten Rede erscheint *nu,* wie Ähnliches schon in der Genesis zu beobachten war. So beginnen 119 die Worte des Holofernes, 135 die Worte des Bürgers, 195 das Gebet der Judith, 203 die Antwort Gottes mit *nu.* Das 159 ergänzte *nu dar* steht in der Handschrift am Beginn der Worte des Holofernes bei Judiths Anblick. Auch die Einleitung des Vordersatzes mit *nu* am Anfang von Judiths Rede 169 muß hier mit herangezogen werden[49]). Eine gewisse verbindende Kraft hat *nu* nur 173, wo konsekutiv-kausale Bedeutung = nhd. „darum" darin liegen kann[50]).

Der Salomo kennt nur eine Verbindung mit *unde*:

103 *er hiz imo snidin du bant*
und virbot imo du lant;

ferner hat er eine Verbindung mit *odir*:

87 *nu sagi mirz vil schiri*
odir ich heizzi dich virlisi.

Zweifelhaft ist *ave* 225 ff., wo MSD. anaphorische Verbindung mit *du* einführt, weil eine adversative Bindung hier dem Sinne gar nicht entspricht. Das einzige *nu* (87) ist wie in der Judith Redebeginn. Etwas stärker ist die folgernde Fortführung mit *so* vertreten, wofür zwei Belege (30; 78) anzuführen sind.

Die anaphorische Verknüpfung mit *des* nähert sich der Bezeichnung logischer Beziehung in 46: *des giwanner michilin lon* und 63 f.: *des chomin die luiti in eini vil starchi noti.* Kausal ist *von diu* 115: *von du wart daz hus zi Hiersalem giworcht ani alliz isin.*

---

[49]) Vorsichtig sei angemerkt, daß sich Verbindung mit *nu* nur im Gebiet der eigentlichen Judithdichtung, nicht im ersten Teil findet. Auch die Verknüpfung mit *unde* läßt Unterschiede erkennen: 1 *unde* in den Drei Männern, 4 *unde* in der Judith. Doch ist das Material für sichere Schlüsse zu klein.

[50]) Dieses *nu* in 173 wird indessen kaum so scharf als Satzeinleitung zu fassen sein. Es ist wohl vielmehr ohne straffe grammatische Konstruktion noch als nachsatzmäßige Wiederaufnahme des Vordersatzes *nu daz also wesin sol* (169) aufgefaßt worden.

Die Summa ist auch in Bezug auf Satzverbindung stärker von lateinischen Vorbildern beeinflußt als die übrigen Stücke. Nicht als ob nicht asyndetische Sätze ebenso vorherrschten wie in den andern zeitgenössischen Gedichten, oder als ob die logische Syndese rein zahlenmäßig so stark vorgedrungen wäre. Aber es fehlt die typische asyndetische Reihe, wie sie alle hier untersuchten Denkmäler auszeichnete, und die längeren Sätze und Satzsysteme lassen die stilistische Wirkung der Asyndese minder kräftig hervortreten. Die Asyndese ohne Subjektswiederholung fehlt auch hier ganz.

Von logischen Beziehungen, die in diesem Denkmal durch Asyndese ausgedrückt werden, überwiegt seiner ganzen Veranlagung nach die antithetische Form. Zweizeilige Antithesen wie

295 *du gotis urtel ist hi dougin,*
zi demo suntagi ist su offin,

geben diesem Stück sein besonderes Gepräge. Vgl. dazu 129 f.; 141 f.; 157 f.; 189 f.; 226 f.; 281 f.; 291 f. Daneben herrschen folgernde Asyndesen vor:

97 *von den anigengin virin*
got wolti den mennischin zirin:
er gammi von dem vuri (darum)
gisuni vili duri usw.

Ähnlich 117 ff.; 223 ff.; 277 f.; 279 f.

Kausal ist das Verhältnis:

153 *des dodis craft do irstarbti,*
mit demo lib er sini holdin widir giarbti. (denn)

Ferner 217 ff.

Anaphorische und logische Asyndese bestimmen das Aussehen der Summa so wenig wie das der Genesis. Die Leitformen *do* und *unde* erscheinen im Verhältnis 9 : 3. Dazu treten 5 Belege für *da.* Entscheidend ist aber, daß sich nirgends ein Reihungsbestreben geltend macht. Entsprechend ist das ganze Verhältnis der anaphorischen zur logischen Syndese 31 : 13. Das Material selbst ist so verzettelt, daß nirgends ein einheitliches Bild hervortritt, das die Bestimmung des Stilbildes durch einzelne Formen der Anaphora erkennen ließe. Unter den logisch gewendeten Bildungen ursprünglich anaphorischer Art erscheint neben dem schon bekannten *von diu* (248, wo es durch Hinzufügung von *so* besonders als Konjunktion abgestempelt wird) zweimal *durch daz* = „deswegen" (51; 63). Auch *nu* ist einmal logisch deduzierend (201). 249 erscheint *avir,* hier als Konjunktion mitgerechnet, obwohl es noch die prägnante Bedeutung „wiederum" hat.

10.

Die Summa zerbricht das Reihungsgefüge des frühmhd. Stils am stärksten, weil sie am meisten von der lateinischen Formgebung in ihrem Wechsel der Konjunktionen und der Satzgefüge abhängig ist. Wieder zeigen die zeitgenössischen Prosaquellen, wie weit die Poesie von einer reinen Nachbildung lateinischer Vorbilder entfernt ist und wie wenig von lateinischem

Stil im Grunde selbst in die am stärksten gefärbten Gedichte eingedrungen ist. Im Satzgefüge ist die Unabhängigkeit sogar bedeutend größer und auffälliger als im Nominalgebrauch.

Die vom lateinischen Vorbild am meisten abhängige Prosaquelle ist für uns der Alkuintraktat. Hier kehren sich die Verhältnisse völlig um gegen alles, was wir an der Poesie beobachtet hatten. Nicht mehr die Asyndese beherrscht hier den stilistischen Eindruck, sondern die logische Syndese. Statt 60 bis 70 % aller Sätze umfaßt die Asyndese nur noch 34 % mit 32 Belegen, von denen allein 8 auf die Kapitelanfänge und ein großer weiterer Teil auf selbständig einsetzende Bibelzitate entfällt. Dagegen ist die logische Syndese mit 50 Belegen auf 140 Zeilen stark beherrschend (Hauptformen: 9 *unde*, 10 *awer*, 19 *wanne*). Von ursprünglich anaphorischen Formen erscheinen kausal gewendet *von diu* (96; 115; 125; 142) und *dannan* (24; 35; 91), dagegen nicht *des*.

Ganz untergegangen ist das Kontingent der anaphorischen Syndese mit im ganzen 11 Belegen, von denen allein 8 auf die in der Poesie nur ganz gelegentlich vorkommende Syndese mit *dise* fallen, reine Nachbildung der lateinischen Vorlage. Ein weiterer Beleg betrifft adjektivisches *der* (*der drie* 57). Sonst haben wir nur ein *daz* (46) und ein *sus* (13). Dagegen kein *do*, kein *da*, keine *da*-Verbindungen. Also auch innerhalb der kleinen Gruppe der anaphorischen Syndesen herrschen auf Grund der Nachahmung der lateinischen Vorlage andere Formen vor als in den analysierten Gedichten. Selten ist die lateinische Konjunktion fortgeblieben: *etiam* (11), *vero* (31), *vero* (41), *quidem* (49), *autem* (57), *igitur* (58), *sed* (111), *vero* (121), *enim* (137). Dagegen ist die Kenntnis des Konjunktionsgebrauchs dem Übersetzer so geläufig, daß er zuweilen gegen das lateinische Vorbild deutsche Konjunktionen einführt: *ouch* (35), *nu* (50), *wanne* (85; 87), *wan* (91), *auer* (94), *wanne* (98), *von diu* (115; 125; 142), *unte* (119), *wanne* (135). Auch *dise* ist mehrfach gegen den lateinischen Text eingetreten (41; 49; 86; 101).

Ebensowenig zeigt der Jüngere Physiologus eine Ähnlichkeit mit der Formgebung der Gedichte. Auch in ihm spielt die Asyndese keine beherrschende Rolle, obwohl die reine Prozentzahl höher ist als im Alkuintraktat (45 %). Aber sie schreitet nicht zu stilistisch-betonter Reihung fort und dient nicht zum unverkennbaren Ausdruck spezieller Beziehungen. Auch die anaphorische Syndese hat keine Bedeutung, und die logische Syndese namentlich mit *unde* nimmt einen breiten Raum ein. Immerhin bewegt sich der Übersetzer des Physiologus seiner Vorlage gegenüber freier, und diese Freiheit kommt ganz besonders darin zum Ausdruck, daß er häufiger lateinische Konjunktionen unterdrückt. So fehlt etwa in den 52 Zeilen des Stückes über den Panther: *sed* (2), *autem* (7; 12; 14; 29), *-que* (8; 18), *et* (17; 35), *ac* (20), *jam* (33). Oder in dem Stück über das Einhorn (33 Druckzeilen): *etiam* (4), *atque* (4), *et* (10), *sed* (27) *autem* (7; 20; 21; 30). Nach dieser Richtung hin lag das Volkstümliche, in der Dichtung hat es sich überraschend stark durchgesetzt.

Von höchstem Interesse ist daher das Fetzchen einer deutschen Übersetzung von Einhards 'Vita Caroli', das Wilhelm a. a. O. anhangsweise als Nummer XLV mitgeteilt hat. Es ist sicherlich später als unsere geistlichen Denkmäler, aber es ist wertvoll als das erste Beispiel einer deutschen Übersetzungsprosa, die nicht nur die Worte, sondern auch die Sätze verdeutschte. Und damit wird es zum ersten kleinen Stückchen deutschen Schrifttums, das uns ein wenig von dem Mutterboden zeigt, auf dem der Stil der frühmhd. Poesie erwachsen ist, von der wirklichen Prosa des 12. Jahrhunderts. Man höre die knappen anaphorischen oder asyndetischen Sätze:

Da gewan er bi zwo tohter. Der hiez einiv theodora Div ander hilttrvd. Do gewan er bi æiner frouwen Æine tohter Div hiez rv̊edlint. Dar nach nam er æine frouwen Livtgart.
Er hete æin sinwellez havbet. Siniv avgen brvnnen allewege. Sin nase zam sinem antlv̊ze wol. Er hete æin scho̊ne antlv̊tze. vn̄ alle zit fro̊lich gestalt.

Diese Sätze zeigen nichts von einem Versuch, lateinische Formen nachzubilden[51]). Sie sind eigenwüchsig. Diese Sprache ein wenig gehoben und gepflegt, und wir haben Verse frühmhd. Stils vor uns. Und das ist uns so wichtig, weil wir daraus lernen, daß der Stil der frühmhd. Dichtung trotz aller Abhängigkeit in Stoff, Quelle und Form dennoch etwas Eigenes ist.

11.

Aus den Nebensatzproblemen hatten wir als stilbildend die mangelnde Bezeichnung der Hypotaxe durch verbindende Korrelate und die Einförmigkeit der vorhandenen Konjunktionen zum Ausdruck wechselnder logischer Beziehungen hervorgehoben. Auch nach diesen Gesichtspunkten hin gilt es, nun auch die anderen Denkmäler zu untersuchen.

Die Nebensatzbildung als solche war in der Genesis weit reicher entwickelt als im Ezzo. Und so ist auch eine entsprechend reichere Entfaltung der Korrelatformen zu erwarten. In der Tat sind auch namentlich konditionale und temporale Nebensätze in dieser breit angelegten Erzählung stärker entwickelt und in ihren Konjunktionen mannigfaltiger als im Ezzo. Es hat dabei in unserem Zusammenhang keinen Sinn, syntaktische Einzelheiten ohne stilbildende Kraft zu besprechen. Es genügt vielmehr die Feststellung, daß auch in der Genesis unter allen konjunktionalen Nebensätzen die *daz*-Sätze un-

---

[51]) Es ist nötig, sich hier den lateinischen Text daneben zu vergegenwärtigen, wie ihn Wilhelm a.a.O. II, 241 f. mitteilt. Dann erst bekommt man den Eindruck, wie hier lateinische Gliederung in deutsche Reihung aufgelöst wird: *Habuit et alias tres filias, Theoderadam et Hiltrudem et Ruodhaidem, duas de Fastrada uxore, quae de orientalium Francorum, Germanorum videlicet, gente erat, tertiam de concubina quadam, cuius nomen modo memoriae non occurrit. Defuncta Fastrada, Liudgardam Alamannam duxit.* In den späteren Anfängen einer geschriebenen eigenwüchsigen deutschen Prosa kommen diese einfachen gereihten Sätze wieder zum Vorschein.

bedingt führend sind. In den Versuchspartien ergeben sich folgende Verhältnisse:

	daz-Sätze	temporale Sätze	konditionale Sätze	kausale Sätze
I	74	7	10	6
II	69	10	14	5
III	67	21	10	2

Mannigfache Beziehungen werden durch *daz* ausgedrückt. Denn auch die Genesis ist so gut wie frei von Sonderbildungen, die sich aus dem einfachen *daz* abgespalten haben. Innerhalb der untersuchten Stücke liegen nur *von diu daz* (29, 35), *bi daz* (im kausalen Vordersatz 34, 12) und endlich zweimal *ne ware daz* (28, 5; 56, 17) = „außer daß", eine Bildung, die so wenig wie neuhd. „es sei denn, daß" aus echter Korrelatbildung hervorgegangen ist, sondern ein formelhaft gewordenes Haupt-Nachsatzsystem mit dem *daz*-Satz als Subjekt darstellt. Praktisch betrachtet gibt es also Konjunktionen, die aus *daz* abgeleitet sind, in der Genesis noch nicht.

Das Korrelatbedürfnis ist gegenüber dem Ezzo vielleicht ein wenig gewachsen, betrifft aber Verhältnisse, die bei dem geringen Umfang des Ezzo nicht gut eindeutig zu beobachten gewesen wären. Unter den Korrelatbildungen herrscht *so* unbedingt vor, und zwar sowohl in vergleichendem als in konsekutivem Verhältnis; *so-wie* und *so-daß* sind die bei weitem häufigsten Korrelate. Innerhalb dieser Gruppe herrscht dann wieder das nominale Korrelat vor, also der Typus *so viele — wie* bzw. *daß*, während das einfache Verhältnis *so-wie* bzw. *daß* oft genug unausgedrückt bleibt. Die analysierten Stücke ergaben:

I	18 Belege	davon *so* + Nomen 13	*so* ohne Nomen —	Sa. 13
II	18 Belege	davon *so* + Nomen 8	*so* ohne Nomen 1	Sa. 9
III	17 Belege	davon *so* + Nomen 6	*so* ohne Nomen 4	Sa. 10
	53	27	5	32

Aber auch das vergleichende oder konsekutive Verhältnis wird keineswegs immer durch Korrelat ausgedrückt. Sondern wie der einzige Beleg für ein konsekutives *daz* im Ezzo des Korrelats entbehrte, so gibt auch die Genesis sowohl konsekutive wie vergleichende Sätze ohne Korrelat. *Daz* = nhd. „so daß" mit naturgemäß fließender Grenze nach dem Finalen hin, findet sich: 11, 35; 13, 8; 13, 23; 14, 40; 17, 7; 17, 39; 18, 16; 19, 7; 27, 5; 27, 12; 28, 24; 29, 3; 29, 29; 29, 44; 31, 11; 32, 19; 56, 10; 61, 3; 61, 35; 64, 1. Dazu tritt einfaches *so* = nhd. „so daß" 59, 26; 60, 20; 61, 34; Vergleichssätze ohne Korrelat: 10, 4; 12, 22; 29, 2; 31, 6; 32, 24; 32, 27; 55, 14; 56, 17; 58, 4; 58, 18; 59, 4; 63, 29; 64, 21.

Alle anderen Korrelatbildungen bleiben vereinzelt. Am ersten scheinen noch Subjektsätze (56, 38; 57, 36; 60, 34; 62, 19; 63, 16) und unter den Objektsätzen die mit genetivischem Korrelat *des* (26, 37; 31, 10; 32, 45; 33, 44; 34, 10) zur Korrelatbildung zu neigen. Aber gegenüber der großen Masse korrelatloser Objektsätze (*daz*-Sätze, konjunktionslose Sätze, indirekte

Fragesätze usw.) spielen weder diese noch die paar akkusativischen Beispiele (15, 11; 17, 19; 29, 15; 56, 6; 63, 15) irgend eine Rolle. Wichtig ist das so gut wie völlige Fehlen von Korrelaten, die speziellere Funktionen der Konjunktion andeuten. Ich finde hier nur 30, 8 *umbe daz ... daz;* denn *ze diu* 18, 30 ist kaum hier einzubeziehen, da es zwar bei strenger Konstruktion dem abhängigen *daz*-Satz gilt, aber nach der richtigen und frühmhd. Satzempfinden entsprechenden Interpunktion der 'Fundgruben' vielmehr als Korrelat zu dem ganzen nachfolgenden System zu gelten hat. Zu übersetzen wäre: „Er tat es deswegen: wenn ..., damit er dann ..." Anzumerken ist ferner, daß Abhängigkeit konjunktionaler Nebensätze von Substantiven so gut wie ganz fehlt. Die einzigen Beispiele sind: 18, 37 *daz eine gebot, daz;* 32, 32 *di site, daz.*

Im ganzen genommen erweitert also die Genesis wohl das am Ezzo gewonnene Bild, aber sie sprengt es nicht. Seine beiden stilbildenden Grundzüge wenigstens — Vorherrschen undifferenzierter *daz*-Sätze und Sprödigkeit gegen Korrelatbildung — hat sie beibehalten.

Für die reichlich ausgebildete Vordersatztechnik gibt Kracke a. a. O. die Prozentzahl 22,9 an, die nach meinen streckenweisen Nachprüfungen ungefähr das Richtige trifft. Dabei überwiegt im Gegensatz zum Ezzo, aber in Übereinstimmung mit anderen frühmhd. Denkmälern, die Korrelatlosigkeit überall die Korrelatbildung, ohne daß sich ein durchgehendes Bestreben erkennen ließe. Stilbildend ist nur das häufige Auftreten der Vordersätze überhaupt.

12.

Von den kleineren Denkmälern hat das Memento mori keine differenzierten Konjunktionen. *Daz* genügt zum Ausdruck mannigfacher Beziehungen. Andere Konjunktionen sind *unz* (15, 5), vergleichendes *so* (12, 4) *wanda* (19, 6). Indirekte Fragesätze und konjunktionslose Sätze von verschiedener Funktion stehen daneben.

Das Korrelatbedürfnis ist auch hier ausgesprochener als im Ezzo. Insbesondere steht das konsekutive Verhältnis wieder im Vordergrund. Nominales Korrelat mit *so* finden wir bei dem konjunktionslosen Konsekutivsatz

13,6 *nechein man ist so here,*
er ne muoze ersterbin.

Auch der Relativsatz

13,1 *nechein man ter ist so wise,*
ter sina vart wizze

ist Ausdruck eines konsekutiven Verhältnisses. Einfaches *so* als Korrelat zeigt

14,1 *habit er sinin richtuom so geleit,*
daz er vert an arbeit.

Daneben zeigt dann der Vergleichssatz Korrelat (6, 6). Außerhalb dieser Gruppe findet sich nur noch zweimal Korrelatbildung, und zwar für indirekten Fragesatz als Objektsatz (3,6; 4,5). Dagegen ist das Gebiet des *daz*-Satzes sonst frei von Korrelaten (konsekutiv 4,3; 7,5; Objektsatz: 12,1; 12,5). Und auch der indirekte Fragesatz (1,2; 2,7; 10,1; 16,6) und die übrigen Nebensätze[52]) vermeiden Korrelate.

Sehr kräftig sind in diesem paränetischen Stück mit seinen Darlegungen über das Leben und seine Folgen im Jenseits die Vordersätze, insbesondere die konditionalen, entwickelt. 17 Belege[53]) bietet das kleine Denkmal. Der Vordersatz ist eins seiner auffallendsten Stilmittel. Schon nach Krackes Zählung würde er 34,3 % der Nebensätze umfassen; bei Zurechnung der weiteren 5 Fälle (vgl. Anm.) würde sein Anteil auf über 40 % steigen. Die Mehrzahl von ihnen (12) ist ohne Korrelat. Das Memento mori verhält sich hierin ungefähr wie die Genesis.

Die Judith kennt nur undifferenziertes *daz* (final 46; 48; 98; 197; 210; konsekutiv 89; 109; 111; objektiv 11; 21; 77; 161; 219). Andere Nebensätze sind sparsam (Vergleichssätze 10; 76; 138; indirekte Fragesätze 121; 139; konditional 136). Die *daz*-Sätze zusammen mit den Relativsätzen machen 23 von 29 Nebensätzen überhaupt aus.

Korrelatbedürfnis ist schwach entwickelt. Wieder ist allein *so* als Korrelat vorhanden (75 *also harti so*; 138 *so lanc so*; 169 f. *also . . . daz*). Alle übrigen Nebensätze sind korrelatlos.

Auch in der Judith ist der Vordersatz stark entwickelt (9 Belege). Und zwar sind es, was bei einem erzählenden Denkmal auffällt, nicht temporale Vordersätze mit *do,* sondern wechselnde Formen. Anaphorische Aufnahme wird im allgemeinen vermieden.

Recht anders verhält sich dagegen der Salomo, bei dem das Korrelatbedürfnis zweifellos stärker entwickelt ist. Was die Konjunktionsformen betrifft, so steht das Denkmal auf einer Stufe mit den übrigen. Es kennt noch keine Differenzierung des *daz,* welches als Satztyp überhaupt zurücktritt. Wir finden im ganzen 7 Belege mit konsekutiver und objektiver Verwendung. Am Korrelat hat wiederum konsekutives und vergleichendes *so* den Hauptanteil (*so wisi, daz* 25 f.; *also lussam so* 125 f.; *also . . . als* 135 f.; dazu tritt dann das verwandte *mer danni* 198). Neben diesen zu erwartenden Korrelationen erscheinen dann aber — sehr viel für das kleine Stück — je ein Subjektsatz (72) und ein Objektsatz (82) mit Korrelat, und ferner empfinden wir ein einwandfreies Beispiel eines attributiven *daz*-Satzes *(di gnadi, daz . . .).* Das Verhältnis der korrelatlosen Sätze zu den korrelattragenden stellt sich hier also auf 12 : 7.

---

[52]) Es sind folgende Stellen: temporal 15,5; 19,4; konditional 9,7; Vergleichssatz 12,4; kausal 19,6.

[53]) Bei Kracke sind a.a.O. nur 12 Vordersätze gezählt. Die Differenz dürfte daher kommen, daß Kracke die Systeme 1,5; 1,7; 2,5; 18,5; 18,7 nicht einbezogen hat. Indessen handelt es sich hier ganz zweifellos um ein Vorder-Nachsatzverhältnis, wenn auch die Vordersätze hier formal weder konjunktionale Nebensätze noch Vordersätze mit Spitzenstellung des Verbums, sondern Hauptsätze sind. Sie sind ein besonders altertümlicher Typ von Vordersätzen.

Der Vordersatz tritt stärker zurück mit 10 Belegen (nicht 8, wie Kracke angibt) von 44 Nebensätzen im ganzen. Wie im Ezzo überwiegt im Salomo das Korrelatbedürfnis beim Vordersatz (6 : 4).

In der Art der Hypotaxenbildung ist die Summa von den übrigen Denkmälern nicht unterschieden. *Daz* herrscht mit 24 Belegen unter den Konjunktionen unbedingt vor. Eine Differenzierung findet sich nur einmal *zi du daz* (27) in finaler Bedeutung. Die übrigen Konjunktionen und Nebensätze (14 Belege) sind durchweg vereinzelt.

Korrelationsbedürfnis ist nicht stark entwickelt (5 von 37 Belegen). Es betrifft 2 mal ein konsekutives Verhältnis (55 f. *so nidiri, daz;* 110 f. *suslich gidingi, daz*). Dagegen ist ohne Korrelat das konsekutive Verhältnis in 41 und 254, so wie die Vergleichssätze 263 und 314. 1 mal ist die Objektsfügung *des-daz* (84), 1 mal temporales *do-do* (17) vorhanden. Endlich finden wir einen attributiven *daz*-Satz (112-14 *mit demo giboti, daz*). (Dazu oben die Stelle 110 f.)

Der Vordersatz (19 Belege) bleibt ungefähr auf der Höhe dessen, was an Judith und Salomo zu beobachten war. Korrelatbedürfnis und Korrelatlosigkeit halten sich mit 10 : 9 die Waage.

13.

Auch hier zeigt der Vergleich mit der Übersetzungsprosa wenigstens in einem wichtigen Punkt die Selbständigkeit der frühmhd. Dichtung. Zwar für die Beurteilung von Korrelatbedürfnis und Konjunktionsdifferenzierung geben die vorhandenen Stücke keinen Maßstab her. Auffällig aber ist in ihnen das völlige Fehlen korrelatloser Vordersätze. Der Alkuin-Traktat hat unter 15 Belegen verschiedener Art (relativ, vergleichend, temporal, konditional, konzessiv) keinen einzigen ohne aufnehmendes Korrelat. Der lange jüngere Physiologus zeigt unter mehreren Dutzend Belegen nur einen einzigen Fall von Korrelatlosigkeit (S. 13, Z. 2: *doch si uorne ubile getan si, siu ist hinden michilis wirs getan*). Dieses Verhalten ist um so eigenartiger, als der lateinische Text keineswegs das Vorbild für die Aufnahme liefert. Im Alkuin sind vielmehr nur ein paar Vergleichssätze auch lateinisch aufgenommen, sonst herrscht Unaufgenommenheit. Ähnlich verhält sich der Physiologus. In der Regel bleibt der Vordersatz unaufgenommen, aber z. B. grade an jener einzigen, in der deutschen Übersetzung unaufgenommenen Stelle finden wir Aufnahme durch *tamen* in allen Handschriften. Um so merkwürdiger ist die unbedingte Korrelatfreudigkeit der Übersetzungsprosa im Verhältnis zu dem schwankenden und überwiegend zur Korrelatlosigkeit neigenden Verhalten der Poesie. Welche Erklärung hierfür in Betracht kommt, kann ich hier nicht entscheiden. Jedenfalls ist es aber von Interesse, hier einen neuen bedeutsamen Unterschied zwischen geistlicher Prosa und geistlicher Poesie zu finden, und es ist unverkennbar, daß wiederum diejenigen Stücke, die auch sonst den Gepflogenheiten der geistlichen Prosa am nächsten stehen, Salomo und Summa, verhältnismäßig am meisten zur Aufnahme des Vordersatzes neigen.

14.

Endlich wenden wir uns dem entscheidenden Merkmal des knappen, zeilenfüllenden Satzes zu, der Zergliederung der Dichtung in lauter sehr kurze Sätze bzw. in ihrer Selbständigkeit stark betonte Satzglieder sowie der Stilform der parallel gebauten Zeilen.

In allen diesen Dingen ist die Genesis eine unendlich reiche und typische Fundgrube. Der einzeilige Satz beherrscht die Genesis mindestens so stark wie den Ezzo mit 50—60 % des Gesamtbestandes. Er gibt auch hier das Stilgepräge. Doch drängt sich noch stärker als im Ezzo die Erkenntnis auf, daß die Grundstruktur nicht auf der Kurzzeile, sondern auf dem Reimpaar beruht. Die im Reimpaar verbundenen Zeilen sind fast durchgängig zu engerer Gemeinschaft verbunden. Daher spielt neben dem einzeiligen auch noch das zweizeilige Gebilde eine gewisse Rolle und tritt im Stilbild sicherlich stärker hervor als beim Ezzo. Dabei steht nicht so sehr das stark in sich gegliederte Zweizeilensystem im Vordergrund, als der durchlaufend zweizeilige Satz. Der noch mangelnde Sinn für Brechungserscheinungen bedingt dabei die große Seltenheit von zweizeiligen Formen, die über die Grenze des Reimpaares übergreifen. Auf die größere Häufung derartiger Fälle in den ersten Seiten der Genesis habe ich, im Zusammenhang mit der hier viel stärker fortgeschrittenen Brechungstechnik überhaupt, in dem schon angeführten Aufsatz in der Sieversfestschrift aufmerksam gemacht. In den späteren Partien fehlt die gleiche Erscheinung zwar nirgends, spielt jedoch nicht die Rolle wie in der Einleitung. Dagegen ist der durchlaufende Satz innerhalb des Reimpaares mit 30—35 % des Gesamtbestandes sicherlich eine konstitutive Form des Gedichtes. Und es scheint mir fast, als ob diese „Langzeile" mit einem bewußten Empfinden für getragene und gehobene Wirkung stellenweise gehäuft wurde. (So z. B. 14, 1 ff.; 25, 3 ff.; 29, 1 ff.; 30, 26 ff.; 33, 21 ff.; 56, 13 ff.; 58, 42 ff.)

Dagegen sind die Stellen schnell aufgezählt, wo die Zweizeiligkeit wirklich überschritten wird. Glatt durch 3 Zeilen laufende Sätze finden sich in den analysierten Partien folgende: 11, 25-26; 11, 30-31; 13, 30-31; 29, 42-43; 30, 20-21; 34, 24-25; 55, 2-3; 59, 11-12; 64, 39-40. Wirklich vierzeilige Sätze finden sich nur 15, 8-9; 34, 1-2; 55, 41-42. Noch länger ist nur 60,8 ff. mit durchweg sehr kurzen Zeilen[54]):

do ne stůnt iz porlang
e mir was sam ich sahe
da uzze an der sate
in dem tualme
wahsen an einem halme
siben eher sconiu
unde folliu.

---

[54]) Für die Exodus bestätigt Koßmann a.a.O. S. 61 diese Erscheinung, die Schröder, Das Anegenge, QF 44, Straßburg 1881, als typisch frühmhd. anspricht, als häufig.

Ungewöhnlich reich ist bei dem Umfang des Gedichtes das Material für die verschiedenen Formen und Nuancen des Parallelbaus. Dennoch darf nicht verkannt werden, daß diese am Ezzo als typisch entwickelte Eigenheit den Gesamteindruck der Genesis nicht in dem Maße beherrscht wie den des Ezzo. Denn sie hat zur Voraussetzung den knappen, syntaktisch leicht übersichtlichen Satz in einer Folge von zwei oder mehreren Exemplaren, und sie wird zerstört, sobald das umfänglichere hypotaktische Satzgefüge eintritt. Und eben die stärker durchgeführte Hypotaxe war einer der Punkte, in denen die Genesis über den Ezzo beträchtlich hinausgekommen war: dennoch kann kein Zweifel bestehn, daß auch dem Dichter der Genesis der Parallelbau der Sätze ein geläufiges Stilmittel gewesen ist.

Innerhalb des großen Gebietes dieser Stilform wechseln sehr mannigfaltige Untergruppen, deren Einzeluntersuchung lohnte, ohne daß sie hier durchgeführt werden könnte[55]). Hier kann es sich nur um die Andeutung einiger der wichtigsten Typen handeln, die jedem aufmerksamen Leser alsbald auffallen und die hier mit ein paar Belegen charakterisiert werden sollen.

Die einfachste und ganz in das Gehege des auf metrische Bindung gestellten Aufbaus eingespannte Form ist der parallele Bau zweier im Reimpaar vereinigter Zeilen. So etwa:

15, 30 *sinen geist er in in blies,*
michelen sin er ime friliez.

Beide Zeilen zeigen den Aufbau: Akk.-Obj. + pron. Subj. + pron. Obj. + Verb.

Wenn zwei Reimpaare von der Erscheinung ergriffen sind, kommt zuweilen ein vierfacher Parallelismus zustande. Häufiger jedoch ist ein dreifacher Parallelismus mit einer Verlängerung und Beschwerung des letzten Gliedes, die wohl doch nicht einzig in dem Bedürfnis bindungsmäßigen Abschlusses des Reimpaares begründet ist, sondern zugleich dem alten Gesetz der Dreizahl mit Beschwerung des letzten Gliedes entgegenkommt. Ich gebe Beispiele.

65, 41 *Beniamin si dienoten,*
mit zart inen fůrten,
in egiptum si chomen,
fore iosebe gestůnten.

(Man beachte dabei die engere Zusammenordnung der beiden reimgebundenen Zeilen durch die je nur einmalige Setzung von *si.*)

Für die Dreizahl:

57, 24 *er begunde in minnen,*
er ne wolte in duingen

[55]) Weller a.a.O. S. 129 f. hat die Bedeutung dieser Stileigenheit für die Genesis erkannt und bringt einiges Material bei. Einiges weitere, das er jedoch zu stark unter psychologischen Gesichtspunkten betrachtet und in dem er zu viel bewußtes Kunstwollen in individualistischem Sinn spürt, hat er S. 120 f. unter dem Kapitel 'Anapher' zusammengestellt. Für die Exodus lassen sich ganz ähnliche Verhältnisse aus Koßmann S. 62 f. ablesen.

er beualech ime alle (die)
die in noten waren.
65, 37 *Nu faret ir iuren sint.*
nu pin ich ane chint.
nu scol ich mich lutzel gefrŏwen
e ich iuh alle mŭz peskŏwen.

Auch längere Parallelismen, gelegentlich mit komplizierten Einzelgliedern (Haupt-Nebensatz + Haupt-Nebensatz u. ä.) treten öfter auf:

15,22 *Vz hertem leime tet er gebeine.*
uz proder erde hiez er daz fleisk werden.
uz letten deme zahen machot er die adare.
57,32 *Josebe wurten si beuolehen,*
er ne lie si nieht suellen,
er gab in maz unde tranch,
er dienote in gotes danch,
er begie si gnote
mit suiu er hete.

Auch hier wieder schließt ein volleres Glied die Reihe ab. Auch beobachten wir hier ein Beispiel des häufigen und interessanten Falles, daß der Parallellauf des Sinnes sich mit dem Wechsel des grammatischen Aufbaus kreuzt. Immer ist die Sinnesfolge: Joseph — die Gefangenen. Aber in der ersten Zeile ist Joseph Objekt, die Gefangenen Subjekt. In den übrigen Zeilen kehrt sich der grammatische Aufbau um.

Mit Haupt- und Nebensatz:

56,35 *uile mahte se sih es gemŭn er ne wolte sin nieht tŭn.*
uil mahte si sih es pelgen, er ne wolte ir uolgen.

17,27 *untze du iz midest nehein ubel durchennest.*
also du sin gizzest, ze stete durstirbest.

Seltener tritt das ein, was ich früher als Stilbrechung bezeichnet habe, d. h. die Verteilung zweier derartiger Parallelsätze auf zwei Reimpaare, was zu einem brechungsartigen Effekt führt:

12, 13 *uil gewaltich ist unser trehtin,*
uile michel ist daz gotes wunder.

Eher einmal sind zwei parallel gebaute Nebensätze so angeordnet:

17, 25 *ube du mir wellest gehorsamen,*
ube du mich wellest wern
daz tu ditz ein obez wellest uerbern.

So noch: 18, 15-16; 31, 5-6; 57, 10-11; 59, 27-28; 62, 39-40; 64, 43-44.

Dies alles sind Belege für den ausgedehnten einfachen Parallelbau. Aber auch die entwickelteren Formen eines Aufbaus mit Wechsel der Positionen bis zum durchgeführten Chiasmus fehlen keineswegs. Auch hier kann man mit dem Reimpaar beginnen. Nicht immer tritt Chiasmus in so runder Ausformung auf wie 19,11: *si gaz iz halbez, halbez tet siz gehalten.*

Aber ein bewußtes Streben nach Änderung innerhalb eines im ganzen parallelen Aufbaus ist häufig genug zu beobachten:

12,21 *mere hiez er daz wazzer.*
der erde gebot er, (daz ...)

33,12 *uf den altare er in warf,*
er zoch sin suert uile scarf.

55,28 *Joseph got ane rûfte,*
uile wole er in berûhte.

65,23 *La in mit uns faren,*
la uns in uile wole bewaren.

Auch diese Erscheinung dehnt sich über mehrere Reimpaare:

60,2 *si giengen an daz cras grûne,*
an dere weide giengen si mit uroude.

55,39 *deme liute er rihte mit getriulichem erniste*
er gebot daz niweht bestuonte deheinem armen siner phrvnte
abe deme puman er niweht in nam.

Oder man betrachte die längere Reihe 58,43 ff. mit stetem Einsatzwechsel:

michel wirtscaft er hete mit aller siner diete.
da begunde er gedenchen des sinen scenchen
er hiez in ime bringen do mûse er wole gedingen.
er chod daz er ime alle sin sculde uergabe, wolte daz er sines ambahtes phlage.
den phister hiez er fahen, houbeten unde hahen.

Endlich gibt es einen Chiasmus, der mehr im Gedanklichen als im Sprachlichen liegt:

15,39	*michel uunter in habete,*	a
	daz der fisk in deme wazzere spilete.	b
	dere wurme freissam	b
	er niewet erchom.	a

Oder komplizierter:

25,18	*Kain was ein accherman:*	a
	eine garb er nam,	b
	er wolte sie oppheren	c
	mit eheren iouch mit agenen.	(d)
	daz oppher was ungename.	e
	got ne wolt iz inphahen.	f
	Abel was einvaltich unt semfter,	a
	er hielt siniu lember,	a
	an nehein ubel er ne dahte,	(d)
	ein lam zopphere brahte.	b + c
	Got inphie daz lamp	f
	unt wesse imes michelen danch.	e

Mit all diesen Belegen sind nur Stichproben für eine Erscheinung gegeben, die in allen ihren Varianten in dem umfangreichen Gedicht sehr weit verbreitet sind, und deren genauere Aufarbeitung als eine eigene Aufgabe sich wohl lohnen würde. Hier genüge das Angeführte, um die Genesis in den Stilrahmen dieser frühen Dichtkunst einzufügen.

15.

Die Altertümlichkeit des Memento mori tritt grade in diesen Stileigenheiten besonders stark hervor. Ganze Strophen zeigen durchgeführt einzeilige Struktur (1; 2; 4-6; 10; 12; 13; 15-18), d. h. 12 Strophen von 19. Zweizeilige Struktur mit starker innerer Gliederung bieten 7,3-4 und 19,1-2, wo man leicht auch zwei selbständige Glieder finden könnte.

Eine stärkere syntaktische Verklammerung zweier Zeilen finden wir in den beiden Reimpaaren 14,3-4 und 7-8; verbunden mit Stilbrechung in den beiden nah verwandten Stellen 3,2-3 und 11,2-3. Endlich ist dreizeilig, ebenfalls mit einem stärkeren Brechungseffekt, 8,2-4, doch mit starker innerer Gliederung in 2 + 1.

Bei der vorherrschenden Neigung zu einzeiligen Sätzen ist das Gliederungsmittel einer längeren Partie durch Vorausnahme eines Gliedes mit anaphorischer Aufnahme kaum anwendbar. Daß die Stilform als solche nicht fremd ist, zeigt ihre Verwendung innerhalb der Zeile (13,1; 13,3; 16,1; 17,7).

Die verschiedenen Formen des Parallelbaus kehren wieder, doch minder ausgeprägt als im Ezzo. Klarstes Beispiel ist 6,1-4:

Ir wanint iemer hie lebin.
ir muozint ze jungest reda ergeben.
ir sulent alle ersterben.
ir nemugent is uber werden.

Der Aufbau: pron. Subj. — Hilfsverb — Bestimmung — Infinitiv ist durchgeführt. Auch die dritte Zeile, die keine besondere Bestimmung enthält, bleibt doch durch das hinzugefügte *alle* im Schema.

Ferner:

3,1 *Sie hugeton hie ze lebinne,*
sie gedahton hin ze varne

mit fast wörtlicher Wiederholung 17,5-6 und

17,11 *ir ilint alle wol getuon.*
ir nedurfint sorgen umbe den lon.

Von besonderem Interesse sind dann die Stellen 1,7-8 und 18,5-6, wo aus dem Gleichlauf des Aufbaus bei antithetischem Inhalt sich ein regelrechter Ausdruck für ein negativ-konditionales Vorder-Nachsatzverhältnis entwickelt:

18,5 *wir neverlazen dih in zit,*
wir verliesen sele unde lib.

Mit Zeilenkreuzung erscheint:

11,5–8 *taz eina hant ir selben:*
von diu so nemugent in gen drin.
daz ander gebent ir dien armen:
ir muozint iemer dervor sten[56]).

Und ferner:

17,1–4 *ir bezeichint alle den man,*
ir muozint tur not hinnan,
ter boum bezechint tisa werlt,
ir bint etewaz hie vertvelit.

Je zwei Zeilen bilden ein Ganzes mit Gegenüberstellung von Bild und Deutung ohne syndetische Zusammenfassung. Die 1. und 3. Zeile hat den Aufbau: Subj. — Verb — Obj. Die beiden anderen Zeilen den Aufbau: pron. Subj. — Hilfsverb — verstärkendes Adverb — Ortsangabe mit *h*-Anlaut (*hie vertvelit* und *hinnan* sind gleichwertig in der Gegenüberstellung von „weggehn" und „hierbleiben".

16.

Judith und Salomo stehn in der Zeilenbemessung dem Ezzo außerordentlich nahe. Der einzeilige Satz herrscht auch hier mit über 50 % aller Belege vor; demnächst folgt der zweizeilige Satz, so daß diese beiden Typen zusammen ungefähr 90 % aller Sätze überhaupt umfassen. Auch die größeren Satzgebilde sind meistens sehr energisch in sich gegliedert. In der Judith sind es folgende Komplexe:

15–18, gegliedert in 2 + 2;
91–94, gliedert in 2 + 1 + 1.

Einen vierzeiligen Komplex, der durch anaphorische Aufnahme in 3 + 1 gegliedert ist, zeigt die verstümmelte, aber wohl richtig ergänzte Stelle 149 ff.:

su undi (ir wib Avi
di gingin) zi wari
uzzir der burgi
undir di heidinischi menigi.

Mindestens die dreizeilige Periode ist durch die Überlieferung festgelegt.

Zwei- oder mehrzeilige Stücke mit Stilbrechung sind nicht vorhanden. Etwas fortgeschrittener ist der Salomo. Zwar liebt auch er es, mehrzeilige Gebilde zu gliedern, z. B.

---

[56]) Mir scheint es angebracht, darauf hinzuweisen, daß mit ein paar leichten Textänderungen der Parallelismus noch ausgeprägter hervortritt, der hier so deutlich erstrebt ist. Ich würde mindestens vorschlagen, in 11,6 *gen drin* in *drin gen* zu tauschen, so daß es dem *dervor sten* in 11,8 entspricht. Es würde aber auch ganz den Stil des Memento mori treffen (Vordersätze in Hauptsatzform), wenn man 11,6 und 11,8 auch im Anfang ausgliche und 11,6 *ir nemugint ie drin gen* läse. Das modern wirkende *von diu so,* das sich in den Stil des Memento mori für mein Empfinden nicht einfügt, wäre damit zugleich vermieden. Indessen bleibt der Parallelbau auch ohne diese Änderungen durchsichtig.

127–130 in 1 + 1 + 1 + 1;
139–142 in 1 + 1 + 2.

Aber er hat daneben mehrere zweifellos dreizeilige Komplexe, und er verwendet Stilbrechung:

2–4 *du dir habis in dinir kundi*
erdin undi lufti
unde alli himilcrefti.

43–45 *der bigondi also werdi*
allir erist her in erdi
goti ein hus zimmiron.

78–80 *so biwisin ich dich*
einir vili michilin erin
zi dinim munsteri[57]).

Ferner verteilen sich eine Reihe von zweisilbigen Sätzen auf zwei Reimpaare (Stilbrechung): 6–7; 96–97; 146–147; 158–159. Doch ist dies letzte Paar inhaltlich so stark gefurcht und 159 mit 160 so energisch verklammert, daß der Eindruck der Stilbrechung kaum aufkommt.

Die Gliederungsform der hervorhebenden Anaphora ist beiden Denkmälern bekannt. Zeilengliedernd ist sie in der Judith 183–184 und danach richtig konstruiert 149–150. Ferner mit Anaphora präpositionaler Wendungen durch *so* in dem teilweise verderbten Stück 29 ff. Innerhalb der Zeile begegnet die Erscheinung öfter (14; 188; 192).

Häufiger wendet der Salomo das gleiche Stilmittel an. Als Zeilengliederung finden wir es: 41–43; 75–76; 127–130; 163–164; 167–169; 175–176. Dazu kommen als Belege innerhalb der Zeile: 65; 165; 201; 249.

Für den Parallelstil endlich ist die Judith ein sehr aufschlußreiches Denkmal. Namentlich der vordere Teil (Drei Jünglinge) bevorzugt den reinen Parallelismus des grammatischen Baus.

23 *si irvultin alli sin gibot,*
si giloubtin vil vasti an du abgot.

65 ff. *di uzzirin brunnin,*
di innirin sungin:
do sungin si dar inni
du suzzirin stimmi.
do sungin sin dem ovini

[57]) MSD. und im Anschluß daran Waag interpungieren hier anders. Sie fassen durch Doppelpunkt hinter *erin* (79) die ersten beiden Zeilen zusammen und schlagen *zi dinim munsteri* zu der folgenden Zeile: *du wurchist in enim jari.* In seiner ersten Auflage hatte Waag so wie ich interpungiert und in Zeile 81, die er als eigenen Satz faßte, ein *iz* eingefügt. Dies scheint mir nach wie vor das Vernünftigste. Ich kann jedenfalls die Zeile ohne *iz* nur für einen Relativsatz ohne Relativum halten. Vgl. dazu den in der Fassung falschen § 344 Anm. 3 in Pauls Mhd. Grammatik. Die von mir hier gewählte Interpunktion bietet außerdem den metrischen Vorteil, daß sie die volle Brechung vermeidet, die in einem Denkmal dieser Zeit immer eine große Ausnahme ist.

gloria tibi, domine!
deus meus, laudamus te.
si lobitin Crist in dem ovini.

Die ganze Partie ist ein fast klassisches Beispiel für die Freude dieses Stils an ausschließlich stilistischer Variationsmöglichkeit bei inhaltlichem Leerlauf. Die beiden ersten Zeilen unterstreichen ihre Gegensätzlichkeit durch sprachlichen Parallelbau. Die nächsten vier Zeilen sind dann Variationen über die zweite, mit chiastischem Gegenlauf von: *di innirin sungin* und *do sungin si.* Dann aber tritt Gleichlauf der Zeilenpaare ein, zu dessen Gunsten ich als einzige Veränderung an dem Text die beiden letzten Zeilen miteinander vertauschen möchte. Wir erhalten dabei zwei Reimpaare mit überlegter Übereinstimmung, bestehend aus einer Zeile, die auf die Männer im Ofen weist (mit leichter Kreuzung im grammatischen Bau), und aus einer lateinischen Zeile, die den Inhalt des Lobgesanges mitteilt. Nichts kann falscher sein, als mit Rödiger, ZfdA. 33, 422 f. und mit MSD. Anm. 11, 232 hier Ausscheidungen wegen inhaltlicher Wiederholungen vornehmen zu wollen. Dies Streben nach Glätte bedeutet hier wie öfter in MSD. eine völlige Verkennung der stilistischen Triebkräfte in frühmhd. Gedichten.

Eine zweite Stelle solchen Stilschmucks ist die verderbte Partie 29 ff., die ungefähr so ausgesehn haben dürfte:

mid pfiffin undi mit sambuce
so bigingin (si sin e.
mid . . . undi) mid cimbilin
so lobitin si den grimmin.
mid so gitanimo giluti
so bigingin si sini ziti.

Mit Wechsel von Haupt- und Nebensatz ist zu nennen:

45 *ob min in daz fur nanti,*
daz si ir got irchantin.
ob si daz fuir sahin,
daz si sinin got jahin.

Auch in diesen beiden letzten Beispielen überwiegt der Eindruck inhaltlichen Leerlaufs zu stilistischen Zwecken.

Parallelisierung einzelner Glieder liefert die Instrumentenaufzählung 26 ff. und die Reihung der drei Namen der Jünglinge 35 ff. Auch der Nebensatz zeigt den Parallelbau:

52 *der gischuf alliz daz dir ist,*
der dir hiz werden
den himil joch di erdin.

Sehr viel weniger ausgeprägt ist dagegen der Kreuzlauf. Abgesehn von dem oben besprochenen Beispiel 65 ff., bei dem der Eindruck des Parallelen die vorhandenen Kreuzläufigkeiten weit überwuchert, ist hier noch die Stelle 39 f. zu nennen, ein Beleg wieder für das Nebeneinander von inhaltlichem Gleichlauf bei grammatischem Kreuzlauf:

den heidin kunic woltin si bicherin:
er ni wolti si niwicht horin.

In beiden Sätzen geht die inhaltliche Gliederung gleichen Schritt: der König — die Absicht — die Jünglinge — die Bekehrung.

Aber da hier die beiden Zeilen dieselbe Sache von zwei verschiedenen Standpunkten aus betrachten, wird das Subjekt des einen zum Objekt des anderen Satzes, und der Erfolg ist sprachlicher Kreuzlauf.

In der eigentlichen Judith dagegen fehlt zwar echter Parallelbau keineswegs, aber der überwiegende stilistische Eindruck ist hier Kreuzläufigkeit. Vollen Parallelismus haben wir 113 ff.:

die drinni warin,
des hungiris nach irchamin:
di dir vori sazzin,
di spisi gari gazzin.

Sowohl der gesamte Aufbau aus relativem Vordersatz und Nachsatz ohne Aufnahme als auch der intimere Aufbau der beiden parallelen Sätze sind ganz gleichartig durchgeführt. Weitere, mattere Beispiele sind: 147–148 und 185–186.

Viel bedeutender aber ist der Anteil der kreuzläufig gebauten Sätze. Die Stilform des syntaktischen Gegenlaufes bei sachlichem Gleichlauf kehrt 107–108 wieder:

da bisazzir eini burch du hezzit Bathania:
da slug in du schoni Juditha.

Die reihende Einleitung mit *da* erzeugt zunächst den Eindruck des Gleichlaufes. Auch geht dieser dann sachlich weiter, indem in beiden Sätzen die pronominale Bezeichnung des Holofernes und dann die substantivische seiner Gegner folgt. Syntaktisch aber tritt in der Umkehr der Folge: Subjekt — Objekt zu: Objekt — Subjekt eine Gegenläufigkeit ein. Ähnlich verhält sich 121—123:

an wen disi burgeri jehin
odir an wen si sich helphi virsehin
odir wer in helphi dingi.

Der nachdrückliche Eindruck des Gleichlaufes wird durch die gemeinsame Einleitung mit dem Fragepronomen hervorgerufen. Auch im übrigen Aufbau sind 121 und 122 ganz parallel, indem *jehin* und *sich helphi virsehin* einander im Satzaufbau entsprechen. Dagegen hört der syntaktische Gleichlauf zwischen den Zeilen 122 und 123, die sachlich aufs engste übereinstimmen, auf. Die grammatische Abfolge schlägt hier vielmehr um: aus Frageobjekt + Pronominalsubjekt in Fragesubjekt + Pronominalobjekt.

Endlich nenne ich als Beispiel für den Trieb zur Umlegung des syntaktischen Laufes die Engelsbotschaft 207 ff.:

du heiz din wib Avin
vur daz betti gahin,
ob er uf welli,

daz su in eddewaz avelli.
du zuhiz wiglichi
undi sla baltlichi,
du sla Holoferni
daz houbit von dem buchi,
du la ligin den satin buch,
daz houbit stoz in dinin sluch.

Der Gleichlauf ist durch den immer wiederholten Imperativ mit *du* stark unterstrichen. Er setzt sich auch in 215 mit *du la* fort. Aber indem 215–216 den Inhalt von 214 erweiternd fortführen, tritt eine Kreuzläufigkeit im Sachlichen dadurch ein, daß die Reihenfolge von *houbit* und *buch* in 215–216 gegenüber 214 umgekehrt wird, und auch syntaktisch tritt 216 durch die Vorausnahme des substantivischen Objekts zu dem ganzen vorher befolgten Aufbauschema in einen Gegensatz. Die emphatisch vorausgenommene Apostrophe *du* tritt mit *in dinen sluch* in den Hintergrund, und Hauptsache wird das Objekt, das Haupt des Holofernes, an dem ja auch inhaltlich das größte Interesse hängt.

Reinen Kreuzlauf ohne Umlegung eines anfänglichen Parallellaufs zeigen etwa:

165 *di vrouwin si uf hubin,*
in daz gezelt si si drugin.

Hier liegen zwar die Grundteile, pron. Subjekt und Verbum, gleich, aber das Objekt *(di vrouwin — si)* und die spezielle Bestimmung des Verbums *(uf — in daz gezelt)* haben den Platz getauscht.

135 u. 137 *nu giwin uns eini vrist, biscof Bebilin:*
ir gewinnit uns eini vrist.

Die beiden aus rein stilistischen Gründen einander entsprechenden Anredezeilen sind in ihrem Kern parallel, werden aber dadurch gegenläufig, daß die Anrede *(biscof Bebilin — ir)* mit dem eigentlichen Satzkörper getauscht ist, Fernere Beispiele sind 181–184 und 191–192.

Auch der Salomon bedient sich der beiden Formen des bewußten Parallelbaues, doch liebt auch er mehr die Kreuzläufigkeit als den Gleichlauf. Dieser fehlt ihm indessen keineswegs.

161 *sechs gradi gingin dir zu.*
zwelf gummin dinotin imo du.
dru thusint manigeri
di giwist er alli mid sinir leri.

Wir haben es nicht mit einfachem Gleichlauf zu tun. Vielmehr steht wieder ein Beleg jener Dreigliederung vor uns, die das dritte Glied von den beiden ersten auch formal abhebt. Nicht nur ist das dritte Glied durch anaphorische Gliederung auf zwei Zeilen verteilt und dadurch übergewichtig geworden; es ist auch im Aufbau verschieden. Die beiden ersten Zeilen sind ganz gleichmäßig aufgebaut nach dem Schema: Subjekt mit Zahlbestimmung + Verb + demonstratives Adverbial. Auch das dritte Glied läßt das gleiche erwarten. Aber überraschend führt er das vorgeschobene Glied, das zunächst als Subjekt gefaßt werden mußte, durch das aufnehmende Pronomen in ein Objekt über.

149 *in allin virin si in uf hubin,*
vur den kunic si in trugin.

Der Aufbau der beiden Sätze ist ganz korrekt parallel. Sowohl die vorangehende Zeile *(den disc trugin si alli)* als auch die nachfolgende *(dar obi goumit er scono),* die unter sich eine nahe Verwandtschaft haben, zeigen einzelne Elemente des Aufbaus der beiden zwischenliegenden Zeilen.

249 *Salomon der was heri:*
sin richtum was vil meri.
95 *du wirt scarf undi was,*
du snidit als ein scarsachs.

Oder parallele Satzglieder 127–129:

Du lagil undi du hantvaz,
du viole undi du lichtvaz,
du rouchvaz undi du cherzistal.

Eindrucksvoller aber werden die Stellen mit Kreuzlauf. Einfach ist:

232 *daz lut soltin (si) birichti,*
si soltin leri di kristinheit.
21 *Der herro sich bidachti,*
zi goti er keriti.

Auch 243–244, wo ein vorangestelltes *do* die Umkehrung des Aufbaus bedingt, ist einfach zu übersehn:

di heriverti warin stilli,
do dagitin di helidi snelli.

Etwas verwickeltere, aber sehr instruktive Fälle haben wir in 107–109 und 205–208.

107 *er vant daz dir in Lybano:*
zi steti (jagit) erz do.
do jagit erz alli
dri tagi volli[58]).

Wir haben es wieder mit einem dreigliedrigen Komplex mit zweizeiliger Ausdehnung des dritten Gliedes zu tun. Jedes der drei Glieder hat bei übereinstimmenden Gliedern seinen eigenen Aufbau. Die erste Zeile zeigt den einfachen Bau mit einleitendem Subjekt + Verb, dem dann Objekt und Ortsbestimmung folgen. Aus den gleichen Elementen — nur mit Zeitbestimmung statt Ortsbestimmung — ist die zweite Zeile zusammengesetzt; aber durch Vorausnahme der Zeitbestimmung wird Inversion des Subjekts und damit ganz andersartige Schichtung erzeugt. Auch die dritte Zeile hat wieder jene vier Glieder. Aber durch die Voranstellung des Reihungswörtchens *do*

[58]) Ich halte die Ergänzung von *jagit* für sicher richtig. Aber auch wenn ein anderes Verbum einzusetzen wäre, so bleibt der chiastische Bau des Ganzen damit unberührt.

wird zwar die Inversion beibehalten, die Zeitbestimmung aber an den Schluß gedrängt. Der Eindruck der Gegenläufigkeit wird bewußt unterstrichen durch den scharfen Zusammenstoß der beiden *do* am Schluß der zweiten und am Anfang der dritten Zeile.

205–208 *mid allin erin hizzer si sa biwarin,*
er li si vrolichin von imo varin.
vil minniclichi su von imo irwant,
er vrumit si ubir daz meri in iri lant.

Guten Parallelbau zeigen die beiden Zeilen 206 und 208 mit der Folge: pron. Subjekt + Verb + pron. Objekt + Zielbestimmung. Die inhaltliche Übereinstimmung deckt sich mit der syntaktischen. Dazwischen liegen die beiden Zeilen 105 und 107, ebenfalls in sich syntaktisch zusammengehörig gebaut, indem eine adverbiale Bestimmung der Qualität vorangeht und das pronominale Subjekt invertiert. Aber gegenläufig ist bei syntaktisch gleicher Abfolge: pron. Subjekt — pron. Objekt die inhaltliche Folge: *er si* — *su von imo*. Die sichtliche Planmäßigkeit im Gesamtbau des Systems mit von Zeile zu Zeile wechselnder Struktur ist unverkennbar. Aber auch innerhalb der korrespondierenden Zeilen ist der Aufbau auf besondere Wirkung angelegt.

Endlich ist die Summa auf diese Verhältnisse zu prüfen. Dieses in reinen Satzbaufragen recht fortgeschrittene und stark lateinisch infizierte Stück ist im Zeilenbau ziemlich primitiv geblieben. Der einzeilige Satz ist mit 53 % vorherrschend. Gut entwickelt ist daneben nur noch der zweizeilige Satz mit häufig sehr stark markierter Mittelfurche. Anaphorische Gliederung zeigen 11–12; 43–46; 47—48; 65—66; 199–200. Dagegen ist alles, was über Zweizeiligkeit hinausgeht, nur sehr schwach entwickelt: leicht begreiflich bei einem Denkmal, das im allgemeinen mit recht umfangreichen und geräumigen Zeilen arbeitet. Nur in den an sich zu längerer Reihung bestimmten Partien 255–263 (Aufzählung der von Gott gelehrten Tugenden) und 177—180 (Eigenschaften eines echten Nachfolgers Christi) werden mehrere, aber stark von einander abgegliederte Zeilen von einer Satzeinheit aufgebraucht. Sie sind in der Tat Belege nicht für Zeilenüberbrückung, sondern für Zeilenabschnürung.

Dieser Grundstruktur entsprechend ist auch für den Parallelbau das Reimpaar mit zwei parallelen Sätzen der eigentliche Tummelplatz.

61 *ziri herrin si sich gihabitin,*
vorchlichi sin lobitin.

123 *er nam von uns di doticheit*
unde gab uns di gotheit.

Ähnlich auch mit parallel gebauten Nebensätzen, 35 f.; 40 f.; 129 f.; 137 f.; 141 f.; 153 f.; 155 f.; 157 f.; 189 f.; 217 f.; 231 f.; 343 f.; 265 f.; 269 f. Der parallele Aufbau zweier Zeilen ist dem Dichter ein willkommenes Mittel zur Durchführung der Antithese, die sein rhetorischer Stil so liebt.

Dagegen sind längere Perioden mit bewußtem Aufbau recht selten. Ein einigermaßen instruktives Beispiel, bei dem eine Antithese durch mehrere Zeilen durchgeführt wird, ist 277 ff.:

der lichami ist der seli chamerwib:
er mag iri virlisin den ewigin lib.
du seli sol iri selbir rati,
alliz gut der duw gibiti.
su sol irsterbi der duwi kint
(daz des lichamin ubilu werch sint),
undi sol edilu kint giwinnin,
di su zi demo gotis erbi mugi bringin.

Hier gibt das immer erneute Einsetzen mit dem Subjekt den Eindruck starker Gleichläufigkeit, die sich in dem immer wiederholten Schema: Subjekt + flektierte Verbform + Übriges ausdrückt. Gleichzeitig kommt ein Wandel in die Starrheit durch die wechselnde Stellung des Infinitivs in den überwiegend mit Hilfsverb + Infinitiv gebauten Sätzen.

Stärker ist in dieser Richtung der Gebrauch von irgendwie kreuzläufigen Formen. Syntaktisch gleichförmig bei inhaltlichem Gegenlauf ist etwa:

119 *der tuvil wart ubir unsich giwaltig,*
wir warin zwischilis dodis schuldig.

Syntaktisch gehören zusammen: *der tuvil* – *wir* und *ubir unsich* — *zwischilis dodis.* Inhaltlich aber gehören die gekreuzten Glieder: *wir* — *über uns; der Teufel* — *der Tod* zusammen.

Sehr klaren Chiasmus zeigt 295:

Du gotis urtel ist hi dougin,
zi demo suntagi ist su offin.

Über mehr als zwei Zeilen erstreckt sich der chiastische Bau etwa 5 ff.:

su ist obini du dinc richtinti,
undin uf habinti,
innin is su si irvullinti,
uzzin umbivahinti.

Mit mehrfachem Wechsel der syntaktischen Folge 75 ff.:

Al des dir mennischi bidorfti
in vimf dagin got vori worchti.
an demo sechstin dagi worchter in,
disu werilt allu wart durch in.

Die Bezüglichkeit der drei Sätze zueinander ist betont einmal durch die beiden Tagesangaben in 1 und 2, andrerseits durch den gleichen Ausklang von 2 und 3. Wenn wir den Vordersatz beiseite lassen, so beginnt die Zeitbestimmung die beiden ersten Sätze, die dann im Platz des Verbums auseinandergehen. Die beiden letzten Zeilen sind im syntaktischen Verlauf umgekehrt, indem einmal die adverbielle Zeitbestimmung, dann das Subjekt den Satz einleitet. Trotzdem entsteht der Eindruck eines gleichstrebenden Aufbaus, indem das sprachlich gewichtigste und umfangreichste Glied vorangenommen ist und damit das Verbum stark rückwärts geschoben erscheint. Immer wieder begegnen wir Formen, die über den einfachen Gleichlauf hinausstreben zu verwickelterem Bau, ohne daß der Eindruck des Parallelismus dadurch verwischt wird. Hier liegt der bewußte Formzweck dieser frühmhd. Denkmäler aus der ersten, formstrengsten Periode.

17.

Und mit dieser Erkenntnis sind wir nun überhaupt an der Stelle, wo man durch eine zusammenfassende Wiederholung die Resultate heraustreten lassen kann. Die Einheitlichkeit dieser Gruppe in ihrem sprachlich-stilistischen Verhalten tritt unverkennbar deutlich hervor. Weitere, hier nicht analysierte Dichtungen wie der Anno, der Friedberger Christ, würden sich ihnen anreihen. Dabei sind die hier gewonnenen Charakteristika nicht starr zu nehmen; sie haben die Anpassungsfähigkeit von allgemeinen Stilformen an die Individualität des Einzelnen. Die Mischung der Bestandteile, die besondre Geneigtheit zu bestimmten Formen in dem einen, die Sprödigkeit dagegen in dem anderen Denkmal schafft auch bei nahen stofflichen Zusammenhängen eine persönliche Note, die kein vernünftiger Beobachter leugnen kann. Bei gleichem Thema und direkter literarischer Anlehnung hat doch die 'Summa Theologiae' mit ihrer Vorliebe für stark gefüllte Zeilen und für zweigliedrige, oft antithetische Aufspaltung, hat sie ferner in der viel tieferen Durchtränktheit mit dem Stil der lateinischen Predigt oder Abhandlung ein ganz anderes Gepräge als der feierliche, auf längere Reihenbildung bedachte Ezzo. Bei einem Gedicht wie der älteren Judith wird die Art der Verwendung der einzelnen Stilmerkmale gradezu ein Hilfsmittel werden können, um die beiden Teile als selbständige Werke zu erweisen. Aber demungeachtet bleibt ihnen allen der stilistische Grundcharakter gemeinsam.

Die Eigenart dieses Stils liegt einmal in der vollen Abkehr von der Pflege allen nominalen Schmuckes, der für die germanische Dichtung besonders charakteristisch ist, namentlich auch von der Variationstechnik, dem stilistischen Leitmotiv der christlichen Stabreimdichtung. Ob die uns verlorene weltliche Dichtung des 11. Jahrhunderts sich hierin anders verhalten hat, könnte nur eine vorsichtige Analyse der am stärksten von dort her beeinflußten Denkmäler, Exodus und Anno, entscheiden. Was uns als typisch frühmhd. erscheint, liegt jedenfalls in diesem Gebiet weit von allem Altgermanischen ab und behandelt das Nomen mit einer überraschenden und auch von der lateinischen Literatur her nur wenig beeinflußten Nüchternheit. Nach allen Richtungen macht sich das bemerkbar; beim Adjektivum wie bei den Verbindungsformen des Substantivums ist die Ausnutzung der darin gegebenen Möglichkeiten auffallend gering und farblos. An der plastischen und künstlerischen Kraft des Adjektivums, die eine Unterstreichung und Nuancierung des Substantivums ermöglicht, geht diese Kunst ebenso vorüber wie an den Formen von Komposition, Apposition und Genetivverbindung, die hier noch lediglich der sachlichen Mitteilung gelten. Das 13. Jahrhundert mußte sich seinen Schatz an malenden Adjektiven erst wieder neu schaffen. Diese Enthaltsamkeit von nominalen Schmuckmitteln ist um so beachtenswerter, als die lateinisch-kirchliche Literatur ihrer keineswegs entbehrte. Ein Denkmal wie 'Himmel und Hölle' versteht es sehr wohl, sich dieser Nominalkunst zu bedienen. Wie dürftig ist daneben alles, was in den hier besprochenen Dichtungen an teils inhaltlich notwendigen, teils blaß-formelhaften Adjektiven vorhanden ist. Der Sinn für bildhafte Kraft fehlt dieser Dichtung. Auch in dem eigentlichen Bild- und Gleichnisschatz schafft die dichterische Phantasie nirgends mit. Was in dieser Richtung vorhanden ist, beschränkt sich auf die Reproduktion der vorhandenen biblischen und kirchlichen Scheidemünze, die für diese Dichter keineswegs poetischer Schmuck, sondern höchst nötiger Bestandteil des Inhaltes war, die also in diesem Zusammenhang nicht als Stilmittel, sondern als Stoffbestandteil betrachtet und behandelt werden muß.

Die Eigenart — eine bewußt gepflegte Eigenart — des Stils in diesen Dichtungen liegt nicht auf dem ornamentalen, sondern auf dem architektonischen Gebiet. Der Bau des einzelnen Satzes und seiner Glieder und deren Beziehung zueinander sind es, worauf diese Dichter achteten. Und will man da wieder das gemeinsame und bestimmende Charakteristikum herausheben, so muß man als solches die „Reihung“ bezeichnen. Sie beginnt bei der Freude an der Aufreihung oder Aufzählung von Einzeldingen, die zusammen ein Ganzes ausmachen — die einzige Kunstform, die auch auf nominalem Gebiet in der Zwillingsformel und ihrer Fortbildung Blüten getrieben hat. Ich erinnere hier in der Judith an die Aufreihung der Musikinstrumente, um den festlichen Lärm des heidnischen Götterfestes zu versinnlichen, oder an die Aufzählung von Kostbarkeiten im Salomonischen Tempel oder bei seiner Mahlzeit, die den Eindruck des Reichtums hervorrufen sollen. Man denke auch an die Duftstärke, die aus den aufgereihten Würzpflanzen des Paradiesgartens aufsteigt, an die Gesamtheit „der Gott wohlgefällige Mann“, die in der Summa aus der Aufreihung der Tugenden emporwächst, und an manches andere. Weit über die reine Begriffs- und Substantivreihung hinaus bleibt die Dispositionstechnik dieser Denkmäler bei der reinen Aufreihung stehn, der die Fähigkeit straffer Gliederung und Unterordnung noch fehlt. Darin war schon der Ezzo außerordentlich lehrreich in der Art und Weise seiner Darstellung der Menschenschöpfung, in der Aufreihung der fünf alttestamentlichen Vertreter der Weltentwicklung, in der Aufzählung der Wunder Christi usw. Den Höhepunkt in dieser Richtung bildet sicherlich die Darstellung der Menschenschöpfung in der Genesis, wo der große Schöpfungsakt nur begreiflich wird, indem er in eine Unzahl einzelner Akte bis zum kleinen Finger hinab sich zerlegt. Und diese Reihung nun, die in dem ganzen Aufbau der Dichtungen zu Tage tritt, ist nichts Zufälliges und nichts Stümperhaftes, sondern eine erstrebte Form. Denn sie wird von der sprachlichen Gestaltung bewußt unterstrichen. Und das bedeutet viel in einer geistlichen Dichtung, die damit ihre stilistische Eigenart gegenüber dem nicht reihenden, sondern gliedernden Latein bewahrt.

Die Art und Weise, wie der Ezzo die Schöpfung des Menschen darstellt, sucht die Reihung der Vorgänge nicht zu verwischen, sondern sprachlich noch besonders zu unterstreichen. Die sprachliche Aufreihung durch das gleichmäßige Satzkleid: *von dem ... gab er ime* war leicht zu umgehn, wie die abweichende Zeile 42 zeigt. Wenn der Dichter doch daran festhielt, so geschah es aus einer Absicht heraus. Ähnlich steht es mit der Wunderaufreihung, die mit geringen Varianten ganz im gleichen sprachlichen Schema bleibt. Und ähnliche Beispiele konnte uns jedes der Denkmäler liefern. Auch rein sprachlich ist nicht unterordnende Gliederung, sondern nebenordnende Reihung das Berherrschende. Darum fehlen in ihnen die Hilfsmittel einer deutlichen sprachlichen Gliederung und Unterordnung. In der Satzverbindung herrscht die Asyndese oder die Anaphora namentlich mit den stark reihenden Partikeln *do* und *da*. Aber auch *so* und *nu* können zur reinen Reihungspartikel werden. Die besonderen Verbindungspartikeln, namentlich soweit sie ein logisches Verhältnis der Sätze herstellen sollen, fehlen noch so gut wie ganz — auch darin in bemerkenswertem Gegensatz zur lateinischen Sprache, die mit besonderer Vorliebe Partikelverbindungen herstellt. Ebensowenig ist die Hypotaxe durchgebildet. Die hypotaktischen Mittel erscheinen ärmlich, ebensowohl neben den lateinischen wie neben den klassisch-mittelhochdeutschen Möglichkeiten. Im allgemeinen baut der „Ezzotyp" noch keine komplizierten Perioden. Selbst die Summa und der Salomo als die am stärksten lateinisch eingefärbten Denkmäler, die hier zur Untersuchung standen, kommen im großen und ganzen über die Verbindung: Hauptsatz + Nebensatz nicht hinaus. Die hypotaktischen Mittel sind noch minder gut ausgebaut als in der späteren Zeit und genügen noch nicht immer zu feineren Differenzierungen. Darum erscheinen die Perioden, die diese Dichter hier und da plötzlich einmal aufhäufen, so ungelenk und blockmäßig. Es sind wirklich „Bandwurmsätze", weil ein Glied am anderen hängt, losgeschnürt und mit einem gewissen Eigenleben, nicht wie bei einem höheren Organismus eingespannt in eine gerundete und geschlossene Einheit. Man vergegenwärtige sich in dieser Beziehung noch einmal die feierlichen Sätze, mit denen Gott in der Genesis dem Menschen die Herrschaft über die ganze lebende Welt verleiht. Sie sind nicht ohne Eindrücklichkeit; aber sie wirken als Perioden merkwürdig abgeschnürt. Jeder Satz füllt grade eine Zeile aus, und er scheint darin ein eigenes, selbständiges Leben zu führen. Zuletzt erscheint auch ein solches hypotaktisches Gebilde wieder wie aufgereiht aus lauter einzelnen, gleichlangen Gliedern von starker Selbständigkeit. Das Eigenleben der einzelnen Zeile ist hier noch größer als in späterer Zeit.

So wird Reihung zum eigentlichen Stilmittel dieser Dichtungen, und der Parallelbau wird zum feinsten Ausdrucksmittel dafür. Ich habe auch hier noch einmal hervorzuheben, daß dieser Parallelbau mit der Satzvariation der stabreimenden Dichtung nichts zu tun hat. Dort war der Zweck der reine Schmuck, indem der gleiche Inhalt auf zwei oder mehr verschiedene Weisen spielend ausgedrückt wurde. Hier schreitet der Inhalt meistens fort; mindestens der Standpunkt des Betrachters wechselt, oder ein Detail wird nachgetragen. Jedenfalls ist Variation nicht der Z w e c k der Wiederholung. Der

Parallelbau bindet Sätze miteinander, die in einer logischen Beziehung zueinander stehn; er kann adversatives, aber auch begründendes, folgerndes, bedingendes Verhältnis ausdrücken oder sich mit der reinen Tatsache der Aufeinanderfolge begnügen. Die verschiedenen Formen, die der Parallelbau annehmen kann, sind im Vorangehenden eingehend erläutert worden. Das Spiel mit den Möglichkeiten des Gleichlaufes und Kreuzlaufes kann zu bewußter künstlerischer Leistung werden.

Die Vorbedingung für diese ganze Wirkung ist das Eingepaßtsein des einzelnen Satzes in die metrische Einheit der Zeile oder des Reimpaares. Nur so kann er als geschlossene Einheit wirken. So schlingen sich metrische und sprachliche Gliederung eng ineinander. Der einzelne Satz oder das selbständige Satzglied lebt sich in der Reimzeile oder im Reimpaar aus. Bindungsstil und sprachlicher Parallelbau gehören eng zusammen und charakterisieren gemeinsam die frühmittelhochdeutsche Dichtung[59]). Das Mittel der Stilbrechung, d. h. die Verteilung zweier Parallelzeilen auf zwei verschiedene Reimzeilen, ist der Beginn der Auflockerung und Auflösung des Reihungsstils. In den Anfängen des Brechungsstils, bei der Bildung kleiner Systeme, wie ich es a. a. O. in der Sieversfestschrift entwickelt habe, kann der Parallelstil als Bildungselement eines Systems noch eine Rolle spielen. Sobald mit vordringender Brechung der Sinn für die Reihung zugunsten der Eingliederung auch metrisch schwindet, verflüchtigt sich zugleich der sprachliche Reihungsstil zugunsten von Syndese, Hypotaxe und — auf nominalem Gebiet — abhängigen Substantiven.

[59]) Ein typisches Beispiel für die Verkennung dieser Tatsache ist die Art, wie in MSD. die 2. Strophe der Straßburger Ezzofassung behandelt wird. Nichts scheint klarer, als daß diese Strophe nach frühmhd. Art sich aus einzelnen, in sich geschlossenen Reimpaaren aufbaut. Was dort Anm. S. 186 der Strophe vorgehalten wird: „so fallen die beiden Hälften der Str., ja die einzelnen Reimpaare auseinander“, ist für frühmhd. Stilgefühl ein Lob. Und ich wenigstens kann nicht finden, daß die verschränkte und geschachtelte Form, die durch die Interpunktion von MSD. herauskommt, die Strophe irgendwie förderte und klärte.

DIE STELLUNG DES BASLER ALEXANDER

[1929]

1.

Die Forschung der letzten Jahre schien sich in erfreulicher Einheitlichkeit den Gedanken zu eigen zu machen, daß wir in der späten Basler Alexanderbearbeitung einen wenn auch entarteten Sprößling jener Zwischenstation zwischen dem Vorauer und dem Straßburger Text besitzen, die Wilmanns' feine Beobachtungsgabe aufgespürt hatte. Diese Zwischenstufe war geeignet, das Verhältnis des Alexanderliedes zum Rolandslied befriedigend zu erklären und zugleich der eigenartigen Textgestaltung der Basler Bearbeitung den richtigen Hintergrund zu geben. Die Schriften von Ehrismann, van Dam und mir selbst haben auf diesem Grund gebaut. Sie haben, ohne eine Gesamtanalyse des Basler Textes zu erstreben, doch den Weg zu zeigen versucht, wie man aus dessen Übermalung und dem darauf folgenden tiefen Verfall einen Eindruck seiner ursprünglichen Form gewinnen könne. Nach unseren Resultaten folgt auf Lamprechts vorzeitig abgebrochenes Original (V) eine Fortsetzung (*B), die den Lamprechtschen Text selbst nur wenig überarbeitete. Sie ist es, die dem Verfasser des Rolandsliedes bereits bekannt war. Von ihr gibt es zwei Linien gründlicher Umarbeitung und Modernisierung. Die eine, etwa 1160 entstanden, liegt uns im Straßburger Alexander (S) vor, die andere wird durch die Basler Bearbeitung (B) repräsentiert. Auf dem Wege zu B liegen aber mindestens zwei Zwischenstufen, eine ältere Bearbeitung, die wohl aus dem dreizehnten Jahrhundert stammt und der es um die Herstellung reiner Reime zu tun war. Und eine hier nicht näher zu bestimmende grausame Verwahrlosung und Verrottung des Textes vor oder in der uns erhaltenen Basler Niederschrift. Die nähere Geschichte dieses Zweiges festzustellen, wäre Aufgabe einer besonderen Untersuchung, die ich hier nicht durchführen kann[1]). Damit schien ein fester Boden gewonnen zu sein. Nun erscheint der Aufsatz Edwards Schröders „Die deutschen Alexanderdichtungen des 12. Jahrhunderts" (Nachrichten der Gesellschaft der Wissenschaften zu Göttingen, phil.-hist. Klasse, 1928), der diese ganze Richtung der Forschung verwirft und ihr den Satz gegenüberstellt: „In verhängnisvoller Weise ist

[1]) Im Folgenden verwende ich außer den oben schon mitgeteilten Abkürzungen noch einige andere: S I bezeichnet den Teil von S, der auf V beruht, S II die selbständige Fortsetzung. St meint die zweite spezielle Umarbeitung, die in S an *B vorgenommen ist, also das Sondergut der Straßburger Fassung. Mit Par bezeichne ich, wie schon in meinem Buch, den Schlußabschnitt von S (6589—7302), in dem B und S ganz auseinandergehen.

zunächst die Textkritik an der frühmhd. Alexanderdichtung gehemmt und späterhin ihre literargeschichtliche Beurteilung bis in die letzte Zeit gestört und getrübt worden durch die junge Basler Handschrift.“ Insbesondere spricht er meinen Untersuchungen über das Verhältnis der drei Rezensionen (Frühmittelhochdeutsche Studien, Halle 1926) S. 52 jeden Wert ab, was ihre Resultate betrifft, während er S. 49 meiner wissenschaftlichen Leistungsfähigkeit als bewährter „Censor morum“ der Germanistik die Censur „im Ganzen gut“ ausstellt.

Ich bin hier in der unerfreulichen Lage, mich einer schiefen Auffassung meines Buches erwehren zu müssen. Wer Schröders Aufsatz und die darin enthaltene Kritik meines Buches liest, ohne dieses selbst zu kennen, muß zu der Auffassung kommen, als habe ich meine Anschauungen auf Grund von sprachlichen Untersuchungen entwickelt und dabei eine genügende Vertiefung in die sprachlichen Eigenheiten meiner Texte vermissen lassen. Dem gegenüber muß ich ausdrücklich feststellen, daß meine Untersuchung eine formalstilistische gewesen ist, die sich ganz speziell auf metrische Beobachtungen gerichtet hat. Das Kapitel über den Reim war keineswegs im Sinne einer dialektgeschichtlichen Festlegung gedacht oder darauf berechnet, den sprachlichen Charakter der Alexanderfassungen nach Art der üblichen Reimgrammatiken zu bestimmen. Es war lediglich die Einleitung zu den wichtigeren Abschnitten über Versfüllung und Brechungstechnik, auf die ich bewußt den Hauptwert gelegt habe, und es sollte nur beispielsmäßig das Fortschreiten des formalen Könnens von V zu S beleuchten. Schröders sprachliche Fragestellung hat neben der meinen natürlich ihre volle Berechtigung, aber ich halte es für ungerecht oder übereilt, sie auch bei meiner Arbeit zu verlangen, die nach ganz anderen Zielen strebte. Meine formal-metrischen Beobachtungen aber übergeht Schröder mit völligem Stillschweigen. Er hält es nicht für nötig, sich mit meinen Ergebnissen überhaupt auseinanderzusetzen, begnügt sich vielmehr damit, sie ohne Beweis alles Wertes zu berauben durch den Satz: „Daß de Boor, der diesen Bearbeiter zuerst zu charakterisieren versuchte, die sprachlichen Vorfragen ganz außer Acht gelassen hat, mußte seiner weiteren Untersuchung von vornherein den Wert schmälern und hat ihn weiterhin zu nichte gemacht.“ Ich halte diese Form der Polemik, die Absichten einer gelehrten Arbeit zu verschweigen, und lediglich die Ergebnisse als wertlos abzulehnen, in einer eingehenden wissenschaftlichen Untersuchung für mindestens unerlaubt.

Was Schröder seinerseits gibt, sind im wesentlichen wertvolle und förderliche Beobachtungen zu dem Unterschied des Sprachgebrauchs von V und S, offenbar die bei dieser Gelegenheit in die Scheuer gebrachte Ernte langjähriger Beobachtungen und Randnotizen seines Handexemplars. Daß Schröder nicht systematisch gesammelt, sondern nur von Fall zu Fall Gefundenes zusammengefaßt hat, wird jedem klar, der auf seinem Aufsatz weiterbauend ein wenig konzentrierter nach Wort- und Formelgebrauch von V und S fragt. Er hätte bedeutend mehr Material in den Dienst seiner These stellen können.

Diese aber lautet, daß von V zu S nur ein einziger bedeutsamer Schritt geschehen sei, ohne jede Zwischenstufe, auch ohne eine bloße Ergänzung und Fortseztung des abgebrochenen Werkes von Lamprecht. Schröders Schluß aber ist ein Schluß ex silentio, auf den er sich nicht wenig zu gute tut. Er besagt etwa: wir können den sprachlich-stilistischen Charakter von V beschreiben und können dasselbe bei S tun. Aber man kann nirgends eine greifbare Spur jenes dazwischenstehenden Mannes *B finden, dessen Werk in B noch erhalten sein soll.

Wer so argumentiert und es mit einer so überlegenen Abfertigung Andersdenkender tut, dürfte wohl die Pflicht haben, sich auch mit dem Werk auseinanderzusetzen, das seine Gegner als den direktesten und greifbarsten Zeugen für ihre Ansicht aufrufen, mit der Basler Bearbeitung. Schröder lehnt das S. 49 f. ausdrücklich ab und begnügt sich mit einer allgemeinen Erklärung, warum er „zu immer geringerer Einschätzung und schließlich völliger Nichtachtung seines Wertes“ gelangt sei. So kann er die unbequeme Auseinandersetzung durch eine nur programmatisch verkündete, aber in nichts bewiesene Ansicht von vornherein ausschalten. Er erklärt den Verfasser von B für einen berufs- oder gewerbsmäßigen Schreiber, der auf Bestellung bereits mehrfach Alexandertexte abgeschrieben habe, und zwar sowohl die Lamprechtsche wie die Straßburger Fassung. Als er einen neuen Auftrag erhielt, habe er weder den einen noch den anderen Text zur Hand gehabt, wohl aber „einige lateinische Quellen.“ Er habe daher den eigenartigen Versuch gemacht, gestützt auf diese lateinischen Quellen das gesamte Werk aus dem Gedächtnis niederzuschreiben, wobei er die Lücken seines Gedächtnisses mit Versen und Abschnitten eigener Produktion auffüllte. Denn es sei schlechterdings unmöglich, daß ein umfänglicher Text durch Übertragung von Pergament zu Pergament in den trostlosen Zustand der Basler Handschrift gekommen sei.

Was Schröder damit geschaffen hat, ist ein ungreifbares und eben deshalb auch schwer angreifbares Phantom. Denn wie sich auch das Verhältnis seines Textes zu V und S darstelle, immer kann man jede eigenartige Mischung der Willkür oder dem Gedächtnisfehler jenes Abschreibers zur Last legen. Und alle selbständigen Abweichungen von den übrigen Texten sind geschwind mit seinem Gedächtnisschwund erklärt. Nur bedauern wir, daß derselbe Gelehrte, der den Verteidigern von *B vorwirft, sie hätten zur Erfassung von dessen Persönlichkeit nichts Hinreichendes getan, seinerseits ganz darauf verzichtet, seinen merkwürdigen Abschreiber näher zu charakterisieren oder auch nur glaublich zu machen. Wir erfahren nicht einmal, wann er seine Tätigkeit ausgeübt haben soll, um interessierte Käufer sowohl für den primitiven Lamprechtschen wie für den vollständigeren und moderneren Straßburger Text zu finden. Und es bleibt völlig unklar, wie sich die bewahrte Handschrift B zu dem Werk jenes Abschreibers verhält. Da für Schröder die Erwägung eine entscheidende Rolle spielt, daß der Zustand von B sich nicht aus einer Übertragung von Pergament zu Pergament erklären lasse, so scheint er zu meinen, daß die uns erhaltene Handschrift das Werk jenes zugleich gedächtnisstarken und gedächtnisschwachen Mannes gewesen sei. Nun ist aber B zweifellos nicht die Arbeit eines gewohnheitsmäßigen Schreibers von Alexandertexten, sondern eines Kopisten einer Weltchronik mit dem nur mechanisch eingeflochtenen Alexanderlied[2]). Man kann ihm daher die Verderbnisse nicht zur Last legen, muß sie vielmehr in seiner Vorlage suchen. Und damit wird die grenzenlose Verwahrlosung des Basler Textes doch schon wieder zum Schuldkonto zweier Männer, eines ersten, der die Verwirrung anrichtete, und eines zweiten, der ohne jeden Versuch einer Besserung stumpfsinnig den verdorbenen Text in seiner Weltchronik kopierte. Mindestens ein Weitergeben von Pergament zu Pergament hat also doch stattgefunden, und damit ist das ansprechendste Argument für Schröders Hypothese arg geschwächt.

Nur eines sagt Schröder über seinen Abschreiber aus, und das ist eine grobe Unrichtigkeit. Seite 50 erklärt er mit seiner Hypothese die Tatsache, „daß bei durchgehend näherem Verhältnis zu S doch in den ersten Partien Lesarten stecken, die sich nur aus V erklären lassen, wie z. B. das berühmte *stützel (: lützel)* B 1295 = V 1034, wo S 1452 *bal (: sinewal)* einsetzt und des weiteren festhält.“ Wer diesen Satz liest, muß den Eindruck bekommen, als sei S auch in den Anfangspartien die eigentliche und entscheidende textliche — und nach Schröders Theorie — gedächtnismäßige Grundlage der Niederschrift von B, und die Einschläge von V beschränkten sich auf ganz bestimmte einzelne Ausdrücke und Wendungen, die sich leicht nachweisen und ausschalten ließen. Insbesondere muß jeder denken, daß die Stelle B 1295 ff. bei durchgängiger Befolgung des S-Textes nur eben jenen Reim aus V habe durchschlüpfen lassen. Wie es wirklich ist, sieht man aus der Nebeneinanderstellung der drei Texte:

V:	*S:*	*B:*
Ain rîcher chunich was	*Der rîche kuninc Darius*	*der riche küng Darius*
Darios.	*der antworte ime alsus:*	*gedacht nach diser rede*
derwider dâhter alsus:	*„der kûne Alexander*	*sus,*
Alexander dûhte in	*der tût als ein tumber*	*wie er Allexander*
lutzel,	*unde alse ein kindischer man,*	*spotlich*
	der sih versinnen nit ne kan,	*ein botschaft sant und*
	daz wirt vil lîhte sîn val,	*kleinet da mit*
	wander dar umbe sal	*in spot und hoffarttigen*
	sîne êre verliesen	*sit:*
	oder den bitteren tôt kiesen,	*er forchtte in danach*
	er ne vare schiere widerheim.“	*lüczel,*
	doch wart er des inein,	
er sante im eines chindes	*do er gienc ze râte,*	
stuzel	*daz er ime sante drâte*	
unde der zû cin	*einen guldinen bal*	*. . . eins kindes stüczel*
scûhpant,	*scône unde sinewal.*	*und der zû ein schûch*
also erz in sînem herzen	*ouch santer ime zehant*	*bant*
vant:	*zwêne hêrlîche scûchbant*	*. . . . . .*
unde ein wênich choldes	*und ein lutzil goldis in*	*in einer laden ein klein*
in einer lade.	*einer laden.*	*gold.*

[2]) Vgl. R. M. Werners Ausgabe des Basler Alexander (BLVSt 154), Tübingen 1881, Einleitung S. 4.

Der Text von V hat zwar in B und S Abänderungen erfahren; sie sind aber völlig unabhängig voneinander. Und B bleibt, soweit es überhaupt vergleichbar ist, viel enger bei V als bei S, nicht nur in dem Reim *stützel : lützel*, sondern im ganzen Textverlauf. Und diese Stelle steht nicht allein da. Jeder aufmerksame Leser muß erkennen, daß mindestens in 80 % aller Fälle B mit V und nicht mit S geht und dessen eigentümliche Dehnungen nicht mitmacht. Meine Zusammenstellungen (Frühmittelhochdeutsche Studien, S. 89 ff.) haben das an ausgewählten Beispielen „umständlich" nachgewiesen, leider ohne auf Schröder Eindruck zu machen. Denn obwohl Schröder mein Resultat anerkennt, daß der entscheidende stilistisch-metrische Fortschritt nicht bei *B, sondern erst bei S liegt (S. 49), spricht er eine Seite später von einem „durchgehend näheren Verhältnis zu S", was im graden Gegensatz dazu steht. Es gehört die ganze Verachtung Schröders für das Machwerk B dazu, um sich so wenig für die Tatsachen und die wissenschaftlichen Feststellungen zu interessieren, die sich daran knüpfen.

Was ist nun mit Schröders Hypothese gewonnen? Erneute Unsicherheit in den beiden Punkten, die durch *B geklärt schienen. Seine Hypothese macht die Entstehungsgeschichte von B nicht klarer; sie belehrt uns nicht darüber, warum die Paradiesfahrt so anders behandelt wird als die übrigen Abschnitte und wie es kommt, daß ein stümpernder Abschreiber so konsequent auf Reinheit des Reimes drängt. Und ebensowenig vermag Schröder das Verhältnis zum Rolandslied zu erklären, wie er selbst S. 89 zugeben muß. Wir stehen erneut vor dem unlöslichen Widerspruch, daß das Rolandslied Verse zitiert, die erst in S stehen, obwohl S mindestens zwanzig Jahre jünger ist.

Ich muß ein paar Bemerkungen zu Schröders Einzelausstellungen gegen meine Arbeit hinzufügen.

Den Reim *gesâhen (= gesân): lach* (V. 869/70) halte ich immer noch für diskutabel, trotzdem Frings und Wesle unabhängig voneinander in ihren Besprechungen meiner Frühmittelhochdeutschen Studien[3]) den ansprechenden Vorschlag gemacht haben, *gesâgen: lâgen* zu lesen. Der Plural *gelâgen* als Beziehung auf das Kollektivum *werlte* macht dabei keine Schwierigkeit. Doch scheint es mir immer noch bedenklich, die wörtliche Übereinstimmung der beiden Zeilen V 870 und S 1216 auf die unabhängige Änderung des Originaltextes zurückzuführen. Dazu kommt, daß die Form *gesâgen* zwar für S im Reim reichlich nachweisbar ist (vgl. Schröder S. 59), so daß von der Form aus für S kein Grund zur Änderung vorliegt, nicht aber für V. Die einzige vergleichbare Stelle in V (139/40) bietet vielmehr den Reim *gesân : getân*. Wenn daher von dem Wechsel Singular-Plural, der in dem Reim von

[3]) Th. Frings, Archiv 152 (1927), S. 101—103; C. Wesle, AfdA 45 (1926), S. 90—93.

V 869/70 auftritt, S 1215/16 den Singular *(gesach : lac)*, B 1144/45 den Plural *(ansahen : jahen)* durchführt, so muß ich an der Bindung *gesân : lach* für Lamprechts Werk festhalten, die nach Wesle (Frühmhd. Reimstudien S. 23) zwar recht salopp, aber nicht undenkbar ist.

Die Reime *helt : gewalt* (V 733/34) und *werlde : werden* (V 889/90) halte ich allerdings auch heute noch „ernstlich" für möglich. Daß V — im Gegensatz zu S (vgl. unten S. 107) — mindestens die dreisilbigen Formen synkopiert, zeigen die Reime *helde : helfen* (603/604) und *helde : erwelte* (1489/90), für die Wesle (Frühmhd. Reimstudien S. 60) zweisilbige Geltung unbedingt fordert. Der Nom. Sing. ist allerdings einmal in zweisilbigem Reim belegt *(helid : chunich* 1297/98), und es bleibt aus dem Material von V unentscheidbar, ob auch er schon synkopiert gedacht werden kann. Aber ich würde auch *helid : gewalt* bei Lamprecht für einen erträglichen Reim halten. Über derartige Reime hat Wesle a.a.O. S. 124 ff. gehandelt. Dasselbe gilt für *werlde : werden,* selbst wenn man an *werilde* festhalten müßte, was noch zu erweisen wäre. Die so ansprechend scheinende Vermutung Schröders, das von S 977/78 gebotene Reimwort *helt bald : gewalt* sei durch den Schreiber von V mechanisch ausgelassen, scheitert an der weiter unter S. 118 mitgeteilten Formelbeobachtung, daß die typische Fügung *helt balt* erst Eigentum des letzten Bearbeiters St ist und erst von ihm auch in S I eingeführt wird. Danach ist auch meine Annahme (Frühmhd. Studien S. 18) zu berichtigen, daß die Änderung schon auf *B zurückgehe. Über die Reime dreisilbiger Wörter auf zweisilbige vgl. Wesle a.a.O. S. 127 und die Beispielsammlung S. 60 ff. Ich halte es für viel bedenklicher, den weitherzigen Reimer Lamprecht auf Reinheit der Reime hin zu pressen oder ihm gar mit Konjekturen aus diesem Grunde zu Leibe zu gehen.

V 1431/32 *enwizzin : sehsic* habe ich schon Frühmhd. Studien S. 21 bezweifelt, was Schröder nicht erwähnt, und an *sehsic man* für V und *B gedacht. Ich gebe den Reim gern ganz preis; ich möchte heute *enwizzan : man* mit größerer Zuversicht als damals für V und *B beanspruchen und daraus B 1580/81 *(han : man)* und S 1963/64 *(man : kan)* selbständig ableiten. Vgl. den entsprechenden Reimtyp *man : howan* noch in S (2629/30).

Warum *chinden* (V 285) und *werlte* (V 889) „schon um des Sinnes willen" angefochten werden müssen, sehe ich nicht ein; *chinden : gingen* ist wie *chinden : gewinnen* (V 299) ein untadeliger Reim, gegen den nichts spricht als Schröders Wunsch, die Form *gien* als alleingültiges Präteritum für V festzulegen. Zwar wird es für Schröder nichts sagen, daß B 595: *zů den sinen* den Plural von V gegen S 334 *zô Vestiane* stützt. Aber warum der junge Alexander nicht von jungen Begleitern umgeben sein soll, ist schwer begreiflich, und mehr besagt das Wort nicht. Denn 5698, dessen Wert auch Schröder nicht anzweifeln wird, bezeichnet Candaulus als *kind,* und der ist immerhin ein verheirateter Mann, der sein Weib von einem Entführer befreien will. Vgl. auch Kinzels Anmerkung zu S 228 (S. 407). Und *werlte* als

Bezeichnung für Kriegsmannschaft ist ein typisches Glied von V und dort noch 764, 870 und 892 zu finden, und den zweiten Beleg übernimmt S 1216! Also auch hier gibt der Sinn zu Bedenken keinen Anlaß. Vgl. auch Kinzel, Anmerkung zu S 1050 (S. 437).

In den Mittelpunkt des Interesses und des Meinungsstreites ist durch Schröders Behandlung der Frage der Mittelsmann *B und die Erfassung seiner sprachlich-stilistischen Eigenart getreten. Gelingt dieser Nachweis, dann sind Schröders Einwände endgültig erledigt. Das dornenvolle Unternehmen, sein Vorhandensein aus B heraus zu erweisen oder zu widerlegen, hat Schröder bewußt abgelehnt. Es fragt sich für den, der in B die Fortsetzung einer Stufe *B zwischen V und S sieht, wieviel von *B in B durchschnittlich noch erhalten sein kann. Denn B ist eben keinesfalls „von Pergament zu Pergament“ entstanden; das ist weder von van Dam noch von mir je behauptet worden. Sondern dazwischen liegt, wie schon oben gesagt, mindestens eine bewußte Umformung und eine ungewöhnlich starke Zerrüttung. Die Gesamtanalyse von B, die einmal durchgeführt werden muß, kann und will ich hier nicht unternehmen, wohl aber einige Gesichtspunkte und Wege angeben, mit denen sich zu einer Erfassung der Persönlichkeit *B, die keine ausgeprägte zu sein braucht, vordringen läßt. Ich gehe dabei von der gesicherten Tatsache aus, daß die Umformungen in S I großenteils in B fehlen, also erst St, nicht B angehören. Ich stelle außerdem die von Schröder nirgends berührte, geschweige denn widerlegte Sonderstellung von Par als Werk von St von vornherein in Rechnung. Und ich möchte schon hier betonen, daß ich darüber hinaus jetzt auch in anderen Partien von S II, die in B vollständig fehlen, namentlich in der Episode vom Mädchenwald die Arbeit von St sehe.

2.

Schröder hat eine ganze Reihe teils sprachlich-grammatischer, teils stilistischer Elemente aus S I und S II angeführt, die in V fehlen. Das heißt, er hat in Form- und Wortgebrauch die Eigentümlichkeiten von S zu erfassen gesucht. Wollen wir untersuchen, wie sich B zu diesen Eigenheiten verhält, so können die sprachlichen Formen an B naturgemäß nur noch sehr teilweise nachkontrolliert werden. Ich stelle sie daher zunächst ganz zurück und behandle die Stellung von B lediglich am Wort- und Formelgebrauch. Erst wenn damit eine sichere Grundlage gewonnen ist, bespreche ich ohne Systematik einzelne der sprachlichen Beobachtungen, die Schröder gesammelt hat. Wenn wir an einer Reihe von einwandfreien Beispielen feststellen könnten, wieviel von dem Allgemeingut der älteren Dichtung sich überhaupt durchschnittlich nach B hinüberrettet, so müßte man daran ermessen können, wie B das Sondergut von S behandelt. Träte es in voller Erstreckung in dem gleichen Prozentsatz in B auf, so wäre B als eine Abteilung aus S erwiesen. Stellte sich aber heraus, daß B gewisse Eigenheiten von S bis zur Höhe des überhaupt durchschnittlich Geretteten besitzt, andere dagegen entweder gar nicht oder in wesentlich geringerem Umfang, so dürften wir daraus schließen, daß diese in der Vorlage von B noch gefehlt hätten, während jene bereits vorhanden waren, d. h. es gäbe eine Stufe zwischen S und V; das Vorhandensein von *B als Vorstufe von S und B wäre erwiesen. Nur was B und S gemeinsam haben, gehörte schon ihr an, das übrige wäre erst durch den Bearbeiter St hinzugekommen. Ich lege das Verhältnis von B und S zunächst an ein paar häufigeren Wörtern dar, indem ich ihr Vorkommen in B und S feststelle.

1. *sturm.* Das Wort ist in V reichlich vorhanden (40; 99; 167; 398; 463; 761; 865; 869; 1221; 1280; 1332). Vgl. auch Schröders Bemerkungen S. 64 f. Von diesen Belegen fällt 463 in die große Lücke von S, 1280 in eine Partie, wo S den Text von V reichlich auswalzt und dabei 1775 *nôt* statt *sturm* einführt. In B fehlen die drei ersten Belege mit der ganzen Einleitung, sowie 1332 in dem Abschnitt, der die Schlacht um Tyrus mit bekannten Kämpfen anderer Dichtungen vergleicht. *sturm* ist erhalten B 1047 = V 761; B 1144 = V 869, und es ist in B 792: *mit listen erstürmet er die* = V 463 noch zu erkennen. B 1774 = V 1280 führt bei näherer Verwandtschaft mit V die dritte Variante *strit* gegen *sturm* (V) und *nôt* (S) ein. Vgl. auch Frühmhd. Studien, S. 97 f. Verschwunden sind dagegen die Stellen V 398 = B 715; V 1221 = B 1430 *(angst und not);* V 865 = B 1142. In den beiden ersten Fällen ist Umgestaltung zwecks Reimbesserung, im letzten mechanische Zerrüttung an dem Ausfall schuld. Im ganzen sind von 8 vergleichbaren Belegen 3 in B noch erhalten oder zweifellos noch erkennbar = 37,5 %.

In S II, wo V zum Vergleich fehlt, habe ich folgende Belege notiert: 2213; 2354; 2485; 2731; 3276; 3286; 4157; 4202; 4372; 4424; 6704. Davon hat B erhalten: B 1749 = S 2213; B 2504 = S 3286; B 2960 = S 4157. An zwei Stellen (B 1968 = S 2485; B 2095 = S 2731) hat B wie schon oben einmal *strit* für *sturm* eingeführt, beides Stellen, wo B Verse mit unreinen Reimen umformt. S 6704 gehört zur Par, scheidet aus dem Vergleich also aus. Es fehlen sechs Stellen, sämtlich im Bereich größerer Abweichungen oder Auslassungen in B. Von 11 vergleichbaren Stellen haben 3 *sturm* erhalten, = reichlich 27 %; dazu kommen die beiden Stellen des Ersatzes von *sturm* durch *strit.*

2. *jungelinc.* Das Wort ist in V selten, nur V 146 = S 172; V 367 = S 432 *(jungelinc* : V *chunich,* S *kuninc)* belegt. Der erste fällt in die Anfangspartie, der zweite erleidet in B 674 die Reimbesserung *ein küner degen bald : engalt.* In den Zusätzen von S I finden wir *jungelinc* 324 (: *ginc*); 1776 (: *ginc*); 2003 (: *jungelinge : tagedinge*). Sie sind in B trotz der reinen Reime nicht vorhanden.

Häufiger wird *jungelinc* in S II, namentlich als Reimwort. Ich zähle folgende Belege: 2065 (: *entfienc*); 2078 (: *verwinnen*); 2353 (: *giengen*); 2397 (: *gwinnen*); 2589 (: *dinc*); 2781 (Versinneres); 4087 (: *bedwingen*); 5644 (: *dinc*); 6035 (: *ingesinde*); 6273 (: *kint*); 6448 (: *dinc*); endlich in

Par 6641 (: *tegedinge*); 6654 (: *bedwingen*); 6967 (: *dingen*). Von den 11 Belegen bewahrt B 3: B 1896 (: *bringen*) = S 2397; B 2027 (: *ding*) = S 2589; B 2145 = S 2781. Das sind 27 %. Und zwar behält B einen reinen Reim und den einzigen Beleg des Versinneren; einen unreinen Reim gestaltet es zu einem reinen um. *jungelinc* war also in *B vorhanden, ist aber in St wohl weiter ausgebreitet, da in B die Reime auf *ginc* und *vinc* ganz fehlen, die dafür in S I sicher durch St mehrfach eingeführt sind.

3. *degen.* In V folgende Belege: V 101 (= S 123); V 923 (= S 1285); V 1394 (fehlt in S). Von diesen Stellen hat B 1559 das Wort mit V 1394 gegen S 1916 gemein, das hier *sine helede* einführt. S I fügt *degen* 1324 hinzu, wo es in B wie in V fehlt.

S II hat folgende Belege: 2790; 3668 *(swertdegen)*; 3787; 4205; 4310; 4546 *(dietdegen)*. Davon bewahrt B: 2152 = S 2790; 2714 *(degen gůt)* = S 3668; 2776 = S 3787, also drei von sechs Fällen. Außerdem verwendet B das Wort mehrfach selbständig.

4. *chint.* In V reichlich verwendet. V 116; 119; 159 (fehlt S); 174; 198; 222 fallen in die Anfangspartie. Weiterhin V 285 (fehlt S); 291 (fehlt S); 299 (fehlt S); 314; 328; 358; 365; 414 (fehlt S); 1034 (fehlt S); 1045. Davon behält B 3 bei; B 600 = V 291; B 1296 = 1034 (beide Male trotz des Fehlens in S) und B 1308 = 1045. Das sind 30 %.

S II hat folgende Belege: 2504; 2688; 2815; 2864; 2897; 3356; 3374; 3518; 3623; 4077; 4531; 4536; 4736; 5232; 5547; 5597; 5698; 5929; 6346; endlich in Par. 6911; 6998 in der Formel *di gotis kint.* Hiervon hat B beibehalten: 1982 = S 2504 (mit Reimbesserung); 2172 = S 2815 (mit Reimbesserung); 2638 = S 3518; 2912 = S 4077; 3231 = S 4736; 3704 = S 5698. Endlich ist in B 3088 *tǒchttren und wib* eine durchsichtige Veränderung von S 4531 *kint unde wib* gegeben. Im ganzen sind also 7 von 19 Belegen vorhanden oder erkennbar = 37 %.

5. *frouwe, juncfrouwe.* Das erste Wort ist in V selten, das zweite fehlt ganz. *frouwe* finde ich: V 64 (fehlt S 68); 94 (= S 112); 105 (= S 129) in den Anfangspartien, und dann nur noch 392: *die frowe diu hiez Cleopatra : mûter,* wo B und S auf einen gemeinsamen besseren Text ohne das Wort *frouwe* zurückzugehn scheinen.

Weit reicher fließen die Belege in der zweiten Hälfte. Von den etwa 50 Stellen hat B 11 = 22 % erhalten: B 2136 *(juncfrouwe)* = S 2770 *(frouwe)*; B 2150 = S 2788; B 3586 = S 5521; B 3631 = S 5590; B 3732 *(jungcfr.)* = S 5737 *(fr.)*; B 3715 *(jungcfr.)* = S 5743 *(fr.)*; B 3749 *(juncfr.)* = S 5772 *(juncfr.)* + 5774 *(fr.)*; B 3803 *(juncfr.)* = S 6046 *(juncfr.)*; B 3812 = S 6080; B 4048 = S 6531; B 4076 = 6574. Außerdem verwendet B sowohl *frouwe* (3808; 3830; 3838) als *juncfrouwe* (3495; 3500; 3741) selbständig.

6. *rîter.* Das Wort ist in V gut bezeugt. Die Belege 156 (= S 182); 213 (= S 243) fallen in die Anfangspartie. Weiter dann 411 = S 482; 925

= S 1287; 1242 = S 1718; 1276 = S 1762; 1299 (fehlt S 1806); 1446 (fehlt S 1934). Davon bietet B 1181 = V 925; 1444 = V 1242; 1471 = V 1276, d. h. drei von sechs Belegen. B 730 ersetzt *rîter* (V 411) durch *graffe*. Die drei neuen Belege, die S I hinzufügt (1716 statt *helt* in V 1241; 1729 und 1773), fehlen in B, doch dürfte *graff* in B 1476 = S 1773 ein Ersatz für *rîter* sein, ähnlich wie oben 730.

In S II ist *rîter* dagegen bemerkenswert selten. Ich finde nur vier Belege: 2211; 4374; 4949; 5958. Aber auch von diesen wenigen Stellen kehrt eine (B 3361 = S 4949) in B wieder. Selbständig hat B das Wort 1633 und 3139.

7. *wazzer* und *wâc*. V bezeichnet Gewässer mit *wazzer* (1137 = S 1563; 1164 = S 1602; 1203 = S 1655), daneben einmal mit *flût* (1218 = 1686). In allen Fällen bleibt S bei dem Text von V. B bewahrt *wazzer* 1366 = V 1138; *flût* B 1425 = V 1218. S I fügt nichts Neues hinzu.

S II bietet noch gelegentlich *wazzer* (2043; 4948; 4962), meist geht es zu *wâc* über, das auch die Form von St gewesen ist, wie die Belege von Par (6777; 6787; 6845) zeigen. Par fügt als weiteren Ausdruck *flûme* hinzu (6729; 6745; 6964), hat aber *wazzer* nicht mehr. Wir haben also in S II neben dem älteren *wazzer* das jüngere *wâc* in fünfzehn Belegen. Davon stehen 9 in sehr wechselnden Reimen: *nâh* 2557; 4950; *rât* 2964; *Strâge* 3026; 3208; *gnâde* 2623; 5000; *âne* 4937; *besâgen* 2710. Sechs Belege fallen auf das Innere (2627; 3387; 4967; 5420; 5913; 5921). B übernimmt ohne weiteres 7 der 15 Belege (2004 = S 2557; 2320 = S 3026; 2452 = S 3208; 2276 = S 2964; 3354 = S 4937; 2084 = S 2710; 3508 = S 5420). In vier weiteren Fällen hat B *wasser* statt *wâc* (2051 = S 2623; 2052 = S 2627; 2559 = S 3387; 3798 = S 5913). Umgekehrt tritt in B zweimal *wag* für *wazzer* ein (3357 = S 4948; 3368 = S 4962). Im ganzen sind das dreizehn der achtzehn Belege für *wazzer* + *wâc*. Zugleich beleuchtet diese Gruppe sehr deutlich die empfindliche und bewußte Reimpflege von B. Die meisten der Reime von S sind unrein oder höchstens dialektal rein. Nur : *Strâge* hält auch strengeren Anforderungen stand. Grade diese beiden Reimbelege sind denn auch unverändert in B übernommen. Sonst gestaltet B teils den Reim um *(wâge : gesâgen > wag : lag ; wâc : rât > wag : frag)*, teils drängt es das Wort zu Gunsten reiner Reime ins Innere des Verses. So S 2557; 4950; 2623; 4937. Wo bleibt solchen Beobachtungen gegenüber, die sich dutzendweise machen lassen, Schröders gedächtnisschwacher Abschreiber?

3.

Man wird nach solchen Beispielen nicht daran zweifeln können, daß von allen einigermaßen geläufigen oder formelhaften Reimen, Wörtern und Epitheta genügende Spuren in B verblieben sein müssen, wenn sie seiner Vorlage angehörten. Also auch das Sondergut von S, das Schröder nachgewiesen hat und das sich leicht vermehren läßt, muß in V mit 20—50 % seiner Belege auftauchen, wenn S die Vorlage von B gewesen ist. Fehlen aber die Eigenheiten von S in B ganz oder teilweise, so wird damit die Vorstufe *B höchst wahrscheinlich, und es muß dann mit Hilfe der Gemeinsamkeiten von B und S gelingen, das Sondergut von *B näher zu charakterisieren.

Ich spreche beispielsmäßig zwei Reihen von charakteristischen Wörtern durch, die gute Ergebnisse versprechen, und zwar erstens einige persönliche Appellativa, die in V ganz fehlen oder doch in ihrer Anwendung in V und S charakteristisch verschieden sind. Zweitens eine Gruppe von adjektivischen Epitheta, die formelhaft zu Appellativen hinzutreten.

1. Die typischste Bezeichnung des Kriegers ist *helit*. Sie fehlt auch in V nicht, aber in seiner Anwendung unterscheiden sich V und S. V hat das Wort vornehmlich im Versinnern (461; 702; 772; 930; 988; 1248; 1450; — 537; 1241; 906). Nur vier Reimbelege verbleiben: 603 *helide : helfe*; 734 *gewalt : helt*; 1297 *helit : chunich*; 1489 *helede : erwelte.* Keiner der Reime ist typisch, zwei davon sind sehr brüchig, nur der letzte ist ein moderner Typ. Als Epitheta zu *helt* erscheinen *frumeclich* (537; 1241); *junc* (906). Von diesen im ganzen 14 Belegen kehren 5 = 36 % in B wieder (1001 = V 702; 1014 = V 734, mit Reimbesserung; 1168 = V 906; 1245 = V 988; 1615 = V 1489). Über den Bestand von V hinaus hat S I neun weitere Stellen, acht im Versinnern (1315; 1748; 1770; 1916; — 1031; 1272; 1302; 1745), einen Beleg (1048 *: selede*) im Reim. B. kennt von diesen neun Belegen keinen einzigen! Als Epitheta erscheinen *gût* (1031; 1302); *tûrlich* (1048); *snell* (1272); *junc* (1745); dazu führt S 978 statt des unreinen Reimes V 734 *helt : gewalt* als reinen Reim das Epitheton *helede balt* ein. Von den Epitheta aus V schaltet S 1716 *frumeclich* aus, indem es statt dessen *rîter gût* verwendet.

Sehr reichlich ist *helit* auch in S II mit 48 Belegen. Im Reim steht es nur selten und dann stets in der zwei- bzw. dreisilbigen Form, die in V nur einmal auftrat, in S I aber bereits vorhanden war. Wir finden die Reime *: selide* 2674; 4528; *: bilede* 4395; 4431; *: engegene* 3681; *: giquelet* 6827. Die typischen Epitheta nehmen gegenüber V ungemein zu; mit 32 Belegen beanspruchen sie zwei Drittel alles Vorkommens. Die häufigsten Beiwörter werden *gût* mit dreizehn, *balt* mit elf Belegen, wobei für *gût* der typische Reim *: mût* achtmal vorkommt. Beide Epitheta fehlen in V, während S I beide schon besitzt. Aus V kehrt nur *junc* (5611) wieder, andere sind *rîch* (3771; 6312); *alle* (3636); *vermezzen* (4131; 5715); *mêre* (4302); *gemeit* (6775). Ohne besondere Epitheta im Versinneren verbleiben nur die 10 Fälle: 2193; 2358; 2677; 2684; 2745; 3654; 3718; 3732; 3797; 4585. S unterscheidet sich also von V in zwei Punkten: Vorliebe für den dreisilbigen Reim und reichliche Verwendung von Epitheta, namentlich in formelhafter Ausprägung *balt* und *guot.*

Wie verhält sich nun B? Von den 48 Belegen fallen 6 auf Par, so daß 42 vergleichbare übrig bleiben. Davon besitzt B 9 = 21½ %, die sich jedoch nicht gleichmäßig verteilen. Von den 10 Belegen ohne Episoden im Versinnern nimmt B 4 auf (1869 = S 2358; 2109 = 2745; 2706 = S 3654; 3098 = 4585, wo B eine sicher auszufüllende Lücke hat), von den Reimbelegen dagegen keinen einzigen. Von den Epitheta besitzt B nur *guot,* dem ebenfalls 4 von 12 Belegen zukommen. Während aber die seltneren Reime (: *blût* B 1707 = S 2145; B 2526 = S 3310; : *hût* B 1887 = S 2377) dreimal erhalten oder ganz sicher erschließbar sind, verbleibt für den Lieblingsreim : *mût* nur der eine Beleg B 3700 = S 5693, vgl. dazu S. 24. Und auch der zweite Vorzugsreim *balt* hat nur einen Beleg B 3950 = S 6342. Die übrigen Stellen mit Epitheta fallen ebenso aus wie die Reimbelege.

Es ergibt sich hier zum ersten Mal die merkwürdige Tatsache, daß B grade gegen die typischsten Formen von S besonders spröde ist — gleitende Reime, *gût : mût, helt balt* — daß dagegen die weniger formelhaften Wendungen — Belege des Versinneren, seltnere *gût*-Reime — vorzüglich konserviert sind. Dazu stimmt es, daß Par, die eigenste Schöpfung von St, drei Beispiele für *helt balt,* einen Reim *gut : mut,* einen *helit : giquelit* darbietet, daß auch der Mädchenwald dreimal *helt balt* hat, und daß S I ebenfalls alle Sonderformen von St kennt.

2. *vürste.* Das Wort ist in V vorhanden (44; 97; 162; 747 in sicher ergänzbarer Lücke; 960; 999; 1179; 1417; 1434). Da die ersten drei Belege in die Anfangspartie fallen, verbleiben 6 vergleichbare, von denen B 4 aufweist (1030 = V 747; 1211 = V 960; 1256 = V 999; 1573 = V 1417). Auch in der Lücke von B 1396 = V 1179 ist *vürste* sicher zu ergänzen. Schröder hat S. 55 darauf aufmerksam gemacht, daß V den Reim *vürsten : torsten* nicht besitzt. Er bricht bereits in S I durch (1121; 1345; 2023). B hat die beiden letzten Belege so wenig wie V. An der ersten Stelle ersetzt B 1097 zwar den Titel *herzoge* aus V durch *fürste.* Aber es bleibt sonst so völlig bei dem Text von V, daß wir keinesfalls S als Grundlage ansprechen können. Vielmehr hat hier *B den neuen Titel eingeführt, ohne den Text von V im übrigen zu ändern; B hat das übernommen. Erst St hat dann das Wort aus dem Versinneren in den formelhaften Reim überführt.

In S II kommt der neue Reim erst richtig zur Geltung. Von den 16 Belegen gehören ihm 6 an (2448; 2708; 2724; 2824; 3902; und in Par 6631). Ferner finde ich die beiden weiteren Reimbelege *: bursten* (5370) und stark unrein *: swester* (2578). Die andere Hälfte fällt ins Versinnere (2568; 2838; 2965; 3104; 3145; 3485; 3883; 4656). In B ist von den individuellen Reimbelegen der erste durch das Reimwort *bürsten* (3489) gesichert, obwohl die Reimzeile fehlt. Statt des unreinen Reimes : *swester* gibt B 2019 die Umformung eigener Mache: *ein fürsten tûm git er im ôch dar zû.* Von den acht Belegen des Versinneren fehlen in B nur 2568 = B 2010, wo Parmenio nicht als Fürst, sondern als Graf bezeichnet wird, 3145 und 4656. Der Formelreim *vürsten : torsten* ist einmal vorhanden als *fürsten : getürsten* (B 2080 = S 2708) in einem sinnlos entstellten Reimpaar. Zwei weitere Stellen haben in B *fürsten* im Inneren (1938 = S 2448; 2180 = S 2824); sie sind gewiß ebenso zu beurteilen wie der oben besprochene Fall B 1097. Jedenfalls fehlt in B jedes sichere Zeichen dafür, daß ihm die formelhafte Fügung *vürsten : di (wol) ... torsten* geläufig gewesen sei, und gerade diese ist es, die S völlig beherrscht. Auch das Sondergut von B verwendet den Reim nicht. *B kennt also über V hinaus wohl individuelle Reime : *vürsten,* aber erst St hat die Formel als solche durchgestaltet.

3. *hêre.* Es ist das häufigste der hier zu behandelnden Wörter, und zwar sowohl als Anredeform wie als Bezeichnung eines Überordnungsverhältnisses (*mîn, dîn hêre* usw.) wie endlich auch rein appellativisch *(der hêre).* Soweit ich sehe, nimmt diese letzte Verwendung von V > S > Par ständig zu. Sie beansprucht in V 1 von 22, in S I 2 von 6, in S II 18 von 49, in Par 6 von 13 Belegen. B hat an 9 von 22 vergleichbaren Stellen Übereinstimmung mit V, darunter dreimal an solchen Stellen, wo S ausfällt (B 1345 = V 1105; B 1393 = V 1176; B 1405 = V 1193). S I fügt 6 Stellen neu zu, von denen keine einzige in B wiedererscheint.

Wesentlich ist die Verwendung von *hêre* im Reim. In V spielt sie keine Rolle. Ich finde unter 22 Belegen nur die zwei: 848 : *sêre* und 1286 : *êrror.* Schon S I, der im ganzen die reichliche Verwendung von V dämpft — er schaltet 10 Stellen aus und führt nur 6 neu ein — bringt unter seinen Neuerungen zur Hälfte Reimformen (1517 : *mêre*; 1635 : *êren*; 1939 : *unêren*). In S II werden die Reime : *hêre(n)* zu einem typischen Element. 21 der 49 Belege treten nun im Reim auf *(: êre; hêren; mêre; wêre, sêre; êrre);* 28 im Versinneren. Wie verhält sich B? Von den 28 vergleichbaren Belegen des Versinneren hat es 11 direkt bewahrt, zwei weitre sind aus dem Text von B zu erschließen; 2377 = S 3098 aus *da was herschaft genůg,* B 3006 wird: *zinsten g e r n in Indea* aus S 4231: *deme h ê r e n von Indien, hier vor zins sanden* entstellt sein. Derartiges ist in B nicht unglaublich. Von den 21 Reimbelegen ist nur ein einziger als solcher vorhanden (B 2924 = S 4113), 5 weitere Stellen haben zwar das Wort, aber nicht den Reim (B 2203 = S 2847; B 2628 = S 3477; B 2969 = S 4177; B 3234 = S 4743; B 3966 = S 6367). B verhält sich also wie V, nicht wie S. Das ist um so eigenartiger, als B an einer Reihe von Stellen, wo S : *hêren* reimt, zwar ebenfalls einen Reim : *-êren,* aber nicht das Reimwort *hêren* bietet (B 2200/01 *er : ker* = S 2846/47; B 2814/15 *ser:* eine fehlende Reimzeile, die als Reimwort *êr* verlangt = S 3872/73; B 2913/14; *keren : eren* = S 4078/79; B 2969/70 *ere : ser* = S 4176/77; B 4018/19 *eren : keren* = S 6507/08). Da S durchweg reine Reime bietet und daher für B kein Grund für eine so häufige Änderung vorliegt, so werden wir annehmen müssen, daß hier erst St ein Wort aus dem Inneren des Verses benutzt hat, um einen beliebten Reimtyp herzustellen. Das Sondergut von B verhält sich entsprechend. Neben nur zwei Reimbelegen (2348/49 *: ere*; 3937/38 *: eren*), von denen der letzte überdies durch S 6319/20 *junchêren : êren* gedeckt ist, stehn 15 Belege für das Versinnere.

3a. Ich schließe die Behandlung von *junchêre* hier zweckmäßig an. V kennt das Wort nicht. S I führt einmal (327) das verwandte *juncman* ein, das in B fehlt. S II hat dann in der Candacis-Episode 6 Mal kurz hintereinander *junchêre,* 5 Mal im Reim (5616; 6039; 6263; 6319; 6455), einmal (6306) im Versinneren. B weicht in allen Fällen ab. B 3937/38 hat im Reim *heren* statt *junchêren*; B 3651 = S 5616 hat statt dessen den Namen *Candalus;* B 3931 = S 6306 *die brůder.* Es mangelt also nicht an vergleichbaren Stellen. Aber das Wort fehlt doch konsequent in B; wir werden es erst St zuschreiben.

4. *gast* = „feindlicher Fremdling". V besitzt das Wort, wie Schröder S. 85 anmerkt, nur in der Fügung *geste oder burgâre* (1008). Dagegen verwendet S *gast* nicht eben häufig, aber doch typisch. Schon S I liefert *gesten : vesten* 1179/80, *gaste : vaste* 1185/86, *geste : beste* 1227/28; *geste : veste* (Akk. Sing.) 1275/76. Von diesen Reimen, die sämtlich an Dehnungsstellen von S stehen, hat B keine Spur, hält sich vielmehr mindestens in den Fällen B 1152 = S 1227 und 1173 = S 1275 entschieden zu V.

In S II findet sich *gast* in dem angegebenen Sinne dreimal (4618/19 *geste : laster*; 4702/03 *gast : vast*; 5709/5710 *veste : geste*), während der Candacis-Abschnitt das Wort mehrfach im nhd. Sinn anwendet (5932; 5942; 6044; 6348; 6355). Schon der Reim *geste : laster* (4618/19; 6355/56) *gaste : laster* läßt nicht auf den letzten Bearbeiter schließen. In der Tat hat denn auch B 3716/17 = S 5709/10 den Reim *gest : vest* (= castellum). B 3137 ff., das S 4618 ff. inhaltlich entspricht, drängt das Wort *laster* in sichtlicher Umformung des unreinen Reimes ins Versinnere, bezeugt also wohl das Vorhandensein des Reims für *B. Endlich hat B 2248/49 den Reim *best : gest* an einer Stelle, wo B und S weit auseinandergehn. *gast* gehörte demnach schon *B an, wurde aber auch von St noch benutzt.

5. *wîgant* (vgl. Schröder S. 55). Wie Schröder schon feststellt, fehlt das Wort in V, während es in S beliebtes Reimwort wird. Schon S I nimmt es einmal (1711/12 *wîgant : gesant*) auf. B bleibt hier ganz auf der Seite von V. In S II breitet es sich dann mit 22 Belegen kräftig aus; dazu noch einer in Par. B nimmt an dem Worte teil, freilich mit einem ungewöhnlich geringen Prozentsatz; nur 3 von 22 Stellen sind erhalten (S 6485/86 = B 4010/11 : *lant*; S 6539/40 : *lande* = B 4054/55 : *branden*; S 6581/82 : *lande* = B 4078/79 : *lant*). Ferner hat B als Sondergut 918/19 (: *genant*) in der Lücke von S und 2496/97 (: *hant*), wo S 3280/81 die für St charakteristische Formel *helt balt : galt* einführt.

Trotz dieser Übereinstimmungen möchte ich nicht den ganzen Bestand von S II für *B in Anspruch nehmen. Schon die geringe Zahl der übereinstimmenden Stellen macht stutzig, und noch mehr verwundert die Abweichung in den Reimwörtern. S bevorzugt die zweisilbigen Reime *wîgande(n)* mit 16 von 23 Belegen. B hat dagegen neben 4 einsilbigen Reimen nur einen zweisilbigen. S liefert folgende Reime:

1. Einsilbig: *wîgant* : *lant* 4217; 4759; 6485.
: *hant* 2911; 3834.
: *spranc* 4520.
: *verbrant* 2288.

2. Zweisilbig: *wîgande(n)* : *lande(n)* 2941; 4478; 4820; 4905; 5518; 6539; 6582; 6966.
: *handen* 4461; 4562; 4657.
: *scande* 4612; 6265.
: *elfanden* 4420; 4427.
: *vianden* 2489.

Führender Reimtyp ist *wîgande(n)* : *lande(n)*; ihm folgt : *handen.* Dem entspricht auch die Hauptgruppe der einsilbigen Reime. Die Zeile mit *wîgant* ist mit Vorliebe schlank und knapp, enthält gern nichts anderes als das Wort *wîgande* mit einem zweisilbigen Adjektivum oder Pronomen, eventuell mit einem Bindewort oder einer Präposition im Auftakt, also die Typen: *tûre wîgande* (4461); *und sîne wîgande* (4820). Von den zweisilbigen Belegen bieten überhaupt nur 2 einen individuellen Text (4657; 6966), alle übrigen sind mit gelegentlichen kleinen Variationen (5518; 6265) nach dem Normalschema gebaut. Von den einsilbigen fällt dagegen nur 4520 *(der tûrliche wîgant)* in diesen Rahmen. Zwei weitere, 2911 *Alexander der wîgant;* 4217 *Dionisius der wîgant,* verwenden es appositionell; die übrigen bieten individuellen Text.

B hat gerade die für S typische leichte und formelhafte Füllung nicht. 2496 bietet *wîgant* in appositioneller Fügung *(da Alexander der wigant),* aber um eine sinnesnotwendige Konjunktion vermehrt. 4010; 4079 sind inhaltsvolle individuelle Sätze; 4054 hat den rhythmischen Typ des Normalschemas *(von keinen wiganden),* nimmt aber mit *keinen* ein mehr als formelhaftes Stück sinnesnotwendigen Satzes auf. Dieselbe Stelle zeigt auch statt des formelhaften Reimes : *landen* den individuellen : *branden.* So treten auch hier zwei Schichten hervor, eine ältere, die *wîgant* in den Wortschatz aufnimmt[4]), und eine jüngere, die es zu bequemer Auswalzung des Textes reichlich und formelhaft verwendet. Nur die ältere wird durch B bestätigt.

6. *wîp.* V ist sowohl mit der sachlichen wie mit der formelhaften Verwendung von *wîp* äußerst sparsam. Es liefert nur den einen Beleg V 89 = S 107, *Philippus nam im ein wîp* : *lîp.* B ist nicht kontrollierbar. S I führt das Wort zweimal neu ein, S 457, wo ihm B 704 folgt, und S 478 : *lîbe,* wo B nicht mitgeht.

[4]) Dieser Schicht hat wohl auch S 4520 : *spranc* angehört, denn B 3082 bietet bei fehlender Reimzeile das Reimwort *sprang.* Es hat vermutlich den unreimen Reim irgendwie entfernt, ohne daß wir über die fehlende Reimzeile etwas aussagen können. Denn B 3082 entspricht inhaltlich dem ganzen Reimpaar S 4519/20.

S II hat das Wort reichlich, und zwar nicht nur an Stellen, die es sachlich erfordern, sondern auch in den Formeln *wîp unde man; wîp unde chint* als Zwillingsformeln zur Gesamtheitsbezeichnung. Hier haben wir einmal ein typisches Beispiel dafür, wie sich B verhält, wenn es ein Wort wirklich in seiner Vorlage vorfindet. Von den 50 Belegstellen in S II sind 22 (= 44 %) in B sicher nachweisbar. Und zwar in formelhafter Verwendung, z. B. S 2282 = B 1813; S 2334 = B 1846; S 4077 = B 2912; S 4531 = B 3088; S 4736 = B 3231; S 4779 = B 3258.

Schon hier treten die beiden Persönlichkeiten *B und St klar hervor. *B besaß bereits die Wörter *helit, vürste, hêre, gast, wîgant, wîp,* teils in Übereinstimmung mit V, teils *(gast, wîgant)* darüber hinaus. Aber die typischsten formelhaften Wendungen: *helt balt, helede* im gleitenden Reim, *vürsten : torsten, hêre* als Reimwort und die Weiterbildung *junchêre, wîgant* in der schlanken zweisilbigen Reimformel, sind in B entweder gar nicht oder so sporadisch vorhanden, daß sie als Formel für *B noch nicht in Betracht kommen. Nach dieser Richtung systematisch weitergebaut zu haben, ist das Verdienst von St und paßt ganz in dessen stilistische Tendenzen hinein, wie sie van Dam und ich eingehend dargelegt haben.

4.

Ich führe die Untersuchung jetzt an Hand einer Reihe formelhafter adjektivischer Beiwörter weiter, ohne daß ich das weite und wichtige Gebiet erschöpfend behandle. Mir kommt es auch hier nur auf beispielhafte Fälle an. Ich nehme dabei einige Adjektiva vorweg, bei denen es sich um Vorzugsformen von V handelt, die in S zurücktreten.

1. *frum, frumec, frumeclîch.* So wenig günstig für eine vergleichende Behandlung die Dinge hier liegen, so gibt uns die Wortgruppe doch ein Beispiel für Ausdrücke, gegen die S eine Abneigung hat. V hat im ganzen zehn Belege dafür;

1. attributiv:	68	*so frumer kunic*
	77	*nehein frum man*
	170	*ein frumer man*
	1421	*mit sô frumen chnehten*
	156	*ein frumich rîter*
	90	*frumeclîchen lip*
	537	*ein helt frumeclîch*
	1241	*ein helt vrumeclîch : umbe sich*
2. adverbiell:	517	*frumeclîchen er reit*
	663	*dûhten in frumich unde balt.*

Reimverwendung kennt V nur 1241. In S fallen die drei Stellen 517; 537; 663 in die Lücke der Handschrift. Von den restlichen sieben unterdrückt S nicht weniger als vier: V 170 = S 200 *ein vil vornême man;* V 1421 =

S 1951 *mit alsô tûren knehten;* V 90 = S 108 *vil hêrlichen lîb;* V 1241 = S 1716 *rîter gût,* alles Epitheta, die in S II geläufig sind. S behält nur V 68 = S 30 *(frumiger);* V 77 = S 91 *(frumen man);* V 156 = S 182.

In S II ist die Gruppe spärlich und von V charakteristisch unterschieden. Die einfache attributive Verwendung verschwindet bis auf den sprichwörtlichen Ausdruck *frumis mannis selide di sint in lande gelîch* (2675/76). Das Simplex *frum* fehlt sonst überhaupt, an seine Stelle tritt *frumec, frumelîch, frumeclîch.* Sein Anwendungsgebiet sind Zwillingsformeln und adverbielle Fügungen, und es tritt gern in den Reim, S 3049 *gwaldich unde frumich : kuninc;* 3450 *den rîchen unde den frumigen : kuninge;* 4279 *den frumigen und den wîsen;* 2109 *frumelîche (erwern) : rîche;* 4571 *frumichlîche (wern) : rîche.* Da weder S I noch Par Belege bieten, dürften wir uns auf dem Boden von *B befinden.

B hat freilich keine einzige der Stellen bewahrt. Von den Belegen aus V fällt die Hälfte in die unkontrollierbaren Anfangspartien. Von den übrigen fünf ist in B 836 *friuntlich* wohl als Entstellung von V 517 zu fassen die anderen Belege fehlen ganz. Auch ob B die Abänderungen von S 1716 und 1951 gekannt hat, ist nicht feststellbar. Nicht minder fehlen in B die sechs Belege von S II. Aber in seinem Sondergut liefert B zweimal das Wort *from;* 1663 *ein fromer ritter;* 2198 *daz nie die fromen tatten*[5]). Zweimal (2076; 3101) hat es den S entsprechenden Reim *fromklich : rich.*

2. *bôse, bôslîch.* Auch hier ist V reicher als S. Von den sechs Beispielen in V (71; 233 *bôse lugenâre;* 74 *bôse zagen;* 4838 *bôslîch schelten;* 521 *die bôsen;* 1099 *der bôse rude)* fallen 488 und 521 in die Lücke von S. In 71 und 233 führt S statt dessen das farblose *manige* ein; in 1099 erscheint statt des *bôsen ruden* der *blôde hovewart* mit einem Beiwort, das auch S II benutzt (3384; 4466; 4604). Dagegen besitzt S I eine Plusstelle in Alexanders Anrede an Lisias 497, *dîne bôse rede,* wo V 422 nur *dîn rede* hat. Ich halte es für wahrscheinlich, daß das Wort in V nur durch mechanische Auslassung verloren gegangen ist. S II verwendet *bôse* nur 3974 für die Mörder des Darius und 4455 *vil manige bôse list.* B, das für die ersten drei Belege ausscheidet, hat von den drei anderen in V zwei bewahrt (V 521 = B 840; V 1099 = B 1388 gegen S). Die beiden verstreuten Belege von S II fehlen in B.

3. *übele.* Es ist in V formelhaftes attributives Beiwort. V 401 *ubelen mût;* V 762; 910 *ubelen gedanc;* 1018 *von dem ubelen geiste;* dazu dann die Formel *ubele unde gûte* (V 296). Adverbial nur *übele gunnen* 1096. S 472

[5]) Zu *fromer riter* vgl. V 156. B 2198/99 ist im Zusammenhang vernünftiger als S II 2844. Alexander weist den verräterischen Fürsten ab, der von Darius zu ihm übergehen will, und wirft ihm vor: *dinen heren wilt verratten, daz nie die frommen tatten.* S dagegen spricht von der Mehrzahl: *sint du ... dîne hêren wilt verrâten, di dir dike liebe tâten,* was hier sinnlos ist. Es könnte sein, daß St auch an dieser Stelle wie S I das *frum,* das *B darbot, ausschalten wollte und, um den Reim beizubehalten, die pluralische Wendung erfand.

ersetzt V 401 durch *swêren mût;* S 1266 statt *sie trûgen ubelen gedanc* (V 910) *ellenthaft was ire gedanc,* S 1043 *ubelen danc* statt *gedanc.* Endlich fehlt S die Formel *ubele und gûte.* Einen neuen Beleg fügt S I nicht hinzu.

S II drängt die attributive Verwendung auf den einen Fall *ubil weide* (2618) zurück. Aber es kennt die adverbielle Verwendung: *gevellet ubile* (2589); *ubile gewant* (2900); *ubile geschît* (3597); *ubile bedâht* (4163); *ubile getân* (6322). Diese Verwendung setzt sich in Par fort: *ubile bedâht* (6909; 6971); ferner: *vil ubiles tûn* (6922). B stellt sich zu V in der Formel *ubele unde gûte* (607); *ubelen mût tragen* (718). Für V 910 = S 1043 macht das Vorhandensein des Reimwortes *twang* (B 1048) das Vorhandensein des Reimes *ubelen (ge)danc* in der Lücke wahrscheinlich. B 1275 ersetzt *ubile geiste* durch *des bôssen geistes rost.* Von den 6 Belegen in V sind also 3 vorhanden oder wahrscheinlich nachweisbar. Für die Fälle von S II finde ich nur B 2027 = S 2589.

5.

Ich gehe jetzt zur Besprechung typischen Gutes von S über.

1. *wunderlîch.* Kinzel hat Anm. zu 42 auf die formelhafte Bezeichnung Alexanders als *wunderlîch* aufmerksam gemacht. Auch V benutzt die Fügung *der wunderlîche Alexander* 45 und 932, die S 47 bzw. 1296 übernimmt. Dagegen hat S II die abweichende Formel *der wunderlîche man* (2273; 2498; 2650; 3117; 3158; 3306; 4080; 4896; und in Par 6739). Das Vorkommen in Par deutet auf St als Träger der Formel. Wäre sie schon in *B vorhanden gewesen, könnte sie in B am wenigsten fehlen. Aber B vermeidet sie konsequent; an der einzigen überhaupt vergleichbaren Stelle B 2522 = S 3306 steht *der wüetend man,* ohne daß Umbildung aus Reimgründen in Frage käme. Außerhalb dieses hervorstechendsten Gebrauchskreises überträgt VS das Wort einmal von Alexander auf sein Roß Bucifal (V 239 = S 272), wo wir es auch B 540 wiederfinden. Entsprechende adjektivische Verwendung in S II zeigen 5960 *(bilide);* 7156 *(sachen).*

Eine zweite, für S typische Verwendung ist die adverbiell-steigernde mit *(vil) wunderlîchen* (vgl. Schröder S. 54). Schon S I führt sie einmal ein 1130 *vil wunderlîchen balde.* S II liefert 3204 *vil wunderlîchen frô;* 5194 *wunderlîchen scône;* 5261 *wunderlîchen grôz.* Das Auftreten in S I einerseits, im Mädchenwald andrerseits spricht für St; dementsprechend fehlt die Bildung in B.

2. Ähnlicher Beurteilung unterliegt *manlîch.* Es fehlt in V völlig. In der formelhaften Reimbindung *manlîcher mût : gût* führt bereits S I (1715) das Wort ein. Dieselbe Formel geht durch S II (2705; 3246; 3803; 4527; 4559; 6210) und setzt sich in Par (6782; 6886) fort. B hat keine dieser Stellen. Dagegen klingt die einzige Stelle, die das Adjektivum außerhalb dieser Fügung zeigt, sofort in B nach. S 1633: *er wil in menlîchen entfân* entspricht in B 1406 *mit manlichen sinen*[6]). B bleibt sonst textlich näher bei V 1193/94, kann

[6]) So herzustellen aus *mit manlichen dem sinen : gewinen.*

also keinesfalls in seiner ganzen Struktur aus S abgeleitet werden. Vielmehr hat hier *B lediglich das Epitheton *manlîch* eingeführt, ohne sonst den Wortlaut wesentlich zu ändern. Erst St hat die Stelle beträchtlich ausgeweitet und dabei auch *manlîch* verschoben und neu eingeordnet. Als Eigengut liefert B *ir manlicher krafft* (3181); *und reit uf in manlich* (856).

3. *edele.* V verwendet *edele* sparsam als Beiwort für Menschen (*daz edele chint* 198; *schar alsô edele : chunige* 1507), einmal auch als hervorhebende Qualifizierung eines Dinges (*mantel alsô edele : himele* 629). S I übernimmt den ersten Beleg; der letzte fällt in die große Lücke. B 948 hat statt dessen *mantel rich : kostlich.* Der zweite, im Schlußstück von V gelegene wird in S (3264) zu der Reimformel *hêrlîchen scaren : maniger mûter barn* abgeändert, die als solche erst St angehört. Aber auch B 2486 hat *schar* im Reim (: *dar*), so daß wir die Änderung des unerfreulichen, aber nicht unmöglichen Reimes von V schon nach *B verlegen müssen. Doch hält B noch den Singular von V fest, den wir in *B ansetzen müssen, während St, seinem Spezialreim zuliebe, abermals geändert und den Plural eingeführt hat.

Eigentümlich verhält sich S. S I führt *ein edele juncman* (327) neu ein, das in VB fehlt und schon auf Grund seines Substantivums St zuzuweisen ist (vgl. oben S. 110). In S II fehlen alle Reimbelege für *edele.* Die ersten 3000 Verse sind überhaupt recht sparsam mit dem Wort und beschränken es auf personelle Anwendung (*wîgande* 2489; *kuninc* 3048; *man* 4298). Das ändert sich vom Mädchenwalde an. Zwischen 5100 und 6100 häufen sich plötzlich 14 Belege, und neben der personellen Beziehung (*kuninginne* 5859; 5884; 5939) wird es Lieblingswort zur Bezeichnung erlesener Kostbarkeit und Schönheit. Neben dem *e. gesteine* (5416; 5455; 5571; 5890; Par 6856; 7039) erscheint der *e. brunne* (5185); der *e. walt frône* (5193); die *e. blûmen* (5250); das *tier e. unde hêr* (5580); das *e. golt* (5951); die *e. kerzestallen* (5975); das *e. holz aspindei* (6094); ferner in Par der *e. jâchant* (7043); der *e. saphîr* (7058). B hat von alledem nichts. Wir werden *edele* namentlich außerhalb der personellen Sphäre als Eigentum von St zu betrachten haben, der das eben modern werdende Wort in seine eigensten Schöpfungen, Mädchenwald, Palastschilderung und Par verschwenderisch einstreute.

4. *guot. guot* ist häufigstes Beiwort in allen Teilen. Wesentlich ist seine Verwendung im Reim. V hat es nicht in typischer, nur in okkasioneller Verwendung (: *huot, huote* 296; 1243; *: gewut* 896; *: übelen mut* 402). S gibt die beiden ersten Reime auf, behält die beiden letzten. Für B. V 296 = B 607 und V 402 = B 719 vorhanden, V 1243 durch das Reimwort *behut* (B 1444) für die fehlende Zeile 1445 gesichert, also 3 von 4 Fällen, davon 2 gegen S. Außerdem hat V das Beiwort achtmal im Versinnern.

S macht aus *guot* ein formelhaftes Reimwort; neue Lieblingsbindungen werden *gut : mut* im einsilbigen, *gute : muter* im zweisilbigen Reim. Daher führt schon S I nur 2 neue Bildungen im Versinneren ein, 1252 *snîten* und 994 die formalhafte Verbindung *gute knehte.* Dagegen tauchen 4 neue Reimbelege auf, je einmal *: blute* (1302) und *: munter* (475); zweimal *: mut (eines lewen mut* 1032; *manlichen mut* 1716; vgl. oben *manlich*).

In S II häufen sich namentlich die Reimbelege mit 36 gegen 23 des Versinneren. Unter diesen letzten herrscht die Formel *gute knehte,* die auch in S I auftritt, mit 7 Belegen (2698; 2752; 3253; 3322; 4545; 4621; 6392 dazu Par 6977). Ihr Vorkommen in S 1 und Par weist sie St zu, folgerichtig fehlt sie in B, während von den übrigen Belegen für *gut* im Versinneren 4 von 16 wiederkehren (B 1652 = 2070 *gut heil;* B 2372 = S 3084 *fride;* B 3456 = S 5111 *fruht;* B 3971 = S 6371 *halsperc).* Unter den 36 Reimbelegen (dazu 3 in Par) haben 23 das Reimwort *mut.* Danach folgen *: hut* (2377; 2740) und die unreinen Reime *enbot* (3664); *gestut* (3539); *truc* (5847). Unter den zweisilbigen Reimen ist *muter* (2185; 5617; 5783; 5840; 5882; 6120) führend; ferner *blute* (2145; 3310); *hute* (3574; 5550); *gegenote* (5511). Von diesen 16 Fällen sind 4 (= 25 %) in B erkennbar, und zwar die beiden *: blut* (B 1708; 2526), ferner *: hut* (B 1887 = S 2377), *: enbot* (B 2715), wo doch der reine Reim *behut* an die Stelle getreten ist. Endlich dürfte für *B noch B 3139/40 in Anspruch zu nehmen sein *(ritter gut : blut),* wo St 4621/22 die modernere Formel *gute knehte : vehten* eingeführt hat. Mit all dem bleibt B im Rahmen des schon in V Angebahnten. Es sind die einsilbigen Reime, die in B wiederkehren, soweit sie rein sind bzw. soweit B ein reiner Reim durch leichte Umgestaltung einfiel[7]). Dagegen fehlen nun die unreinen Reime, die dem Streben nach Reimreinheit in B zum Opfer gefallen sein können, und es fehlen alle zweisilbigen Reime, insbesondere der Lieblingstyp *: muter.* Der stark unreine Reim *gegenote : burh gute* dürfte indessen B schon vorgelegen und zu der Umgestaltung *ein schoni burg lag : anne hag* Anlaß gegeben haben.

Von den (ausschließl. Par) 20 Belegen *: mut* hat B 7 bewahrt. Diese Reimformel gehörte also bereits *B an. Dennoch verhält sich B so eigentümlich, daß man auch hier zwei Schichten trennen muß. 10 der Stellen geben *mut* noch ein Epitheton bei, und von diesen übernimmt B nur einen einzigen (B 3700/01 = S 5693/94), aber auch diesen in einer Form, die für *B die Existenz des Epithetons unwahrscheinlich macht. Von den anderen 10 Belegen ohne Epitheton hat B dagegen 5 bewahrt.

S 2469 *du hâst gehôet sînen mût* = B 1958
S 2592 *ih ne gwan des nie neheinen mût* = B 2030
S 2759 *dar zô stunt mir der mût* = B 2125
S 3092 *Alexander frowete sînen mût* = B 2374
S 3227 *dar zô stunt ime der mût* = B 2467

Dazu kommt nun noch die oben angeführte Gleichung S 5693 = B 3700.

[7]) Der einzige Fall, bei dem B einen reinen einsilbigen Reim von S nicht böte, wäre B 2104 = S 2741. Aber hier hat die Formulierung von B: *er slûg in durch den stahel hût, daz dar nach gieng daz blût,* ebensoviel Anspruch auf Ursprünglichkeit wie die von S: *durh den stehelînen hût verwundeter den helt gût.*

Denn der Fassung von S:

dô gwan der helt gût
einen frôlîchen mût

steht die von B gegenüber:

Candulo dem helt gût
wart erfrŏwet sin mût.

Und diese Fassung, die sich eng mit den gleichen von S 4965; 6372, der verwandten von 3092 berührt, kann unbedenklich für *B in Anspruch genommen werden.

Sind also typische Reimzeilen mit dem Reim *gût : mût* für *B über V hinaus gesichert, so behalten sie doch hier ein sachlich notwendiges Gepräge. Die erst in St auftretenden Reimpaare mit Epitheta bei *mut* sind dagegen reine Füllungsformeln, die sich mit leichten Variationen in den beiden Schemata bewegen: *habet manlîchen mût* und *: einen manlîchen mût gewinnen.* Unter den Epitheta führen die 6 Belege mit *manlîch* (s. o. S. 114 f.); dazu *frôlichen* (5693); *trûrigen* (3880); *grimmigen* (4519); *stâten* (4586). Bestätigend treten die entsprechenden Formeln von S I (s. o.) und Par hinzu *(habet manlîchen mût* 6782; *und hête manlîchen mût* 6886; *er gibit harte stolzen mût* 7106). Wir nehmen für St in Anspruch die Reime *gûte : mûter* und den zuletzt behandelten Ty von *gût : mût.*

5. *tiure, tiurlîch.* Das Wort scheidet sich wie *edele* nach personeller und sachlicher Verwendung. V kennt nur die erste: *tuerlîch degen* (V 101 = S 123); *aller thûriste chunege* (V 574 — S Lücke); *dûren chneht* (V 951 = S 1330); *tiure chnehte* (V 962 — *: wîse lûte); diure kneht* (V 1301 = S 1809). Abseits liegt *tiure werden* „teuer zu stehn kommen" (V 991 = S 1381 *tûre wesen).*

S I setzt diese Tradition fort. Es liefert *tûrlîche helede* (1048); *tûre degen* (1324; 1753, wo V lückenhaft ist und vermutlich dieselbe Fügung schon hatte); *tûre knechte* (1951 statt *frume chnechte* in V 1421). Daneben aber taucht bereits hier die sachliche Verwendung auf: *ein tûre swert* (1706). S II kennt ebenfalls die personelle Verwendung, *tûrlich* und *tûre* bei *recken* (3312; 4428; 4667; 4476); *tûrlich* bei *degen* (3787), bei *wîgant* im Sing. (4520), dagegen *tûre* bei *wîgande* im Plur. (4661; 4562; 5518). Danach setzt plötzlich die sachliche Verwendung von *tûre* ein: *holz* (5563; 6097); *umbehanc* (5949); *borte* (5962) und weiter in Par für den Wunderstein aus dem Paradies (6933; 7098; 7105; 7117; 7135).

Die sachliche Verwendung weist sich durch ihre Verteilung — S I, späte Partien von S II, Par — deutlich als Sondergut von St aus. Die personelle zieht sich durch alle Schichten, ist aber, wie das reichliche Auftreten in S I zeigt (vgl. namentlich *tûrlîchen helede : selide* 1048), auch von St gerne verwendet worden. Leider hilft hier B nicht weiter, denn von allen genannten Stellen ist hier nur die abliegende V 991 in B 1246 sicher erhalten. In S II können wir auf Grund früherer Ermittelungen die Plurale *tûre wîgande*

St zuschreiben. Über *recken* ist schwerer zu urteilen. Das Sondergut von B bietet die Verbindung *durlich degen* (2776), wo der Reim *Alexander : ander* von S 3794 auf St weist (vgl. unten S. 127), so daß man hier B nach *B hinübernehmen möchte. Dieselbe Fügung nach B 3189; auch 2110 könnte *dǒrlicher degen* auf *dûrlicher degen* der Vorlage zurückgehn. Alles in allem möchte ich *tûr(lîch)* bei *knecht* und *degen* für *B bei *wîgande* und *helede* für St in Anspruch nehmen, bei *recke* eine Entscheidung nicht wagen.

6. *balt.* Das Wort gehört allen Teilen, aber mit charakteristisch verschiedener Verwendung an. Es ist überall Reimwort. V hat es in prädikativer Verwendung, gern als letztes Glied einer Zweier- oder Dreiergruppe in folgenden 4 Fällen:

223 *(wart) beide listich unt geweltich unt balt : alt*
663 *wande si duhten in frumich unt balt : gewalt*
825 *des wurden die burgâre stolz unt balt : gewalt*
1385 *des wart Alexander vil palt : gewalt.*

In allen Fällen findet sich *balt* mit guten Gliedern der Sprache von V verschwistert.

S übernimmt diese Belege — V 663 fällt in die Lücke von S — und führt *balt* zweimal neu ein. Hiervon ist S 978 bedeutsam, wo statt des Reimes *helt : gewalt*[8]) der neue Reim *helede balt : gewalt* eintritt, der — um es vorweg zu sagen — eine Lieblingsformel von St ist. B, dem die Formel fremd war, führt 1014/15 in einer weitergehenden Umgestaltung den Reim *helt gůt : iren můt* ein. Auch S 1586 ist Neuerung am Text von V 1153/54, wo der Reim *bescalt : chalt* (Prät. zu *gelten*), den B 1376/77 *(beschult : gult)* erfreulich bestätigt, zu *beschalt : balt* umgeformt wird. Die Freude an dem Reimwort setzt sich in S II fort, das es aber nunmehr ganz auf die feste Formel *helt (helde) balt* einschränkt. So *: gewalt* 5678; 6163; 6342; 6708; *: walt* 5220; 5333; 6600; *: gezalt* 2191; *: galt* 3280; *: kalt* 5188; *: alt* 6645. Die Häufung in Par und im Mädchenwalde (je 3 Fälle) zeigen die Hand von St. Dem entspricht es, wenn B das Reimschema nur ein einziges Mal übernimmt (B 3950 = S 6342). Sonst verwendet B den Reim auch an solchen Stellen nicht, in denen S das Reimwort *balt* und B ebenfalls *-alt*-Reime hat, so B 1731/32 *gewalt : gezalt* = S 2191/92; B 3849/50 *gewalt : manigvalt* = S 6163/64. Oder B bietet sonst einen nahe verwandten Text, aber mit anderen Reimen, so B 2496 *Alexander der wigant : lant* mit einem Reimtyp aus *B gegen S 3280 *Alexander der helt balt : galt,* oder B 3692 *ich wil dir lichen einen man : kan* gegen S 5678/79 *ich wil mit dir, helt balt, hinnen senden disen man : kan.*

7. *scône.* Es wird in allen Texten angewendet. Als Reimwort spielt es in V gar keine, in S eine unbedeutende Rolle. Von V zu S nimmt sein Gebrauch bedeutend zu. Für V ist es in erster Linie auszeichnendes Beiwort

---

[8]) Über die Berechtigung dieses Reimes, gegen die Schröder S. 49 Bedenken erhoben hat, s. o. S. 102.

für Personen. Ich notiere die zweimalige Formel *diu scône Olimpias* (92; 533), dann *ein scôner jungelinc* (367). Auch 147: *scône er ze tale wert scein* steht in der Personalbeschreibung Alexanders. Demnächst wird einmal die Stadt Tyrus als *diu schône Tyre* bezeichnet (1025), und ein verwandter Ausdruck ist es, wenn auch ein Teil der Stadtbefestigung als *die schônen turne mit den bogen* erscheint (877).

S 174 verändert V 147 in *rîterlîch er ze tale schein* und entzieht bei der Dehnung von V 1025/26 auf zwei Reimpaare der Stadt Tyrus das Beiwort *schône,* während B 1283 es ihr beläßt. Statt dessen führt S I das Wort zweimal neu ein, einmal für den goldenen Ball, den Darius an Alexander statt des einfachen *stützel* von VB sendet, dann in einem Zusatzreimpaar in der adverbiellen Wendung *scône varn* (1863/64).

In S II erweitert sich der Anwendungskreis von *scône* bedeutend. Es zeichnet auch hier Personen aus (*wîp* 2764; *frouwe* 5344; 6032; *jungfrouwe* 6049; 6562; *magetîn* 5210; 5373; *Roxane* 3990; *Olympias* 4912; *man* 5459; 6012), dazu das menschliche Antlitz (5275) sowie Stimme und Gesang (5168; 5216). Aber die in V noch kaum vorhandene, in S I schon hervortretende Vorliebe für das Wort *scône* zur Bezeichnung kostbarer Gegenstände dringt nun stark vor (*sarc* 3556; *werc* 5114; *palas* 5887; *gimme* 5978; *samit* 6052; kunstvoll gemachtes Tier 6022; *crône* 6388). Und ganz neu ist die Beobachtung der schönen Landschaft. Nun ist der Baum (5105); der Wald (5066; 5194); das Feld (5528); die Aue (5183; 5335); der *wâc* (5420); der Vogel (5146) und sein Gesang (6020); die Blume (5257; 6771) schön. Endlich werden Abstrakte „*scône*" (*huote* 2817, *dienist* 2830; *hubischeit* 5281). Die Verteilung des so zu ganz neuen Wirkungen drängenden Wortes ist nicht zufällig. Wie bei *edele* sind die ersten 3000 Verse von S II nur mager mit 7 Belegen bedacht; von 5000 an häufen sich plötzlich 31. Der Mädchenwald mit allein 12 Fällen und der Candacispalast, wo z. B. das kunstvolle Tier allein 3 Belege beansprucht, sind die besonderen Verbreitungsgebiete. Schon damit ist St als Träger dieses Wortes wahrscheinlich. Dem entspricht die Spärlichkeit der Übernahme durch V. Von den 7 Belegen der Verse 2100 bis 5100 sind in B 3 erhalten, also ein guter Prozentsatz (B 2130 = 2746 *wîp*; B 3355 = S 4946 *stat;* B 3449 = 5105, wo die attributive Stellung von B, *schone bůme* das ältere ist, während der Reim von S: *wahsen schône : nône* erst St angehört, vgl. unten S. 132). Nach 5100 finde ich von 31 Belegen nur noch den einzigen B 3538 = S 5459 (*man*) wieder. Allenfalls läßt sich noch B 3414 (*ein schônes velt wit*) zu S 5066 (*walt*) in Beziehung bringen. Auf alle Fälle hat sich auch *B noch wesentlich mit dem Verwendungskreis von V begnügt (Personen, Orte) und ist nur gelegentlich und schüchtern darüber hinaus gegangen. Erst St fügt es der Reihe seiner wohlklingenden und ideal stilisierenden Beiwörter zu. Das Sondergut von B zeigt Vorliebe für adverbiale Verwendung (144 *ergraben;* 217 *troumen;* 3599 *schone sagen;* 3670 *uf sin hůbet setzen;* 3780 *engegen gân;* 3809 *enpflegen;* 4159 *gân*). Sonst nur *frouwe* (76); *burg* (3577); *goldfas* (3614); *keminati* (3816).

8. *hêrlîch.* Das Wort unterliegt ähnlicher Beurteilung wie *schône.* In V ist es ein ganz singuläres Wort. Wir finden nur V 79 *sîn geslahte daz was hêrlîch : gewaltic,* das S 93/94 aufnimmt. Schon S I führt es verschiedentlich neu ein. S 103 *einen vil hêrlîchen lîb* statt V 90 *frumeclîchen lîp;* S 176 *hêrlich : lîb* statt 150 *êrlîh : lîp.* Sehr wenig passend bezeichnet S 1455 die Schuhbänder, die Darius an Alexander sendet, als *hêrlîch,* wie schon der Ball *schône* gewesen war. Hier ist die Freude von St an glänzenden Beiwörtern an falscher Stelle durchgegangen. Endlich hat S 1986 in einer Ausweitung *hêrlîche vare.* Da die meisten Belege in die Anfangspartie fallen, scheidet B zum Vergleich aus, doch stellt es sich in den beiden letzten Fällen ausgemacht zu V.

Weit reicher ist S II in der Verwendung von *hêrlîch,* das nun auch beliebtes Reimwort wird. Wieder liegen nur 6 der 29 Belege in den 3000 ersten, die übrigen 23 in den 1500 letzten Versen, dazu noch 4 Belege in Par (6662; 6850; 7249; 7268). Die gute Hälfte sind Reimbelege: führender Reim ist *: rîche* (3081; 4748; 5464; 5514; 5577; 5989; 6243; — 7268), demnächst *: gelîch* (5519; 5967; 6005; 6010), *: sih* (2175), *: mih* (6423), *: drîzich* (6112), *: grôzlîchen* (7249). Der ganzen Lage nach wird man die Ausbreitung von *hêrlîch* erst für St in Anspruch nehmen. Dem entspricht das sporadische Vorkommen in B. Ich finde nur einen Reimbeleg (B 1718 = S 2175; *manig burg herlich : sich),* der B 1817 wörtlich wiederkehrt. Dazu kommt B 3584 = S 5519, wo aber B das Wort im Versinnern hat und erst St, wie der benachbarte Reim *wigande : lande* zeigt, bei der Dehnung der Stelle auch *hêrlîche (: gelîche)* in den Reim gebracht hat. Eigengut von B ist *hêrlîch* nur zweimal; B 2176 *ein rûb herlich* in einer reimlosen Zeile, wo S 2820 *kuninclîch roub : ouh* mit dem unreinen Reim die Umgestaltung veranlaßt haben dürfte, und B 2883 *mit herlichem schalle.* Wir werden *hêrlîch* als typisches Beiwort in seiner großen Verbreitung namentlich im Reim erst St zurechnen und derselben Schicht glänzender Beiwörter zuzählen, die wir als eine besondere Eigenheit von St erkannt haben.

9. *freislîch* (vgl. Schröder S. 54). Das Wort fehlt zwar in V nicht ganz, hält sich aber in bescheidenen Grenzen. Je ein Beleg im Reim (1305 *: sich*) und im Inneren (1150) sind vorhanden. Beide haben in S Umgestaltungen erfahren. Den Reim modernisiert S 1813 zu *freislîch.* An der zweiten Stelle faßt S 1581 f. die beiden Ausdrücke von V 1150/51: *freislîch* und *mit zorn* zu *zornlîche* zusammen, und darin geht B 1374 mit S und sagt *zornenklich.* Hier ist also schon *B an der Arbeit. St hätte auch *freislîch,* das eines seiner Lieblingswörter ist, kaum ausgeschaltet. S I hat das Wort nicht weniger als achtmal neu eingeführt, 17mal bietet es S II, zweimal Par. Von all diesen Stellen besitzt B nur eine einzige. B 1499 lesen wir: *sin gemüet frichslich was.* Das entspricht aber V 1305! Wer hier behaupten will, daß B „im allgemeinen“ mit S gehe und daß sich ein Unterschied von *B und St nicht aus B ablesen lasse, der muß starke Gründe haben.

Etwas anders liegt die Sache für *freissam*. Es findet sich weder in V noch andrerseits in S I, Mädchenwald und Par. Bei dieser Verteilung ist das Wort für *B nicht undenkbar. Nun hat es freilich B nicht an den 5 Stellen, wo S II es besitzt (4069; 4971; 4989; 5025; 5587). Aber für S 5399: *Dô gwan er eine stimme, di was harte grimme, grôz unde freislîch*, wo die mehrzeiligen Epitheta auf St deuten, lesen wir B 3502: *do rieff er alsô freissam*. Freilich befinden wir uns in einer arg zerrütteten Partie, aber daß B hier *B fortsetzt, wäre immerhin denkbar.

10. *rîch*. Auch *rîch* ist Gemeingut aller Fassungen, aber in der Verwendung treten starke Unterschiede auf. V hat wesentlich die beiden Formeln mit *chunich* (35; 38; 384; 1031; 1148; 1418) und mit *burch* (679; 690; 1185). Der *rîche marcgrâfe* (530) ist Abzweigung des ersten, der *rîche burgâre* (996) Abzweigung des zweiten Gebrauchskreises. *rîch* ist ein Wort des Versinnern; der einzige — einsilbige — Reim ist *rîch : volcwîc* (1148). B, das achtmal vergleichbar ist, bewahrt V 530 = B 849; V 1031 = B 1290.

Schon S I verhält sich einigermaßen anders. Ihm fehlen — abgesehn von den Belegen der Lücke — drei weitere aus V (V 1148; 1418; 1185). Dafür führt S I drei neue ein (S 421 *kuninc;* 1140 *burgêre;* 1972 *grâbe),* und was das wichtigste ist, zwei dieser drei Neuerungen stehn im Reim.

S II verändert die Anwendung von *rîch* charakteristisch. Es schränkt — wie auch schon S I — den Gebrauch streng auf Personen ein mit der einzigen Ausnahme 5513 *(burch),* und es schafft den bevorzugten Reimtyp *: -lîche(n),* der sich in S I ebenfalls mit 421 ankündigt. Innerhalb des Personenkreises tritt zu dem *rîchen kuninc* (2324; 3839; 3986; 4026; 6608; 6892; — erweitert 3298) die *rîche kuninginne* (5578; 5971; 6244; 6396) oder *frowe* (5990; 6345). Varianten sind die *rîchen fursten* (2708); *man* (3112); neue Formel *helt rîche* (3771; 6312). Endlich fügt Par *got der rîche* (7288) hinzu. Vor allem aber sind es zwei Anwendungsgebiete, die uns interessieren. Erstens *rîch* in attributiver oder appositioneller Verwendung bei Eigennamen, die V fremd ist. *Alexander der rîche* oder *der rîche Alexander* (2088; 2157; 3739; 4386; 4873; 5871); *Darius* (3080; 3193; 3393; 3755; 4088; 3094); *Porus* (4636; 4749). Zweitens *rîch* in Zwillingsformeln: *di armen und di rîchen* (2726; 4005; 6604 — variiert 6182); *den rîchen unde den frumigen* (3450); *rîche und vermezzen* (6542); *wol geborn unde rîche* (3808); *hêr unde rîch* (4040) und in Par *rîche unde gût* (6885).

B verhält sich diesen Gruppen gegenüber nicht gleichmäßig. Es bewahrt 2 der 7 Fälle bei *kuninc* (B 2514 = S 3298; B 2793 = S 3839). Dazu erkennen wir S 2708 *die rîchen fürsten* in der Einstellung von B 2080 *kriechschen fürsten* wieder. Vielleicht ist in B 3582 f. *ein lant, daz gros richtums wielt, die burg Moros den namen hielt* eine Reminiszenz an S 5513 *Meroves hîz di burch rîch*, und ebenso hängt B 3807 *mit richtums überkrafft* zusammen mit 5927 *di rîche kuninginne*. Neben diesen im Rahmen des schon aus V Bekannten verbleibenden Verwendungen kennt B aber weiter die bei

Eigennamen. Von den 14 Fällen aus S II hat B 3 erhalten (*Darius* B 2442 = S 3193; B 2565 = S 3393; *Porus* B 3159 = S 4636). B 3325 hat nur die eine Zeile *des antwurt der küng rich,* wo S 4873 dem Subjekt *Alexander der rîche* allein eine Zeile einräumt. Im Sondergut von B taucht z. B. *Allexander der riche* (3290) auf. Dagegen ist B nun durchaus spröde gegen die Zwillingsformeln, von denen nicht nur die individuellen Bildungen, sondern auch die Allerweltsformel *arme unde rîche* ganz ausfallen. Sehr deutlich heben sich die zwei Persönlichkeiten hier ab, *B, der im Rahmen von V fortarbeitet, aber die appositionelle Fügung neu hinzubringt, und St, der die Zwillingsformeln einführt. Die Verwendung von Zwillingsformel und Adjektivreihe ist überhaupt ein wichtiges Kapitel für sich und verdiente eingehende Untersuchung für die Alexandertexte.

Für S II war ferner die Verwendung von *rîch* im Reim charakteristisch. Neben nur 12 Fällen des Versinneren stehn 27 Reime, darunter 24 zweisilbige. Mit Ausnahme des altertümlichen, auch V 1147/48 begegnenden Reimes *: folcwîch* (2323) sind es sämtlich Reime auf *-lîch, -lîche, -lîchen,* während Par außerdem die rührenden Reime: *ertrîche* (6608), *himilrîche* (7288) bildet. B nimmt an diesen Reimen ohne Zweifel teil, wie schon das Vorhandensein der appositionellen Fügungen voraussetzen läßt. Und mit 5 bewahrten Reimbelegen scheint es eine zwar geringe, aber doch noch annehmbare Prozentzahl zu erreichen. Allein da wir sahen, daß *rîche* nur z. T. *B angehört, zum andern Teil erst von St eingeführt ist, werden wir dasselbe auch für den Reim voraussetzen dürfen. Lieblingsreim in S II ist *: hêrlîch(en)* mit 7 Belegen (3080; 4749; 5463; 5513; 5578; 5990; 6244); er fällt in B ganz aus (vgl. oben S. 120). Von den übrigen bewahrt B unverändert *: gelîchen* (B 2443 = S 3193); *: grôzlîchen* (B 2565 = S 3393). Statt *: frôlîche* (S 4637) führt B 3160 wie auch sonst mehrfach *fromkliche* ein. B 2792 läßt den sterbenden Darius seinen Überwinder Alexander törichterweise *wirdenklich* empfangen, während S 3838 vernünftiger bietet: *er sprah jêmerlîche,* was für *B in Anspruch zu nehmen ist. Dagegen würde ich, ohne mich festzulegen, B 3325/26 *des antwurt der küng rich und ein deil zorneklich* vor S 4871 ff. *alles dingis mâze gezimet manneglîche. Alexander der rîche sprah . . .* den Vorzug geben. Jedenfalls aber gehören die bewahrten Reimbelege mit *frôlîch* oder *fromclich, zorneklich, jemerlich* auch sonst zum Bestande von *B, und auch der Inf. *gelîchen* fällt darunter. Nur *grôzlîchen* ist ein Wort, das sonst in der Dichtung des 12. Jahrhunderts beliebt ist (Kinzel Anm. zu 3305), im Alexander aber für keine Schicht eine besondere Rolle spielt. Die große Masse der Adjektiva auf *-lîch* resp. Adverbia auf *-lîche(n)* unter Führung von *hêrlîch* sind aber erst St zu verdanken. Sicher ist das für die Reimwörter *freislîchen* (2727), vgl. oben S. 120; *keiserlîche* (4027); *wunderlîche* (4387), vgl. oben S. 114; *lieblîchen* (6346). Dagegen ist der altertümliche Reim *: folcwîch* wohl für *B in Anspruch zu nehmen. Er ist von B aus Gründen der Reimreinheit ausgeschieden worden.

Das Sondergut von B ist meist als Fremdkörper zu erkennen, da es *rîch* außerhalb der personellen Sphäre zeigt. So etwa *mantel* (948); *baum* (3418); *sin boden goldes rich* (3799); *gebiette* (928); *kraft* (4025); *kost* (3511); *an guotte rich* (1006) u. a. Nur wenige Stellen (800; 3290; 3686; 4070; 4231) fallen in den von VS ererbten Typ.

An diesen rein beispielhaft ausgewählten Epitheta verstärkt sich der schon gewonnene Eindruck, daß B nicht auf S zurückgeht, sondern daß in S eine Schicht liegt, an der B nicht teilhat. Zu ihr gehört *wunderlîch* in der Formel *der wunderlîche man* und als steigerndes Adverb; *manlîch* in der Formel *manlîcher mût; edele* als auszeichnendes Beiwort namentlich für kostbare Dinge; *guot* in der Formel *gûte chnehte* und in bestimmten Reimformeln; *helt balt; scône* wie *edele* als auszeichnendes Beiwort für Kostbarkeiten und namentlich für Gegenstände der Natur; *hêrlîch* insbesondere als Reimwort; *freislîch* (doch nicht *freissam*); *rîch* in Zwillingsformeln und in der Hauptmasse der Reime *: -lîche(n).*

6.

Fassen wir so St in einer großen Menge charakteristischer Stil- und Formeleigenheiten, die in B fehlen, so fällt auch für *B schon einiges an positiven Merkmalen ab. Ich nenne *guot* und *rîch* als häufiges Reimwort überhaupt und *rîch* in der appositionellen Verwendung bei Eigennamen insbesondere. Ich führe einige weitere Epitheta an, die für *B charakteristisch sind: *vermezzen(lîch)* fehlt in V; von S I einmal (196) neu eingeführt; in S II fünfmal (2326; 4131; 5625; 5715; 6542) vorhanden. Es fehlt in Par und wird durch B 3658 = S 5625 für *B erwiesen. — *gewaltic(lîch):* In V vorhanden (80; 223; 470; 1437), von S I einmal (104) neu eingeführt, von S II achtmal (2201; 2325; 2515; 2986; 3007; 3049; 3841; 6543) verwendet, fehlt in den späteren Partien sowie in Par fast ganz, was für *B spricht. B bewahrt 2 der 8 Fälle sicher (B 1838 = S 2325; B 2794 = S 3840). Auch S 2515 kann zu B 1993 trotz sonstiger inhaltlicher Abweichung in Beziehung gesetzt werden. Endlich dürfte B 3687 *(ein küng rich, daz dienet mir gar gewalttenklich)* dem Text von *B näher kommen als S 5677/78, wo der Reim *helt balt : gewalt* die Hand von St verrät. — *grim, grimmec:* Fehlt V, S I, Par, läßt also auf *B schließen. Von den 10 Stellen in S II (2389; 2700; 2730; 2794; 3286; 4519; 4707; 4732; 5086; 5398), die sich stark auf die vorderen Teile konzentrieren, kehren 3 (B 2156 = S 2794; B 2504 = S 3286; B 3433 = S 5086) in B sicher wieder. In B 2078 *Daryus geinret wart der wort,* das sinnlos ist, wäre an eine Entstellung von S 2700 *(von disen grimmen worten Darius sih irforhte)* zu denken. — *creftich(lîch):* In V einmal (51) belegt, in S I einmal (1040) neu eingeführt. S II bietet es fünfmal (2322; 4267; 5722; 6018; 6487); Par hat es nicht. Davon bewahrt B sicher S 2322 = B 1885. B 4012 *(mit sinem her)* ist zu kurz und dürfte in *B ähnlich wie in S 6487 *(mit alsô creftegem here)* gelautet haben. Endlich wird B 2486 *(daz man gesach nie krefftiger schar)*, das einer Stelle wie S 5722 als Typ nahe steht, nach *B gehören, da S 3264 mit der Fügung *hêrlîchen scaren* und dem Reim *manniger mûter barn* die umformende Hand von St verrät (vgl. auch oben S. 115). — *liep:* in V nur 1160 = 1594 in prädikativer Stellung. S I führt es 176 neu ein; Mädchenwald und Par kennen es nicht. S II verwendet es gern (15 Belege) von denen drei (S 2587 = B 2025; S 4920 = B 3343; S 5622 = B 3657) durch B gestützt werden. Einzelne Stellen könnten erst St zu verdanken sein. — *jêmerlîch:* Fehlt in V, S I, Par, typische Verteilung für *B. S II bietet 10 Belege (2657; 3357; 3708; 3736; 3754; 3756; 3770; 3838; 4782; 5339). B bewahrt davon 2 (B 2069 = S 2657; B 3261 = S 4782). Über S 3838 und seine Entstellung in B 2792 vgl. oben S. 122. — *mêre:* In V außer in der nur ihm eigenen, von S verdrängten Formel *mare groz* (vgl. Schröder S. 56)[9]), über deren Existenz in *B uns B leider nichts aussagt, als adjektivisches Beiwort noch 646 *(wider Rômâre di mâren)*, wo S versagt und B ganz abweicht. S I führt es zweimal neu ein (1564 *di mêre Babylonien*; 1334 *scaden mâren* statt V 956 *scaden mêre*). S II verwendet es neunmal (2172; 2860; 3888; 4302; 4930; 5692; 5866; 6168; 6485) meist Reimbelege *(: wêre, : êre)*. Par hat das Wort nicht. B übernimmt es immerhin zweimal (B 2211 = S 2860; B 4010 = S 6485). Dazu als Sondergut B 3707 *der helt mere : were.*

Mit diesen ebenfalls durchaus nicht erschöpfenden Nachweisen, die einem künftigen Bearbeiter des Gesamtproblems noch weite Felder übrig lassen, ist m. E. die Persönlichkeit von *B zur Evidenz erwiesen. Sie hebt sich deutlich gegen den eleganteren St ab, der weit stärker auf die Formel in Reim, Zeile und Beiwort gestellt ist und weit mehr in glänzenden, höfische Übung ankündigenden Epitheta schwelgt. Ihn zu seinen engeren Kunstgenossen, Eilhart, den Rudolf-Dichter und Veldeke, in Beziehung zu setzen, wäre eine reizvolle Aufgabe für sich, die erst der völlig lösen kann, der systematische Formelsammlungen zur vorhöfischen Epik besitzt, wie van Dam[10]) zu Veldeke. Erst dann wird die bewußte Kunstübung von St voll heraustreten, der im Gegensatz zu Lamprecht und noch zu *B aus der Formel ein virtuoses, die Stileigenart beherrschendes Kunstmittel macht, das keinesfalls als Verlegenheitsauskunft eines reimarmen Verseschmiedes abgetan werden kann, sondern in seiner künstlerischen Bedeutung richtig erfaßt werden muß. Hier kann van Dams schöne unten genannte Arbeit die Augen öffnen.

---

[9]) V 55 *ir scaz der was vil grôz* = S 59 *ir scez was mêre unde grôz* deutet wohl, wie Schröder annimmt, auf ein *mâre grôz* des Originals, das der Schreiber von V unversehens abgeändert hat. In S ist es dagegen die mildeste Form der systematischen Ausschaltung. An den zwei anderen Stellen (V 1235; 1315) ist S rigoroser verfahren.

[10]) Jan van Dam, De Letterkundige Beteekenis van Veldeke's Servatius. Tijdschrift voor Nederlandsche Taal- en Letterkunde 47 (1928), S. 202 ff.

7.

Auch für die Lösung der Sprach- und Heimatfrage von Lamprecht und seinen Bearbeitern kann ich hier nichts tun, wo es allein auf die richtige Einordnung von B in die Gesamtüberlieferung ankommt. Die Unhaltbarkeit von Schröders Konstruktion einer gedächtnismäßigen Niederschrift durch einen berufsmäßigen Abschreiber war jedem, der mit dem Stoff vertraut ist, von vornherein schon aus der sorgfältig durchgeführten Reinigung der Reime in B klar. Sie wird, hoffe ich, durch die voranstehende Formeluntersuchung vollends erwiesen sein. Nur scheint mir, daß sich auch Schröders eigenes sprachliches Material zum Teil in die oben von mir durchgeführte Zweischichtigkeit von St einfügt. Wenn ich hier anhangsmäßig eine Reihe von Schröders sprachlichen Beobachtungen ohne System und in loser Auswahl durchspreche, so liegt mir auch hier nichts daran, ihre Geltung als solche zu behandeln, sondern einzig daran, zu erwägen, wie weit sich auch sprachliche Tatsachen zur Feststellung von *B nutzbar machen lassen.

Wer Schröders Material genau durcharbeitet, wird nicht selten bei ihm selbst auf eine Uneinheitlichkeit der sprachlichen Formen in S stoßen, die stutzig macht. Man kann sie verschieden beurteilen und wird von Fall zu Fall fragen müssen, welche Beurteilung die richtige ist. Man wird an das Nebeneinanderleben mehrerer Formen in der Sprache des Dichters selbst denken können. Man wird auch dem von Schröder betonten Einfluß einer Bildungssprache ihr Recht werden lassen. Aber man wird auch an sprachliche Verschiedenheiten der Vorlage *B und der Bearbeitung St denken dürfen. Jedenfalls ist die Erklärung, die Schröder für eine Reihe von Fällen gibt, die unglücklichste, die sich denken läßt. Er faßt sie als einen „Rückfall“ des Dichters St in den Sprach-, Reim- und Formgebrauch Lamprechts. Ausdrücklich läßt er S. 47 und 62 durchblicken, daß er die „allmähliche Verdrängung der Reimbilder Lamprechts“ für ein Erklärungsprinzip hält, und er setzt es zum Beispiel für das Auftreten von *sider* (S. 62), *gagen* (S. 63), *geschiet* neben *geschehen* (S. 67), *tûsant* neben *tûsunt* (S. 77) in Tätigkeit. So wertvoll Schröders Hinweise auf schriftsprachliche Bemühungen von St sein können, so wenig kann ich mit den verdrängten Sprach- und Reimbildern anfangen. Wenn ein kunstübender Mann mit so bestimmten technischen Eigenheiten und sprachlich-stilistischen Bestrebungen, ein vollötiger, vielleicht führender Genosse einer jungen Generation voll neuer Forderungen und Anschauungen, nach einem guten Menschenalter das gründlich veraltete Werk eines anderen überarbeitet und fortsetzt, so ist es wohl begreiflich, daß er Formen des Originals stehen läßt, die ihm fern liegen. Ich kann mir zur Not auch vorstellen, daß er in den kleineren und größeren Zusätzen, die seine Umarbeitung erfordert, einmal in Abhängigkeit von der direkten Vorlage gerät. Aber wie er, der Träger eines ganz gewandelten Stils, in einer Dichtung, die völlig sein Eigentum ist, zunächst noch die „Reimbilder“ seiner Vorlage in sich tragen, sie mehr oder weniger unbewußt anwenden und erst allmählich mit einem Willensakt „verdrängen“ soll, — Formen und Ausdrucksarten, die ihm von Natur doch fremd und abwegig sind, die er auch nicht etwa in Anlehnung an das ältere Original nachzubilden strebt, sondern im Gegenteil auch aus seiner Vorlage vielfach ausschaltet — das will mir nicht zu einem lebensmöglichen Vorgang und einer vernünftigen Erklärung werden.

Dagegen ist das Auftreten von an und für sich unzugehörigen Formen in St begreiflich, wenn ihm schon ein Gesamtwerk *B zur Umarbeitung vorlag. Neben den anderen oben genannten Möglichkeiten, der Mehrschichtigkeit in der Sprache des Verfassers selbst, dem Durchdringen von Bildungssprache und Dialekt in mannigfacher Abstufung, werden wir die Zweischichtigkeit auch in dem Gegensatz von Vorlage und Umarbeitung erblicken können. Was sichtbar an S I in seinem Verhältnis zu V nachzuweisen ist, wird ähnlich für das Verhältnis von S II zu *B gelten. Und nur diese eine Möglichkeit möchte ich an einigen aus Schröders Material herausgegriffenen Beispielen erörtern. Sie sind aus sich allein nicht beweiskräftig, aber sie werden einleuchtend, wenn man sie gegen den Hintergrund des zuvor besprochenen Formelgebrauchs sieht. Auch hier bleibt die systematische Aufarbeitung dem künftigen Bearbeiter von B vorbehalten, der auch überall die eigene Sprache dieser Bearbeitung mit in Erwägung stellen muß[11]).

1. *wunder : besunder* (Schröder S. 53; Kinzel Anm. zu 70). Der Reim, der fast stets zwei inhaltsarme Füllzeilen bindet, fehlt in V, das nur *wunder : ander* (137/38 = S 163/64); *andern : wundern* (867/68 = S 1213/14) kennt. Schon S I führt *wunder : besunder* zweimal ein (67/70; 1741/42). In S II hat der Mädchenwald einen (5245), Par 4 Belege (6700; 7063; 7151; 7189). Das deutet auf St als Träger des Reimes. Auch die übrigen Fälle (2648; 2996; 3056; 5717; 5807; 6571) fehlen in B. Denn auch zu B 2065 (= S 2649) *des nam sin volk wunder* kann die fehlende Reimzeile keinesfalls wie S 2648 gelautet und den Reim *besunder* geboten[12]) haben. Auch die sonstigen Reime *wunder : under* in S II (4342; 5419; 5909; 5921; 6107; 6413) und das vereinzelte *wunder : verwunnen* sind von B nirgends eindeutig bewahrt. Doch wird die vereinzelte Zeile B 3798 *(ein wasser ran da under)* einen Reim *: wunder* verlangen, der in S 5909/10 und 5921/22 in zwei gleichlautende Nachbarreime zerlegt ist, ein für St sehr typischer Vorgang. *under : wunder* könnte also wohl *B angehören — dafür spricht auch, daß dieser Reim sowohl in S I wie im Mädchenwald und Par fehlt.

---

[11]) Auch B hat natürlich seine Eigenheiten, wenn es auch wenig prägnant ist und vielfach Erbgut aus seiner Vorlage nur fortschleppt. Einige Besonderheiten von B sind weiter oben schon gelegentlich zur Sprache gekommen. Weiter sind mir z. B. aufgefallen: *werde, wirdenclich* (B 2478; 2615; 2792; 3653; 3781; 4036) *ungefüege* (2334; 3196) *trurig* (2711; 3663; 321) *degenlich* (2127; 2152; 2469). Zu dem weiter unten (S. 127 f.) behandelten Reimgebrauch des Namens Alexander fügt B des weiteren die stumpfe Reimform vom Typ *Alexander : her* u. a. m.

[12]) Sie muß den Inhalt von S 2646 + 47 geboten haben und wird vielleicht *under* im Reime besessen haben.

Hier läßt sich der weitere Reim *Alexander : wunder* anschließen, den Schröder nicht verfolgt hat und der, im Rahmen der *Alexander*-Reime überhaupt betrachtet, gute Resultate gibt.

V kennt den Namen nur in der Reimbildung *Alexander : ander* mit 7 Belegen (45; 221; 363; 729; 931; 1109; 1313). Alle anderen Bindungen *(: wunder; lande; handen; scande; tumber; langer; anden; elefanden)* fehlen in V. S I übernimmt die ersten 5 Belege von V, schaltet aber die beiden letzten aus, indem das Reimpaar 1313/14 ganz fehlt, 1109/10 gründlich umgeformt wird mit dem Reim *meinet : scheinet.* B geht in beiden Fällen mit S, d. h. die Änderungen gehn auf *B zurück. Andrerseits führt aber S I denselben Reimtyp sehr reichlich neu ein (*Alexander : ander* S 1073; 1193; 1235; 1472; 1683; 1771; 1837; dazu *Alexandren : andren* 1737). Das sind 8 Fälle in 800 Zeilen. Keiner kehrt in B wieder. In S II tritt er bedeutend zurück; ich finde nur die 5 Fälle 2555; 2792; 3054; 3794; 4908; dazu *: einander* 4844; *: andris* 2223; *: anderen* 4668; 6339. Um so reicher wuchert der Typ wieder in Par (6643; 6709; 6881; 6929; 6973; 7145; 7235; dazu *: anderen* 7073). Der von V gebotene, von *B vernachlässigte, ja z. T. getilgte Reimtyp wird sichtlich erst von St (S I; Par) erneut aufgenommen und mit bewußter Vorliebe gehandhabt. Entsprechend suchen wir ihn vergeblich in B. Er wird nun in das Streben von St nach der Formel eingeordnet. Denn während die betreffenden Reimpaare in V stets individuellen Inhalt und entsprechend wechselnde Form haben, fügt sich die Mehrzahl der Belege von St in zwei Formeltypen ein. Der eine, vielfach variierte, ist mit 1236 *: und manic man ander* gegeben. Ihm gehören 10 Belege an. Der seltnere, nach dem Vorbild 1074 *mer dan nihein ander* hat 3 Belege. Nicht anders ist es mit den übrigen neuen Alexander-Reimen. *Alexander : lande* in S I (1424) neu eingeführt, wird von S II zehnmal geboten (2129; 2549; 2826; 3098; 3638; 3714; 4194; 4212; 5871); *: wunder* S I 1245; S II 3040; 4452; 4718; 6127; 6141; Par 6681; *: scande* (S I 1583; 1659; 1945; S II 2465; 6303); *: handen* (4684; 6155); sonstige Streubelege (S I 1440; S II 3156; 4490; 4640). Sie bilden einen geschlossenen Komplex, dessen Existenz für *B durch die einzige Spur von *Alexander : wunder* (B 2340 = S 3040/41) bei der Masse von 45 vorhandenen Belegen mindestens als formelhaft nicht bestätigt wird. Er wird vielmehr als vereinzelte Weiterbildung des Reimtyps *ander : wunder* durch *B zu fassen sein. Das Verhalten von *B wird verständlich, wenn wir hier einen anderen Typ von Alexander-Reimen auftauchen sehn, nämlich den mit dem lateinischen Dativ *Alexandro* — und entsprechend *Dario, Poro, Candaulo, Nicolao : dô, frô, sô, zû* oder untereinander. Innerhalb S II finde ich hier folgende Übereinstimmungen zwischen S und B. *Dario : dô* (S. 3298/99 = B 2514/15); *Dario : zû* (S 2968/69 = B 2280/81; *Taryo : also*); *Alexandro : Dario* (S 2327/28 = B 1840/41); *Dario : Poro* (S 2924/25 = B 2244/45 entstellt; S 3586/87 = B 2680/81). Endlich bietet B 1631 das isolierte Reimwort *Daryo,* wo S 2045/46 *Alexandro : zô* liefert.

Dazu kommt, daß dieser Reimtyp in B selbständig weitergeht (*Allexandro : do* 1788/89; 2300/01; *: fro* 1954/55; *: so* 2222/23; 3666/67; *fro : Daryo* 2206/07); nicht dagegen der Typ *Alexander : ander* und Verwandte.

Indessen führt auch S I gegen das Einverständnis von B und V entsprechende Reime durch (*Alexandro : dô* 1651/52; 1673/74; *dô : Nicolao* 462/63; *dô : Dario* 1557/58; 1643/44; *Alexandro : zû* 1781/82; *Dario : zô* 2011/12), und auch Par verschmäht sie nicht (*Alexandro : dô* 6877/78; 6949/50; *: alsô* 6905/06). Also muß St diesen Reimtyp ebenfalls aufgegriffen und geschätzt haben, und wir können die Geschichte der ganzen Gruppe folgendermaßen ablesen. Lamprecht kannte nur *Alexander : ander,* einen Reim, den *B gelegentlich übernahm, aber nicht liebte. Seine Erfindung sind die Reime mit den lateinischen Dativen. St erkannte die Verwertbarkeit beider Typen und führte sie in seinen eigenen Zudichtungen gerne durch, wobei er namentlich den Reimtyp *Alexander : ander* formelhaft auszuwerten und mannigfach zu variieren wußte.

2. *wider; nider — widere; nidere* (Schröder S. 61 f.). Einer der Paradefälle für „allmähliche Verdrängung der Reimbilder Lamprechts" bei Schröder. V reimt zweisilbig *nider : sider; : wider* (aries). Davon ist V 1257/58 in B 1456/57 gegen S erhalten. In S I kein neuer Beleg, in S II teils neutrale, teils deutlich zweisilbige, teils deutlich dreisilbige Bindungen. Sicher dreisilbig ist *widere : gewidere* (6705; 6758) in Par. Auch das neutrale 7011 gewinnt rhythmisch bedeutend durch dreisilbige Lesung des neutralen Reimes *wider : nider.* Für die durch Reimband oder Rhythmus gesicherten dreisilbigen Formen von S II (2642; 3210; 2125; 4254; 4482) fehlen in B beweisende Parallelen, denn B 2061 = S 2643 ist schwer zerrüttet und bietet *wider* in einer reimlosen Zeile, die nicht nach S 2642 ergänzt werden kann. Dagegen sind von den 6 zweisilbigen Formen 2 einwandfrei erhalten (B 3049/50 = S 4440/41; B 1890/91 = S 2381/82), und ebenso haben die neutralen Formen 2 von 6 Fällen gerettet (B 3860/61 = S 6181/82; B 3899/900 = S 6259/60)[13]). Die Zweischichtigkeit in S ist also klarer Ausdruck der zweischichtigen Entstehungsgeschichte; *nider, wider* gehören V und *B, *nidere, widere* St.

3. *gagen* und *gagene* (Schröder 62 f.). *gagen* ist die Form von V. S I liefert nichts Neues. S II hat viermal *gegene* im Reim, einmal *gagen : geladen* (4786/87), von Schröder wiederum als „Rückfall" in die Gewohnheiten von V gedeutet. Die Zweischichtigkeit der Form deutet auf Zweischichtigkeit der

---

[13]) Für S 6181/82 würde ich zweisilbige Geltung aus versrhythmischen Gründen entschieden vorziehen. Bei S 6259/60 würde die erste Zeile des Reimpaares zweisilbige, die zweite dreisilbige Geltung nahelegen.

vil schiere zô ir komen wider.
dô gienge wir nider.

Nun entspricht B 3899 inhaltlich näher S 6251—53, das *wider* im Inlaut hat *(unde schiere wider quême)* und eine reine Doublette zu S 6259 ist. Die zweite Hälfte des Reimpaares weicht in B 3900 *(oder ich leitte all ir sorg nider)* dagegen von S 6260 völlig ab; sie entspricht vielmehr inhaltlich S 6254—57. Wer die

Entstehung; die 4 Fälle von *gegene* fehlen in B, der eine Fall von *gagen* ist hinter der Reimbesserung von B 3265/66 *geladen : schaden* noch leicht spürbar. Die dreisilbige Form gehört St, die zweisilbige V und *B.

4. Präteritum *gie* — *gienc* — *ginc* (Schröder S. 69 f.). V hat nach Schröder nicht nur den Singular *gie*, sondern auch den Plural *gien*. Das Vorhandensein dieser Form kann nach den Reimen *: geflîhen* (99); *ziehen* (179; 301); *uberziehen* (857) nicht geleugnet werden. Aber sie zur allein gültigen zu machen, halte ich für gewagt angesichts des von Schröder nur ad hoc bezweifelten Reimes *chinden : gingen* (vgl. oben S. 102) und des von ihm übersehenen Reimes *fiengen : begiengen* (831/32), der in V nicht als Conjunctiv interpretiert werden kann. Auch ist es mißlich, überhaupt einen Unterschied zwischen Plur. Ind. und Conjunctiv zu machen; denn in V 99, einem der Schröderschen Beispiele, kann *irgingen (: geflîhen)* ebenfalls nur als Conj. gefaßt werden. Sind aber Indicativ und Conjunctiv gleich behandelt worden, so tritt V 1045 *gienge : hienge* als vollwertiger dritter Beleg für die *-ng*-Form auf. Wir müssen in V also jedenfalls für den Plural neben *gien* auch die *-ng*-Formen feststellen, und zwar, was *gingen : chinden* ausdrücklich bezeugt, die md. Formen mit kurzem *i*.

Dagegen hat Schröder mit der Feststellung recht, daß S weder singularisches *gie* noch pluralisches *gien* verwendet, sondern nur neutrale Bindungen und daneben eindeutige *-ing*-Bindungen kennt. S I, der das Gemisch von V noch übernimmt, hat bereits den neuen Reimtyp für den Singular (324; 1775 *: jungelinc)* und Plural (1466 *: kinden)*. Überall bleibt hier B bei V. Von den zwei beweisenden Reimen in S II (2353 *: jungelingen;* 2313 *: dingen,* dazu 2065 *jungelinc : entfienc)* zeigt B zwar sowohl in 1649/50 = S 2065/66 wie in 1826/27 = S 2313/14 nah verwandte Reime, aber beide Male mit dem neutralen Reimband *gieng(en) : vieng(en)*. Neutrale Reime sind dementsprechend, wo sie in S II auftreten, von B reichlich übernommen. Von den 9 Belegen aus S übernimmt B 4 (S 5387/88 = B 3496/97; S 5661/62 = B 3682/83; S 5845/46 = B 3780/81; S 5377/78 = B 3492 reimlos). In *B existierten demnach die neutralen Reime auf *vieng(en), hieng(en),* dagegen nicht die entscheidenden auf *jungelinc, dinc*. Über die Ausweitung von *jungelinc* als Reimwort durch St vergleiche S. 104 f. Entsprechend behandelt B die von V gebotenen Reime. Zwei davon fallen in die Anfangspartie. Bewahrt ist der neutrale Reim V 519/20 *giench : fiench* = B 838/39 und pluralisch V 831/32 = B 1112/13, verloren V 285/86 und 1045/46. Dagegen

Technik von St kennt, spürt in solchen Inhaltsdubletten das Zeichen ausdehnender Tätigkeit von St und wird daher geneigt sein, für *B wesentlich die Form von B anzusetzen. St hat daraus seine knappen und spielenden Verse 6251—59 gemacht und hier *wider* ins Versinnere gedrängt. Dann aber hat er den alten Reim in einem scharf gebrochenen Reimpaar (6259/60) als Überleitung benutzt und zu dem übernommenen Vers 6259 mit ursprünglich zweisilbiger Geltung des Reimwortes *wider* eine neue Zeile 6260 gefügt, die man seiner Sprache gemäß eigentlich nur dreisilbig *(nidere)* lesen kann.

ist das Reimwort *gien* ausgeschaltet, teils durch Umgestaltung des Reimes (B 618 *fliechen : ziehen* statt V 301 *ziehen : giengen*), teils durch tiefergehende Veränderung (B 1132/33 = V 857/58). Das Resultat wäre demnach: V hat *gie, gien* neben *ginc? gingen;* *B vermied andere als neutrale Bindungen; erst St schafft die Bindungen mit *dinc* und namentlich *jungelinc.* Indessen will ich mich nicht auf diese Anschauung versteifen, da B, für das der Reimgebrauch den Singular *gie* zu erweisen scheint, die ausgesprochen md. Formen *ginc, gingen* ausgeschaltet haben könnte.

5. *deit, steit* usw. (Schröder 71 ff.). Schröder bestimmt richtig diese Formen als Eigentum von V (daneben doch einmal *tût : übermût* V 1403/04 = S 1927/28). S benutzt sie nicht, schaltet sie vielmehr häufig schon aus dem Text von V aus. S reimt nur *tuot, stât, gât,* doch macht Schröder auf die Seltenheit dieser Reimwörter auch in S aufmerksam und schließt daraus auf einen Mann, der zwar *deit, steit, geit* sprach, aber nicht mehr schreiben wollte. Ohne auf diesen Schluß einzugehn, behandle ich wieder nur die aufschlußreichen Verhältnisse in B. Von den 5 *tuot*-Reimen aus S II (Schröder S. 72) bewahrt B einen (B 2156/57 = S 2795/96 *: muot*), von den zwei beweisenden *gât/stât*-Reimen ebenfalls einen (B 3255/56 = S 4776/77 *gât : stât*), dagegen fehlt in B *stât : wât* (S 3643/44). Den neutralen Reim *gât : stât* (S 5493/94) hat B 3563/64 in dieser Form gekannt, da nur sie die Umformung *stat : hat* erklärt. Jedenfalls hat also schon *B, nicht erst St, die literarischen Reime kultiviert und ist gegen die dialektalen *-eit*-Reime empfindlich gewesen.

Das läßt sich auch im ersten Teil sehr deutlich verfolgen. S I hat die *-eit*-Formen aus V nur sehr teilweise übernommen, gern aber umgeformt. Insbesondere hat S I die Form *deit* (und *sleit*) nicht geduldet. Auch dabei erkennen wir die Hand von *B. Für *deit* läßt sich B und V viermal vergleichen (V 289; 416; 1099; 1228). B vermeidet die Form durchaus und trifft sich in seiner Umgestaltung zweimal mit S! V 416 *(deit : smâheit)* wird in S 483 und B 734 zu einem Reim *: smêliche* verändert. Auch bei V 1228 *(reit : deit)* macht sich gemeinsame Veränderung bemerkbar. Zwar daß sowohl S 1699 wie B 1438 einen Reim auf *tuot* finden (S *: mût;* B *: behût*), besagt nicht viel. Aber daß beide zur Beseitigung des Reimwortes *reit* auf die Wendung verfallen *ûf Bucifale er saz* (S 1696; B 1435), geht über den Zufall hinaus. An den beiden anderen Stellen sind S und B selbständig vorgegangen, aber da macht sich in S auch sogleich St bemerkbar, V 289 = S 338 durch den Reim *freislîche : gelîche* (vgl. oben S. 120) und die Dublette *einem freislichen tiere* S 340; V 1900 = S 1521 durch das Beiwort *blôde* und die gleiche folgende Dublette *blôdicheit* (1524). Im ersten Falle lehrt B 598, daß es noch wörtlich den Text von V kannte, aber zu *tůt : můt* umschuf. Und auch B 1338, dessen Reimzeile fehlt, ruht auf einem Text, der V 1099 mindestens viel näher stand als S. Denn V und B treffen in der Bezeichnung *der boese rüde* gegen S *der blôde hovewart* zusammen. Für den Reim *reit : sleit* (V 1311/12) endlich zeigt B 1504/05 *(streit : sneit),* daß es noch einen *-eit*-Reim vorfand, während S 1821/22 zwar dem Text näher bei V bleibt, den Reimtyp aber aufgibt *(was : gras).* *B hatte hier noch den Reim von V. Es ist ein besonders einleuchtendes Beispiel für die selbständige Umarbeitung eines veralteten Textes durch S und B, während Schröders konfuser Abschreiber gar nichts erklären würde. *B steht in seiner Umgestaltung von V mitten zwischen V und S. Einige der peinlichen Reime hat er bereits glücklich beseitigt; aber erst St hat völlig durchgegriffen.

6. *tûsant* — *tûsunt* (Schröder S. 76 f.). Schröder sieht die Verteilung richtig: *tûsant* in V und von dort einige Male in S I — *tûsunt* in S, doch nur im Bezirk S I, wo es teils durch Umformung, teils in Pluszeilen hineingekommen ist. Ganz S II bietet überhaupt nur einen Reimbeleg, aber der lautet nicht *tûsunt*, sondern *tûsant* (*: gewant* 6513/14). Hier hilft sich Schröder wieder mit der „Nachwirkung Lamprechtscher Reimbilder". Wir denken statt dessen wieder an Zweischichtigkeit von *B und St.

B duldet weder das eine noch das andere. Seine Form ist *tusind, dusing*. Aber in B 1088 ist das Reimwort *pfand (: wigand)* aus V 810/11 *(phant : tûsant)* noch erhalten, während S 1114 das Wort *phant* ins Innere schiebt und 1116/17 *dûsunt : zestunt* reimt. V 1493/96 mit dem Reim *tûsant : besant* ist sowohl in B 1619/22 wie S 2033/34 umgeformt. B drängt *tusing* (bzw. *dusing*) recht ungeschickt ins Innere, bewahrt aber aus V die merkwürdige Zerlegung der Zahl in ein Rechenexempel *(ze sehs hunderet tûsint wâren si gezalt — und dar zû drîzech tûsint)*, während S 2034 die Zahl in eine Zeile zusammennimmt *(ze sehs hundrit unde drizich tûsunt; zestunt)*, und das übrige mit Füllzeilen vollstopft. Für V 1464 zeigt der in S fehlende Name *Cilicien* (B 1598 *Cilliczya*), daß B auf V ruht, während 1468 *(Armenien)* von B (1601) und S (2001) unabhängig umgeformt ist. Nirgends geht B mit S, meist steht es entscheidend näher bei V. Auch wo S an V festhält, ändert B selbständig ab (V 1450 = S 1984; V 1466 = S 2000). Von den neuen Reimen auf *tûsunt*, die S I einführt (1052; 1681), weiß B nichts; an beiden Stellen beläßt B wie V das Zahlwort im Versinnern. Der einzige Reim in S II, der *tûsant* verlangt, macht Schröder viel Kopfzerbrechen. Die Erklärung ist einfach: *tûsunt* ist die Form von St, daher in S I geläufig, von B aber noch nicht gekannt; *tûsant* aber ist die Form von *B, und ganz folgerichtig zeigt B an der entsprechenden Stelle noch den zwar abgeänderten, aber auf der Grundlage von S ruhenden Reim *sant : hant* (4022/23).

7. Diminutiva (Schröder S. 78). Sie fehlen in V; für S nennt Schröder die vier *twirgelîn* (3110); *statelîn* (4196); *glockelîn* (5441); *fugelîn* (5558). B hat statt dessen: *ein mechtig man* (2388, verderbt); *klein stet* (2985); *glogen* (3531); *vogel* (3618). Wir schreiben die Diminutiva erst St zu. Man beachte, daß B in seinem Sondergut, wie zu erwarten, Diminutiven durchaus zugetan ist. Der Nektanebusprolog bietet auf 535 Zeilen 6 Diminutiva im Reim *(bekelin* 15; *fesselin* 147; *wurzelin* 213; *kindlin* 404; 420; 462); der Schluß auf 650 Zeilen ebenfalls 5 *(federlin* 4229; 4240; *steinlin* 4241; *kindelin* 4548;

tǒchterlin 4553). Um so beachtlicher ist die Abstinenz des Hauptteils von ca. 3500 Zeilen mit ganzen 3 Belegen, die von *B in B eingebracht sind (*vǒgellin* 3472; *megettin* 3998; 4077), wobei die Empfindung für die Diminutivgeltung von *megetin* doch zweifelhaft ist.

8. Fremdwörter (Schröder S. 78, § 24). Schröder hebt die Fremdwörterarmut von V hervor und gibt auch für S nur wenige Beispiele. Über V 763 *von prîse,* das er in so früher Zeit verdächtig findet, gibt auch B 1050 keinen Aufschluß, da es sehr brüchig ist. Für V käme an fremdem Sprachgut außer *castel* noch *tabele* hinzu.

Für S notiert Schröder außer dem häufigen *palas,* der schon in S I vorkommt, noch *amis* (3362); *pris* (5852); *clar* (3556). Man kann die Reihe wesentlich ergänzen: *fullemunt* (2290); *pînlîch* (3574); *gigande* (5075); *nône* (*: scône* 5106; 6031; Versinneres 5108); *prîme* (6031); *blanc?* (5278); *cristal* (5976); *grâde* (5431); *samît* (6052); und wieder *tabele* (= Gemälde 5595; = Tisch 5899; 5947; 5974). Par fügt hinzu *chôre* (6619); *flûme* (*: gerûme* 6729; *: kûme* 6745; *: rûmen* 6964); *pîne* (6749; 6823); *natûre* (*: tûre* 6933; 7038; 7097; 7101); *plûme* (*: rûmen* 7140; 7198). Das Anwachsen der Fremdwörter in den späteren Partien (14 von 18 nach Vers 5000), ihre reiche Entfaltung in Par deuten auf St. So ist denn auch von all diesen Fremdwörtern nur *palas* in B vorhanden. Ohne vollständig zu sammeln, habe ich in S II 15 Belege notiert, von denen folgende in B wiederkehren: S 3536 = B 2654; S 3702 = B 2741; S 3765 = B 2766; S 5414 = B 3510; S 5437 = B 3520; S 5887 + 5905 = B 3796; S 5919 = B 3801; *palas* gehört also nach *B. Dagegen fehlen nun alle übrigen Fremdwörter in B konsequent, ohne daß doch B von sich aus puristische Tendenzen hätte. Der Nektanebus-Prolog hat in seinen 500 Zeilen ca. 10 fremde Wörter. Ich verweise im Einzelnen auf folgende Stellen, die schwer erklärlich wären, wenn B auf S ruhte. S 5431 *grâde : râde* = B 3515 *der strapfen trit* (in *B *gemacht?*); S 5915; *orpimento* = B 3799 *sin boden was goldes rich* (S *gelich : sih;* B *rich : mich);* S 5106 *nône : scône* = B 3452 *bis an den mittentag : gelag.* Für *B wäre allenfalls noch *cristal(lîn)* zu retten, das S und B zwar nicht übereinstimmend, aber jedes für sich einmal darbietet: S 5976 *(cherzestallen : cristallen);* B 2662 *(einen sark kristallin : in).*

9. Quellenberufung und Beteuerungen (Schröder S. 79). Obwohl B von den Berufungen auf ein B u c h , deren Schröder 15 aufzählt, eine (S 4503 = B 3074) bezeugt, halte ich die gewohnheitsmäßige Buchberufung für eine Leistung von St, der sie ebenso wie die zahlreichen Beteuerungsformeln für sein Dehnungsverfahren nötig hatte. Auch von den überaus zahlreichen Beteuerungen finde ich nichts Beweisendes in B. Die Quellenberufungen eigner Mache in B sehn recht anders aus als die von S *(als ich es las* 2674; *als ich von im* [resp. *ir*] *geschriben las* 2; 78; *als mir die geschrift hat geseit* 139; *als ich an der istory vernam* 428; *des mir die gescrift urkunde git* 536; *als uns die aventiure seit* 1696 u. a.).

8.

Wer in dieser Weise mit und ohne Leitung von Schröders Hinweisen sich ein Bild dessen macht, was schon *B angehört hat und was erst St hinzugetan hat, wird nicht gern bei der einzelnen, unzusammenhängenden Formel in Wort, Zeile und Reim stehn bleiben. Er wird versuchen, an den Text von *B als Gedicht heranzukommen.

Es kann einem nicht entgehen, daß die ausgeprägten Eigenheiten von St sich strichweise häufen. Durch die Untersuchungen von van Dam wissen wir, wie S mit V bei seiner Umarbeitung verfahren ist, und ich habe feszustellen versucht, wie sich B in diesem Prozeß verhält. Wir wissen insbesondere, wie oft S ganze Abschnitte gedehnt und neu hinzugetan hat. Den Text von *B in nennenswerter Weise herzustellen, wird naturgemäß niemals gelingen. Aber man kann wenigstens darüber Klarheit zu schaffen suchen, wieviel von den zahlreichen Verschiedenheiten im Versbestand der Schluderarbeit von B zu verdanken ist und wieviel etwa dem Umstand, daß Teile von *B erst von St gedehnt worden sind oder daß St ganze Episoden neu eingeführt hat. Wer die von van Dam ausgearbeitete stilistische Methode mit meinen Beobachtungen zur metrischen Form und den hier angebahnten Formeluntersuchungen kombinierte, müßte zu recht sicheren Resultaten kommen können. Diese reizvolle Aufgabe kann hier nicht in Angriff genommen werden; ich möchte nur skizzenhaft an ein paar Beispielen zeigen, wie ich mir die Sache denke. Ich verwende dabei ohne nähere Begründung auch Merkmale für die Eigenart von St, die in diesem Aufsatz nicht zur Sprache gekommen sind.

1. S 6535–6546: Brief der Amazonenkönigin = B 4049—4055.

B 4054/55 verbindet durch Reim *wîganden* (S 6539) mit *branden* (S 6545). In dem Zwischenfeld deutet Folgendes auf St. Wiederholungen: *bewaret* (6338); *bewarten* (6544); B nur einmal *gewert* (4052); — *lande* (6540); *lant* (6546); beide Male Reimwort; B nur einmal (4052); — Reimformen: *trageten : habeten* (6537/38); *wîgande : lande* (6539/40); *wâren : zwâren* (6543/44).

2. S 5495—5510: Alexander am Weltende = 3565—3576.

Wortwiederholungen: *hôrtih* (5496); *hôrtiz* (5497); *hôrten* (5502); B nur einmal (3565) — *wunderte (*5498 a); *wunder habeten* (5500); *daz wunder* (5508); B nur einmal (3571) — *in dem mere* (5497); *in daz mere* (5498 c); *in dem mere* (5507); B nur 3565. — *sie wolden swemmen in daz mere* (5498 c); *si wolden swimmen ûf einen wert* (5505); B nur einmal (3570). — Zahlangabe *(zwênzich* 5499; 5509); Be nur 3576 *(vierzig).* — *wâ man sprah* (5496); *kriechische sprâche* (5498); *mit menschlîcher stimme* (5504); B *nur sprechen kriechschi wort* (3566). — Wortformen: *habete.* — Reime: rührende Reime *(mâzen : vermâzen* 5498a/98b; *wert : bewert* 5505/06). Wiederholung (*here : mere* 5497/98; 5507/08).

3. S 5997—6031: Das wunderbare Tier in Candacis' Palast; — fehlt B.

Wortschatz: *scône* (*tier* 6002; Doppelformel 6012; *frowe* 6032; *singen* 6020); *hêrlîch* (*tier* 6005; 6025; *fugil* 6010); *hêre* (*kuniginne* 5998). — Reimwiederholung: *getân : gân* (5999/6000), *man : getân* (6011/12); — *hêrlîch : gelîch* (6005/06); *gelîch : hêrlîch* (6009/10); *gelîch : creftich* (6017/18); — *hunde : munde* (6013/14); *hunde : stunden* (6023/24); *stunde : munde* (6027/28). — Typische Reime: *hêrlîch : gelîch* (6005/06, 6009/10); *nône : scône* (6031/32); *pantier/tier* (rührender Reim 6025/26).

4. S 5034/38 = B 3399/3400.

Formelzeilen: *ouh sagih û zwâren* (5035), *nû wirz û sagen mûzen* (5038); Epitheton: *freislîch* (5034); — Reim: *zwâren : wâren.*

5. S 4819/29: Alexander bei den Gymnosophisten = B 3290/95.

Wortwiederholung: *er frâgete* (4821), *ouh frâgeter* (4823); B nur *frogte si* (3291); — *phlegeten* (4825); *pflêgen* (4823); — *begraben* (4827), *zu graben* (4828), B nur 3295 nur die zweite Stelle. — Reime: *wîgande : lande* (4820/21); *wâren: zwâren* (4822/23).

6. S 3794/3813: Alexanders Anrede an den sterbenden Darius = B 2776/77 + 2780. Wiederholungen: *daz mah ich wêrlîche sagen* (3801), *ih sage dir wêrlîche* (3809); — *du mûst mir iemer rûwen* (3799); *ouh ne wil ih dih niemer verclagen* (3800). — Reime: *Alexander : ander* (3794/95); *biderbe unde gût : manlîchen mût* (3802/03); *rîche : wêrlîche* (3808/09); *hêre : mêre* (3813). Stil: Zwillingsformeln (3802 und gehäuft 3804—08). Metrik: starke Brechungen. B bietet den Reim *durlich degen : lebens pflegen* in dem Paar 2776/77. Dabei entspricht B 2776 = S 3794, B 2777 = 3810. B dürfte eine Besserung eines in *B vorhandenen Reimpaares sein: *Do sprah der tûrlîche degen : mohtistu behalden noh dîn leben,* das sich aus S + B ergibt. Dasselbe Reimpaar *(geleben : tûrlîcher degen)* hat S kurz zuvor tatsächlich eingebaut (3786/87). Was dazwischen liegt, ist erst Dehnungsfeld von St.

7. S 4006—4057: Alexanders Hochzeit = B 2882–2890.

Wiederholungen: *ubir manige rîche mêre* (4014), *ubir manige kuninge rîche* (4026) = 2886 *(wit in alle lant);* — *ein brûtlofte stiften* (4009), *stifte man di wirtscaft* (4018), *newart nihein wirtscaft* (4022) = B *großer wirtschafft* (2889); *als uns daz bûch hât innen brâht* (4019), *in den bûchen — gescriben* (4034). Reimwiederholungen: *wirtscaft : brâht* (4018/19; 4022/23); *rîche : kuninclîche* (4016/17); *: keiserlîche* (4026/27); *tagelîch : ungeloublîch* (4030/31); *: rîch* (4040/41); *mêre : wêre* (4014/15); *mê : ê* (4020/21) = *mere : ee* (B 2887/88). Epitheta: *keiserlîche* (4027), *hêr unde rîch* (4040). Auch die Häufung von dreisilbigen Reimen spricht für St *(sagene : ebene* 4032/33; *simelen : himele* 4042/43; *wedere : ebene* 4048/49). Dazu kommt hier der Reim *vische : tische* (4036/37), den schon S I in dem Salomon-Einschub 69—76 benutzt hatte. Vgl. auch *unde sîne grôze rîchheit* (74) mit *vil michel was sîn rîchtûm* (4025).

8. S 4906—4920: Einleitung des großen Alexander-Briefes = B 3342 bis 43.

Formel: *als ihz an einem bûche las* (4917); *wellt ir ein lutzil gedagen* (4914); *leit unde lieb* (4907). — Reime: *mûte : mûter* (4918/19), *Alexander : ander : lande : sande* (4908/11).

Wenn sich so auch in S II dieselben Eigenheiten immer wieder einstellen, die in der Umformung des Lamprechtschen Werkes so charakteristisch sind und sich gut studieren lassen, so wird man den Schluß nicht vermeiden können, daß sie auch hier auf der modernisierenden und dehnenden Arbeit des Verfassers von St beruhen. Nicht die Entstellungen von B allein haben die Unterschiede von S und B hervorgerufen, sondern mindestens ebensosehr die Hand jenes Umarbeiters, die an dem ganzen Werk in gleicher Stärke spürbar ist und die in den letzten Episoden immer kräftiger eingreift, immer selbständiger schafft. Dehnung und Glättung sind die beiden Haupttendenzen, und das große Hilfsmittel ist die Formel in Wort, Reim und Zeile, die zwar auch vorher nicht fehlte, die aber im ganzen Schrifttum des späteren 12. Jahrhunderts zu einer vorher nicht erreichten Herrschaft durchdringt. Was St mit seiner Vorlage *B macht, ist im Grunde das gleiche Verfahren, das uns kürzlich van Dam für Veldekes Servatius so anschaulich geschildert hat. Auch dort ist die Formel stets bereites Mittel, eine knappere Quelle zu epischer Breite emporzusteigern. Und auch dort geht die moderne metrische Tendenz Hand in Hand mit der stilistischen.

Daß aber unter dem Straßburger Text eine ältere lagert, diese Überzeugung hat mir Schröders Vorstoß nur gefestigt. Die Vorstellung, die Schröder von der Entstehung der Fassung B als gedächtnis-mechanischer Mißgeburt entwickelt hat, ist auf keinen Fall mehr als ein Einfall, den man haben kann, aber nicht drucken sollte. Ich hoffe, sie wird ebenso schnell aus der wissenschaftlichen Diskussion verschwinden, wie sie hineingeworfen ist. Damit wäre die eine, negative Aufgabe dieser Zeilen erfüllt. Aber darüber hinaus sollten positive Ansatzpunkte für die Erfassung der wahren Geschichte von B gegeben werden; ich hoffe, daß ein andrer die reizvolle Aufgabe aufgreifen und zu Ende führen wird.

DIE GRUNDAUFFASSUNG VON GOTTFRIEDS TRISTAN

[1940]

Die ältere Gottfriedforschung hatte es vor allem mit zwei Aufgaben zu tun. Sie hatte die Stoff- und Quellenfrage, insbesondere das Verhältnis Gottfrieds zu seinem unmittelbaren Vorgänger Thomas zu klären. Und sie hatte die Fülle seiner künstlerischen Mittel monographisch-analytisch, beschreibend und vergleichend darzustellen. Nachdem diese unbedingt erforderlichen Vorarbeiten geleistet und — etwa in Vogts und Ehrismanns Gesamtdarstellungen verwertet worden waren, durfte jüngere und jüngste Forschung zu grundsätzlicherer Deutung von Gottfrieds großem Werk als Ausdruck seiner Persönlichkeit und Spiegelung seiner Zeit vorstoßen.

Hier sind wir indessen von einer Einheitlichkeit der Auffassung noch weit entfernt. Was Fr. Neumann in einer Besprechung von Emil Nickels Tristanstudie[1]) feststellte, gilt im wesentlichen auch heute noch: Im Gegensatz zu Wolfram und dem Nibelungenlied ist es noch nicht gelungen, auch nur die Zugangswege deutlich abzustecken, die zu einer Erfassung von Gottfrieds Werk als „Ausdrucksganzem" führen können. Zwar scheinen mir gerade Fr. Ranke und sein Schüler Nickel die zukunftsvolle Wegweisung gegeben zu haben, die in der religiösen Erfassung von Gottfrieds Minnebegriff liegt, und Schwietering hat sie in seiner ausgezeichneten knappen Darstellung[2]) ebenso übernommen, wie Wesle[3]) in seiner sachlichen Zusammenfassung der Tristanforschung. Allein der so beschrittene Weg ist nicht klar zu Ende gegangen.

Es sind wesentlich zwei Erbstücke der älteren Tristanforschung, die hemmend im Wege liegen. Einmal ist es die begreifliche Verlockung, Gottfried an seinem großen Gegenspieler Wolfram w e r t e n d zu messen, anstatt beide als Gipfelfiguren ein und derselben Generation für die einheitliche Wesensbestimmung ihrer Zeit nutzbar zu machen oder — solange dies nicht tunlich ist — das Phänomen Gottfried aus dieser wertenden Verstrickung gelöst und ganz von sich aus zu betrachten. Wolframs eigenwillige Origina-

---

[1]) E. Nickel, Studien zum Liebesproblem bei Gottfried von Straßburg (= Königsberger deutsche Forschungen H. 1), Königsberg 1927. Die Besprechung von Fr. Neumann, DLZ 1930, Sp. 110 ff.

[2]) J. Schwietering, Die deutsche Dichtung des Mittelalters (in: Handbuch der Literaturwissenschaft, hg. v. O. Walzel), Potsdam 1932.

[3]) In: Die deutsche Literatur des Mittelalters, Verfasserlexikon. Stichwort Gottfried von Straßburg, Bd. II, Berlin 1936.

lität und der mannhafte Ernst seiner sittlichen Persönlichkeit werden den modernen Betrachter stets unmittelbarer ansprechen, und in moderner Wertung wird Gottfried daher immer zu kurz kommen. Nicht überall mit so verständnisloser Moralisterei wie bei Gottfried Weber[4]); aber spürbar doch auch bei besonneneren Forschern wie Schneider[5]), Halbach[6]) und anderen.

Zum zweiten erbte sich die Neigung fort, unter dem Eindruck von Gottfrieds ausgesprochen formaler Meisterschaft und seinem eigenen, formal betonten Kunstbekenntnis die formal-ästhetische Seite seiner Leistung zu überwerten. Bei der Wendung zum Grundsätzlichen in der Gottfriedforschung wandelte sich der Dichter dabei zum „Ästheten" — im Gegensatz zu dem „Ethiker" Wolfram — und seine Haltung zu einer „Flucht" aus der Wirklichkeit in die Kunst. Auch hier griff Gottfried Weber am plumpesten zu. Befreit man sein Gottfriedbild von dem Wust gewaltsamer geistesgeschichtlicher Konstruktionen und geistreicher Worte, so bleibt ein frivoler Ästhet zurück, dem nichts heilig ist und dem der richtende Forscher strenge Zensuren nicht erspart („Gottfrieds ästhetische Opiumhöhle" S. 206). Im Grunde sieht er an Gottfrieds Tristandichtung nur Leib, Sinnentrieb, Verstrickung und sittliche Auflösung, morbiden Verfall unter glänzender Hülle.

Allein Begriffe wie „Flucht, Zerrissenheit, müde gewordene Resignation" begegnen auch in Rankes Tristanbuch[7]). Und Nickel entwirft am Schluß seiner ausgezeichneten Studie — für mein Gefühl in einem gewissen Bruch gegen den Hauptteil — das Bild Gottfrieds als eines zwischen Idealbesessenheit und verzweifelter Zerbrochenheit hin und her gerissenen Menschen, der einzig im Raume der Literatur noch Atemluft findet und in der Kunst „einen Ersatz für eine lebendige Verwirklichung des Ideals selber" sucht. Das Mißliche solcher Gottfriedauffassung sehe ich nicht in der Aufdeckung von Dissonanzen unter der harmonischen Hülle an sich, sondern in der Wahl des Ausgangspunktes für ihre Deutung. Denn diese Deutung sieht den Tristandichter ausgesprochen individualistisch, als den nervös überfeinerten Einzelnen und Vereinzelten, der auf die Eindrücke eben der Umwelt mit einer schmerzlichen Abwehrhaltung antwortet. Dies Gottfriedbild aber samt dem Wortschatz, der es verdeutlichen soll (Flucht, Zerrissenheit, Zerbrochenheit, Resignation — es fehlt nur noch „Weltschmerz") ist ausgesprochen modern. Dieser Gottfried wäre in den sentimentalen Kreisen der späten Aufklärung oder unter den „Zerrissenen" des 19. Jahrhunderts denkbar — als Zeitgenosse Wolframs und Walthers ist er mir schwer faßlich.

---

[4]) G. Weber, Wolfram von Eschenbach. Seine dichterische und geistesgeschichtliche Bedeutung. Bd. I: Frankfurt/M. 1928, namentl. S. 218 ff.

[5]) H. Schneider, Heldendichtung, Geistlichendichtung, Ritterdichtung. Heidelberg 1924.

[6]) K. H. Halbach, Gottfried von Straßburg und Konrad von Würzburg (= Tübinger germanist. Arbeiten Bd. 12), Stuttgart 1930.

[7]) Fr. Ranke, Tristan und Isold, München 1925.

Die Problematik seiner Dissonanzen, die als „Zerrissenheit" unerlaubt vereinzelt wird, sollte vielmehr als Sonderfall der tiefen und tragischen Dissonanz erfaßt und gedeutet werden, die der ganzen glänzenden Generation der höfischen Hochblüte eigen ist, vor der die Oberflächenmenschen die Augen schließen, und die in Gottfried nur in einer besonders deutlichen Spiegelung sichtbar wird. Diese Problematik kann hier nicht erschöpfend dargestellt werden. Allein sie muß als Hintergrund meines Gottfriedbildes in einer, wie ich wohl weiß, schematisierenden Kürze gezeichnet werden.

Das Grundproblem der ritterlichen Generation um 1200 ist anerkanntermaßen gegeben durch die unwiderstehliche Forderung weltlich-diesseitiger Werte nach eigenständiger und unbedingter Geltung. Oder, um es auf eine knappe Formel zu bringen: durch die Notwendigkeit, das Verhältnis von Gott und Welt zu einem neuen Ausgleich zu bringen. Die Kirche hatte dies Gegensatzpaar zu einer endgültigen Ordnung und Lösung gebracht: alle „Welt" war eindeutig unter Gott geordnet; sie war überhaupt nur soweit ein „Wert", als sie auf Gott bezogen werden konnte.

Diese Weltordnung — mit ihrer äußersten Zuspitzung im *memento mori* — blieb bis tief ins 12. Jahrhundert unangefochten gültig; auch das politische, wirtschaftliche und militärische Aufstreben des Rittertums als eines weltlichen „Standes" griff sie nicht notwendig an, wie es literarisch das Rolandslied bezeugt. Allein das Rittertum war seit der Missionszeit der erste wirkliche weltliche „Stand", worunter ich ein soziales Gebilde verstehe, das über die praktische Daseinsform hinaus ein eigenes Wertbewußtsein entwickelt und es als Ideal künstlerisch-darstellerisch zur Anschauung zu bringen strebt. Zwar leugnete das Rittertum die Gottgebundenheit aller „Welt" keineswegs, aber es erlebte seine Sonderwerte eben doch innerhalb dieser Welt und entwickelte eben deswegen eine kriegerische Standesethik, die ihre Wurzeln tief ins Diesseits senkte. Diese eigene, diesseitsfrohe Idealität des ritterlichen Standes vorbildlich sichtbar zu machen, war Aufgabe der ritterlichen Kunst. Als deutlichstes Zeichen dieser Wendung betrachte ich es, daß ritterliche Kunst altgermanisch-heroische Stoffe mit ihrer starken Diesseitsverhaftung als ein mögliches Ausdrucksmittel des eigenen idealen Wollens erkannte und daß sie damit über die Mission hinweg auf vorkirchliche, ständisch betonte Vorbilddichtung zurückgriff.

Das besondere Zeichen dieser inneren Neuordnung ist es indessen, daß sie nicht gleichzeitig eine Abwertung oder Umwertung der alten beherrschenden Ordnung versucht. Die christlich-kirchliche Ordnung blieb als Ganzes eine unbezweifelte Größe. Jeder Versuch, in unsere klassische Literatur — und so auch in Gottfried — renaissancehafte oder gar christentumfeindliche Neigungen hineinzulesen, ist von vornherein verfehlt[8]). Man könnte höchstens sagen, daß etwa dem Nibelungendichter — und ähnlich Gottfried — christlich-dogmatische Dinge kein P r o b l e m gewesen seien, son-

[8]) Fr. Knorr, Die mittelhochdeutsche Dichtung. Jena 1938.

dern eine gültige, endgültig geregelte und unbezweifelbare Größe. Ihre Aufgabe, die sie vollauf beschäftigte — und zwar im Falle des Nibelungendichters so ausschließlich beschäftigte, daß er die Problematik, die in der Formel „Welt und Gott" liegt, überhaupt nicht berührt hat — war vielmehr, die neuen Bereiche weltlicher Eigengeltung, jeder nach seiner Art, zu durchschreiten, zu erfassen und künstlerisch zur Anschauung zu bringen.

Diese eigentümlich statische geistige Haltung betrachte ich als ein sehr wichtiges Kennzeichen. Insbesondere scheint sie mir zu erklären, warum die hochhöfische Generation in ihrem leidenschaftlichen Bemühen schließlich scheitern mußte. Der starre, in allen Teilen unerschütterte alte Wertbau mit Gott als *summum bonum* und einziger Wesenheit bot für einen eigenwertigen Weltbegriff weder in sich noch neben sich Raum. Der Versuch, dennoch einen solchen aus der Welt entwickelten Wertbau zu errichten, der sich nicht mit der alten Wertwelt unheilbar stieße, mußte den Klarsichtigen zu der Erkenntnis der inneren Undurchführbarkeit führen. Oder, mit Walther zu sprechen, zu der Unmöglichkeit, *êre unde varnde guot* einerseits, *gotes hulde* andrerseits in einen Schrein zu bringen.

Als Gipfel dieses neuen, ritterlich-höfischen Wertbaues kann nur die Minne betrachtet werden. Wie aber die ritterliche Ethik überhaupt sich weitgehend aus dem geistlichen Tugendsystem ernährte, so erbte diese neue, weltzugewandte Generation auch eine folgenreiche Grundanschauung christlichen Denkens und übertrug sie auf ihr eigenes, neues Denken: die Grundanschauung, daß der Gipfel einer Wertordnung nicht in der Welt, sondern nur im Jenseits liegen könne, daß aller wahre und wesentliche Wert nur transzendent sein könne. Aufgabe war es also, den neuen Daseinsgipfel ins Transzendente zu steigern. Wo dies geschah, ergab sich der Begriff der „hohen Minne". Fr. Neumannn[9]) sagt: „Die hohe Minne strebt nach der Idee der Frau". Man könnte es auch so ausdrücken: die hohe Minne hebt Sinnlichstes ins Transzendente.

Am klarsten und eindeutigsten in der Lyrik. Was namentlich Reinmar und seiner Schule als Ziel vorgeschwebt hat, ist ja nichts anderes als diese Steigerung der Minne ins Transzendente. Ihnen lag daran, die Minne so sehr alles Sinnenhaften zu entkleiden, so sehr zu einer seelich-sittlichen Kraft zu steigern und zugleich ihre Bekenner zu so unbedingter Unterordnung zu verpflichten, daß „Minne" wirklich zu einer jenseitigen, zugleich beseligenden und sittlich erziehenden, unbedingten Macht wird. Dies in voller Folgerichtigkeit durchgebildet zu haben, ist das eigentlich Neue an Reinmar.

Damit ist die seelische Lage dieser glänzenden Generation bezeichnet. Die alte Eingipfligkeit des Daseins mit der Spitze in Gott wird in keiner Weise geleugnet oder abgebaut. Aber sie ist in der Tat von innen gesprengt, indem die anerkanntermaßen nur z u g e o r d n e t e Welt zugleich eine eigene, autonome Geltungsforderung erhebt und ihren eigenen, ebenfalls transzen-

---

[9]) Fr. Neumannn, Hohe Minne. ZfDkde 39 (1925), S. 81—91.

dent gefaßten Wertgipfel in der hohen Minne entwickelt. Dies ist die Grundlage, aus der sich eine neue Gleichgewichtsordnung von Welt und Gott als notwendige Forderung ergibt. Dies ist aber zugleich bei dem statischen Festhalten an der unveränderten kirchlichen Wertordnung der Grund, warum jeder Versuch zu solcher Neuordnung mißlingen mußte, die Tragik der inneren Paradoxie, die eines tun und das andere nicht lassen wollte[10]). Und dies ist zugleich der Ausgangspunkt, von dem jede Betrachtung der großen Dichtung um 1200, also auch eine Deutung von Gottfrieds Absichten, ausgehen muß und der zu der Erkenntnis führen muß, daß die „Dissonanzen“ bei Gottfried nicht persönlich-individualistisch gedeutet werden dürfen.

Dabei wäre es methodisch bedenklich, von Gottfrieds Stoff und Stoffbehandlung auszugehen. Seinen Stoff hat Gottfried weder erfunden noch im Inhaltsverlauf wesentlich abgeändert. Das ist das — übrigens nicht überraschende — Ergebnis der Forschung, die das Verhältnis Gottfrieds zu Thomas geklärt hat. Es ist nur ein neuer Ausdruck jener statischen Geisteshaltung, die wir schon als so wesentlich für die Generation um 1200 bezeichnet haben. Stoff ist ein Gegebenes, eine geschichtliche Wahrheit; Abweichung vom Stoff Verfälschung der Wahrheit. Gottfried ist darin ganz Kind seiner Zeit. Stoffbindung war für Gottfried nicht Fessel, sondern Wert. Eine alte Weisheit, und doch notwendig, sie zu wiederholen, angesichts der Unbekümmertheit, mit der Weber wie Knorr Stoffliches zur Charakterisierung Gottfrieds verwenden, ganz so, als hätte der Dichter seinen Stoff frei gestaltet oder gestalten können[11]).

Wenn Gottfried seinem Werk mehr Bedeutung geben wollte als die einer verfeinernden Neubearbeitung, so blieb ihm nur der mühsamere und nicht immer erfolgreiche Weg, seine Absichten mittelbar auszudrücken. Er hat es getan durch die Spiegelung der Dinge in der Seele seiner Gestalten, namentlich in ihren Monologen, noch zielstrebiger aber durch seine eigenen Betrachtungen und Exkurse, die eben deswegen so viel Raum einnehmen. Es ist eine Scheinwerfertechnik, die das gewünschte Licht von außen in das feste Erzählgefüge einstrahlt. Den Weg zu Gottfried findet man nur über eine genaue Zergliederung seiner Exkurse[12]).

Die wichtigsten Äußerungen des Dichters über seine Absichten werden wir naturgemäß in dem Prolog zu suchen haben, den er deutend und wegweisend seinem Werk vorausschickt, und dessen Wichtigkeit er durch eine

[10]) „Man bejaht die Welt, die man eigentlich nicht bejahen sollte. Man bejaht sie mit einer Schambewegung. Diese gezähmte, zögernde, verhüllte Weltbejahung nennen wir höfische Kultur.“ Fr. Neumann, a. a. O., S. 81.

[11]) Die Abweichungen, die sich Gottfried von seiner Quelle im Stofflichen gestattet hat, sind sachlich sehr gering. Übersichtlich dargestellt bei Ranke, S. 178 ff.

[12]) E. Nickels Urteil über die Exkurse: „Als elegante, geistvoll unterhaltende Plaudereien über Dinge des Herzens und der Gesellschaft sind sie vor allem geschrieben und verstanden worden“, ist in seiner literarisch-spielerischen Abwertung mindestens für einen Teil der Exkurse entschieden falsch.

besondere Fülle rhetorischer Stilmittel unterstreicht. Dabei handelt es sich nicht um die vorworthaften Vierzeiler der Widmung, sondern um den Beginn der eigentlichen Reimpaardichtung (Z. 45 ff.).

Gleich in den Anfang stellt Gottfried eine Zweiheit, die für sein ganzes Werk tragende Bedeutung erhält. Zwei „Welten" gibt es, und nur einer gilt sein künstlerisches Bemühen. Das ist die Welt der *edelen herzen* (46 f.). Ihr stellt er etwas anderes gegenüber, das zunächst allgemein *„ir aller werlt"* (Z. 50) heißt.

Was Gottfried hier mit „Welt" meint, kann nicht mit Vogt (S. 318) als „die große Menge", die „Masse" aufgefaßt werden, sondern nur als die höfische Gesellschaft. Alles andere liegt völlig außerhalb des Blickfeldes von Gottfried. Sie allein war ihm als Publikum denkbar, die Zweigliederung in *„ir aller werlt"* und *„edeliu herzen"* geschieht i n n e r h a l b der höfischen Gesellschaft.

Er grenzt sofort klarer ab. Kennzeichen der Welt, die ihn nichts angeht, ist, daß sie „nur in Freude schwimmen" will. Nickel (S. 74 f.) hat sie schön und richtig charakterisiert. Indem er sie ablehnt, wendet sich Gottfried alsbald gegen einen tragenden Begriff der ritterlich-höfischen Weltzuwendung: *v r ö u d e*. Sofern *vröude* alleiniges Leitmotiv des Lebens — und des Dichtens — ist, scheint ihm die Welt unzulänglich und unterwertig.

Dieser stellt er mit deutlichster Grenzziehung die besondere Welt der *edelen herzen* gegenüber: *„ein ander werlt, die meine ich"*. Er schildert sie in einer Kette bewußtester Gegensatzpaarungen, die, mehr als geistreiches Sprachspiel, die tiefere Einheit scheinbar schärfster Gegensätze in einem übervernünftigen Einheitserlebnis hörbar machen sollen:

ir süeze sûr — ir liebez leit,
ir herzeliep — ir senede nôt,
ir liebez leben — ir leiden tôt,
ir lieben tôt — ir leidez leben.

Diese besondere Welt der edeln Herzen — zu der sich Gottfried bekennt — weiß mehr von den Tiefen des Lebens als der durchschnittliche Teilhaber an der höfischen Gesellschaft, der, „edel" nur von Geburt, in Festglanz und *vröude* letztes Daseinsziel erblickt. Diesem ist das Tiefenerlebnis versagt, das Lust und Leid, ja Leben und Tod nicht nur als schicksalhaft verflochtene Notwendigkeit auf sich nimmt, sondern weit darüber hinaus in einer nur erlebnishaft erfahrbaren höheren Einheit bekennt und fruchtbar macht. Das beseligende Urerlebnis aber, in dem diese tiefe Einheit erfahren wird, ist die Minne. Nur wer Minne auf diese Weise, also religiös erlebt, nur der ist ein *edelez herze,* nur für ihn dichtet Gottfried sein *senemære* von Tristan und Isolde.

Hier liegt ein Angelpunkt der ganzen Deutung von Gottfrieds Absichten. Und hier hat die Neigung zu bloß ästhetischer Wertung Gottfrieds den Weg zu richtiger Erkenntnis verbaut. Es ist zu schwach, wenn Vogt

(S. 318) die edelen Herzen als „Aristokraten weltlichen Empfindens", Ranke ganz ähnlich (S. 210) als „die adligen, empfindsamen Seelen" bezeichnet, und völlig abwegig, wenn sie Weber (S. 144) zwar nicht ausdrücklich, aber tatsächlich nahe an den Typus des *galant amoureux* heranrückt[13]). Man muß die Wertung gerade umkehren: Bloß ästhetisch ist die Welt der Freude, von der sich Gottfried abkehrt. Dagegen hebt gerade die bewußte, uneingeschränkte Aufnahme von Leid und Tod in das Grunderlebnis der edlen Herzen diese weit über bloß ästhetische Lebenshaltung hinaus.

Die Auseinandersetzung zwischen den beiden Welten setzt sich in den Erwägungen des folgenden Abschnittes fort. Er handelt über Wert und Wirkung eines *senemære* wie dieses (101 ff.). Es soll nach Gottfrieds Meinung zur würdigen Geistesbeschäftigung dienen, wenn Sehnsuchtsqual der Liebe das Herz peinigt[14]). Er selbst erhebt dagegen den Einwurf, daß es nur eine unnütze Steigerung der Sehnsuchtsqual bedeute, und gibt die beschränkte Gültigkeit dieses Einwandes zu (102, 106). Aber auch nur die beschränkte. Es ist der Einwurf jener anderen Welt der Freude und daher nur für sie gültig. Der wahrhaft Liebende, das *edele herze,* aber liebe eben auch alle Qual, die aus der Liebe entspringt. Von neuem wird die tiefe Einheit von Lust und Leid im Grunderlebnis der Minne durch stilistische Verschränkung von Gegensatzpaaren verdeutlicht (115 f.) und aus der eigenen Lebenserfahrung erhärtet (119 ff.). Und damit stellt Gottfried seine Helden als die Vorbilder für das sehnende Minneerlebnis vor:

ein senedære unde ein senedærin,
ein man, ein wîp — ein wîp, ein man
Tristan, Isolt — Isolt, Tristan.

Er nimmt mit dieser stilistischen Verflechtung nicht nur auf die eben vorangegangenen Lust-Leid-Verflechtungen Bezug und stellt sein Paar in sie hinein. Er deutet zugleich vorwärts auf die religiös erlebte *unio mystica,* als die er später ihre Minne entwickelt.

---

[13]) Es kommt nicht darauf an, den Begriff *edelez herze* gemeingültig zu erhellen, sondern den spezifisch Gottfriedschen Begriffsinhalt festzustellen. Hier hat Nickel am schärfsten gesehen und am festesten zugegriffen. Seine Deutung meint in der Tat allein das Gottfriedsche *edele herze,* aber mit dem Stichwort „Sentimentalität" rückt er den Begriff in eine Sphäre von literarischer Erweichung, die ihm den besten Kern nimmt. Die Neigung, Gottfrieds *edelez herze* als einen zeittypischen Begriff zu verallgemeinern, stammt aus Vogts bekannter Rektoratsrede über das Wort „edel" (1908). Von dem Wunsche nach einer allgemeingültigen Begriffsbestimmung geht auch H. H. Glunz (Die Literarästhetik des europäischen Mittelalters, Bochum 1937) aus. Seine Begriffsbestimmung (S. 67): „Das edle Herz ist das, welches glücklich das Gleichgewicht zu halten weiß zwischen dem sinnlichen Trieb und dem Verlangen nach dem Dienst an Gott und dem himmlischen Lohn", ist aus Gottfrieds Prolog nicht ableitbar und für ihn handgreiflich falsch.

[14]) Hier so wenig wie 12 320 ff. ist es statthaft, von „Flucht in die Literatur" zu reden (Nickel, S. 80). Der Gedankengang an der von Nickel angezogenen Stelle ist vielmehr: Wenn schon literarische Beschäftigung mit Minne-Erzählungen so tief auf uns wirkt, wie viel herrlicher müßte das eigene Erlebnis wahrer Minne sein.

Aus der Nennung der Namen ergibt sich zunächst der sachliche Einschub über die Quellen (131—166). Dann lenkt Gottfried unter bewußter Aufnahme führender Ausdrücke *(senemære, edeliu herzen, unmüezic)* zu den grundsätzlichen Betrachtungen zurück und beschreibt die Wirkung solcher Dichtung nunmehr genauer als erzieherisch und läuternd:

174 ff. *Ez liebet liebe und edelt muot,*
ez stætet triuwe und tugendet leben,
ez kan wol lebene tugende geben.

Und er steigert sich wenige Zeilen später zu der Behauptung, daß die Minne gerade die einzige Erzieherin zu sittlicher Lebensführung sei:

187 ff. *liebe ist ein alsô sælic dinc,*
— — — — — —
daz nieman âne ir lêre
noch tugende hât noch êre.

Gottfried charakterisiert damit seine Auffassung von der Minne durch ihre zugleich beglückende und erzieherisch-läuternde Macht als „hohe Minne“ im Sinne der Lyrik und namentlich des Reinmarschen Kreises. Der vollkommene Mensch wird erst durch die Minne gestaltet — das setzt religiöse Bewertung der Minne voraus.

Jetzt schlägt Gottfried (191 ff.) einen Gedanken an, den er später in seiner großen Minne-Bußpredigt (12 283 ff.) ausführlich aufnimmt. Er klagt, daß so wenige Menschen von der Tiefenwirkung der Minne wissen und ihr Leben danach richten. Die meisten scheuen sich vor dem vollen Erlebnis der Minne wegen *des vil armen clagens.* Es ist wieder die Welt der „Freude“ und ihr Oberflächenerlebnis, die er damit trifft. Und so lenkt er sofort zu der Scheidung der beiden Welten zurück, auf die ihm alles ankommt, und stellt nun die Menschen vor die Wahl, vor ein klares: Entweder — Oder.

204 ff. *swem nie von liebe leit geschach,*
dem geschach ouch liep von liebe nie.
liep unde leit, diu wâren ie
an minnen ungescheiden.
man muoz mit disen beiden
êre unde lop erwerben
oder âne si verderben.

Damit ist das Entscheidende gesagt, und Gottfried stellt nun Tristan und Isolde als hohe Vorbilder solchen Lebens aus der hohen Minne vor und führt ihren ewigen Ruhm als Zeugnis für den gültigen Wert wahrer Minne an. Noch einmal greift Gottfried dabei das Spiel der Gegensatzpaare auf (212 f., 221), um das Wesen ihrer Liebe zu bezeichnen, und läßt — bedeutsam bei seiner thematischen Durchführung von Leitwörtern — nochmals (216) das Stichwort *edeliu herzen* anklingen. Und dann führt er den Prolog zum Abschluß, indem er die Gründe für das Überdauern ihres Lebens und ihres Ruhmes aus der wirkenden Kraft ihres Minnedaseins entwickelt.

Hätten Tristan und Isolde diese die Pole des Daseins verschmelzende Liebe nicht besessen und bewährt, so wären sie längst vergessen. Aus der Vorbildlichkeit ihres Verhaltens allein lebt „ihr süßer Name" weit über den leiblichen Tod hinaus. Allein dies Weiterleben ist mehr als bloßer Nachruhm: es ist lebendige und lebenweckende Wirkung. Sie geben etwas von dauernd sittlichem Werte: Treue dem, der nach Treue verlangt; Ehre dem, der nach Ehre strebt. Gerade aus ihrem Tode — dem damit von Anfang an entscheidende Bedeutung zugewiesen wird — entsprießt neues, wirkendes Leben.

228 ff. *ir tôt muoz iemer mêre*
uns lebenden leben und niuwe wesen;
wan swâ man noch hœret lesen
ir triuwe, ir triuwen reinekeit,
ir herzeliep, ir herzeleit,
deist aller edelen herzen brôt.
hie mite sô lebet ir beider tôt.
wir lesen ir leben, wir lesen ir tôt,
und ist uns daz süeze alse brôt.
ir leben, ir tôt sint unser brôt.
sus lebet ir leben, sus lebet ir tôt.
sus lebent sie noch und sint doch tôt,
und ist ir tôt der lebenden brôt.

Das Reimspiel ist natürlich alles andere als eine bloße stilistische Überladung, die man Gottfried sogar als Geschmacklosigkeit hat absprechen wollen[15]). Es ist vielmehr eine typisch Gottfriedsche Stilform, die Gedankliches durch Wiederholung und Häufung unmittelbar musikalisch-klanghaft hörbar machen will. Die Höchststeigerung dieses Stilmittels am Schluß des Prologes soll gerade auf die Wichtigkeit dieses Abschlusses aufmerksam machen.

Der Grundgedanke dieser Stelle aber ist: Ihr Tod ist Leben und führt zum Leben. Der Gedanke ist unmittelbar aus zentralen Bereichen christlichen Denkens übertragen; die religiöse Untergründung von Gottfrieds Minnelehre tritt jetzt voll hervor. Die entsprechende christliche Vorstellungsgruppe hat ihr kultisches Symbol im Sakrament des Abendmahls gefunden. So dürfen wir behaupten, daß mit den Reimwörtern Tod und Brot bewußt zwei tragende Wörter aus dieser sakramentalen Sphäre der Eucharistie aufgenommen worden sind, um im virtuosen Spiel der Reime unüberhörbar deutlich dem Hörer eingeprägt zu werden[16]).

Zusammenfassend ergibt sich als Grundgedanke des Prologes — und damit des Gesamtwerkes — die Aufgliederung der ritterlichen Welt in zwei

---

[15]) R. Bechstein, Tristan-Ausgabe, Anm. zu 233—240. Vgl. auch Leitzmann, Beitr. 43 (1919), S. 535 f.

[16]) Zur Anwendung christlicher Terminologie auf Erscheinungen des Minnelebens vgl. Schwietering, S. 191 f, Ranke, S. 204, Nickel, S. 7 ff.

Schichten, deren Wesen und Wert an ihrem Verhalten zum Problem des Leides und des Todes geprüft wird. Dieses Problem wird also nicht nur ernsthaft gestellt, sondern schlechthin in den Mittelpunkt gerückt. Es wird gelöst, indem Leid und Tod als wirkende, notwendige Werte bejaht werden. Indem die Minne zu dem Felde gemacht wird, in dem der überrationale Ausgleich der polaren Gegensätze Freude-Leid, Leben-Tod sich vollzieht, wird sie selbst zu etwas, das „über aller Vernunft" ist, zu einer religiösen Macht. Ihr wohnt nicht nur sittlich erziehende, sondern erlösende Kraft inne, indem sie lebenspendend und kraftwirkend über die Schranken der Zeit hinweg zu wirkender Dauer führt.

Das polare Wortpaar *liebe/leit* hat Gottfried literarisch verwendet vorgefunden. Als Ausdruck rein schicksalhafter Gegebenheit hat Dietmar von Ais es verwendet *(liep âne leit mac niht gesîn)*, und im gleichen Sinn hat der Dichter des Nibelungenliedes es aus dem österreichischen Minnesang aufgenommen. Das liegt weit ab von Gottfrieds Auffassung, wohl auch von seiner literarischen Kenntnis. Seine Auffassung findet er dagegen mindestens vorgebildet bei Reinmar und seiner Schule. *(sô sich genuoge ir liebes fröunt, sôst mir mit leide wol* 166, 39. Ähnliche Gedankengänge 162, 34; 167, 26 ff.). Freilich hat auch Reinmars empfindsame Selbstzergliederung nur die mattere Vorstellung eines notwendigen Nebeneinander von Freud und Leid in der Minne oder des Durchgangs von Leid zur Freude entwickelt. Sein Ziel, das *schône trûren,* die anmutige Leidenshaltung bleibt weit mehr im Ästhetischen stecken als Gottfrieds lebendige Bejahung des Leidens als eines Grundelementes in dem einheitlichen Gesamterlebnis der Minne. Erst Gottfried hat das Leid als eine sittliche und erhöhende Kraft in der Minne voll begriffen und der polaren Spannung ihre volle Tiefe gegeben, indem er sie in die Urgründe lebenswerten Daseins hinübernimmt und in ihnen zu tieferer Einheit löst.

Das Problem des Leides war auch von der christlichen Dogmatik aufgegriffen und in die christliche Ethik eingeordnet worden. Es ist im Wertsystem Gott/Welt ein notwendiger Teil der Welt, Folge des Sündenfalles, unlösliche Kehrseite der Erbsünde. Das Leid wie der Tod ist der Sünde Sold. Ethisch wird es aktiviert als Prüfung Gottes und damit als ein Weg zu Gott. Wer die Prüfung des Leides besteht, darf auf den Weg in die Freude bei Gott hoffen. Und zwar wird diese Freude im Gegensatz zur Augenblicklichkeit und Flüchtigkeit irdischen Leidens ewig und überschwenglich sein. Darum ist es gut, um Gottes willen Leid zu erdulden; denn es erzieht den Menschen sittlich und führt zur himmlischen Freude. Das Verhalten im Leiden zeigt den Unterschied zwischen Weltkind und Gotteskind.

Dies ist der Sinn der christlichen Märtyrerlegende. Sie erzählt von Menschen, die um Gottes willen die Feindschaft der Welt und damit Leiden und Tod auf sich genommen haben und die schon im Leiden die Seligkeit vorauserleben, die ihnen zuteil wird. Ausgesprochen wird das in den vielfach abgewandelten Reden christlicher Bekenner vor den heidnischen Gewalthabern: Du triumphierst jetzt kurz und hast ewige Qual; ich leide jetzt kurz und habe ewige Freude. Das Rolandslied hatte diese Gesinnung auf ritterliches Tun übertragen.

Gottfrieds Verhältnis zum Leiden steht dem der Legende ungemein nahe — nur ist Ausgangspunkt und Ziel nicht Gott, sondern die Minne. Gleich den Gotteskindern sind die wahrhaft Minnenden gelöst aus einer Welt, die nur von der Gier nach Lust erfüllt ist, und haben dafür zu leiden. Auch Gottfried bejaht das Leid als Prüfstein der *edelen herzen,* die eben im Leid erweisen müssen, ob sie des in Gottfrieds Sinne höchsten Gutes, der Liebesseligkeit, wert sind. Genau wie die Märtyrergeschichte scheidet er die Menschen in zwei Gruppen: die Vielen, *ir aller werlt,* das *saeculum,* die sich scheuen, das Leid auf sich zu nehmen, und darum die Seligkeit verscherzen, und die *edelen herzen,* die zum Leide um der Seligkeit willen bereit sind. Wie dort, im Munde der Bekenner, Leid und Freude nach Gewicht und Dauer unendlich gegeneinander gestuft sind, so tut es auch Gottfried im Prolog (201 ff.), indem er *ein übel* und *tûsent guot, manege vröude* und *ein ungemach* gegenüberstellt.

Letzte Bewährung alles vorbildlichen Lebens geschieht im Tode. Als Vorbilddichtung stellt auch die Legende ihre Helden immer wieder vor die Bewährung im Tode. Doch erhält die Bewährung des Märtyrers ihre besondere Färbung aus dem Dualismus Welt und Gott, Zeit und Ewigkeit. Tod ist nicht Ende, sondern Durchgang zu einem neuen, wahren Leben. Das neue Leben des Märtyrers aber, des Heiligen, erschöpft sich nicht im anschauenden Dasein bei Gott. Es wird vielmehr eine wirkende Potenz, die in das irdische Leben eingreift (Wunder) und die durch das Vorbild ihres Lebens und Sterbens den Anreiz zum Nachleben im Herzen der Menschen bilden und so neues gottzugewandtes Leben entzünden soll *(imitatio).*

Auch für Gottfried steht das Todesproblem im Mittelpunkt. Schon vom Stoff her, dem einzigen großen höfischen Stoff mit tragischem Ausgang. Aber er hat diese stoffgegebene Möglichkeit zum Angelpunkt des Werkes gemacht. Das lehrt schon der Aufbau des Prologes, der nicht nur im Todesgedanken ausklingt, sondern mit allen Mitteln Gottfriedscher Stilkunst sich zu diesem Schluß als klanglichem Höhepunkt emporstaffelt. Dann zieht sich der Todesgedanke durch das ganze Werk. Er ist dem Helden mit seinem trauervollen Namen mitgegeben, der nicht nur für einen Knaben *gevallesam* ist, der aus dem Dunkel des Todes ans Licht geboren wurde, sondern der in einer geradezu magisch-zwanghaften Vorbedeutsamkeit zum dunklen Stern über einem Leben wurde, das durch lauter Trauer zu einem frühen Sterben geführt wurde. Zu einem Sterben,

daz alles tôdes übergenôz
und aller triure ein galle was. (2016 f.)

Und der entscheidendste Augenblick in Tristans Leben, der Minnetrank, wird ganz unter diesen Stern des Todes gestellt: *diz tranc ist iuwer beider tôt,* ruft Brangäne, und Tristan bekennt sich zu diesem Tode in einer religiösen Verzücktheit, deren nahe Beziehungen zum christlichen Gedankenkreise vom ewigen Tode und vom ewigen Leben durch den Tod durch Nickel (S. 15) und Ranke (S. 204) schön dargetan sind.

Wieder steht Gottfrieds Auffassung der Legende ungemein nahe. Er gibt seinen beiden vorbildhaften Minne-Helden gleich der Legende ein den leiblichen Tod überdauerndes Leben, und zwar in derselben Doppelheit wie die Legende. Sie leben noch, obwohl sie schon längst tot sind, leben gerade durch ihren Tod über das leibliche Ziel hinaus. Aber das genügt nicht: ihr Tod wird auch gegenwartswirksam. Er soll „uns Lebenden lebendig sein". Damit werden Tristan und Isolde zu einem wirkenden Vorbild, einem Imitabile, zu dem, was in der Legende die Heiligen sind. Erst so werden Worte wie: „ihr Tod lebt" (238), „ihr Tod ist unser Leben" (228 f.) in ihrer religiösen Bezüglichkeit verständlich; erst aus der Beziehungssetzung von Minne-Tod und Märtyrer-Tod enthüllt sich die ganze Kühnheit der Wendung: „Ihr Tod ist das Brot der Lebenden."

So viel ist aus dem Prolog bereits klar: Gottfried entfaltet seine Minne-Transzendenz nicht nur bewußt als Gegenbild der christlichen Transzendenz, stellt bewußt den Daseinsgipfel „Minne" auf die Höhe des alten Daseinsgipfels „Gott". Er verwendet auch als das gegebene literarische Vorbild infolgedessen die Legende. Er wollte aus dem Tristan eine Minnelegende schaffen, die Geschichte vom reinen Leben und seligen Sterben der Minneheiligen Tristan und Isolde. Dem großen Sprachmeister ist die packendste Prägung nicht entgangen; später spricht er das Wort vom „Minnemärtyrer" unmittelbar aus (17 085).

Es fragt sich, wie weit die hier gewonnene Erkenntnis im weiteren Verlauf Stich hält. Die Legende stuft nicht nur: Weltkind-Gotteskind, sie macht gern auch beide Stufen sichtbar und führt ihren Helden zum entscheidenden Wendepunkt: Weltkind wird Gotteskind. Solchen Aufbau gab Gottfried schon sein Stoff an die Hand; er weiß viel von Tristans Leben zu berichten, ehe die entscheidende Wandlung, der Minnetrank, ihn überfällt.

Diese „niedere Ebene" schon trägt sehr eigentümliche Gottfriedsche Züge. Die „Welt der Freude", deren mustergültige Vertreter Tristan und Isolde bis zum Minnetrank sind, ist natürlich die höfische Gesellschaft. Allein es ist längst erkannt, wie sehr Gottfried die ritterlich-kriegerische Komponente in seinem Bilde dieser Welt zugunsten höfisch-gesellschaftlicher Geschliffenheit und Bildung zurückdrängt. Eine eingehende Darstellung kann ich mir also hier ersparen.

Natürlich fehlt das Ritterliche weder in Tristans Erziehung noch in seinem Leben. Er wäre kein vollkommenes Mitglied der Gesellschaft, wenn Waffenübung und Waffentat fehlten. Auch Riwalins wie Tristans Sterben, Triumphstunden der wahren Minne, kann nur ritterliches Sterben sein: die

Todeswunde. Eine andere Form läge außerhalb des zeitgenössisch Möglichen.

Trotzdem sind die Szenen ritterlicher Aktivität, Krieg und Turnier, bewußt abgeblaßt. Das ist namentlich im Vorspiel, in der Geschichte von Riwalin und Blanscheflur, handgreiflich. Nirgends ist das Widerspiel Gottfrieds und Wolframs deutlicher als in der Art, wie sie die Geschichte der Eltern ihrer Helden durchführen, in deren Leben sich das Schicksal ihrer Söhne in flacher gespanntem Bogen bedeutsam vorbildet. Während sich Gahmurets Leben ganz in ritterlicher Leistung entlädt und erfüllt, sind Riwalins Rittertaten nicht nur ohne alle Fülle und Relief; sein jugendlicher Kriegerdrang wird geradezu mit ironischer Ablehnung behandelt:

366 ff. *wan zurliuge und ze ritterschaft*
hœret verlust unde gewin:
hie mite so gânt urliuge hin;
verliesen unde gewinnen,
daz treit die criege hinnen.

Was Gottfried am Herzen lag, war von Anfang an der Schleier von Leid und Tod, der sich so bald über dies jugendlich-überschäumende Musterbild höfischer *werltwunne* senken sollte. Was Gottfried 305 ff. zu diesem Thema sagt, ist ein ins Höfische gewendetes *memento mori.*

So bleiben auch die weiteren Kriegstaten Riwalins, sein Beistand in Markes Krieg, in dem er tödlich verwundet wird, und sein letzter Kampf gegen Morgan, in dem er fällt, so gut wie ohne Relief. Man beachte, namentlich im ersten Fall, das gewollte Mißverhältnis zwischen der berauschenden Festschilderung mit ihren über 500 Verszeilen und der nichtssagenden Kriegsschilderung von 16 Zeilen (1119—1134). Man beachte die bewußte Lässigkeit, die Markes Feind nicht einmal einen Namen gönnt — *ein sîn vîent,* sagt Gottfried — und sich in der eigentlichen Schlachtschilderung auf die eine Zeile beschränkt: *er vaht mit ime und sigete im an.*

In beiden Fällen ist alles getan, um die kriegerische Tat nicht als Selbstzweck erscheinen zu lassen. Sie ist nur der lässig angesetzte Hebel, um das in Bewegung zu bringen, was allein Bedeutung hat: Im ersten Fall also Riwalins und Blanscheflurs vom Tode überschattete, in Gottfrieds Sinne also leiderfüllte Seligkeit der Liebeserfüllung, die aus dem Tode herausgehende Empfängnis Tristans und das Heilungswunder durch die Kraft der Minne. Im zweiten Falle Blanscheflurs leidvolles Gebären Tristans, der Frucht einer doppelt, bei Empfängnis und Geburt, vom Tode überdunkelten Liebe, und Blanscheflurs Liebestod.

Im eigentlichen Tristanteil fordern Stoff und Quelle eingehendere Kampfschilderungen; wir ersehen aus ihnen, daß Gottfried auch solcher Aufgabe gewachsen war. Aber auch hier sind Gottfrieds Bemühungen um die Abwertung des eigentlich Waffenhaften deutlich zu spüren. Es ist bekannt, wie er die beiden Kernszenen, Schwertleite und Moroltkampf, fast krampfhaft entrittert hat, und in der Schwertleite stehen jene Zeilen über die Turniere, die dem wegwerfenden Urteil über den Krieg entsprechen:

5056 ff. *wies aber von ringe liezen gân,*
wie sî mit scheften stæchen,
wie vil si der zebræchen:
daz suln die garzûne sagen,
die hulfen ez zesamene tragen.

Wo die Quelle vollends Kriegerisch-Turnierliches nicht forderte, hat Gottfried es bestimmt nicht hinzugetan: der irische Hoftag und Markes Hochzeit bleiben frei von Ritterspiel, und Markes vorgebliche Reisen sind nicht militärisch, sondern als Wallfahrt oder Jagdritt maskiert.

Der vorbildliche Mensch in Gottfrieds Sinne ist vielmehr der höfisch gebildete Weltmann. Auch dies braucht nicht mehr eingehend dargelegt zu werden, mit welcher Liebe der Dichter seine Helden mit feiner Bildung, höfischer Zucht und gesellschaftlichem Schliff ausgestattet hat, um daraus ihre strahlende Überlegenheit und ihre allbereite Bewältigung schwieriger Lebenslagen abzuleiten. In dies Bild höfischer Vorbildlichkeit gehört auch die strahlende äußere Erscheinung, kein unbewußt eingeborener Liebreiz, sondern bewußte Steigerung eingeborener Schönheit zum vollkommen beherrschten Bilde. Darum fehlt bei Markes Frühlingsfest wohl die breite Darstellung von Riwalins eigentlichen Turniertaten, nicht aber die seiner ritterlichen Erscheinung. Wie ein vollkommenes Reiterbild, ein lebendiges Kunstwerk, spiegelt sie sich in den Reden der bewundernd schauenden Damen (700 ff.). Darum legt Gottfried so großen Wert auf die herrliche Erscheinung Tristans vor dem Morolt-Kampf. Seine Wappnung fügt Stück für Stück jenes erzene Glanzbild zusammen, das doch seine gestaltete Einheit erst aus der gewachsenen Herrlichkeit des Leibes gewinnt, die durch die Eisenhülle hindurchstrahlt. Darum werden in entscheidender Stunde auf dem irischen Hoftage die beiden ihrem Minneschicksal schon Entgegenstrebenden wie zwei Bilder vollendeter höfischer Erscheinung gleich zwei Portalfiguren einander gegenübergestellt.

Wichtiger, als die oft berufene bürgerlich-städtische Umwelt des Straßburger „Meisters“ erneut heraufzubeschwören, scheint es mir zur Deutung von Gottfrieds Haltung, auf die literarischen Beziehungen zum Minnesang zu achten. Bei Ranke, Nickel und Scharschuch[17]) ist recht viel Material zusammengebracht, aber eine gründliche monographische Durcharbeitung der ganzen Frage steht noch aus und kann auch hier nicht gegeben werden[18]).

[17]) Heinz Scharschuch, „Gottfried von Straßburg, Stilmittel — Stilästhetik“, Berlin 1938, namentlich S. 254 f., die Beziehungssetzung von Gottfrieds und Walthers Naturerlebnis. Gottfried vermag Natur nur in der zuchtvollen Bändigung stilisierter Bukolik zu genießen (Markes Fest; Minnegrotte) und steht damit ebenso auf dem Boden der Lyrik wie in der Bezugsetzung von Natur und Liebesstimmung.

[18]) Es hat mich einigermaßen erstaunt, in der Gottfriedforschung weitgehend einer abschätzenden Beurteilung des Minnesangs zu begegnen. Nicht nur Knorr redet von der „zerbrechlichen Liebe der Minnesinger“ (S. 123), die nur „Krankheit

Ich beschränke mich auf die Besprechung einer wesentlichen Tatsache, die bei Nickel undeutlich wird, weil er in seiner vergleichenden Studie die Lyrik und die Epik nicht scheidet. Es ist bekannt, daß Lyrik und Epik die Minnevorstellung nach verschiedenen Seiten hin entwickelt haben. Und Gottfrieds Minneauffassung steht der durchschnittlichen Artusepik fern. In dieser Epik ist Minne Ziel und Lohn aventiurenhaften Kämpfertums. Das bestandene Abenteuer gibt das Recht auf die volle Hingabe der Frau, die auch dann gewährt wird, wenn es sich nicht um die Hauptheldin handelt und also der Hingabe nicht die dauernde Bindung folgt. Die Frau erscheint in der Epik trotz aller gesellschaftlichen Überhöhung als bloßes Objekt, als erraffter

oder Tändelei" sei. Auch ein so besonnener und tief eingelebter Forscher wie Schwietering spricht in seiner Darstellung Gottfrieds von dem „schwächlichen Trauern und einseitigen Schmachten blutloser Gedankenliebe" (S. 185). Nickel vollends leitet Gottfrieds Minneauffassung geradezu aus einem Gegensatzgefühl gegen das konventionelle Minneideal her, das in der Parodie des Frauenrittertums durch die Figur des irischen Truchsessen und in kritischen Spitzen gegen Reinmar und Walther getroffen werde.

Mir scheint — ohne daß ich auf motivliche Einzelheiten eingehe — Nickels Beurteilung anfechtbar. Denn ich halte es weder für berechtigt, die gesellschaftliche Haltung des Frauendienstes zur Zeit, da Gottfried seinen Tristan dichtete, als epigonenhaft erstarrte gesellschaftliche Konvention zu betrachten, noch die Lyrik Reinmars und seiner Schule ausschließlich für den Ausdruck einer gesellschaftlichen Haltung anzusehen. Und auch Reinmars Dichtung darf man nicht mit dem Stichwort „epigonenhaft" treffen wollen.

Reinmar ist sowohl neben dem alten österreichischen Minnesang wie neben den frühen staufischen Nach- und Fortbildnern provenzalischer Minnelyrik etwas ganz Neues und Eigenes. Die vollendete Durchbildung der Demutsgebärde des „schönen Trauerns" darf gewiß gesellschaftlich, aber gewiß nicht *nur* gesellschaftlich gefaßt werden. Und jedenfalls ist sie ebenso seine persönliche Neuleistung wie auf formalem Gebiet die Erarbeitung der architektonisch geschlossenen Strophenform. Er hat Schule gebildet und einen lebhaften Meinungsstreit der Besten seiner Zeit entfesselt — beides Zeichen lebendiger Gegenwartswirkung. Seine Dichtung muß für den *jungen* Gottfried das Neueste vom Neuen gewesen sein — was in seinem Preise Reinmars zum Ausdruck kommt. Wenn der ältere Gottfried den Weg von Reinmar zu Walther lebendig mitgegangen ist und Walthers Rückbesinnung auf die freudige Sinnenkraft der Minne als zukunftsvolle Gesundung begrüßt, so ist das — wie noch zu zeigen — weder ein Widerspruch zu Gottfrieds eigener überhöhter Minneauffassung, noch — worauf es hier ankommt — die Gegnerschaft gegen ein „in ausgetretenen Bahnen" wandelndes Epigonentum, sondern die Überwindung einer Art der Minne-Idealität, deren ungesunde Luftverdünnung von dem Straßburger Meister als lebensfeindlich empfunden wurde. Man sollte mit der Anwendung des modernen Gefühlsklanges in dem Wort „Konvention" vorsichtiger sein, wenn man von einer Zeit und einer Gesellschaft schreibt, für die bei aller geistigen und künstlerischen Mannigfaltigkeit das Verharren in einer gültigen, bis ins Einzelne durchgestalteten Form geradezu Lebensgrundlage gewesen ist.

Grundsätzlich wichtig für die Beurteilung Gottfrieds ist es vielmehr, daß sich sein Minnebegriff aus dem gleichen Mutterboden der „hohen Minne" entwickelt hat, aus dem auch die Lyrik Reinmars und seiner Schule erwachsen ist. Sie sind zwei Ausstrahlungen von demselben Zentrum her. Demgegenüber treten einzelne polemische Ausfälle — auch wenn sie zu Recht angenommen werden — zurück.

Kampfpreis. Auch Wolframs Gahmuret befleckt sich nicht, wenn er Belakane erringt, genießt und verläßt. Wo Minne zu lebenslanger Bindung wird, geschieht es als Ehe; die Aventiurenkette der Artusepen führt stets auf diesen Zielpunkt hin. Sie ordnet die freie Allgewalt der hohen Minne zuletzt doch in die konventionell gültige Gesellschaftsordnung ein (Fr. Neumann, S. 88). Zusammenfassend kann man sagen, daß die Erhöhung der Frau im Bereiche der Epik ihr Ziel im Gesellschaftlichen findet; die letzte Erhöhung ins Religiös-Transzendente ist der Artusepik fremd.

Gottfried dagegen macht gerade dies zum Angelpunkt seiner Minneauffassung. Für ihn bedeutet Minne gerade etwas außerhalb und über allen gesellschaftlichen Bindungen; er löst sie von aller Konvention, auch der Konvention der Ehe. Sie ist *diu vrîe, diu eine,* die unbeschränkte Herrscherin, die nach eigenen Gesetzen waltet. Er löst sie aber auch von allem Spielerisch-Aventiurenhaften zur Forderung einer unabdingbaren, das ganze Leben und den Tod umspannenden Einmaligkeit eines Grund- und Urerlebnisses. Er löst sie damit auch von der Bedingtheit durch ritterliche Leistung, der Grundlage aller Artusepik. Minne ist nicht Lohn guter Werke, sondern Gnade und Verhängnis zugleich. Auch hier wird klar, daß Gottfrieds Minneauffassung ihre Artverwandten in der hohen Minnelyrik hat.

Die Lösung aus konventionellen Bindungen (Huldigung der verheirateten Frau), Unbedingtheit und Lebenslänglichkeit der Minne-Bindung, Unabhängigkeit ihrer Erringung von kriegerischer Tat und Leistung, Pflege des inneren Erlebnisses verbinden Gottfried und Reinmar. Und damit komme ich zu Gottfrieds Abstand von der Welt kämpferischen Rittertums zurück. Seine Haltung ist nicht aus persönlicher Neigung oder sozialer Einordnung zu deuten, sondern aus der minnesanglichen Begründung seines Minnebegriffes. Die Lyrik läßt ja den ritterlich gerüsteten und kriegerisch-tätigen Mann erstaunlich weit aus dem Blickfeld, wenn wir von dem Seitentrieb der Kreuzzugslyrik absehen. Reinmar gerüstet zu Roß — dies Bild, das doch Wirklichkeit gewesen sein muß, fühlen wir als Dissonanz zu seiner Dichtung. Von seinem Werk her könnten wir ihn als eine weichere, passivere Verkörperung des Bildes bezeichnen, das Gottfried von dem vorbildlichen Mann entworfen hat. Seine Haltung des *schône trûren* und Tristans urbildliche *triure* sind innerlich verwandt. Doch sind sie nicht nur gradmäßig so verschieden wie Urbild und stückwerkhafte menschliche Verwirklichung. Reinmars mimosenhafter Entsinnlichung der Minne fehlt Gottfrieds mächtige Kraft, die vermeint, auch die volle sinnliche Erfüllung ins Höchste und Transzendente hinüberreißen zu können. Hier ist der Punkt, von dem aus sich Gottfrieds freudige Zustimmung zu Walther erklärt. Denn Gottfrieds Minne ist nicht nur fähig, Freude und Leid, sondern auch Sinnenlust und religiöse Inbrunst zu einem tieferen Einheitserlebnis zusammenzufassen. Liegt Reinmars Wesensart in der Blässe, so Gottfrieds in der Glut — einer gewiß gebändigten Glut, in der jedoch irdische Flamme und himmlischer Strahl unlösbar in eins verschmelzen und zur überwältigenden Lichtquelle des Daseins werden.

Auch das Analysierende und Lehrhafte, dem Gottfried zuneigt, weist auf Zusammenhang mit der Lyrik. Als Tristan Isoldes Lehrmeister der Musik wurde, blieb es nicht bei der Kunstunterweisung. Er gab ihr darüber hinaus eine allgemeinere Erziehung, die Gottfried mit dem fremden Wort *moraliteit* bezeichnet. Er nennt sie die „Amme edler Herzen", gibt ihr also für die emporgehobene Welt besondere Bedeutung. Und er sagt von ihr aus, daß sie „an der Welt und Gott teil hat" (8010) und daß ihre Wirkung sei, „Gott und der Welt zu gefallen" (8013), Aussagen, die den Begriff der *moraliteit* zu höchster Bedeutung erheben.

Gottfried berührt hier das früher entwickelte Zentralproblem seiner Zeit: Welt und Gott. *Moraliteit* ist eine menschliche Verhaltensform, in der dieses Problem lösbar und gelöst erscheint, und zwar eine Verhaltensform, die nicht eingeboren, sondern Frucht der Erziehung ist. Das zeigen die Leitwörter *lêren* (8002, 8005, 8010, 8012, 8017, 8019) und *unmüezic* (8003, 8007, 8020). Eine klare Begriffsbestimmung gibt Gottfried nicht; als Wirkung auf Isolde bezeichnet er: *si wart wol gesite, schône und reine gemuot, ir gebærde süeze unde guot* (8024 ff.). Demnach hat Ranke richtig gesehen, wenn er (S. 191) *moraliteit* als „die höfische Anstands- und Schicklichkeitslehre", als „Gesellschaftsmoral" erklärt. Es ist die Gesamtheit der höfischen Forderungen, Sitte und Anstand, gesellschaftlich und moralisch einwandfreies Verhalten als das Innen und Außen einer menschlichen Erscheinungseinheit. Was sonst *zuht, mâze, tugende* heißt, wird hier in dem abstrakteren Fremdwort *moraliteit* zusammengefaßt.

Zucht bedeutet vorbildliches und unanstößiges Verhalten. Zucht gegen Gott also ebenfalls unanstößiges Verhalten in den Beziehungen zwischen Mensch und Gott. Weber hat Gottfrieds rege Beschäftigung und gute Vertrautheit mit kirchlichen Dingen richtig hervorgehoben und gezeigt, wie er bestrebt ist, äußere Vorschriften der Religionsübung, d. h. die formale Seite, genau zu beachten. Aber wie stets überspitzt Weber sein Urteil auch hier mit seiner Aussage, daß bei Gottfried die religiösen Werte „in seinem Innenleben zur Erstarrung verkalkt, zu geölter Konventionalität geglättet sind" (S. 243).

In so schematischer Scheidung von Form und Inhalt läßt sich die Frage von Gottfrieds Gottesverhältnis nicht lösen. Es gibt genug Stellen im Tristan, die mehr sind als äußerlich festgehaltene kirchliche Tradition. Es scheint mir möglich, einen Kern ernster Gottesauffassung bei Gottfried nachzuweisen. Als sich Tristan zum Kampf mit Morolt anschickt, setzt der Dichter dem wikinghaften Vertrauen Morolts auf seine Viermännerkraft auch auf Tristans Seite eine vierfältige Kraft entgegen: Gott und Recht, Tristan selbst und seine „Einsatzbereitschaft" *(williger muot)*. In solcher Doppelpaarung hat Gottfried sie gedacht, sehr deutlich etwa 6980 ff. Es ist ein ewiges Paar, Gott und Recht, das sich dem irdischen Paar, Tristan und seinem Leistungswillen, zugesellt, das sie stützt, trägt über den verzweifelten Kampf um das nackte irdische Leben (6991) und zum Siege der göttlichen Rechtsordnung führt

(6996 ff.). In dieser betont herausgestellten Zwillingsprägung „Gott und Recht“ (6883, 6980, 6996) liegt der Grundpfeiler Gottfriedschen Gottesbewußtseins. Wo er ernst und würdig von Gott redet, da geschieht es in diesem Zusammenhang. So ist nicht nur der gesamte Morolt-Kampf als Eintreten Gottes für das Recht dargestellt. Gott ist auch der allgewaltige Herr der Elemente, der diese aufrührt, um das Unrecht zu tilgen, das die Schiffsleute an dem jungen Tristan getan haben. Und man überhöre nicht den Ernst und die Würde, mit denen der greise Bischof von Thamise das Wort auf dem Konzil führt, das über Isoldes Gottesurteil befinden soll, und wie großartig dieser Mann der Kirche den Gedanken des Rechtes gegen bloße Verleumdung und Beschuldigung vertritt (15 342 ff.). Hier ist nicht nur jene Frivolität, sondern auch aller bloße Formalismus fern.

Indessen, so ernst und religiös Gottfried den Begriff des Rechtes zu fassen scheint, so ist doch soviel richtig, daß wir damit immer noch auf der niederen Ebene von Gottfrieds zweischichtiger Welt verbleiben. Und, um zur Wesensbestimmung der *moraliteit* zurückzukehren, wir müssen beachten, daß sich Tristan als Lehrer, Isolde als Schülerin der *moraliteit* noch v o r dem Grunderlebnis des Minnetrankes befinden und also noch, wenn auch sehr vollkommene, Kinder „dieser Welt“ sind. Auch *moraliteit* ist mithin ein Begriff d i e s e r Welt, in ihr gültig, daher auch in ihr fähig der Wirkung: „Gott und der Welt zu gefallen“. Und was Gottfried in diesem Sinn unter *moraliteit* versteht, ist dann in der Tat nichts anderes als die Übertragung der Begriffe von *zuht* und *mâze* auf das Verhältnis zu Gott. Rein formgebender Begriffe also, die man konkret etwa so verdeutlichen könnte: das Recht Gottes anerkennen, seine Forderungen erfüllen, seine Lehren nicht antasten, seine Kirche ehren, sich seinem Willen beugen. All dies ist *moraliteit* im Verhältnis zu Gott, unbewegte und unproblematische, daher ohne Feuer der Begeisterung vorgetragene Gültigkeit. In der Gesamtheit höfischen Daseins haben auch Gott und seine Kirche ihren Platz; ohne das wäre die höfische Gesamtwelt ebenso unvollkommen wie ohne ritterliche Waffenübung. Doch so wenig Begeisterung Gottfried dieser entgegenbringt, so wenig wirkende Erschütterung erzeugt ihm sein Gottesverhältnis.

Aber steht er damit so allein? Mir scheint, daß sich in diesem Punkte zwei so grundverschiedene Naturen wie der Dichter des Nibelungenliedes und der des Tristan treffen. Auch für den Nibelungendichter liegt das, was ihn beschäftigt und mithin seine Gestalten bewegt, außerhalb des Kirchlich-Religiösen. Auch er weist Gott und der Kirche einen festen Platz in der ritterlich-höfischen Welt zu, die er sehr ins Einzelne zur Anschauung bringt, aber auch bei ihm geht es nicht über problemloses Anerkennen formaler Gültigkeiten hinaus. Am Ende liegt Siegfrieds Reinigungseid sachlich nicht so sehr fern von Isoldes Gottesurteil, und sein Passauer Bischof Pilgrim verrät weniger lebendige Religiosität als Gottfrieds episodischer Bischof von Thamise. Die Problemfülle der Zeit wird eben nicht von der anerkannten Größe „Gott“ erweckt, sondern von der um Geltung und Gestaltung ringenden Größe „Welt". Diese beschäftigt daher die beiden Dichter, deren grundverschiedene Natur in der völlig entgegengesetzten Art in Erscheinung tritt, wie sie das Problem „Welt" anfassen und lösen.

Was Gottfried mit *moraliteit* bezeichnet, steht also Hartmanns Begriff der *mâze* sehr nahe. Sie ist der Punkt des harmonischen Ausgleichs zwischen den beiden Polen Überwirklichkeit und Wirklichkeit, Gott und Welt. Sie war also die Rückführung zweier Extreme auf eine Mittellinie, deren Erreichung Hartmann als möglich und damit als Aufgabe ansah. Namentlich im ‚Armen Heinrich' scheint Hartmann den Erweis für die Möglichkeit versucht zu haben, eine solche Daseinsführung zu verwirklichen, die „Gott und der Welt zu gefallen" vermag, sozusagen die Einschmelzung von Erec und Gregorius zu harmonischer Einheit in der Wirklichkeit. Eben deswegen gab Hartmann die Wirklichkeitsferne von Artusroman und Heiligenlegende auf. Was Heinrich erlebt hat, kann jeder Ritter jederzeit erleben, und wie er nach der Heilung sein Leben einrichtet, kann es jeder einrichten.

Allein, was für Hartmann letztes Ergebnis seines Mühens und Ende seines Arbeitens war, ist für Gottfried nur noch Stufe und dementsprechend minder wertbetont als bei jenem. Diese Hartmannsche Harmonie ist schon in der allgemeinen „Welt", im Minnesaeculum erreichbar und von den beiden Hauptgestalten erreicht. Gott ist damit ein Teil dieser allgemeinen Welt, der „niederen Ebene" geworden. Und so muß sich Gott denn auch als Teil dieser Welt erweisen, sich der Liebenden annehmen, selbst das christlich-moralisch gewiß nicht zu billigende Verhältnis Tristans und Isoldes schützen. Und wieder findet der Sprachmeister Gottfried die entscheidende sprachliche Prägung: er spricht von *gotes hövescheit* (15 552).

So ist nicht nur ein verschiedener Wärmegrad in Gottfrieds Empfindungen für die beiden Daseinsgipfel Gott und Minne vorhanden; es ist eine neue Wertordnung erreicht: Statt Hartmanns in der *mâze* zueinander geneigten Polen als einer letzten Lösung der Spannung zwischen Welt und Gott ist der Ausgleich bei Gottfried — im Hartmannschen Sinne — auf der niederen Ebene vollzogen, und über ihr, einschließlich Gott, liegt die höhere Ebene, das religiöse Grunderlebnis der Minne.

Das Verhältnis Gottfrieds zu Hartmann scheint mir wichtig genug, um es an zwei Beispielen zu verdeutlichen. Hartmanns Gregorius bleibt literarisch im Rahmen der kirchlichen Legende, den er nur höfisch weitet. Gregorius ist das Kind einer sinnenverwirrten, sündenbelasteten Minne. Eingeborene Aufgabe des Kindes, das zunächst erbsündig in den Fluch der Eltern verstrickt ist, wird es, die Weltverstricktheit der Eltern zu sühnen, indem es den Daseinspol „Welt" ganz leugnet und sich in der ausgeprägtesten Form, als anachoretischer Büßer, ebenso einseitig dem anderen Pol „Gott" zuwendet. Bis dann der Ausgleich in einer relativen Rückwendung zur Welt erfolgen und die Entsühnung der weltbefleckten Mutter durch den Sohn vollzogen werden kann.

Gottfried zerbricht die Legende alten Stils und baut statt dessen die Minnelegende neu auf. Sein Held ist ebenfalls das Kind einer die Grenzen gültiger christlicher Moral zerreißenden, in diesem Sinne also sündigen Minne. Allein diese ist wohl leidüberschattet, doch keineswegs fluchbeladen; denn der Tod Riwalins und Blanscheflurs ist ja keineswegs „der Sünde Sold". So ist es denn auch nicht Aufgabe des Kindes, die Eltern zu entsühnen, sondern im Gegenteil sie zu vollenden, indem es ihr Erlebnis im eigenen Leben zu höchster Vollendung steigert. Auch Tristan löst sich aus den Bindungen der „Welt", aber eben der Welt im Gottfriedschen Sinne, um aus ihr hinausschreitend zum Minne-Märtyrer zu werden und auf der höheren Ebene die tiefe Einheit von Lust und Leid, Leben und Tod als Minneseligkeit zu erleben.

Ähnlich lockt der ‚Arme Heinrich' zum Vergleich. Der unheilbare Aussatz Heinrichs ist gottgesandtes Leiden im christlichen Sinn, der Mahnruf Gottes an das Weltkind, zugleich der Beginn seiner Umkehr aus der Welt und seiner Wanderung auf den Punkt zu, da Gott und Welt sich harmonisch berühren. Aus Gottes Lehrgang durch das Heilungswunder entlassen, hat er die Harmonie der *mâze* gewonnen. Tristans unheilbar vergiftete Wunde ist gerade der Beginn der Erfüllung, der Weg nicht zu Gott, sondern zu der Frau, in der sich ihm Minne verkörpern sollte und die uns der Dichter sofort bei der ersten Begegnung als Tristans Schicksal vorstellt: sie ist das „Insiegel der Minne", das ihn vor aller „Welt" versiegeln sollte. Aber eben wieder nicht im alten Sinne der Weltflucht zu Gott, sondern in dem neuen der Weltentrücktheit zur Minne.

Damit stehen wir an dem verhängnisvollen Punkt der Wandlung. Tristan und Isolde haben den ganzen Kreis höfischer Welterfüllung durchschritten. Muster höfischer Zucht und Bildung, glänzendste Vertreter der „Welt". Und diese öffnet ihnen ihre strahlendsten Freuden.

Gerade sind die letzten Schatten in dieser sonnenhellen Welt verschwunden, Tristans Todesgefahr abgewendet, der Streit zwischen Irland und Kornwall begraben. Der irische Hoftag selbst ist der strahlende Schlußakt, ein Überschwang von „Freude" und zugleich der funkelnde Rahmen um die herrlichsten inneren und äußeren Erscheinungen Tristan und Isolde. Sie wird der leuchtende Mittelpunkt, die „Sonne" an Markes Musterhof werden, er ebendort der unbestritten überlegene Held, der Nächste an Markes Herzen und Erbe. Der erste Teil der Minnelegende, die Darstellung der „Welt" ist vollendet. Und nicht unähnlich vielen Märtyrerlegenden erfolgt der Umschwung in dem Augenblick, da Herrschergunst und glänzende Ehe den Weltweg des Heiligen krönen wollen.

Da kommt der Minnetrank. Er i s t der große Umschwung, der das Weltleben entscheidend aus allen Bahnen wirft, wie der Heilige jäh durch das Gotteserlebnis ergriffen und verwandelt wird. Es ist Unsinn, von „Stufen der Entwicklung" zu reden (Knorr S. 110); es ist ein einziger Wurf, fertig und endgültig. Alles weitere ist nur Sichtbarwerden eines unabänderlich Vollzogenen.

Etwas ganz anderes ist es, daß Gottfried, wie längst erkannt ist[19]), den entscheidenden Augenblick durch mancherlei Vorausdeutungen vorbereitet hat. Am eingehendsten im Leben und Sterben von Tristans Eltern, die auch darin das Schicksal des Sohnes vorausdeuten. Riwalin wird durch die Minne bis in seinen Wesenskern verwandelt (*und wart mitalle ein ander man* 941), Blanscheflur gewaltsam aus der Bahn höfischer Korrektheit geworfen (*und hæte ir mit g e w a l t e genomen den besten teil ir mâze* 964 f.)[20]). Ihre Liebeserfüllung, die weit von allen Gesetzen höfischer Zucht entfernt liegt, ist todüberschattet und todbezwingend zugleich und besteht in derselben mystischen Einswerdung wie bei Tristan und Isolde (*sus was er sî, und sî was er* 1358), dargestellt mit demselben Stilmittel der antithetisch-syntaktischen Verschränkung (1360 f). Das Leiderfüllte ihrer Minne wird unablässig betont, und sie enden in einem frühen Tode; Blanscheflur — g e g e n die Thomasquelle[21]) — in einem ähnlichen Liebestod versteinerten Schmerzes, wie er, nach allem zu urteilen, auch Isoldes Los geworden wäre.

In Tristans eigenem Leben beginnen die Vorausdeutungen mit seiner todesentsprungenen Geburt und der magischen Bedeutsamkeit seines Namens. Sie setzen sich fort im zweimal erwähnten Pfeilsymbol seiner Helmzier (*al nâch der minnen quâle die viurîne strâle* 4945 f. und mit ausdrücklicher Ausdeutung 6594 ff.). Beide Male liegen noch vor der ersten Begegnung mit Isolde. Die Vordeutungen mehren sich von dem Augenblick an, da Isolde in Tristans Gesichtskreis tritt. Gleich bei der ersten Begegnung wird Isolde als *insigel der minne* bezeichnet mit der Grundaufgabe, ihn vor aller Welt zu versiegeln. Bewußt erlebt Tristan Isolden natürlich nur als Teil dieser „Welt"; seine preisende Schilderung vor Marke (8253 ff.) zeichnet sie n u r als solchen. Aber Gottfried weiß von der Unzulänglichkeit dieses Erlebnisses: Tristan hatte von ihr gesprochen *dânâch als ez im was erkant* — „soweit er es begriffen hatte". Die Vorausdeutungen gehen weiter (9369 ff., 10 057 ff.) und gipfeln seelisch in Isoldes Unfähigkeit, das erhobene Schwert auf den Mörder ihres Oheims niederfallen zu lassen.

Alle Vorausdeutungen sind einheitlich auf die entscheidende Wirkung des Minnetrankes gerichtet; sie alle reden von Lösung aus der Welt, von Leid und Tod. Denn was wird den beiden Liebenden zuteil? Nie rastende Unruhe, kurze Seligkeiten mit langer Sehnsuchtsqual erkauft, Gefahr und Verbannung, Trennung und früher Tod. Ihr höfisch-wirkliches Leben wird zerstört. Aber Leiden, Entsagung und Tod sind dennoch durch die Seligkeit der Minne

[19]) Schneider, S. 296; Nickel, S. 5; Schwietering, S. 184; Ranke, S. 184.

[20]) Nickel (S. 41) interpretiert diese Zeile: die Minne „hatte ihr die Ruhe genommen". Das ist nicht nur viel zu blaß und allgemein, es legt in das Wort *mâze* eine Bedeutung, die ihm nicht zukommt.

[21]) Vgl. Ranke, S. 188 f.

tausendfach aufgewogen. Als Ganzes also: Abwertung des realen Lebens zugunsten der Steigerung eines irrealen, von einer transzendenten Macht gelenkten Lebens. Die Beziehung zur christlichen Legende ist deutlich. Man darf geradezu von einer Minneaskese sprechen, die Gottfried in dem schon erwähnten Worte *minnemarteræere* sprachlich verdichtet hat.

Der Minnetrank wird sofort im Augenblick, da er kredenzt wird, in der ganzen Schwere seiner Wirkung bezeichnet:

11 674 ff. *ez was div wernde swære*
diu endelôse herzenôt,
von der si beide lâgen tôt.

Nicht „Freude" also, sondern „Tod" steht am Anfang des neuen Lebens. Und „in feierlicher Ergriffenheit" (Ranke S. 204) bekennt sich Tristan zu diesem Tode in Wendungen (vgl. oben S. 273), die aus der sprachlichen Schatzkammer eines Denkens stammen, das jahrhundertelang um das Todesproblem, das *memento mori* gekreist hat.

Noch ehe sich die beiden des neuen Zustandes bewußt werden, ist die innere Wandlung vollzogen, das Wunder, das Zwei zu Eins macht:

11 716 f. *si wurden ein und einvalt,*
die zwei und zwîvalt wâren ê.

Es ist bezeichnend, daß Gottfried hier eine der wenigen stofflichen Abweichungen von seinem Vorgänger wagt und mit einer gewissen Heftigkeit verteidigt. Brangäne wirft den Rest des Trankes ins Meer[22]). Die Quelle hatte berichtet, daß der Rest des Trankes aufbewahrt und in der Hochzeitsnacht Marke dargeboten wurde. Diese Darstellung war nur möglich, solange der Trank ein bloßes magisches Mittel war, das Liebesverlangen entzündete, und solange Tristans Liebe zu Isolde höchstens gradmäßig von Markes verschieden war. Für Gottfried aber war der Trank nur äußeres Zeichen einer völligen und grundsätzlichen Wandlung des ganzen Menschen; die Liebe Tristans und Isoldes ist artmäßig von Markes bloßem Begehren entfernt. Es war also nicht möglich, das alte Erzählmotiv beizubehalten, ohne den Grundgedanken zu zerstören.

Ebenso bezeichnend ist es, daß Gottfried in dem Augenblick, da er die liebende Vereinigung Tristans und Isoldes erreicht, durch die sie nun auch bewußt und endgültig von der niederen Ebene höfischer Weltfreude zur leidvollen Seligkeit echter Minne emporsteigen, die üblichen andeutenden und lüstern verhüllenden Reden über die sinnliche Liebesvereinigung vermeidet, ja ausdrücklich ablehnt (12 183 ff.). Statt dessen flicht er eine längere Betrachtung ein, nächst dem Prolog die aufschlußreichste für Gottfrieds Absichten und teilweise eine unmittelbare Fortführung der Gedanken des Prologes. Aus

[22]) Die Abweichung von der Quelle macht sich in einer kleinen Unstimmigkeit spürbar. Brangäne wirft den Trank *in den tobenden wilden sê* (11 695), während doch das Schiff — abermals gegen die Thomasquelle — sich im ruhigen Hafen befindet und die Besatzung an Land ist.

der dort vorgetragenen Lehre von den zwei Welten entwickelt er hier die entscheidende Lehre von den zwei Arten der Minne. Diese Partie ist von Nickel S. 79 schön und richtig behandelt worden.

Jedesmal, wenn ich an die Liebe dieser beiden denke, so beginnt Gottfried in Wendungen, die der Lyrik verwandt sind, schwillt mir Herz und Gemüt. Aber, so fragt er weiter, wie kommt es, daß alle Menschen nach Minne streben und so wenig darin zu wahrem Glück gelangen? — eine Frage, die schon der Prolog berührt hatte (vgl. oben S. 141). Das kommt, weil wir nicht richtig minnen. Wir säen Bilsenkraut und möchten Rosen und Lilien ernten. Aber man erntet nur, was man gesäet hat, und wenn wir die Unkräuter *valsche* und *âkust* säen, so dürfen wir uns nicht wundern, wenn wir *unguot, unfruht, unart* ernten.

Und dann folgt jener leidenschaftliche Ausbruch gegen den Abfall von der hohen Minne, den man mit Recht als Bußpredigt der Minne bezeichnet hat[23]). Es ist ein aufrüttelnder Ruf eines Predigers in der Wüste gegen den Mißbrauch des Heiligen. Wir *valschen minnære* haben das Wesen getötet und nur das Wort behalten und dieses so mißbraucht *(verwortet unde vernamet)*, daß es zu Schande und Scham geworden ist. Gottfried wendet sich weder einseitig gegen den Minnesang (Knorr), noch, wie Nickel meint, gegen eine überlebte literarische oder gesellschaftliche Form, sondern gegen die Oberflächlichkeit höfischen Minnedaseins als eines bloßen Gesellschaftsspieles und gegen die Durchschnittsliteratur, epische wie lyrische, die über Stoff und Form den Seelengehalt vergißt. Ihr stellt er den Ernst wahrhafter innerer Erfahrung, Reinigung und Erhöhung gegenüber. Die Gesellschaft wird zum Jahrmarkt, auf dem die Minne wie eine Landstreicherin ihr bißchen Bettelpack feilbietet, ja, wo sie, die freie, einzige Herzenskönigin, selbst zur sklavenhaften Ware herabgewürdigt wird. Es ist ein Mahnruf fort von Spiel und Literatur zum Leben, das ganze Gegenteil von einer Flucht in die Literatur. Diesen Mahnruf selbst nicht ernst und nur als Literatur zu fassen, verbaut den Weg zu dem leidenschaftlichen Erlebnismenschen Gottfried.

Akust nebst seinem Reimwort *lust* ist hinfort eines der Leitwörter, die Gottfried anklingen läßt, wo er auf falsche, entartete Liebe zu sprechen kommt. Es ist kein höfisches Wort, sondern stammt aus der theologischen Sphäre. Im Ahd. wird es mit *vitium* glossiert, und es wird gerade in seiner traditionellen Reimbildung mit *lust* gern auf fleischliche Laster verwendet. Als unreine, lasterhafte Sinnentriebe meint es denn auch Gottfried: *âkust unde list* sind in der Allegorie der Minnegrotte die „Winkel", die ihrer schönen Rundung fehlen. Und *geluste unde gelange* ist der Vorwurf, den

[23]) Wieder von Nickel am besten erfaßt (S. 79). An gleicher Stelle hat Nickel das Verhalten der „Welt" gegen die Minne mit dem Begriff der Erbsünde vielleicht richtig in Parallele gesetzt. Dagegen ist mir die Auffassung von Glunz (S. 77, 85) völlig unverständlich, der Gottfried als „drohenden Prediger" bezeichnet — aber als Prediger vom Verderb der Minne, die den Menschen von Gott abführt. Da diese Ansicht nur ausgesprochen, nicht begründet ist, erübrigt sich eine Widerlegung.

Gottfried gegen Markes rein sinnliche Liebe erhebt. Es geht ihm eben nicht um die Liebe als Sinnentrieb. Diese ist flüchtig, irdisch, ein Quell der Reue. Die wahre Liebe ist unschuldig und unwandelbar. Gewiß gehört zu ihr auch die volle sinnliche Hingabe. Aber er vermag die Sinnenseite der Liebe in sein großes Urerlebnis einzuordnen, indem er sie durch die transzendente Reinheit der wahren Minne selber reinigt. Im Ganzheitserlebnis der Minne wird Sinnenliebe zu einer Gebärde, äußerer Ausdruck innerer Gemeinschaft; darum eben kann er sie „unschuldig" nennen. Sie wird also zu einem Symbol oder, religiös gesprochen, zu einem Sakrament. Und so endet denn Gottfrieds große Minnepredigt in dem Gedanken, daß Blick und Kuß — Gottfried wählt mit Bedacht die zartesten, auch der Lyrik geläufigen Äußerungen sinnlicher Liebe — zu einer heilenden, beseligenden Handlung werden, wenn sie „aus dem Grunde des Herzens emporsteigen".

Das Minneerlebnis in seiner religiösen Steigerung ist damit klar. Wer wahrhaft minnt, ist in diesem Sinne fromm; wer für Minne vorbildhaft leidet und stirbt, wird zum Minne-Heiligen. Das bestätigt der nächste Abschnitt, der grundsätzliche Bedeutung hat, die Minnegrotte.

Als literarischer Typus wirkt die Minnegrotte wie eine jener Wunderlandschaften der Artusdichtung, in denen sich Aventiure begibt. Allein hier geschieht eben k e i n e Aventiure; die Grotte selbst und das Minneleben des verstoßenen Paares sind alleiniges Ziel der Darstellung. Sie leben sich selbst genug, in Minne selig. Ihr Leben wird zum unmittelbaren, legendären Wunder. Wieder wagt Gottfried einen Schritt von der Quelle fort und verteidigt wieder ausdrücklich die Richtigkeit seiner Auffassung (16 807 ff.): die Liebenden bedurften keiner irdischen Nahrung. Der Gang auf die Jagd, in älterer Darstellung ausdrücklich als Nahrungsbeschaffung geschildert, wird bei Gottfried zum edlen Vergnügen gleich Geschichtenerzählen und Musik. Ihre Nahrung war allein ihr liebendes Beieinandersein, ihr gegenseitiger Anblick. „Was brauchten sie bessere Speise für Sinn und Leib?" fragt er, und er fordert die Zweifler heraus, eine bessere Nahrung zu nennen, und beruft sich auf die eigene Erfahrung (16 902 ff.).

Hier also haben wir das Wunder, dessen die Legende bedarf. Tristan und Isolde sind die Heiligen der Legende, die ihr Gott, die Minne, auf wunderbare Art speist und am Leben erhält. Artus' pomphafte Feste werden von ihrer einsamen Liebesfeier weit übertroffen (16 896 ff.); denn Artus ist ja der Exponent jener anderen Welt der „Freude" und ihrer festlichen Geselligkeit. Von Gottfried nicht ausgesprochen, meldet sich für uns aber noch ein anderer Gegensatz: Wolframs Gralsreich. Auch dieses ist ja zugleich über das Artusreich erhoben und auf wundersame Weise den irdischen Nahrungsnöten entrückt. Aber gerade in ihrer überwirklichen Steigerung verdeutlichen Gralsburg und Minnegrotte — für die Gottfried wieder die religiöse Sprachprägung *klûse* findet — die ganze Gegensätzlichkeit der beiden Werke und ihrer Dichter. Parzivals Weg führt aus der Einsamkeit, die Verstoßung aus der Artuswelt und quälende Ruhelosigkeit war, in eine religiös erhöhte Gemeinschaft zurück. Tristans und Isoldes Weg geht ebenfalls über die Verstoßung in die Einsamkeit, aber diese selbst wird gerade selig ruhende Erfüllung. Wolframs Wunderding, der Gral, ist christlich überleuchtet und erhöht; erst die Oblate der himmlischen Taube weckt und erhält die Spendekraft des Grals, die sich in irdischer Nahrung entlädt. Denn das gemeinsame Mahl ist immer wieder kultischer Mittelpunkt von Gemeinschaft. Die Minnegrotte ist aus sich selbst heraus wundertätig und in unmittelbarer Weise lebenserhaltend, weil das lebenspendende Prinzip, die Minne, in den Liebenden unablässig gegenwärtig ist. Ihr unlösbares Einssein macht jede gesellige Form überflüssig, ja störend. Tristan und Isolde in der Minnegrotte tafelnd — das würde die Szene irgendwie schlüpfrig erscheinen lassen.

Die religiöse Bedeutung der Minnegrotte hat Gottfried durch ihre allegorische Deutung unterstrichen. Hier habe ich Rankes schönem und endgültig klärendem Aufsatz[24]) nichts hinzuzufügen. Grundsätzlich wichtig ist, daß der volle Ernst, mit dem Gottfried seine Minne religiös gemeint hat, durch die Form der Allegorie unterstrichen wird. Glunz hat eingehend dargelegt, wie die Allegorie die einzig denkbare Form ist, durch die in der Auslegung der Bibel eine dem menschlichen Fassungsvermögen zugängliche Verbindung zwischen dem Wortsinn und dem ewigen und göttlichen Sinn des wahrhaft Seienden hergestellt werden kann, und wie die Scholastik diese Beziehungssetzung systematisch durchbildet. Wenn der scholastisch geschulte Gottfried also an entscheidender Stelle die Allegorie zu Hilfe ruft, so überträgt er damit nicht nur die Methodik der Theologie auf die Minnefragen und schafft eine Art Minne-Theologie. Er drückt damit für den Eingeweihten zweifellos aus, daß die Minne ihrem Wesen nach etwas göttlich und ewig Seiendes ist, dem wir uns von unserer Gebundenheit in die Zufälligkeit materienhaften Daseins nur *per tropologiam* nähern können.

Gottfried scheute vor den letzten Folgerungen nicht zurück. Mittelpunkt der Kirche ist der sakramentale Altar. Mittelpunkt der Grotte ist das kristallene Bett, auf dem die Liebenden ruhen. Dies ist nur dann keine Blasphemie, wenn die transzendente Geltung der Minne in höchstem Ernst festgehalten und der Symbol- oder Sakramentcharakter der Sinnenbeziehungen wirklich gültig ist. Nur sofern Sinnentrieb von oben durchleuchtet und zur kristallenen Klarheit des Wunderbettes geläutert gedacht werden kann, äußeres Zeichen innerer *unio mystica*, nur dann wird diese größte Kühnheit des kühnen Dichters überhaupt erträglich.

An dieser Stelle steigert Gottfried zugleich die Kette seiner persönlichen Bekenntnisse zu unmittelbarster Offenheit[25]). Der symbolischen Ausdeutung

[24]) Fr. Ranke, Die Allegorie der Minnegrotte in Gottfrieds Tristan (= Schriften d. Königsb. Gel. Ges. II, 2), Berlin 1925.

[25]) Webers Behauptung daß Gottfried „wirklich subjektive Einschübe meidet", ist mir unverständlich. Es ist nur eine der vielen gewaltsamen Zurechtbiegungen, um

der Grotte folgt 17 100 ff. das vielbesprochene Bekenntnis: *Diz weiz ich wol, wan ich was dâ.* Einerseits sollte hier die im Prolog angeschlagene Saite fortklingen, daß die Geschichte der vorbildlichen *senedære* Tristan und Isolde in die Gegenwart fortwirkende Kraft hat. Es sollte klar werden, daß man die Minnegrotte nicht nur als die längst versunkene äußere Wirklichkeit eines einmaligen fernen Geschehnisses auffassen soll, sondern daß sie sich immer und überall öffnet, wo liebende Herzen um wahre Minne ringen. Das erhärtet Gottfried mit der eigenen Erfahrung, und er spricht damit zugleich aus, daß ihn das Problem der Minne von Jugend an beschäftigt hat, und daß also seine Deutung des Tristanstoffes die Frucht persönlicher Sehnsüchte und Erfahrungen ist. Wie aber der fromme Christ sich in der Imitatio der Heiligen übt, doch im Bewußtsein eigener Fehlbarkeit demütig gesteht, daß er die hohen Vorbilder nie erreichen kann und wird, so verhält sich der Minne-Märtyrer Gottfried seinen Minne-Vorbildern gegenüber. Er hat das kristallene Bett gesehen, aber nie darauf geruht. Das heißt, er hat sich selbst nach seinem Minne-Ideal zu bilden versucht, aber nie die innere Reinheit errungen, die es fordert. Das Maß an persönlichem Erlebnis, das hinter seiner Angabe steht, er habe mit seinen Tritten den grünen Fußboden der *stæte* so zerstampft, daß die Spuren sichtbar sein müßten, wenn er nicht aus eigener Kraft immer wieder verheilte, ist für uns gleichgültig. Wichtig ist, daß Gottfried ein neues Stück christlich-kirchlichen Glaubenslebens, die Confessio, Beichte und Bekenntnis, auf seine religiöse Konzeption der Minne überträgt.

Tristan und Isolde ist keine ewige Dauer leidloser Seligkeit beschieden. Schon der Stoff zwang den Dichter dazu, sie in die Welt zurückkehren zu lassen und sie ihren weiteren leidvollen Schicksalen zuzuführen. Die Rückkehr wird zum Auftakt für die endgültige Trennung, die erst im Tode endet. In die Abschiedsszene hat Gottfried die letzte Steigerung seiner Minnelegende gelegt, die ihm noch zu schaffen vergönnt war. Hier wird die mystische Leibes- und Lebenseinheit über alle räumliche Trennung hin den Liebenden selbst zu beseligender Gewißheit.

Tristan sieht sich in Isoldes Armen von Marke überrascht, weckt die Geliebte und erklärt ihr die Notwendigkeit, sie sofort zu verlassen. Er versichert seine ewige Treue mit dem der Lyrik entnommenen Bilde, daß sie in seinem Herzen wohne, untrennbar von ihm, und schließt seine Rede:

18 284 f. *dûze amîe, bêle Isôt*
gebietet mir und küsset mich.

Isolde ist Geliebte und Gebieterin zugleich, wie umgekehrt Blanscheflur ihren Geliebten als *herre unde vriunt* angeredet hatte. Der Kuß — wieder der Kuß! — ist das sakramentale Insiegel auf ihre unlösliche Einheit, die zuerst

Gottfried in sein rein konstruktives Entwicklungsgefüge einzuordnen. Wer sich die Mühe nimmt, Webers Stellennachweise mit dem zu vergleichen, was er deutend daraus macht, ist verblüfft über die unbekümmerte Gewaltsamkeit, mit der Weber zu Werke geht.

im Prolog stilistisch vorgebildet, im und durch den Minnetrank vollzogen, in der zeitweisen Trennung der Melot-Episode bestätigt (14 315 ff.), hier zu letzter Vollendung geführt wird.

Isoldes Antwort nimmt den Gedanken auf und steigert ihn in einer Art seelischer Entrücktheit zur Mystik tiefster Liebesvereinigung. Das 18 297 angeschlagene Motiv: *Tristan, mîn lîp und mîn leben* blüht ergreifend in den Zeilen auf:

18 334 ff *doch wil ich einer bete gern:*
swelch enden landes ir gevart,
daz ir iuch, mînen lîp, bewart,
wan swenne ich des verweiset bin,
so bin ich, iuwer lîp, dâ hin.

Der Gedanke der Leibesvertauschung als Ausdruck völliger Einswerdung über Raum und Zeit wird weitergesponnen und im Klagemonolog der einsam zurückbleibenden Isolde nochmals aufgenommen. Als Zeichen dieser Einheit gibt sie ihm den Ring, der wie eine der Minne geweihte Reliquie später verhindert, daß Tristan seine Ehe mit Isolde Weißhand vollzieht. Und dann folgen Isoldes letzte Worte, die, auch sprachlich unmittelbar an religiöse Mystik anklingend, die dem Sinnenbereich nunmehr völlig entzogene Liebesvereinigung im Augenblick der endgültigen Trennung ergreifend aussprechen und abermals dem Kuß die sakramentale Insiegel-Bedeutung geben.

18 351 ff. *nu gât her und küsset mich:*
Tristan und Isôt, ir und ich,
wir zwei sîn iemer beide
ein dinc âne underscheide.
dirre kus sol ein insigel sîn,
daz ich iuwer unde ir mîn
belîben stæte unz an den tôt,
niwan ein Tristan und ein Isôt.

Die *unio mystica*, die der Prolog mit der stilistischen Namensverflechtung vorgebildet hatte, ist hier realiter vollzogen, ihre Liebe in eine Dimension enthoben, wo sie über Raum und Zeit unlöslich verflochten, über alle Zufälligkeit der Sinnenwelt erhaben ist.

Bald darauf bricht der Tristan ab.

Es ist ein Zufall, der wie ein Sinn aussieht und auch so gedeutet worden ist[26]). Allein das zeitnahe Zeugnis Ulrichs von Türheim verbietet solche Deutung; der Tod hat Gottfried an der Vollendung seines Werkes gehindert. Zudem

[26]) Namentlich von Fr. Knorr (S. 131) mit der eigentümlichen Begründung, daß die Erklärung für den Abbruch des Werkes durch Gottfrieds Tod zu „einfach" sei. Umsichtiger hat Schwietering (S. 186) den Gedanken erwogen, daß Gottfried seine Arbeit unterbrochen habe, um seinen weiteren Plan mit den großen Schwierigkeiten, die er seiner Tristandeutung bot, innerlich zu klären, und daß er darüber hingestorben sei. Ich halte auch diese Erwägung für unnötig.

ist ja immerhin eine kleine Strecke in die Wirrnis der Weißhand-Erlebnisse zurückgelegt, der Schnitt also nicht genau.

Über den fehlenden Teil ist natürlich nichts auszusagen; mit seiner aventiurenhaften Folge hätte er Gottfried zweifellos Schwierigkeiten gemacht, aber dem stofflichen Zwang hätte sich der Dichter so gut gebeugt wie bei dem Anschlag auf Brangäne oder der Urgan-Episode. Welche Sinndeutung er dem ganzen Abschnitt gegeben hätte, das läßt indes doch schon der Stumpf erkennen, der noch vorhanden ist. Tristan fällt von dem Dienst der wahren Minne ab, und dazu hat die Legende in dem abtrünnigen Heiligen, der zuletzt im Tode den Weg zu Gott zurückfindet, das christliche Gegenbild bereit.

Die von der Quelle gebotene Tatsache, daß Tristan von neuem einer Isolde begegnet, ist die von Thomas aufgegriffene, von Gottfried fein ausgesponnene Möglichkeit, Tristans Zustand als zunehmende innere Wirrnis zu gestalten. Die Wortgruppe „wirr“ wird zum klanghaften Leitmotiv dieser ganzen Darstellung einer langsamen seelischen Zersetzung. Die neue Isolde tanzt wie ein Spuk der alten vor seinen aufgewühlten Sinnen. Er meint in ihr die blonde Isolde lieben zu können und erlebt in ihrem Namen immer von neuem das Leid, die Sehnsucht und Herzensnot, die unabteilbares Stück seiner wahren Minne zur irischen Isolde waren. Gerade seine Treue wird der Ansatzpunkt zu seinem Fall. Auch davon weiß die Legende zu berichten: der Versucher in der Maske des Heiligen.

Nachdem der Spalt gefunden ist, durch den die Welt und ihre Versuchung Einlaß in Tristans Herz finden konnten, stellt uns Gottfried mit höchster Meisterschaft den langen, rückschlagreichen Abstieg Tristans auf die niedere Ebene der „Welt“ dar. Noch ist Tristans Instinkt wach; er fühlt sich zur blonden Isolde zurückgerissen. Aber seine höfische Wohlerzogenheit gebietet ihm, den Schein der Verehrung für die weißhändige Isolde aufrechtzuerhalten (19 182 ff.). Es ist das erste, scheinbar aus bester Absicht kommende Nachgeben des Heiligen vor den Forderungen der Welt, in der Tat aber schon ein Zurückweichen vor den Forderungen bloß gesellschaftlichen Frauendienstes. Deutlicher schon wird Tristans Verhalten 19 357 ff. als ein Absinken in die Sphären bloßer Lust gekennzeichnet:

und was dâ cleine wunder an.
wan weizgot diu lust, diu den man
alle stunde und alle zît
lachende under ougen lît,
diu blendet ougen unde sin,
diu ziuhet ie daz herze hin.

Tristans Tun ist nicht mehr nur zarte Rücksicht; es ist jetzt Flucht vor dem einen Wahren, aus Trauer in Freude. Er glaubt, dem wohlgemeinten Rat Ovids folgen und die Minne in viele kleine Rinnsale zerteilen zu können, und hofft, in den Wechselfreuden solcher Teilminne ein *triurelôser Tristan* zu werden. Wieder hat Gottfrieds Sprachmeisterschaft die geniale Prägung gefunden.

Das Absinken geht weiter. Tristan wird der Erwägung fähig, daß Isolde in Markes Armen Gesellschaft und Minne findet, während er selbst einsam in der Fremde sein muß. Sein innerer Abfall ist damit im Grunde vollzogen: er vermag Isolde nicht mehr in der alten Überhöhung zu sehen, er traut ihr zu, daß sie Markes bisher verachtete Sinnenliebe als gültige Erfüllung des Daseins empfinden könnte. Und wenn er sich selbst *vremede und eine* nennt, so ist der Raum und Zeit überwindende Kontakt der mystischen Liebeseinheit verstumpft. Wenn er Isoldes Verhältnis zu Marke mit dem seinen zur weißhändigen Isolde gleichsetzt, so spürt er nicht mehr, daß er in diesem Verhältnis dann selbst ein Marke ist, ein Mann der niederen Ebene, über der er hoch erhaben wandeln durfte, solange er fest in der Liebeseinheit mit Isolde stand. Noch die drei allerletzten Zeilen, die Gottfried gedichtet hat, bezeichnen den Ort, wohin Tristans abgleitende Bahn geführt hat:

ine mac von ir niht des gegern,
daz mir zer werlde solte geben
vröude und vrôlîchez leben.

Tristan, der Träger des trauerbestimmten Namens, ist in der Tat ein *triurelôser* Tristan geworden; denn er begehrt nun, was die im Prolog von Gottfried verworfene Welt begehrt: Freude und unbeschwerten Daseinsgenuß. Der Minneheilige ist der Welt verfallen.

In dieser Linienführung scheint sich mir der Leitgedanke zu enthüllen, unter dem der weitere Verlauf der Dichtung hätte stehen sollen. In ihm hätte auch — hätte gerade — Tristans Verbindung mit Artus ihren Platz gefunden; denn Artus ist der Prototyp dieser Welt der Freude. Bis dann die letzte Wandlung und Bewährung im Tode eingetreten wäre, die vielleicht eine der größten Leistungen deutscher Literatur hätte werden können.

Geflissentlich habe ich bis hierher einen Namen so selten wie möglich genannt: König Marke. Denn sobald er klingt, wird die ganze Schar der Fragen und Einwände wach, mit denen der Gottfriedsche Tristan von je umgeben ist. Man kann sie auf die eine Kernfrage zurückführen, wie sich denn Gottfrieds ideale Konstruktion in die soziologische Wirklichkeit christlich-moralischer Lebensordnung einfügt.

In der Tat baut ja die gesteigerte Minne Tristans und Isoldes auf dem Ehebruch auf. Und es scheint mir zu einfach, sich auf die lyrische Position zurückzuziehen und darauf zu verweisen, daß Minnedienst und Ehe zwei ganz getrennte Sphären seien. Es ist eben doch etwas anderes, ob die Lyrik einen poetischen Kult mit der verheirateten Frau treibt oder ob ein Epos die seelisch-sinnliche Verflechtung zwischen Frau und Ritter nicht nur zu breitgegenständlicher Anschauung bringt, sondern auch nach der sinnlichen Seite so rückhaltlos darstellt wie Gottfried in seinem Tristan.

Wie vieles war hier zu entwurzeln, was sonst höchste sittliche Weihe umgibt: die sakramental geweihte Heiligkeit der Ehe, das Recht und das Vertrauen Markes, höchste Treuebindungen Tristans als Sippengenossen und Ritters, die gültige Vorstellung von fraulicher Reinheit und Unschuld — Werte, die wahrlich nicht zu verachten sind und die Gottfried nicht verachtet hat.

Man muß zunächst immer wieder daran erinnern, wie stoffgebunden Gottfried war und wie sehr ihm der Stoff, die Schwankkette vom betrogenen Ehemann, die reine Herausarbeitung der Idee erschwert hat. Aber er hat sich nicht hinter dem Zwang des Stoffes verschanzt. Er hat versucht, seine Marke-Figur in seine Minne-Legende einzuordnen. Nicht, indem er wie Wagner Markes Tragik entwickelt hat; ein solches Relief vertrug Marke als reiner Gegenspieler nicht. Sondern in der entgegengesetzten Richtung, daß er Marke abwertet, indem er ihn ins Unrecht setzt.

Wenn Tristan ehrwürdige Gebote menschlicher und ritterlicher Ehre, Treue und Anständigkeit verletzt, so tut er es im Dienst noch höherer, noch zwingender Gebote. Sein Verhalten wird nur verständlich, dann aber auch nicht nur entschuldbar, sondern notwendig, weil und sofern es die beiden Daseinsebenen gibt. Auch der Heilige gibt alles preis, selbst höchste und liebste Bindungen wie Ehre, Dienst, Weib, Kind, sofern der höhere Dienst, der Dienst an Gott, es von ihm verlangt. Der höhere Dienst bricht den niederen, das höhere Recht das niedere.

Auch auf der niederen Ebene gibt es noch Stufungen. Gottfried zeigt uns Gestalten der Tiefenschicht. Am deutlichsten in dem feigen Truchseß, der sich die Minne Isoldes als bloß sinnlichen Besitz und Schemel sozialer Erhöhung erschleichen will. Ich halte ihn nicht mit Nickel (S. 80), dem sich auch Schwietering (S. 185) anschließt, für eine polemisch gemeinte Karikatur des Frauendienstes. Er ist vielmehr der Mann, der sich roh und plump ein paar äußere Formen einer Lebenshaltung angeeignet hat, deren seelische Hintergründe er nicht einmal ahnungsweise begriffen hat. Seine Ansicht über die Frauen (9866 ff.) bezeugt, daß ihm die Frau seelisch völlig unzugänglich ist, und er erklärt (9894 ff.) den Mann für einen Toren, der ohne sichere materielle Bürgschaft sein Leben für eine Frau wagt. Er ist der Barbar mit einer dünnen ritterlichen Tünche und als solcher wohl in der Tat die Karikatur einer gewiß weit verbreiteten und Gottfried widerwärtigen Gattung der damaligen Wirklichkeit.

Der niedersten Schicht gehören auch der Zwerg Melot und der falsche Freund Marjodo an, Hund und Schlange mit menschlichen Gesichtern, deren einer sich aus eingeborener teuflischer Bosheit, der andere aus niederster Eifersucht der Erfüllung der wahren Minne Tristans und Isoldes in den Weg stellen.

Auf höherer Stufe dagegen steht Marke. Gottfried ist der Versuchung nicht erlegen, ihn zum eifersüchtigen Wüterich zu verrohen. Aber auch Nickel und Schwietering (S. 186) beurteilen ihn ungerecht, wenn sie ihn einseitig als einen seiner Sinnlichkeit haltlos nachgebenden Schwächling zeichnen. Das ist ein zu protestantisches Urteil. Treffend und gerecht ist dagegen Rankes Marke-Bild (S. 195 ff.). Er ist — wie Rual und andere — ein in seiner Weise vorbildlicher Vertreter der höfischen Gesellschaft, kraftlos zwar, da ihm Gottfried jede Entfaltung nach der ritterlichen Seite vorenthalten hat, aber innerhalb der höfischen Sphäre zunächst ohne Fehl. Er wäre geeignet, eine auch im höfischen Sinne untadelige Ehe mit einer Frau von den körperlichen und seelischen Vorzügen Isoldes zu führen — aber eben Isoldes vor dem Minnetrank.

Doch diese edle Stilisierung Markes — namentlich im ersten Teil — darf nicht über seinen entscheidenden Mangel hinwegtäuschen. Er ist und bleibt ein Glied jener von Gottfried verworfenen „Welt der Freude" und ist daher blind dafür, daß Isolde ihm in eine unerreichbar höhere Sphäre entrückt ist. In der betonten Sinnlichkeit seiner Liebe zu Isolde kennzeichnet Gottfried das Wesen der Minne, die in jener Welt gültig und zu Hause ist, und er überdeutlicht ihre sinnliche Art, um sie gegen den bloßen Symbolcharakter der Sinnenliebe auf der höheren Ebene klar abzugrenzen. Markes notwendige Blindheit für die grundsätzliche Andersartigkeit der höheren Minne verschuldet seinen Zusammenstoß mit der höheren Welt, an dem er leidet, seelisch verdirbt und zugrundegeht. Nach moderner Auffassung würden wir sagen: dies war seine Tragik. Für Gottfried dagegen war es seine S c h u l d. Denn so wenig der mittelalterliche Christ fähig gewesen wäre, Zweifel an Gott und seinen Geboten als Tragik zu begreifen, sondern sie schlechthin als Sündenschuld empfand, so wenig konnte es Gottfried in den Sinn kommen, Markes Einsichtslosigkeit in die religiöse Absolutheit wahrer Minne anders denn als Schuld zu behandeln. Marke ist in diesem Sinne der Minne-Sünder. Und wie der verstockte Sünder sich tiefer und tiefer in seine Sünde verstrickt, so ist es nur ein Zeichen von Markes innerer Sündenvergiftung, daß er sich mit Gesellen wie Melot und Marjodo gegen Tristans und Isoldes Minne verschwört, mit Menschen, die ursprünglich tief unter ihm standen, denen es aber gelingt, ihn wenigstens zeitweise zu sich herabzuziehen. Darum ist in der Geschichte vom belauschten Stelldichein Marke nicht nur der überlistete Ehetölpel. Er übt auch *archeit* (14 649), indem er sich mit Melot und Marjodo verbindet. Isolde dagegen ist *diu reine* (14 648), der Gott beizustehen hat, indem er *sunder alle ir trite* leiten soll.

Die Stelle, wo sich Gottfried ausdrücklich mit dem Problem Marke auseinandersetzt, ist 17 723 ff. unmittelbar nach der Rückkehr der Liebenden aus der Minnegrotte an den Hof.

Marke war nun wieder froh, so heißt es dort, denn er hatte an seinem Weibe Isolde das, was er suchte. Er hat sie „zur Freude" — mit dem Stichwort ist Marke in jene Welt eingeordnet, die „nur in Freuden schwimmen will". Er hat Isolde nur *ze lîbe,* nicht *z'êren,* nur körperlich, nicht seelisch und sittlich. Er wußte doch ganz genau (17 747), daß ihr ganzes Herz und Wesen Tristan gehörte. Aber er verschloß die Augen und wollte die Wahrheit nicht sehen. Diese gewollte Blindheit Markes ist unmännlich *(herzelôs* 17 739) und macht sein Leben ehrlos (17 754). Denn, so fragt Gottfried, wem soll man die Schuld an diesem ehrlosen Zustand zuschreiben? Doch nicht etwa Tristan und Isolde, die aus ihrer Liebe keinen Hehl machten? Nein, die Schuld liegt bei Marke, der alles wußte und doch an Isolde festhielt. Und warum tat er das?

17 766 ff. *dar umbez hiute maneger tuot:*
geluste und gelange,
der lîdet vil ange
daz ime ze lîdene geschiht.

Gelüst und Verlangen — das ist ja eben jene feile und schändliche Liebe, die Gottfried in seiner Minne-Bußpredigt verworfen und dort als *âkust* bezeichnet hatte. Marke ist ihr Vertreter. Drängt er sich, auf falsche Rechte pochend, in die ihm ewig verschlossene Einheit höherer Minne ein, so darf er sich nicht wundern, wenn er schmerzlich leiden muß, was ihm daraus notwendig an Leiden erwächst.

Auch hier hat Gottfried seine entscheidende Auseinandersetzung sorgfältig vorbereitet. Als Marke durch das Fenster der Minnegrotte Isolde erspäht, verwendet der Dichter dieselbe Ausdrucksverbindung:

17 591 f. *in gelangete unde geluste*
daz er si gerne kuste.

Und schon weit früher ist Markes Liebe zu Isolde in ihrer bloßen Körperlichkeit aufgedeckt und verurteilt, nämlich schon, als er sich in der Hochzeitsnacht ohne weiteres Brangäne für Isolde unterschieben ließ und sich unfähig erwies, „Gold und Messing" zu unterscheiden (Schwietering S. 186). Mit unverhohlener Abschätzigkeit sagt Gottfried von Marke: *in dûhte wîp alse wîp* (12 666) und *ime was ein als ander* (12 669). Ein solcher Mann hat an einer Brangäne genug. Es ist bezeichnend, daß Tristan, als er von der höheren Daseinsebene abfiel, eben dieses wollte: Weib für Weib, Isolde für Isolde nehmen.

Damit ist Markes Rolle in der Minnelegende bestimmt. Er ist das, was in der Märtyrerlegende der heidnische Gewalthaber war, der Vertreter der widergöttlichen Welt, der sich in seiner Blindheit der Verwirklichung von Gottes höherem Willen widersetzt, und der, in seiner sündigen Verstocktheit sich steigernd, die Bekenner in Leiden und Tod treibt. Hätte Gottfried sein Werk vollendet, so zweifle ich nicht, daß auch Markes Ausgang legendär gewesen wäre: Vor dem Tode der Märtyrer wären ihm die Augen aufgegangen und die Wunder um ihren Tod hätten ihn als reuig Bekehrten zurückgelassen.

Was ist es nun, das die Kritik an Gottfrieds groß gedachtem Werk immer wieder geweckt hat? Ist es wirklich nur eine religiös oder bürgerlich verengte Moral, die die Liebe nur als zügellose Sinneslust oder privilegierte soziale Einrichtung auffassen und dem Höhenflug von Gottfrieds Minne-Transzendenz nicht folgen kann? Allein auch maßvolle und in mittelalterliches Denken tief eingelebte Beurteiler wie Ranke, Schwietering, Schneider bleiben in einer Zwiespältigkeit haften. Es ist daher zu fragen, ob und wo in Gottfrieds Gedicht ein organischer Fehler sitzt.

Ein Grund — um es gleich zu sagen: nicht der wesentlichste — liegt sicherlich in Gottfrieds Stoffgebundenheit. Vieles an seinem Stoff widersetzte sich seiner idealen Lösung. Stücke wie der Mordversuch an Brangäne, die Unterschiebung in der Hochzeitsnacht, der falsche Reinigungseid, Rotte und Harfe sind in all' ihrer sittlichen Bedenklichkeit Erbstücke aus einer Stofffassung, die von Gottfrieds Gedankenwelt meilenfern ist, und lassen sich in keiner Weise einpassen. Er konnte sie seiner ganzen Grundhaltung nach nicht ausscheiden, wiewohl sie z. T. rein episodisch sind. Aber er hat doch auch nichts getan, um sie abzuschwächen, sondern sie mit der gleichen strahlenden Meisterschaft seiner Erzählkunst bedacht wie die Kernteile. Diese Art aber, die den g a n z e n überlieferten Stoff nicht nur beibehält, sondern künstlerisch gleichwertig behandelt, ist aufschlußreich, weil sie natürlich keine Zufälligkeit, sondern Ausfluß einer geistigen Haltung überhaupt ist.

Es ist eben jenes einleitend hervorgehobene statische Denken, das eine umformende oder gar frei-schöpferische Leistung des Dichters als Einzelwesen nicht zuläßt. Dieses statische Denken ist in der Theologie herangezüchtet worden, die sich ihrem Stoff, der Bibel und den autoritären Kirchenvätern, gegenüber in gleicher gültiger Bindung fühlte und deren Leistung im harmonisierenden Zusammenordnen und Ausgleichen und in immer feinerer Auseinanderlegung bestand. Der scholastisch gebildete Meister Gottfried betrachtete sie auch für weltliche Stoffe als unbedingt verbindlich und empfand Wolframs freieren Flügelschlag als gefährliche Auflösungserscheinung.

Dieses statische Denken beherrscht nicht nur Gottfrieds Stellung zum Stoff. Es bedingt auch sein Verhältnis zu den Erscheinungsformen des wirklichen Lebens, zu den gesellschaftlichen und sittlichen Forderungen der höfisch-ritterlichen Gesellschaft. Seiner großen Idee einer Neudeutung der Welt aus der transzendent und göttlich gefaßten Minne als *summum bonum* entspricht nicht der Mut und die Schöpferkraft zur Entfaltung eines neuen Menschentypus mit grundsätzlichen Wertmaßstäben. So falsch daher die weder begründete noch belegbare Aussage von Glunz (S. 300) ist, daß die Minne „nach Gottfried nicht identisch mit dem *summum bonum*", sondern nur „dessen Abbild und an die Erde gebunden" ist, so falsch wäre andererseits jede Auffassung, die Gottfried renaissancehaft-revolutionär darstellen wollte, wie es etwa Scharschuch mit dem Satz (S. 252) anzudeuten scheint, daß Gottfried zeige, wie „das tiefere Recht der Individualität den sozialen Konventionen der Gesellschaft gegenüber sich durchsetzt".

Was Gottfried vielmehr tut, ist dies, daß er das statisch gültige ritterlich-höfische Tugendsystem als ungeteiltes Ganzes nicht nur für die niedere Ebene der „Welt“ gültig sein läßt, sondern auch in die höhere der „edlen Herzen“ übernimmt. Sein Tun gleicht dem eines Mannes, der einen Baum absägt und auf einen anderen Wurzelstock aufsetzt, in der fröhlichen Gewißheit, daß er dort weiter grünen werde wie zuvor.

In Wahrheit schafft er jene tiefe Verwirrung der Begriffe, die immer wieder den Anstoß der Betrachter erregt hat. Denn dies statische Verhalten raubt Gottfried die Möglichkeit, die beiden Ebenen wesens- und wertmäßig klar voneinander abzuheben. *Ere, triuwe, stæte, hôher muot* usw. sind tragende Begriffe der höfischen „Welt“, deren vorbildliche Mitglieder Tristan und Isolde vor dem Minnetrank sind. Sie bleiben aber — ebenfalls auf Tristan und Isolde angewandt — auch nach dem Minnetrank gültig, während doch die beiden Liebenden offenbar nach ganz neuen Wertmaßstäben leben. *Triuwe* ist die Tristan vor dem Minnetrank auszeichnende Eigenschaft. Er bewährt sie unbedingt in allen Anforderungen verwandschaftlicher und ritterlich-lehnshafter Bindungen, also im üblichen, ritterlich-höfischen Bezirk. Nach dem Minnetrank aber verletzt er alle diese Bindungen grenzenlos und unbedenklich. Wird ihm auch jetzt noch *triuwe* zugesprochen, so müßte damit jetzt etwas ganz anderes gemeint sein, eine Unbedingtheit von Forderungen und deren Erfüllung im Dienste höherer Werte als Verwandtschaft und Lehnsbindung, Werte, die den Bruch mit jenen Bindungen der niederen Ebene verlangen und rechtfertigen. Ebenso ist für Isolde ein Leitwort: *diu reine*, vor wie nach dem Minnetrank. Aber während diese Bezeichnung vor dem Trank die Wertung ihrer höfisch-moralischen Vollkommenheit in äußerem und innerem Verhalten ausdrückt, kann das hinterher nicht mehr der Fall sein. Wenn Isolde, zum ehebrecherischen Zusammentreffen mit Tristan eilend, *diu reine* genannt wird, so muß diese Bezeichnung sich nunmehr aus ganz anderen Vorbedingungen herleiten. Abermals müßten sehr zwingende Forderungen aus einer grundlegend gewandelten Ethik heraus dieses Beiwort rechtfertigen.

So hat es Gottfried gemeint. Aber er hat es nicht überzeugend zur Anschauung zu bringen vermocht. Wir werden nirgends darauf aufmerksam gemacht, daß demselben Wort eine ganz neue *res*, eine neue Wesenheit entspricht. Gottfried besaß selbst nur die überlieferte ritterlich-christliche Tugendlehre mit ihren unbeweglichen, sozusagen genormten Begriffen. Er vermag nur *triuwe* zu sagen, und überläßt es dem Hörer, zu merken, daß es sich um etwas grundsätzlich Neues handelt. Er macht nicht einmal den Versuch, eine neue, auf die göttliche Minne bezogene Ethik zu entwickeln und gegen die alte, ritterlich-christlich gegründete abzusetzen. Und zwar nicht etwa, weil seine Minne-Religiosität, was ja an sich denkbar wäre, von ethischen Werten gelöst ist. Wie mir scheint, hat Günther Müller[27]) die Dinge

[27]) G. Müller, Gradualismus, eine Vorstudie zur altdeutschen Literaturgeschichte, DVjs. 2 (1925), S. 681 ff.

wesentlich richtiger gesehen. Er erkennt, daß Gottfried für seine Helden an Stelle der naturgemäßen *causa finalis,* Gott, ein anderes *bonum* setzt. Müller nennt dieses *bonum* „sinnwidrig". Vom Standpunkt mittelalterlich-kirchlicher wie überhaupt christlicher Anschauung aus durchaus mit Recht. Nicht aber von Gottfried selbst her gesehen. Daher wird Müllers weitere Aussage schief, daß Gottfried eine „neue, echte Ordnung des Ganzen" nicht „erstrebt" habe. Richtig scheint mir nur, daß er sie nicht e r r e i c h t hat und daß er Schiffbruch leiden mußte, weil seine statische Haltung ihm die Möglichkeit schöpferischer Neuordnung verschlossen hat. Damit aber rühren wir nun von Gottfried aus an die Paradoxie und Unlösbarkeit des Problems „Welt-Gott", die ich eingangs dargelegt habe (S. 138 f.). Sie löst sich bei ihm nur scheinbar, indem er Gott in der Form der *moraliteit* in die Welt einordnet; sie kompliziert sich in der Tat, indem er die an sich schon mit der Unvereinbarkeit von Diesseits und Jenseits ringende ritterlich-höfische Welt auch noch mit seiner neuen religiösen Minnewelt in einen Zusammenstoß bringt, den er nicht zur Lösung zu führen vermag.

Daraus ergibt sich ein weiterer, mehr äußerlich spürbarer Mangel. Gottfried bemüht sich nicht ernstlich, die „niedere Ebene" abzuwerten und dadurch ihre Überwindung als verdienstliche und sittlich notwendige Tat zu erweisen. Schon dem rein äußeren Umfang nach erhält das „Weltleben" Tristans und Isoldes vor dem Minnetrank ein kompositorisches Gewicht, das nicht tragbar scheint. Aber auch sachlich wird es weit glänzender gestaltet und gehoben, als es der von Gottfried beabsichtigten Stufung gut tut. Jene Welt höfischen Glanzes liegt dem Dichter selbst viel zu sehr am Herzen, als daß er mit ihrer sinnhaft nötigen Abwertung dichterisch ernst gemacht hätte. Diese ganze Sphäre erscheint nicht als nur vorbereitende Durchgangsstufe zum höheren Bereich der „edlen Herzen" — wie Gottfried es gemeint hat, als er die *moraliteit* als die „Amme der edlen Herzen" bezeichnete. Sie erhält so viel Relief, lockt den Dichter immer wieder zu so glänzender Gestaltung, daß die wertmäßige Stufung verschwimmt und undeutlich wird. Nur insofern wäre es berechtigt, gegen Gottfried den Vorwurf des Ästhetentums zu erheben, als er die höfische Welt zuchtvoller Daseinsfreude innerlich nicht wirklich überwunden hat.

Darin verhält sich die Legende nun entscheidend anders. Sie macht ernst mit ihrer Gegensatzzeichnung von Weltleben und Gottesleben; sie verwirft den Glanz der Welt entschlossen und uneingeschränkt. Wohl ist auch sie fähig, den Glanz der Welt verlockend zu schildern, doch nur, um damit die innere Hohlheit und Wertlosigkeit ihrer Gottesferne um so deutlicher spüren zu lassen und um die Wandlung ihres Helden von einem nur scheinbaren Wertsystem zu einem ganz anderen, gültigen Wertsystem handgreiflich deutlich zu machen. Tristan und Isolde dagegen bleiben doch im Grunde immer Glieder beider Welten; die mangelnde Begründung für ihre Rückkehr aus der Minnegrotte an Markes Hof läßt das deutlich spüren. Gottfried hat sich nicht entschließen können, das harte Entweder-Oder des christlichen Dualismus mehr als theoretisch auf seinen Minne-Dualismus zu übertragen. Die Forderung des Prologes:

man muoz mit disen beiden
êre unde lop erwerben
oder âne sî verderben.

ist nicht konsequent durchgehalten.

Damit ist die weitere Frage noch nicht berührt, wie weit eine Durchführung Gottfriedscher Minnevorstellungen auch nur in der dichterischen, geschweige in der erlebten Wirklichkeit überhaupt denkbar war. Wir hatten Gottfrieds Tristan als den Versuch erkannt, den in der Lyrik entwickelten Begriff der religiös und transzendent gefaßten hohen Minne episch zu verwirklichen. Die hohe Minne aber erweist sich schon in der Lyrik als ein Gebilde von sprödester Zerbrechlichkeit. Denn sie ist auf einer Paradoxie gebaut, jener eingangs festgestellten Paradoxie des Denkens, das nur Transzendentes als wertbestimmend gelten lassen, zugleich aber dem Diesseits Eigenwert zubilligen wollte. Woraus sich ergab, daß man Diesseits selbst mit seinem Gipfel ins Jenseitige hinüberragen lassen mußte. Die Lyrik hatte in der Minne diesen neuen Wertgipfel, dieses neue *summum bonum* geschaffen, aus dem kühnen Glauben heraus, daß sich etwas der Sinnenwelt Entsprungenes entsinnlichen, Materielles seiner Materie entkleiden lasse.

Die Spannungen, die dies Widerspiel von Begehren und Verehren, von Trieb und Verzückung schon im Bezirk der Lyrik hervorrief, sind bekannt. Der Sturz aus den Höhen anbetenden Anschauens wird immer neu und empfindlich erlebt. Hartmanns wie Walthers Absagen an die erdferne Dienstpoesie der hohen Minne sind der Rückschlag gesunden Fühlens dagegen, Reinmars Flucht in die dünne Luft trauernder Selbstspiegelung die Reaktion einer zugleich reflektierenden und sensiblen Natur. Beidem versuchte Gottfried auszuweichen, indem er die Sinnlichkeit in allen ihren Graden sakramentalen Symbolwert zuerkannte.

Wird schon in den schwebenden, mehr gedachten und gefühlten als gelebten Beziehungen der hohen Minnelyrik die ganze Fraglichkeit der Minneidee fühlbar, wie viel mehr bei der Übersetzung ins Episch-Anschauliche, in Handlung und Erlebnis. Der Minnesang huldigte der verheirateten Frau. Solange diese in dem ungreifbar unpersönlichen Schimmer der typischen strahlenden Frauenschönheit namenlos unterging, mochte das noch angehen. Wenn aber ein in allen Einzelheiten deutlicher Tristan eine ebenso deutliche Isolde, die Gattin eines abermals ganz persönlich-einmalig dargestellten Marke, in seine Minne verstrickt und das Paar alle notwendigen sinnlichen Folgen daraus zieht, so wird die triebentsprossene Wurzel der hohen Minne quälend klar. Und wenn das Tagelied wunschtraumhaft die Vorstellung der Liebesvereinigung in lyrischer Gefühlsstärke weckt, so ist es abermals etwas anderes, als wenn der betrogene Gatte vor den engumschlungenen Liebenden steht.

Wie der Moritz von Craûn und der Lichtensteinsche Frauendienst gerade in ihrer epischen Gegenwärtigkeit erst recht deutlich machen, daß der Aventiuren-Ritter eine Gestalt außerhalb aller Wirklichkeit ist und daß seine Verwirklichung Theater oder Parodie wird, so scheint mir, macht eben Gottfrieds Tristan als der kühnste und folgerichtigste Versuch, die hohe Minne als reales Erlebnis darzustellen, offenbar, wie weit sie von aller Realität abliegt. An dem Zwiespalt zwischen Diesseitsbejahung und transzendentem Bedürfnis leidet die ganze Zeit. Er wird in Gottfrieds Werk in einer eigentümlichen Form besonders klar, weil er vor den kühnsten Folgerungen nicht zurückschreckt.

DER STROPHISCHE PROLOG ZUM TRISTAN GOTTFRIEDS VON STRASSBURG

[1959]

In einem förderlichen Aufsatz (DVjs. 29, 1955, S. 447 ff.) hat Albrecht Schöne den Prolog von Gottfrieds Tristan einer neuen Interpretation unterworfen. Sein Ziel ist es, den ganzen Prolog (1—244) als eine bewußt geplante Einheit zu deuten und als solche zu dem Gesamtwerk in eine sinnvolle Beziehung zu setzen. Die deutliche Aufgliederung des Prologs in zwei formal gegeneinander abgesetzte Teile, den Vierzeilerteil (1—44) und den Reimpaarteil (45—244), darf nach Schönes Meinung nicht verhindern, daß man den ganzen Prolog als inhaltliche Einheit zu verstehen versucht. Schöne hat meinen Aufsatz über die Grundauffassung von Gottfrieds Tristan (DVjs. 18, 1940, S. 262 ff.), der ja gerade auf dem Prolog aufgebaut war, mit zum Ausgangspunkt seiner Untersuchung gemacht. Dort hatte ich mich nur auf den zweiten Teil des Prologs gestützt, den ersten aber als „vorworthaft" beiseite gelassen. Von seiner Grundthese aus mußte Schöne dies bemängeln, und er kann mir mit Recht vorwerfen, daß ich für die Ausscheidung des ersten Prologteils keine Begründung gegeben habe. Erneute Beschäftigung mit diesem Prologteil in einer Seminarübung unter Zugrundelegung von Schönes Aufsatz hat zu Ergebnissen geführt, die mir mitteilenswert erscheinen; damit kann ich mein früheres Versäumnis nachholen.

Die ältere Forschung, die von Schöne verarbeitet worden ist, ziehe ich nur gelegentlich heran; im ganzen ist dieser Aufsatz eine Fortsetzung des Gesprächs mit Albrecht Schöne. Ich scheide im Folgenden die beiden Prologteile nach ihrem formalen Merkmal in den strophischen und den stichischen Prolog.

Von der formalen Gliederung gehe ich aus. Schöne hat (S. 455) beobachtet, daß die Vierzeiler des strophischen Prologs in ihrem formalen Bau wechseln, indem sie teils nach dem Prinzip des Kreuzreims *(abab)*, teils nach dem des umschließenden Reims *(abba)* gebaut sind. Ich glaube, daß man dies noch stärker beachten muß und eine erste Anweisung zur Interpretation dieses Prologteils daraus entnehmen kann. Denn die beiden Strophenformen ordnen sich zu zwei symmetrischen Gruppen gleichen Umfangs: Strr. 1—5 weisen Kreuzreim, Strr. 6—10 umschließenden Reim auf, während die letzte, unpaarige Str. 11 wieder zum Kreuzreim zurückkehrt. Aber diese Strophe ist so deutlich als Übergangsstrophe mit enger Bindung an den stichischen Prolog zu erkennen, daß wir sie zunächst ausklammern und mit einer Aufgliederung in zweimal je fünf Strophen, in zwei kleine Zyklen, rechnen können.

Schöne hat weiter für den Aufbau des ganzen Prologs mit Recht großen Wert auf das Stilmittel der Wortwiederholung gelegt, die nicht nur Schmuckmittel, sondern Gliederungsmittel ist. Auf S. 452 gibt er eine Tabelle der „Leitwörter", die sich leitmotivartig durch bestimmte Abschnitte hindurchziehen, das Hauptthema ohrenfällig machen und die einzelnen Abschnitte zugleich in sich zusammenhalten und gegen die Nachbarn abgrenzen. Und ferner hat Schöne darauf aufmerksam gemacht, daß solche Leitwörter „präludierend" bereits im vorangehenden Abschnitt angeschlagen werden und ausklingend in die folgende Einheit hinüberwirken können. Für den strophischen Prolog stellt er als Hauptthema *guot* fest, das zehnmal auftritt, als Nebenthema *lop,* das — z. T. mit *êre* formelhaft gepaart — sechsmal erscheint. Er hat also diesen Prologteil als Einheit behandelt. In der Tat liegt es aber so, daß sich die beiden Themenwörter sehr deutlich auf die beiden formal geschiedenen Zyklen verteilen und damit deren Eigengeltung bestätigen. Von den zehn Fällen von *guot* gehören acht in den ersten Zyklus; sieben davon häufen sich in den beiden ersten Strophen. Von den sechs Fällen von *lop* gehören fünf dem zweiten Zyklus an, und auch hier häufen sie sich in den beiden ersten Strophen an. Das zeigt einen ganz bewußten Parallelbau der beiden Zyklen und eine gewollte Zweiteilung des strophischen Prologs. Das einmalige *ze lobene* (Z. 13) im ersten, das zweimalige *guot* (Z. 30—31) im zweiten Zyklus dürfen wir als präludierende bzw. fortklingende Elemente beurteilen.

So wird von dem formalen Aufbau her die Aufgabe gestellt, diesen Prolog als zweigliedrig zu interpretieren und jeden der beiden Zyklen nach seinem eigenen Sinn zu befragen. Erst dann können wir zu der Frage übergehen, ob ein Zusammenhang zwischen den beiden Zyklen besteht. Und schließlich wird die Beziehung des strophischen Prologs zum stichischen und damit zum Gesamtwerk zu erörtern sein. Es ist bei der Interpretation der hohen höfischen Dichtung allzu üblich geworden, sie nicht mehr *verbaliter* zu verstehen, sondern sie *allegorice* oder *mystice* zu deuten. Mein Anliegen ist, zu der einfachen Deutung aus dem Wortsinn heraus zurückzukehren. Unter diesem Gesichtspunkt gehe ich die beiden Zyklen Strophe für Strophe durch.

Der erste Zyklus:

Str. 1 spricht von dem Guten, das in der Welt geschieht, bzw. von den Menschen, die der Welt etwas Gutes geschehen lassen. Es gibt also Gutes in der Welt, und es gibt Menschen, die es tun. Aber das genügt nicht, um das Gute wirksam werden zu lassen. Es muß aufgenommen und aufbewahrt werden. Gottfried benutzt das Verbum *gedenken,* und es könnte scheinen, als handle es sich nur um das Nachleben der gut Handelnden im Gedächtnis der Menschen, um Nachruhm und Erinnerung. Allein Gottfried sagt aus, daß das Gute sonst *alse niht* wäre: als ob gar nichts geschehen wäre. Das zeigt, daß Gottfried nicht nur an dankbare Erinnerung, sondern an N a c h w i r -

k u n g gedacht hat. Das Gute, das getan wird, muß aufgenommen werden, um wirksam zu werden.

Str. 2 führt diesen Gedanken fort, indem sie ihn ins Negative wendet. Hier ist unmißverständlich vom Aufnehmen *(vernemen)* des gut Getanen die Rede, doch jetzt unter dem Gesichtspunkt, daß es möglich sei, es nicht mit der entsprechenden, darauf antwortenden Gesinnung *in guot* aufzunehmen, sondern mit einer Gesinnung, die das Gute anzuerkennen nicht bereit ist. Solches Verhalten bezeichnet Gottfried als verwerflich *(missetuon)*.

Str. 3 aber besagt nun, daß solche verwerfliche Gesinnung nicht nur möglich, sondern auch wirklich vorhanden ist. Ja, sie scheint weit verbreitet zu sein. Gottfried teilt es als eine leidige Erfahrung mit, daß es sehr häufig geschieht. Und er kennzeichnet das, was er bisher nur verurteilend als *missetuon* bezeichnet hat, nunmehr näher als *velschen,* d. h. verkehren, entstellen. Zwar will man das Gute gerne haben, aber anstatt es anzuerkennen, setzt man es herab. Die zweite Strophenhälfte macht in ihrer Deutung Schwierigkeiten; jedenfalls führt sie aus, wie das *velschen* geschieht. Bodo Mergell hat in seinem Tristanbuch (S. 192 f., Anm. 36) diesen beiden Zeilen einen ganz bestimmten literarhistorischen Bezug geben wollen: Gottfried spreche hier von seinem Verhältnis zu seiner Quelle, dem Tristanroman des Thomas. Das *ze vil* beziehe sich auf Thomas' Werk, das Gottfried, um das Bedeutsame besser hervortreten zu lassen, gekürzt habe. Aber diese Deutung greift eigentlich nur das *ze vil* heraus; schon was unter dem *lützelen* zu verstehen ist, wird bei Mergell nicht deutlich, und die letzte Zeile bleibt ganz ungedeutet. Und bisher ist in dem ersten Zyklus kein Wort gefallen, das zu einer Deutung auf die Kunst oder gar auf eine bestimmte literarische Tatsache berechtigen könnte, und auch in den beiden letzten Strophen des Zyklus wird sich nichts derartiges finden. Dazu kommt, daß diese Deutung nicht auf einem wirklichen Vergleich der schmalen, vergleichbaren Partien von Gottfried und Thomas beruht, sondern Mergells Vorstellung voraussetzt, daß Gottfrieds Tristan als ein wesentlich abgeschlossenes Werk zu betrachten sei, und daß namentlich der Liebestod nicht dargestellt werden sollte, daß *tôt* bei Gottfried vielmehr symbolischer Ausdruck für die endgültige Trennung der Liebenden sei. Dies eben ist nach Mergell die Kürzung, auf die sich Gottfried an dieser Prologstelle beziehe. Schöne hat es mit Recht abgelehnt, eine solche Interpretation aus einer so gewagten Hypothese heraus anzuerkennen.

Doch auch Schönes eigene Deutung befriedigt nicht: In dieser „pervertierten" (d. h. *velschenden)* Einstellung zum *guote* überwiege „das Kleine, Geringfügige, Unwichtige und als solches nicht-*guote,* das er doch in Wahrheit, seinem eigentlichen Angelegtsein entsprechend, gerade nicht will." Diese Interpretation wird dem syntaktischen Bau der beiden Zeilen nicht gerecht. Sie setzen anaphorisch ein: *da ist . . ., da wil man.* Sie können nicht gut subordinierend als eine logische Abfolge miteinander verkettet werden. Sie müssen von ihrem Parallelismus aus gedeutet werden, zwei gleichwertig nebeneinandergestellte, auf einander bezogene Aussagen, die entweder variierend dasselbe verdeutlichen oder antithetisch etwas Entgegengesetztes zu einem Paar verbinden sollen. Beide Sätze sollen das *velschen* spezifisch erläutern, und mir scheint, daß man hier nur aus einem antithetischen Parallelismus interpretieren kann und die Fügung *da ... da* als „einerseits — andrerseits" auffassen muß. Zeile 11 sagt, daß man etwas „zu viel" findet, und zwar das *lützele.* Ich fasse es nicht mit Schöne als das Geringfügige, Unwichtige, sondern — da vom *guot* die Rede ist — als *des lützelen guotes.* Einerseits findet eine solche Einstellung schon bei einem kleinen *guot,* daß es „des Guten zu viel" ist. Dann muß die letzte Zeile das Umgekehrte besagen: man will mehr, man will zu dem Guten noch etwas hinzu; aber man will es gar nicht ernstlich, eigentlich gar nicht, man will es nur, um an dem Guten etwas *velschen* zu können.

Str. 4 stellt diesem abwertenden und daher unfruchtbaren Kritisieren an dem *guot* das richtige Verhalten gegenüber: *Ez zimet.* Man soll das Gute *loben* — das Thema des zweiten Zyklus klingt vor — das man ja doch nötig haben wird. In der zweiten Strophenhälfte spielt Gottfried, wie so oft, mit den verschiedenen Bedeutungen eines Wortes, hier mit *gevallen.* In Zeile 15 steht es — mit *wol* verbunden — in der Bedeutung des Wohlgefallens, in Zeile 16 dagegen in der des Zufallens, Zuteilwerdens: man soll sich das Gute wohlgefallen lassen, das einem zuteil wird.

Str. 5 preist abschließend den rechtschaffenden und verständigen Mann, der das Gute nicht nur als gut lobt und annimmt, sondern der es auch *betrahten,* d. h. richtig wertend beurteilen kann und zwischen *guot* und *übel* zu unterscheiden vermag. Dem Urteil eines solchen Mannes will auch Gottfried sich unterstellen; denn er ist fähig, den Menschen nach seinem Wert zu erkennen.

Als Ganzes ergibt sich für den ersten Zyklus also folgender Inhalt: Das Gute, das in der Welt geschieht, und die Menschen, die es tun, müssen anerkannt werden, damit das Gute wirksam werden kann. Leider sind indessen die meisten bestrebt, das Gute krittelnd herabzusetzen, anstatt es anzuerkennen und zu genießen. Um so höher ist der zu schätzen, der das Gute mit wirklicher Urteilsfähigkeit werten kann.

Der ganze Zyklus spricht allgemein von *guot.* Nirgends gibt es Anlaß, in diesem *guot* etwas Spezielles zu sehen, insbesondere findet sich nichts, das dazu berechtigte, in diesem *guot* die künstlerische Leistung und damit etwa Gottfrieds eigenes Werk zu sehen. Wenn sich Gottfried in der letzten Strophe dem Urteil des verständig wertenden Mannes unterstellen will, der *guot und übel betrahten kan,* so tut er es als Mensch und nicht als Dichter. Denn er spricht ja nicht von sich allein, er sagt: *mich und iegelîchen man.* Er ordnet sich als Mensch der Allgemeinheit zu und sagt: der verständige Mann kann jedermann nach seinem Wert beurteilen, und also auch mich. Der Dichter Gottfried kann und wird dabei implicite auch seine dichterische Leistung als Teil seines

Wesens im Auge haben, und es ist natürlich möglich, daß er bei dem urteilsfähigen Manne, der ihm *tiur unde wert* ist, an seinen Gönner Dietrich gedacht hat. Aber die ganze Deduktion zielt sicher nicht auf eine kritisch-wertende Beurteilung der dichterischen Leistung, sondern des Menschen und seines Verhaltens.

Der zweite Zyklus:

Ganz neu setzt der zweite Zyklus ein mit der betonten Häufung des neuen Leitwortes *lop*, neben das aber, gerade in der ersten Strophe, das dreimalige *list* als zweites themenbestimmendes Wort tritt, das später noch einmal variierend als *cunst* wiederkehrt. Hier also ist von der Anerkennung die Rede, die die Kunst erwartet und verdient. Ein spezielleres Thema ist damit angeschlagen, dessen Durchführung zunächst ganz für sich zu untersuchen ist, ohne vorerst nach Zusammenhängen mit dem ersten Zyklus zu fragen.

Str. 6 besagt, daß Kunst geradezu hervorgerufen wird durch *êre unde lop* und daß sie geschaffen wird, um Ruhm zu erwerben. Beides: Kunst und Anerkennung bedingen sich gegenseitig, sie sind reziprok aufeinander bezogen. Das Klangspiel mit *schepfent* und *geschaffen* macht das unmittelbar hörbar. Schöne weist (S. 455, Anm. 19) den antiken Ursprung des ersten Gedankens nach; er findet sich bei Cicero: Kunst wird durch Anerkennung genährt und entzündet. Darum — so erläutert die zweite Strophenhälfte — blüht alle Kunst dort, wo sie mit *lop* geblümt ist, wobei das Spiel mit *geblüemet* und *blüejet* die Reziprozität erneut hörbar macht.

Str. 7 ordnet diesen Satz einer allgemeinen Erfahrung ein. Mit der Kunst ist es wie mit allem anderen. Gottfried spricht ganz real von einem „Ding". Jedes Ding, das keine Schätzung *(lop und êre)* erfährt, geht *zunruoche*, es verfällt der Gleichgültigkeit und damit der Vergessenheit. Das Ding dagegen, das geschätzt wird, *liebet*, erweckt Freude und wird angenehm wirksam. Hatte die vorige Strophe von der Notwendigkeit von *lop* und *êre* für das Gedeihen der Kunst gesprochen, so faßt diese die Möglichkeit ins Auge, daß solche Anerkennung ausbleibt und damit die Kunst, wie jedes andere „Ding", *zunruoche gât.*

Str. 8 beleuchtet von hier aus das Verhalten der Menschen zur Kunst. Es geschieht wiederum in der Form einer allgemeinen Betrachtung, und hier taucht das Leitwort des ersten Zyklus *guot* — gepaart mit seinem Widerspiel *übele* — bedeutsam wieder auf. Aber da die beiden ersten Strophen das Leitwort *list* so betont hervorgehoben hatten und die nächste Strophe es an ihrer Spitze durch *cunst* variierend wieder aufnimmt, sind wir vollauf berechtigt, auch diese allgemeine Betrachtung auf die Kunst zu beziehen. Es gibt so Viele — so sagt diese Strophe —, die das Gute und das Schlechte nicht auseinanderzuhalten vermögen, die das Gute als schlecht, das Schlechte als gut einschätzen *(wegen).* Schöne hat darauf aufmerksam gemacht, daß Gottfried auch hier mit der Mehrdeutigkeit eines Wortes spielt. In der ersten Zeile ist das Verbum *pflegen* gewichtlos-allgemein verwendet: sich verhalten, gewöhnt sein. In der letzten Zeile dagegen ist es bedeutungsschwer: in Pflege nehmen, hüten. Und dazu wagt Gottfried die antithetische Neubildung *widerpflegen,* d. h. in verkehrter, schädlicher Weise pflegen, so daß das Ding, d. h. die Kunst *zunruoche gât.* Viele also haben weder die Fähigkeit noch den Willen zu einem richtigen Urteil, sie besitzen — ins Spezielle gewendet — weder Kunstverständnis noch den Willen, sich darum zu bemühen.

Str. 9 macht in der sprachlichen Interpretation Schwierigkeiten. *Under in* (Z. 34) kann sowohl als anaphorisches Personalpronomen (unter ihnen) wie als Reflexivpronomen (unter sich, untereinander) aufgefaßt werden. Im ersten Falle würde es auf die vorige Strophe zurückverweisen und diejenigen meinen, die nicht *pflegent,* sondern *widerpflegent.* Im zweiten Falle würde es sich auf die erste Zeile derselben Strophe beziehen, auf *cunst* und *nâhe sehenden sin.* Die erste Deutung würde jenen Menschen der Str. 8 zwar *cunst* und *nâhe sehenden sin* zubilligen, würde aber aussagen, daß jene Qualitäten verloren gehen, wenn sich *nît,* Mißgunst, Gehässigkeit dazu gesellt. Es würde also ausgesagt, daß Menschen, die an sich zu einem Urteil der Kunst fähig und befugt wären, ihr Urteil aus böser Gesinnung verfälschen. Bei dieser Interpretation würde dem Verbum *schînen* die blasse Bedeutung: erscheinen, vorhanden sein, zukommen. Und sie muß *cunst* und *nâhe sehender sin* als nahezu synonym auffassen, wie es J. Trier mit seiner Übersetzung: Kennerschaft in Fragen der Dichtkunst tut. Denn da in Str. 8 nicht von Ausübenden, sondern von Beurteilern der Kunst die Rede ist, so kann *cunst* nicht in seinem eigentlichen Sinn genommen werden, sondern im Sinn von „Kunstverständnis", woneben dann *nâhe sehender sin* als Urteilsfähigkeit in Dingen der Kunst, als „Kunstkritik" zu verstehen wäre.

Mir scheint diese Deutung nicht ganz glücklich. In Str. 8 war von den „Vielen" die Rede, d. h. doch wohl eben von den Unberufenen, denen die Fähigkeit mangelt, Gutes und Schlechtes zu unterscheiden. Hier würde ihnen diese Fähigkeit aber zugesprochen; sie wird durch den *nît* nur paralysiert und zu verkehrter Anwendung, zum *widerpflegen* gebracht. Oder zum mindesten würde *under in* besagen, daß es unter ihnen, den Vielen, doch auch solche gibt, die *cunst* und *nâhe sehenden sin* besitzen. Das erscheint mir widersprüchlich. Bedenklich ist auch die Bedeutungsverschiebung von *cunst* zu „Kunstverständnis", wofür die Wörterbücher keinen beweisenden Beleg liefern[1]).

[1]) Auch J. Trier gibt an der einschlägigen Stelle (Der deutsche Wortschatz im Sinnbezirk des Verstandes I, S. 286) aus Gottfried keinen weiteren Beleg für diese Bedeutungsnuance. Aber auch in dem zusammenfassenden Kapitel über den „Wortschatz der Ritterepen in vergleichender Darstellung" (S. 300 ff.) bleibt die Tristanstelle isoliert. Bruno Boesch (Die Kunstanschauung in der mittelhochdeutschen Dichtung, Bern 1936) hat in seiner umfassenden Durchmusterung der mittelhochdeutschen Dichtung keine Parallele zutage gefördert; S. 12 führt er — unter Berufung auf Trier — nur die Tristanstelle an. Allenfalls läßt sich Spruch 7 des Unverzagten (MSH III, 46) beiziehen; hier wird *künstelos* am besten mit „ohne Kunstverständnis" wiederzugeben sein.

Endlich scheint es mir bei Gottfrieds bewußter Sprachkunst nicht unbeabsichtigt, daß die Verben *schînen* und *leschen* in der Strophe unmittelbar aufeinander folgen. Sie müssen auch aufeinander bezogen werden, und von *leschen* her muß auch *schînen* eine entsprechend prägnante Bedeutung erhalten: leuchten, schimmern.

Daher halte ich die andere Interpretation für glücklicher, die diese Mißlichkeiten vermeidet. Nimmt man *under in* reflexiv, so sind es *cunst* und *nâhe sehender sin,* die sich gegenseitig anleuchten. Dann kann *cunst* in seinem eigentlichen Sinn genommen werden. Zwischen der Kunst und der urteilsfähigen Kunstbetrachtung besteht ein wechselseitiges positives Verhältnis: sie leuchten einander an. Die Kunst braucht den verständnisvollen Beurteiler, um richtig bewertet zu werden und — sofern sie gute Kunst ist — durch ihn *lop* und *êre* zu finden, deren sie nach Str. 6 zu ihrer Existenz bedarf. Das echte Kunstverhältnis wiederum wird durch die Kunst angeleuchtet; sie schenkt ihm die Freude und den Genuß, die von dem echten Kunstwerk ausgehen. Damit sagt diese Strophe etwas wirklich Neues aus. Die vorige hatte von den vielen Unberufenen gesprochen, deren Urteilslosigkeit zur Verwirrung von Gutem und Schlechtem und damit zum *widerpflegen* führt. Diese spricht von wirklichen Kunstkennern und von der förderlichen Wechselwirkung zwischen Künstler und Kunstkenner. Diese besteht aber nur so lange, als Wohlwollen herrscht; sie wird zerstört, wenn sich *nît* einmischt. Kunst wie kritische Kunstbetrachtung verlieren ihren Schein, sie erlöschen, wenn der Künstler wohlerwogener Kritik ihr Recht streitig macht und wenn der berufene Beurteiler sich sein Urteil durch Gehässigkeit trüben läßt.

Str. 10 endlich, die die Betrachtung wieder ins Allgemeine lenkt, muß zunächst als Abschluß des zweiten, der Kunst gewidmeten Zyklus betrachtet werden, dem sie im Strophenbau zugeordnet ist. Sie spricht von *tugent,* und in diesem Zusammenhang kann das Wort nur in seiner allgemeinen Bedeutung: Tüchtigkeit, Trefflichkeit, genommen werden, nicht im Sinne ethischer Qualitäten. Dann besagt die Strophe in ungefährer Umschreibung, daß das Vortreffliche — hier also auf die Kunst bezogen: sowohl die künstlerische Leistung wie die kritische Beurteilung — es in der Welt nicht leicht hat, daß es aber dennoch ein hoher Vorzug ist, zu den Vortrefflichen zu gehören. Indessen würde diese Interpretation der ganzen Tonlage der Strophe noch nicht gerecht. Das Wort *tugent* scheint höher zu weisen, die zweimalige Form des Ausrufs *(Hei tugent; wol ime)* zeigt nach der ruhigen Betrachtung der übrigen Strophen die Erregtheit innerlicher Anteilnahme, endlich gibt die Einbeziehung des biblischen Bildes von dem schmalen Weg, der zum Leben führt (Matth. 7, 13 f.), der Strophe ein Schwergewicht, das noch der Erklärung bedarf.

Insgesamt ergibt sich als Inhalt des zweiten Zyklus: Kunst bedarf zu ihrem Gedeihen Lob und Ehre, sonst geht sie zugrunde. Doch viele sind nicht imstande, das Gute und das Schlechte auseinanderzuhalten: sie stiften dadurch Verwirrung und schädigen die Kunst. Die Kunst und die berufene Kunstbeurteilung sind einander förderlich, sofern Gehässigkeit ihr Verhältnis nicht zerstört. Sie haben es nicht leicht, sich in der Welt zu behaupten, dennoch sind diejenigen glücklich zu preisen, die sie in rechter Weise ausüben.

Ehe wir die Betrachtung von Str. 10 als Abschluß des Gesamtprologes wieder aufnehmen, muß noch Str. 11 in ihrer Sonderstellung erkannt und beschrieben werden. In seiner Leitwortgliederung hat sie Schöne unbedenklich der ersten Einheit des stichischen Prologs zugeordnet. In der Tat ist sie durch das Leitwort *werlt* fest mit dem Abschnitt 45 bis 76 verbunden, besonders ohrenfällig dadurch, daß Gottfrieds eindrückliche Neubildung *gewerldet wesen* einerseits in dieser Strophe (Z. 44), andrerseits in Z. 65 erscheint. Doch auch inhaltlich ist diese Strophe nach dem Folgenden hinüber gebunden. Sie leitet das persönliche Bekenntnis des Dichters zu seiner Stellung in der „Welt" ein, seine Zugehörigkeit zu jener besonderen Welt, die er dann die Welt der *edelen herzen* nennen wird. Das Ich des Dichters tritt hier in den Mittelpunkt, wie auch der erste Abschnitt des stichischen Prologs ganz um dieses Ich kreist. In den beiden Zyklen dagegen bleibt das Ich des Dichters ganz im Hintergrund; es kommt nur beiläufig zu Worte. In Z. 9: *ich hœre es velschen harte vil* wird eine allgemeine Erfahrung mitgeteilt; *ich hœre* ließe sich, ohne an den Sinn zu tasten, durch *man hœret* ersetzen. Vielleicht hat hier nur das Bedürfnis des Akrostichons die Ich-Form veranlaßt. In Str. 5, der Abschlußstrophe des ersten Zyklus, spricht Gottfried von sich als von einem unter Vielen *(mich und iegelîchen man)*. Einzig die Eingangszeile dieser Strophe könnte persönlicheres Gewicht haben: *Tiur unde wert ist mir der man:* das könnte persönliche Huldigung an jenen urteilsfähigen Mann sein, dem das Werk gewidmet ist. Aber auch hier geht es ja nicht um das Ich des Dichters, sondern um den Mann, der ihm lieb und wert ist. In Str. 11 dagegen weist schon das in jeder Zeile wiederholte *ich* darauf hin, daß nunmehr von diesem Ich die Rede sein soll. Somit ist diese Strophe in der Tat nicht mehr integrierender Bestandteil des strophischen Prologs, sondern Brücke zu dem stichischen hinüber; der Wechsel in der äußeren Form — Übergang zum Kreuzreim — ist also nicht zufällig. Und damit wird auch die Verklammerung dieser Strophe mit dem stichischen Prolog durch das Akrostichon bedeutsam. Die beiden Zyklen tragen zusammen den Namen des Dichters (Gottfried) und des Gönners Dietrich. Die letzte Strophe und die Eingangszeile des stichischen Prologs tragen mit den Initialen T und I die Namen der Helden des Romans. Und wenn man bedenkt, welche Rolle Gottfried der Verflechtung der beiden Namen als Ausdruck tiefster Einsheit gegeben hat, so wird auch darin deutlich, wie eng die letzte Strophe an den stichischen Prolog gebunden werden sollte.

Kehren wir zu den beiden Zyklen zurück, so zeigt vergleichende Betrachtung, daß sie eng aufeinander bezogen sind. Sie sind in ihrem Gedankengang weitgehend, wenn auch nicht schematisch, parallel aufgebaut. Das Gute bedarf, daß man seiner gedenkt, damit es wirksam werden kann — die Kunst bedarf Lob und Ehre, wenn sie blühen soll. Beides aber ist nicht selbstverständlich; die Erfahrung zeigt, wie oft das nicht geschieht, so daß das *guot alse niht* wird, die Kunst *zunruoche gât*. Anstatt daß sie rein aufgenommen werden, werden sie bekrittelt und mißdeutet. In beiden Fällen sind es die Vielen, die es tun (Str. 3 bzw. 8); dem *velschen* des Guten entspricht das *widerpflegen* der Kunst. Aber es gibt den verständigen und wohlwollenden Beurteiler; der Fähigkeit zu *betrahten* und zu *erkennen* in Str. 5 entspricht der *nâhe sehende sin* in Str. 9. Solche Menschen sind *tiur unde wert* (Str. 5), sie werden durch *wol ime* in Str. 10 gepriesen.

Verdeutlicht wird die Bezogenheit der beiden Zyklen aufeinander durch das Übergreifen der beiden Leitwörter in den Nachbarzyklus. Weniger bedeutsam, ein bloßes Verweisungszeichen, ist das Vorklingen von *loben* in Z. 13. Gewichtiger ist die Aufnahme von *guot* im zweiten Zyklus (Z. 30—31), weil damit gleich alles, was der erste Zyklus entwickelt hatte, wieder ins Bewußtsein gerufen wird. Und das um so nachdrücklicher, als die hier zweimal wiederholte antithetische Zwillingsformel *guot und übel* in der gewichtigen Abschlußstrophe des ersten Zyklus vorgeklungen hatte. Indem hier Gottfried im Zyklus über die Kunst zu einer allgemeinen Betrachtung übergeht und dabei die Leitformel des ersten Zyklus aufnimmt, will er besagen, daß die dort im Allgemeinen entwickelten Gesichtspunkte auf die spezielle Erscheinung der Kunst anzuwenden sind, bzw. daß die Kunst ein — dem Dichter Gottfried besonders am Herzen liegender — Sonderfall dessen ist, was zuvor allgemein das *guot* genannt worden war.

Sind so die beiden Zyklen aufeinander bezogen und erweist sich der strophische Prolog als eine Einheit, in der vom Allgemeinen zum Besonderen fortgeschritten wird, so ist die letzte Strophe des zweiten Zyklus nunmehr nicht nur als der Abschluß dieses Zyklus, sondern des ganzen Prologs zu betrachten. Und daraus wird ihr gehobener Ton verständlich. Sie preist nun nicht mehr nur den berufenen und verständnisvollen Kunstkenner, sondern auch den *tiuren* und *werden* Mann der Str. 5, der das Gute recht beurteilen und ihm dadurch Wirkung in der Welt verschaffen kann. Auch dieses ist in *tugent* mit umgriffen, und nun darf auch der sittliche Wert des Wortes mit anklingen. Der liebe und werte Mann ist zugleich der wohlwollende, von *nît* nicht berührte Kunstfreund, und beiden zugleich gilt der preisende Ton dieser Strophe und die Erhöhung durch das biblische Bild, in das die Einsicht gekleidet ist, daß es solche Menschen in der Welt mühselig haben: in der Welt der Vielen, wo das *velschen* und der *nît* zu Hause sind. Endlich aber scheint der persönlich-bewegte Ton, der sich in dem doppelten Ausruf hörbar macht, darauf hinzuweisen, daß sich der Dichter selber einbezogen fühlt. Auch er hat die Mühsale auf dem *kumberlichen* Wege der *tugent* erfahren, auch er hat mit seiner dichterischen Leistung diese Wege *wegen unde stegen* helfen. Kündigt sich so das Ich des Dichters hier an, so wird die Brückenstellung von

Str. 11 zwischen den beiden Prologstellen noch deutlicher; sie ist auch nach rückwärts verbunden.

Die Welt der Vielen — damit wäre nun auch gedanklich die Brücke zum zweiten Teil des Prologs hinübergeschlagen. Sie heißt dort *ir aller werlt* (Z. 50), und ihr wird die besondere Welt gegenübergestellt, der Gottfried sich zugehörig fühlte, und die er die Welt der *edelen herzen* nennt. Besteht zwischen der Welt der Vielen im strophischen Prolog und *ir aller werlt* im stichischen ein unmittelbarer Zusammenhang, oder drückt sich nur hier wie dort ein „Elitegefühl" aus, das sich ebensowohl in den Betrachtungen über die Kunst im strophischen wie in denen über die Minne im stichischen Prolog kundtut? Hier helfen die Leitwörter wieder weiter. Diejenigen des zweiten Zyklus, *lop* und *êre*, greifen nicht in den stichischen Prolog hinüber, wohl aber das Leitwort *guot* des ersten Zyklus. Damit ist eine deutliche Verbindung hergestellt. Zwei kleine Blöcke von *guot* erscheinen in Z. 142—145 (4mal) und Z. 172—173 (3mal). Sie gehören einem Abschnitt (131—173) an, dem es nach Schönes Aufstellung an eigenen Leitwörtern fehlt. Doch auch hier bietet sich eines an, nämlich *lesen.* Es beherrscht den einleitenden Vierzeiler (131—135) und taucht dann fünfmal in der Durchführung wieder auf (147; 152; 165; 167; 172). Und es paßt genau zu diesem Abschnitt, einem rein sachlichen Abschnitt, Gottfrieds Rechenschaftsbericht über seine Vorgänger, seine Quellensuche und die Entstehung seines eigenen Gedichtes. Und dieser Abschnitt wird mit dem Leitwort *guot* des strophischen Prologes eingeleitet und abgeschlossen. An der ersten Stelle bescheinigt Gottfried seinen Vorgängern, daß sie es *mir unde der werlde ze guote* geleistet haben und daher Anerkennung verdienen, weil das, was jemand *in guot* tut, auch als *guot und wolgetân* aufgenommen werden soll. Es ist deutlich, daß Gottfried hier die Mahnung des ersten Zyklus beherzigt, das *guot,* das geleistet ist, anerkennt, freilich als der Mann, der *guot und übel betrahten kan,* auch die Grenzen der guten Leistung absteckt. Das *guot* aber, um das es hier geht, ist eine künstlerische Leistung, so daß Gottfried hier zugleich der Mann mit dem *nâhe sehenden sin* ist, der den Bemühungen seiner Vorgänger *lop* und *êre* in dem ihnen gebührenden Maß zukommen läßt[2]). An der zweiten Stelle geht es um die Wirkung dieses *senemære,* so wie es Gottfried seinen Lesern — hier han-

---

[2]) Schöne, S. 464 f., findet hier eine Beziehung auf den Leser; denn „erst der Leser verwirklicht das *guot,* das als Potenz von den großen, beispielhaft Liebenden in die Welt gebracht, vom Dichter überliefert und dargeboten wurde". Er verwendet dabei den Vierzeiler 131—135, der diesen Abschnitt einleitet und dessen eines Reimwort *lesen* ist: Viele haben von Tristan *gelesen,* aber nicht viele von ihm *rehte gelesen.* Doch kann es sich hier nicht um die „Menge der unrechten Leser" handeln, wie Schöne interpretiert. Der Vierzeiler leitet die Darlegungen über Gottfrieds dichtende Vorgänger ein; nur auf sie kann er sich beziehen und auf sie wird er durch Gottfried in Z. 146/147 ausdrücklich bezogen. *lesen* heißt nicht nur „lesen", sondern auch das Gelesene wiedergeben, und Gottfried sagt aus, daß viele seiner Vorgänger Falsches gelesen, d. h. falsche Quellen benutzt und dementsprechend falsch dargestellt haben.

delt es sich wirklich um „Leser“ — nunmehr nach der „richtigen“ Quelle darbietet. Gottfrieds eigenes Werk ist *guot, ja innecliche guot* zu lesen; es wird damit selber in das *guot* einbezogen und kann daher Anspruch darauf erheben, auch als *guot* aufgenommen und geschätzt zu werden.

Die Wiederaufnahme von *guot* gerade in diesem Abschnitt, der vom *lesen* handelt, von den Vorgängern, den Quellen, dem eigenen Werk Gottfrieds als dichterischer Leistung, also in einem — modern gesprochen — literarhistorischen und literaturkritischen Abschnitt, nicht aber in den Teilen, die vom Stoff und der darin verkörperten Idee handeln, ist bezeichnend und dürfte deutlich machen, welche Rolle der strophische Prolog im Ganzen spielt und spielen sollte. Er hat mit dem Dichtwerk als einer literarischen Schöpfung zu tun, nicht aber mit der Gestaltung einer Idee. Mit Recht hat Schöne den Bezug von *guot* auf die Minne als ein *summum bonum* abgelehnt. Aber ich meine, er greift immer noch zu hoch, wenn er ihn zu den Ideen des Werkes überhaupt in Beziehung setzt. Er sieht das zentrale Anliegen des Prologs darin, daß Gottfried eine richtig eingestimmte Lesergemeinde zu erschaffen und zu erziehen sucht, in der zwischen dem Leser, dem Dichter u n d den Helden der Erzählung als den Verkörperungen einer Idee eine innige Beziehung besteht. Wenn ich ihn recht verstanden habe, meint er, daß die Leser diejenigen sein müssen, die das guot, das der Dichter in den Vorbildgestalten seines Werkes darbietet, *in guot* aufnehmen und dadurch in der Welt wirksam machen sollen, auf daß es nicht *alse niht* werde.

Das ließe sich damit begründen, daß Gottfried sein *senemære* den *edelen herzen* widmet und betont, daß es *innecliche guot* für sie zu lesen sei. Aber ich glaube nicht, daß Gottfried um den richtigen Leser „wirbt“. Er kennt ihn von vorneherein; die Welt der edlen Herzen muß nicht erst geworben und erzogen werden, sie existiert und muß nur angesprochen werden. Er bietet sein Werk dar. Die Beziehung des strophischen Prologes zu dem stichischen, und damit zu dem Gesamtwerk beschränkt sich darauf, daß a u c h die *edelen herzen* nicht zu den Vielen gehören, die das *guot* böswillig oder verständnislos *velschen* und *widerpflegen,* sondern zu den Wenigen, die dem Dichter *tiur unde wert* sind. Was im ersten Zyklus allgemein vom *guot* gesagt ist, was der zweite spezifizierend auf die Kunst anwendet, wird nunmehr mit Z. 172—173 noch spezieller auf Gottfrieds Dichtung bezogen: sie ist ein *guot,* das *in guot* aufgenommen werden kann und soll, um *lop* und *êre* zu erwerben und wirksam zu werden. Diejenigen, die in dem Fall dieses *senemære* dazu fähig sind, das sind eben die *edelen herzen,* denen Gottfried sein Werk darum zueignet *(vür leget).* So scheint es mir berechtigt, den strophischen Prolog als „vorworthaft“ zu bezeichnen und von ihm keine Auskunft über Deutung und Bedeutung von Gottfrieds Werk zu verlangen. Er ist — nicht nur im Akrostichon — Widmung.

DER DANIEL DES STRICKER UND DER GAREL DES PLEIER

[1957]

Der einzige Artusroman des Stricker, der Daniel vom blühenden Tal, hat bei den Zeitgenossen offenbar wenig Anklang gefunden. Mindestens spricht die Überlieferung nicht dafür; die wenigen Handschriften, die wir besitzen, gehören der Spätzeit des 15./16. Jahrhunderts an, wo die alte Romanliteratur noch einmal und ohne Sinn für Qualität Beachtung und Leser fand. Um so verwunderlicher ist es, daß wenige Jahrzehnte nach dem Erscheinen des Daniel ein sicherlich ritterlicher Dichter, der Salzburger Pleier, nicht nur dem Helden eines seiner Romane einen Namen gab, der unüberhörbar auf den älteren Roman des Stricker zurückverwies: Garel vom blühenden Tal, sondern auch den ganzen Aufbau des Vorgängers kopierte und einige bezeichnende Abenteuer des Strickerschen Daniel auf seinen Helden Garel übertrug. Die wenigen Forscher, die sich mit dem Pleier beschäftigt haben[1]), sahen darin ein Plagiat, und indem sie eifrig Parallelstellen aus der klassischen Literatur, namentlich aus Hartmann von Aue und Wirnt von Grafenberg, sammelten, haben sie dem Pleier die schlechte Zensur eines untalentierten Dichterlings gegeben, der sich kümmerlich in ein Flickengewand aus der Werkstatt seiner Vorgänger gehüllt hat.

So einfach scheint mir die Frage nicht zu lösen. Das Verhältnis des Pleiers zu den klassischen Autoritäten ist ein ganz anderes als zum Stricker. Dort handelt es sich um Entlehnung von Stilelementen und Wortfügungen, hier dagegen um deutliche Entnahme und Nachbildung sehr wesentlicher Stoff- und Erzählelemente. Und die auffallende Namensgleichheit weist so bewußt auf den Vorgänger hin, daß eine Absicht damit verbunden sein muß. Und da das Vorbild keiner der anerkannten Autoren und maßgeblichen Romane gewesen ist, muß man sich doch wohl fragen, ob es sich um bloßes „Epigonentum" handeln kann. Die Erwägungen, die ich hier vorlege, versuchen eine andere Deutung des Verhältnisses, eine Deutung, die vielleicht zugleich ein Licht auf den Begriff der Gattung werfen kann, wie er für das 13. Jh. gültig war.

Strickers Daniel steht unter den unterhaltenden Aventiurenromanen aus dem Artuskreise bekanntermaßen sehr für sich. Zwar beginnt er „artusmäßig" mit der Aufnahme Daniels in die Tafelrunde durch ritterliche Be-

---

[1]) E. H. Meyer, Über Tandarois und Flordibel. ZfdA 12 (1862), S. 470—514. P. Piper, Höfisches Epos 2, S. 302—369. P. Egelkraut, Der Einfluß des Daniel vom Blühenden Tal vom Stricker auf die Dichtungen des Pleiers. Diss. Erlangen 1896.

währung im Zweikampf mit den großen Helden des Kreises. Auch Keies bestrafte Großmäuligkeit ist ein legitimer, wenn auch übersteigerter Topos der Artuswelt. Die Geschichte gerät in Bewegung, indem ein Riese am Hofe erscheint und in herausforderndem Tone die Unterwerfung von Artus unter die Lehnshoheit des Königs Matur von Cluse verlangt. Auch das ist noch ein legitimer Beginn von artushafter Aventiure. Wenn aber auf Gaweins Rat der König Artus scheinbar auf diese Forderung eingeht, um Zeit zu gewinnen, sein Heer zu sammeln und gegen Matur zu Felde zu ziehen, so weicht der Stricker damit von der gewohnten Bahn des Artusromans bereits ab.

Daniel reitet heimlich der Spur des Riesen nach, um das Abenteuer vor Artus' Ankunft allein zu bestehen. Mit dieser immer noch typischen Einleitung beginnt die Kette von Daniels Abenteuern, die ich, aus dem Zusammenhang gelöst, zunächst stichworthaft verzeichne:

1) Der Zwerg Juran mit dem alles schneidenden Wunderschwert;

2) der bauchlose Unhold mit dem Medusenhaupt;

3) der rote und kahle Mann, der in Männerblut badet, und damit zusammenhängend die Erwerbung des unsichtbaren Zaubernetzes;

4) der Raub des Königs Artus durch den zauberischen Alten und dessen Überwindung durch das Zaubernetz.

Diesen Abenteuern parallel bzw. z. T. mit ihnen verflochten geht als zweiter Erzählstrang der Zug von Artus gegen den König Matur und dessen Überwindung in einer gewaltigen, mehrtägigen Schlacht. In unmittelbarem Zusammenhang damit steht eine fünfte Großtat Daniels, die Überwindung und Tötung der beiden unverwundbaren Riesen. Dieser Erzählstrang führt zur Eroberung des Landes Cluse, zu Daniels Vermählung mit Maturs Witwe Danise und seiner Erhebung zum König des Landes.

Beide Erzählstränge verlaufen nicht nach den Spielregeln des typischen Artusromans. Denn Daniels Abenteuer — um mit ihnen zu beginnen — sind in Wesen und Durchführung nicht artusritterlich. Ihnen allen ist ein besonderer Zug gemeinsam: sie werden nicht durch Tapferkeit, sondern durch List erfolgreich bestanden.

1) Der Zwerg Juran will die Herzogstochter vom trüben Berge zur Minne zwingen. Mit seinem Wunderschwert, das jede Rüstung mühelos durchschneidet wie Wasser, hat er nicht nur ihren Vater erschlagen, sondern auch zahlreiche andere Ritter, die den Kampf für die bedrängte Jungfrau gewagt haben. Daniel überlistet den Zwerg, indem er dessen Verblendung durch die Minne ausnutzt. Die Jungfrau, so redet er ihm ein, werde sich ihm ergeben, wenn er es wage, gegen den schwächsten ihrer Ritter ohne das Wunderschwert anzutreten. Juran erklärt sich selbstbewußt und minnegierig dazu bereit und legt das Schwert auf dem Plane ab. Als er im Kampf gegen Daniel zu unterliegen droht, bricht er sein Versprechen, weicht aus dem Kampfkreis und versucht das Schwert zu erlaufen. Daniel kommt ihm zuvor, ergreift das Wunderschwert und erschlägt damit den Zwerg.

2) Der bauchlose Unhold mit dem Medusenhaupt und dessen unholdes Heer wird von Daniel durch die alte Spiegellist überwunden. Ein eigentlicher Kampf findet nicht statt; nachdem Daniel dem Unwesen mit dem ersten Schwertstreich beide Beine, mit dem zweiten die Hand mit dem Medusenschild abgehauen hat, ergreift er selber den Schild und tötet den Verstümmelten, indem er ihm das Haupt entgegenhält. Ebenso wird er Herr über das Heer der Begleiter; auch sie werden kampflos durch den Anblick des Hauptes vernichtet. Danach beschließt Daniel, sich des unheimlichen Zauberdinges zu entledigen, teils aus Furcht, durch leichte Siege seinen Ruhm als Ritter zu schädigen, teils und vor allem aber auch aus Sorge, er selber könne das Haupt einmal unversehens anblicken und dadurch den Tod finden. Er versenkt es ins Meer.

3) Der rote, kahle Mann vermag alle Menschen durch sein bloßes Wort willenlos zu machen. Wer ihn hört, muß tun, was er befiehlt. Stumpf und wehrlos liefern die Männer sich selber dem Messer aus, mit dem er sie tötet, um allwöchentlich die Wanne, in der er badet, mit ihrem Blut zu füllen. Daniel überwindet ihn, indem er sich die Ohren verstopft und, mit dem Schwert unter dem Mantel verborgen, sich unter die Opfer mischt und ihre wesenlos-stumpfe Haltung nachahmt. Auch hier kommt es nicht zu einem Kampf; Daniel erschlägt den Mann rücklings, während er das erste Opfer ergreift, um es zu schlachten.

4) Der zauberisch starke und schnelle Entführer des Königs Artus — und Parzivals — wird mit Hilfe des unsichtbaren Zaubernetzes überlistet. Das Netz umstrickt jeden, der in es hineintritt, so fest, daß er kein Glied mehr rühren kann. Daniel hat es von der Königstochter des Landes zur grünen Aue erhalten, das er von der Plage des blutbadenden Mannes befreit hatte. Er spannt das Netz vor dem unersteiglichen Berge aus, auf dem der Entführer von Artus sich aufhält, lockt ihn unter der Vorspiegelung herunter, daß er mit ihm kämpfen wolle, und fängt ihn in dem Netz. Der Alte muß sich durch die Befreiung von Artus und Parzival lösen. Es folgt eine Versöhnungsszene, bei der Daniel dem Alten das Netz als Geschenk überläßt.

5) Der Stricker hat an der List seines erfindungsreichen Helden so viel Freude, daß er ihn dem bauchlosen Unhold gegenüber auch noch die List der Namenshehlung verwenden läßt. Auf die Frage des Unholds nach seinem Namen antwortet er zunächst: *Daz bin ich* (2029), auf die wiederholte Frage: *mîn vater was mîner muoter man, der zweier sun bin ich* (2059 f.). Doch bleibt diese List wirkungslos; sie ist weder im Stoff begründet, noch wird sie für den Verlauf des Geschehens wirksam. Sie ist nur um ihrer selbst willen da.

Auch der zweite Erzählstrang, der Kampf gegen den König Matur, verstößt gegen den Stil des typischen Artusromans. Er wird — wenn wir die Rolle der Riesen zunächst ausklammern — durchgefochten im Stil einer gewaltigen Ritterschlacht. Artus sammelt in einer Woche ein großes Heer und zieht in das Land des Königs Matur. Die kriegerische Auseinandersetzung beginnt mit einem schweren Zweikampf der beiden Könige, in dem Artus obsiegt und den feindlichen König Matur erschlägt. Daran schließen sich mehrtägige blutige Massenkämpfe. Nach des Landes Gewohnheit reiten täglich 2000 gewappnete Ritter herzu, um festlich zu turnieren; nun wenden sie ihre Waffen gegen den eingedrungenen Feind. Endlich gewinnen Artus und die Seinen die Oberhand; Ergebung, Versöhnung und als letzter Ausgleich die Verbindung von Maturs Witwe mit Daniel schließen das Ganze ab.

Daß dieser ganze Komplex dem Typus des Artusromans widerspricht, ist von der Forschung bereits erkannt, und Rosenhagen hat auf den Prototyp hingewiesen, nach dem er gebildet ist: die Kämpfe des Rolandsliedes bzw. der Strickerschen Überarbeitung des alten Gedichtes. Oder allgemeiner: der Typus der Chansons de geste und — ihnen wesenhaft verwandt — des heroischen Versromans.

Indessen fehlt es auch in diesem Komplex nicht an Aventiure, und alsbald ist es wieder die List, die zum Erfolg führt. Das beginnt schon mit Gaweins Rat, scheinbar auf die Unterwerfungsforderung des Riesen einzugehen, um Zeit zur Besammlung des Heeres zu gewinnen, und mit dem schon sogleich gefaßten Beschluß, die Riesen mit ihrer unverwundbaren Haut durch Pfeilschüsse zu blenden und dadurch unschädlich zu machen. Es setzt sich fort in der Überwindung des ersten Riesen, der den einzigen Zugang zu dem Lande bewacht, durch Daniel vor dem Eintreffen von Artus' Heer: Er erledigt den Riesen ziemlich mühelos durch das Zauberschwert des Zwerges Juran. Als der Riese, auf seine Unverwundbarkeit bauend, waffenlos gegen den Helden anstürmt, hält dieser ihm das Schwert nur entgegen, und die niedersausende Faust des Riesen fliegt ab. Danach wird der Riese mit geringer Mühe weiter verstümmelt, bis Daniel dem wehrlos Daliegenden das Haupt abschlägt. Dasselbe Ende findet der zweite Riese, nachdem er geblendet noch Unheil genug angerichtet hat. Blind wütend packt und zerquetscht er, was seine tastenden Hände erreichen können, bis sich die Artusmannen auch hier durch List retten. Sie mischen sich unter die Heerhaufen der Ritter von Cluse und rufen dem zutappenden Riesen zu, daß sie nicht Feinde sondern Freunde seien. Schließlich fällt auch dieser Riese durch Daniels Wunderschwert. Auch der endliche Sieg von Artus ist kein Waffensieg. Im Lande des Königs Matur steht ein ehernes Tier, das ein Banner im Maule trägt. Zieht man dieses heraus, so erhebt das Tier ein so furchbares Gebrüll, daß jeder, der es hört, ohnmächtig zu Boden stürzt. Am vierten Kampftage verstopfen sich auf Daniels Rat die Artusritter die Ohren, Daniel reißt das Banner heraus, das Heer der Feinde wird durch das Gebrüll des Tieres zu Fall gebracht und muß sich wehrlos ergeben.

Auf diesen beiden Grundmotiven also ist Strickers Artusroman aufgebaut. Ritterlicher Mut und Rittertat entfalten sich nicht in der Aventiure des Einzelnen, sondern im ernsthaft-blutigen Massenkampf, in dem der König vorkämpft und den Hauptgegner überwältigt, während die Gefolgsleute — darunter auch der Hauptheld des Romans — sich in einzelnen Aristien bewähren. Diesem Teil ist eine sehr breite Entfaltung gegönnt, und der Dichter wird nicht müde, Schlachtenlärm und Kampfgedränge, Fechten und Sterben in immer neuen Bildern kraß zu veranschaulichen.

Die Abenteuer des Haupthelden dagegen sind, wie wir sahen, auf List gestellt. Vor den unüberwindlichen Waffen oder Qualitäten des Schadendämons versagt ritterlicher Mut und ritterliche Kraft. Aber die menschliche Klugheit erspäht seine schwache Stelle, und wer sie geschickt ausnutzt, kann den Dämon leicht überwinden. So geht denn das Lob der List wie ein Leitmotiv durch das ganze Gedicht, um gegen das Ende zu einem wahren Panegyricus anzuschwellen (7487 ff.). Mit List kann e i n Mensch erreichen, was tausend durch ihre Stärke nicht vollbringen können. Und indem der Stricker in einer Klimax hier *list* mit *witze* (7513), *wîsheit* (7518), *kunst* (7523), *fuoge* (7533), *zuht* (7542) identifiziert, macht er sie zu der Haupttugend, durch die man *êre, guot* und *friunde genuoge* gewinnen kann (7532 ff.). Das ist nicht leicht hingesagt, das ist ein Programm. Wir müssen darin die bewußte Zielrichtung des Dichters erkennen. Eine bis in die Tiefe greifende Umwertung ist erfolgt. Der Typus der Artusritter als ritterlicher Idealtyp ist ad absurdum geführt und statt dessen der vielgewandte, erfindungsreiche Mann gepriesen, der allen Lebenslagen durch seine Klugheit gewachsen ist. Denn nicht zufällig ist dieser Lobgesang auf die List dem letzten von Daniels Abenteuern eingefügt, der Befreiung von Artus und Parzival von dem unzugänglichen Berge. Mitten aus der Freude und dem Glanze des Siegesfestes wird Artus durch den zauberischen Alten vor den Augen der hilflosen Tafelrunde auf den unzugänglichen Berg entführt, um dort dem Hungertode preisgegeben zu werden. Und die Hilflosigkeit der großartigen Repräsentanten des idealen Rittertums wird an dem Schicksal des größten unter ihnen, des gewaltigen Parzival, manifest. Das ganze Bild ist nicht ohne bewußte Komik gestaltet: wie der Alte sich den selbstsicheren Helden unter den Arm klemmt und affengleich mit ihm den Berg erklimmt, wie Parzival gewaltig zappelt, bis der Alte ihn ruhig macht, indem er ihn mit dem Kopf derb gegen einen Felsen stößt, wie der König und sein Hauptheld ängstlich auf der unzugänglichen Felszacke hocken und wie das ratlose Gefolge zu ihnen hinaufstarrt. Es muß erst der listige Mann mit seinem Zaubernetz kommen und es verstehen, den alten Zauberer in das Netz zu locken, damit die großen Ritterhelden erlöst werden.

Solche Abwertung des ritterlichen Tuns zugunsten gewandter Verschlagenheit hatte schon der Straßburger „Meister" Gottfried vollzogen. Allein er verblieb im Raume der höfischen Idealität, indem er ihn aus der höfischen Kraft der Minne mit neuen Impulsen erfüllte. Davon hält der Stricker nichts; von Minne ist in seinem Roman nur die Rede, wo der verschlagene Held sie zu seinem Vorteil zu nutzen weiß. Die Falle, die Daniel dem Zwerg Juran stellt, ist auf dessen Verblendung durch die Minne berechnet. Der Stricker sieht das gesamte höfische Wesen, wie es sich im Artusroman niedergeschlagen hatte, mit der Skepsis des Außenstehenden; sein Held Daniel trägt sozusagen nur noch die Maske des Artusritters. Bald wird er sie abwerfen; im Pfaffen Amis tritt der listige Mann unmaskiert hervor und treibt in einer Kette harmlos-vergnüglicher Abenteuer sein Spiel mit der Torheit der Menschen. Auch solche Skepsis gegen das ritterlich-höfische Wesen ist übrigens nicht neu: schonungsloser und verletzender hatte Heinrich der Glichezære schon vor einem halben Jahrhundert das Allzumenschliche hinter der prächtigen Fassade höfischen Daseins in seinem Reinhart Fuchs enthüllt.

Auch das andere Grundmotiv, die große Ritterschlacht mit dem blutigen Ernst von Tod und Wunden steht, wie wir sahen, im Widerspruch zu den Glückskind-Erlebnissen des typischen Artushelden. Die Farben zu seinen Schlachtengemälden entnahm der Stricker aus seiner Beschäftigung mit der vorklassischen, vor-artushaften Dichtung; er hatte sie in seiner Neudichtung des Rolandsliedes beherrschen gelernt. Aber indem er den König Artus nach dem Vorbild Karls als großen Heerführer und Sieger im blutigen Zweikampf zeichnete, verkannte er gründlich Wesen und Aufgabe dieses Königs, ein selber ruhender und festlicher Mittelpunkt eines vielfach bewegten Kreises zu sein. Und indem er auch diesen Strang seiner Erzählung zuletzt nicht durch den Sieg der Waffen, sondern durch den Sieg der List zu Ende führt, setzt er auch dahinter sein Fragezeichen. Wenn Rosenhagen[2]) sagt: „In seiner ganzen Haltung ist dieser Artusroman so unritterlich wie möglich", so hat er den Kern getroffen. Der Roman leidet an der inneren Zwiespältigkeit, daß er etwas grundsätzlich Neues in den Formen einer überlieferten und festgelegten Gattung aussagen wollte, ohne sie doch entschlossen und durchgängig zu travestieren.

Der Pleier wenigstens hat den Roman ernstlich und treuherzig nur als Artusroman gelesen und das Neue des Stricker als peinlichen Stilfehler empfunden. Und er hat sich daran gemacht, zu zeigen, was ein stilechter Artusroman ist. Und wenn er den ganzen Grundriß und eine Reihe von Einzelaventiuren aus dem Strickerschen Roman übernimmt, so tut er es mit der offensichtlichen Absicht der Kritik; er will aufweisen, wie es „eigentlich" hätte gemacht werden müssen. Ich versuche das in großen Zügen an den greifbarsten Erzählstücken darzulegen, nämlich

1) dem Riesen als Boten und als Hüter des Landes;

2) dem Dämon mit dem Medusenschild;

3 dem ehernen Tier mit dem Banner.

1) Der Riese als Fehdebote des Königs Ekunaver von Kanadic ist völlig anders stilisiert als der Strickersche Riese. Das hängt eng mit der grundlegenden Umstilisierung des gesamten „Schlachtkomplexes" zusammen. War beim Stricker das Gegenspiel des guten Königs Artus gegen den übermütigen

---

[2]) Stammlers Verfasserlexikon IV, 294.

König Matur nach dem Typus Karl-Baligan gebildet, so wird hier der ritterliche Topos 'der edle Gegner' durchgeführt. Und damit ist auch die Figur des Fehdeboten bestimmt. Der rauhe, ungehobelte Riese wird zum höfischen Riesen umgeformt, und das geschieht mit großer, bewußter Sorgfalt. Dem Riesen sind — bis auf die dem Riesen wesenseigene Stange, ohne die er kein Riese wäre — alle Züge des Dämonischen und Ungeschlachten genommen. Er kommt zu Fuß, nicht auf einer *olbende.* Er trägt eine ritterliche Rüstung, nicht eine durch Zauber gehärtete, undurchdringliche Haut. Er wird bis zum Übermaß, damit niemand es überhören kann, mit allen Attributen höfischer Zucht und Haltung ausgestattet. Die ganze Szene wickelt sich nach den Gesetzen des höfischen Botenempfanges ab. Statt sofort in herausforderndem Ton ein unbegründetes Unterwerfungsverlangen hinzuschleudern, legt der Riese zuchtvoll die Waffen ab, bittet um Redeerlaubnis und bringt höflich die Botschaft seines Herren vor, der ein legitimes Recht zur Kampfansage zu haben meint: seinen Vater glaubt er durch Artus' Vater erschlagen und will dafür Rache nehmen. Es handelt sich um eine echte Fehdeansage; statt der erlisteten kargen Vorbereitungswoche wird freiwillig von dem edlen Gegner ein ganzes Jahr Frist gegeben, um die Vorbereitungen zu einem echten, gleichgewogenen Ritterkampf zu ermöglichen. Artus würdigt das Motiv seines Feindes, auch wenn er es als Irrtum bezeichnet, und der Riese beklagt den *kumber,* den er dem König zufügen mußte. Die übliche Abschiedsszene, das Angebot von reichen Geschenken und deren Ablehnung in höflichen Wendungen, beschließt dieses Musterstück einer wahrhaft höfischen Fehdebotschaft.

Diesem Bild des „edlen Riesen“ muß die spätere Besiegung entsprechen. Gleich seinem rohen Artgenossen beim Stricker hütet der Riese Malseron beim Pleier mit drei verwandten Genossen — beim Stricker war es ein Bruder — den einzigen Zugang zum Lande seines Herrn. War es dort ein Loch im Berge, bei dem der Riese haust, so hier eine Felsenkluft, die durch eine rittermäßige Burganlage, Torturm und Palas, geschützt ist. Wird dort der waffenlose, aber unverwundbare Riese ohne wesentliche Mühe durch Daniels Wunderschwert erst verstümmelt, dann enthauptet, so erfolgt hier nach den ersten, höfisch-zuchtvollen Repliken eine regelrechte Herausforderung des Burgherren-Riesen durch Reizreden. Dem zunächst Waffenlosen wird Zeit und Möglichkeit gegeben, sich zu wappnen, und es entspinnt sich ein regelrechter Zweikampf mit Anritt, Speerbrechen und Schwertkampf. Wenn Garel dabei wunderbare Waffen als Dankesgabe eines von ihm befreiten Zwerges trägt, so bleibt das im Rahmen des Artushaften, und sie spielen keine konstitutive Rolle und beeinträchtigen die ritterliche Leistung nicht.

Der Riesenkampf nimmt seinen herkömmlichen Verlauf. Vor den gewaltigen Schlägen des Riesen in den Wald flüchtend, vermag der Held den riesischen Gegner dennoch mehrfach zu verwunden, so daß dieser ohnmächtig niedersinkt. Doch statt den wehrlosen Gegner unritterlich zu töten, steht

Garel klagend und sich anklagend über dem Leblosen, und als dieser aus seiner Ohnmacht erwacht, vollzieht sich der artushafte Abschluß: die Versöhnung und Befreundung zweier gleichwertiger Gegner mit all den höfischen Wendungen, die dazu gehören. Mit feinem Takt wird dabei der prekären Lage des Riesen Rechnung getragen, der, als Wächter des Landes seinem Herren verpflichtet, nicht ohne Einbuße an Ehre zu dessen Gegner übertreten könnte. Nur die Übergabe der *klûse* und Neutralität im bevorstehenden Kampfe werden verlangt. Der Riese überredet seine drei Genossen zu derselben Haltung und erhält Gelegenheit, sich vor seinem Herren zu rechtfertigen und ihm das Nahen der Feinde zu vermelden, so daß er sich zum Kampfe vorbereiten kann. Damit wird zugleich das groteske und wilde Eingreifen des zweiten Riesen in die Schlacht, dessen Blendung und das grausame Wüten des Blinden ausgeschaltet; die Schlacht kann als reiner Ritterkampf durchgeführt werden.

2) Das Medusenhaupt. Garel, obwohl auf dem Wege zu Ekunaver, reitet nach einem soeben bestandenen Abenteuer weiter, um Aventiure zu suchen. Strickers Daniel empfindet jede Aventiure als Hindernis auf dem Wege zu seinem Hauptziel, und er muß es, weil er unter Zeitdruck steht: sein Vorsprung beträgt nur eine Woche. Garel hat Zeit, der Lockung der Aventiure nachzugehen, wie es sich für einen Artushelden geziemt. Er reitet dorthin, „wo man von ruhmverheißender Aventiure sagt“ (7199 ff.). Er kommt in ein schönes, aber menschenleeres Land und zu einer ängstlich verschlossenen Burg, wo man ihn auf sein Rufen nur zögernd einläßt. Nach der üblichen Entwappnungsszene wird er von der schönen Burgherrin Laudamie empfangen und erfährt aus ihrem Munde Schicksal und Bedrohung des Landes. Ein „Meerwunder“ namens Volganus verheert mit dem todbringenden Medusenschild seit Jahren das Land; die Menschen sind tot oder entflohen. Von Minne entflammt verspricht Garel Hilfe. Wenn wir alle Einzelheiten übergehen, so bleibt als der entscheidende Unterschied gegen den Roman des Stricker die Ausschaltung des alten Zentralmotivs der Spiegellist. Zwar, das tödliche Haupt muß wirkungslos werden. Doch es geschieht nicht durch die List des Haupthelden. Das Meerwunder pflegt im Gefühl seiner Sicherheit den Schild, mit dem Haupt zu Boden gekehrt, abzulegen, wenn es im Meer seiner Beute nachjagt. Diese Gelegenheit paßt Garel ab, um das Wesen zum Kampf zu stellen, und nicht er selber, sondern der dankbare Zwerg Albewin schafft den Medusenschild in den Wald; der Held wird von der List entlastet. Das „Meerwunder“ aber ist kein bauchloser Unhold, der ohne den Schutz des Schildes leicht zu töten ist, es ist ein Kentaur, halb Mensch, halb Roß, kampflustig und überstark, und überdies in eine undurchdringliche „Fischhaut“ gehüllt. Anders als beim Stricker muß Garel das Geschöpf in einem furchtbaren Zweikampf besiegen, bei dem er, wie der Stil es verlangt, mehrfach in Todesnot gerät. Da er nicht Daniels Wunderschwert besitzt, sondern ritterlich mit seinem eigenen Schwert ficht, vermag er erst zu siegen, als er eine Lücke in dem undurchdringlichen Gewand des Meerwunders erspäht. Er schlägt ihm erst den

einen, dann den anderen Arm ab, doch immer noch wehrt sich das Untier, mit den Rosseshufen ausschlagend, bis Garel der tödliche Streich gelingt. Bis in Einzelheiten hinein hat der Pleier hier Züge aus Daniels Riesenkampf auf den Kampf mit dem Meerwunder übertragen: die undurchdringliche Haut, das Abschlagen beider Arme, den letzten Widerstand des dämonischen Gegners mit dem Fuß. Man sieht, wie der jüngere Dichter bemüht ist, Erzählteile seines Vorgängers zu übernehmen, sie aber neu so einzuordnen, daß sie aus der Sphäre der List in die Höhe echten Artusrittertums erhoben werden[3]).

Mit der Überwindung des Meerwunders gewinnt Garel zugleich Hand und Land der schönen Laudamie. Auch damit wird eine Fehlleistung des Stricker zurechtgerückt. Dem Danielroman fehlt das wichtige Movens der Minne. Zwar leistet Daniel seine Taten im Dienste bedrängter Frauen und handelt insoweit als Artusritter. Aber er bleibt von ihrer Schönheit unberührt; er läßt sie hinter sich und reitet davon. Und seine Verbindung mit der Witwe des Königs Matur, durch die er König im Lande Cluse wird, ist eine „politische" Ehe, von Artus gestiftet, von Daniel vollzogen, ohne daß die Macht der Minne dabei im Spiele wäre. Wenn der Pleier seinen Helden mit einer der bedrängten Frauen verbindet, so nicht nur aus der stofflichen Notwendigkeit seiner Umgestaltung des gegnerischen Königs zum „edlen Gegner", der nicht mehr im Kampf fallen darf. Es ist artusmäßig, daß der Held die Hand der Frau durch Aventiure erringt, und es ist unerläßlich, daß ihn dabei die Minne beflügelt. Garel wird sogleich von Minne zu Laudamie ergriffen; seinen Kampf gegen das Meerwunder erlebt er als Dienst für die Geliebte. Und auch Laudamie ist entbrannt; die Ehe ist Vollzug der Minne. Bewußt und fein sind die beiden Empfänge Garels durch Laudamie gegeneinander abgestuft: Beim ersten Einritt wird der fremde Ritter von der Burgherrin würdig und formgerecht empfangen. Bei der Rückkehr vom Streit mit dem Meerwunder eilt sie selber ihm entgegen, führt ihn in ihre eigenen Gemächer, entwappnet ihn mit eigener Hand und bietet ihm Herrschaft und Ehe. Das ist nicht nur Ausfluß geziemenden Dankes, sondern zugleich Durchbruch liebenden Gefühls. Und Garel nimmt freudig an; denn sie lag *versigelt in sînem herzen* (8613).

Unterstrichen wird die Bedeutung der Minne durch den Hinweis auf das Schicksal der Anfole, der Schwester Laudamies. Sie war dem geliebten Ritter Galwes nachgestorben, der in ihrem Dienst sein Leben verloren hatte. Und der Pleier vergißt nicht anzumerken, daß auch Laudamie dieses Schicksal erlitten hätte, wenn Garel von dem Kampf mit Volganus nicht wiedergekehrt

[3]) Garel behält die undurchdringliche Fischhaut nicht selber, sondern schenkt sie dem hilfreichen Zwerg. So gehört es sich für einen Artusritter. Auch hier verwendet er einen Zug aus dem Daniel und ordnet ihn neu ein. Daniel schenkt das Zaubernetz dem zauberkundigen Alten, den er darin gefangen hatte. Nur erscheint diese Gabe hier als willkürlich, beim Pleier aber als berechtigter Dank für einen geleisteten Dienst.

wäre (8495 ff.). Das Motiv des Liebestodes, das Isoldemotiv zu erzählerischer Scheidemünze sentimental umgeprägt, darf dem späten Artusroman nicht fehlen[4]). Ebenso notwendig muß auch der gefühlvolle Liebesbrief vorhanden sein. Er findet sich in Garels Botschaft an Laudamie nach der gewonnenen Schlacht (17 521 ff.). Der Brief enthält nichts von Ereignissen und Taten — sie sind dem mündlichen Bericht des Boten vorbehalten — es ist ein reiner, wohlstilisierter Liebesgruß.

3) Sehr kurz ist von dem ehernen Tier zu reden; es ist vom Pleier ganz an den Rand geschoben. Für den Stricker war es wichtig, weil es den Sieg des Artusheeres herbeiführte. Darum wird es schon gleich zu Anfang im Bericht des Riesen über das Land seines Herren angebracht und tritt schon vor dem entscheidenden Augenblick episodisch in Aktion. Der Pleier widmet ihm kaum 150 Verszeilen. Erst unmittelbar vor dem Kampf berichtet der Riese von dem Tier, das hier mitten in der schmalen Furt des Flusses steht, der die beiden Heere trennt. Eskilabon, einer von Garels Bundesgenossen, reitet angesichts des feindlichen Heeres kühn in die Furt, packt das Banner und — statt es herauszuziehen — stößt er es dem Tier in den Rachen, so daß der Schaft in dessen Kehle abbricht. Es kann sein Gebrüll nicht mehr erheben. Das Abenteuer wird also zu einer kurzen Episode, nicht wert, von dem Haupthelden selber bestanden zu werden. Und sein Sinn wird es, das Tier auszuschalten. Ihm ist im eigentlichen Sinne das Maul gestopft; keiner, weder Freund noch Feind, kann sich seiner bedienen, um den Sieg durch seine Mechanik zu erringen. Der Kampf muß durchgefochten und ritterlich gewonnen werden.

Ich glaube, man kann als Ergebnis feststellen, daß der Pleier nicht unbehilflich nachgeahmt, sondern bewußt und kritisch nach einer Leitidee umgestaltet hat. Und diese war, den Roman vom listigen Helden als nicht artusmäßig, und das heißt als nicht gattungsmäßig, zu enthüllen und an einigen Aventiuren zu zeigen, wie sie wirklich hätten gestaltet werden müssen, um den Anforderungen eines Artusromans gerecht zu werden.

Eine ähnliche Untersuchung ließe sich für den zweiten Komplex, die große Schlachtschilderung, durchführen. Ein eingehender Vergleich würde zeigen können, wie bis in alle Einzelheiten hinein die auf dem vorhöfischen Schlachttypus des Rolandsliedes gegründete Darstellung des Stricker in eine vorbildliche Ritterschlacht umstilisiert worden ist. Das wäre eine Aufgabe für sich. Auf einige wesentliche Züge ist schon verwiesen: die Umwandlung des überheblichen in den edlen Gegner, die Ausschaltung des blind wütenden Riesen und des ehernen Tieres, um reines Rittertum erscheinen zu lassen. Die Massenschlacht ist dem klassischen Artusroman überhaupt fremd. Der Pleier hat sie beibehalten, um zu zeigen, wie sie etwa einzustilisieren wäre. Er hat

[4]) Dasselbe Motiv kehrt später noch einmal ausführlicher wieder. Kloudite, die Schwester von Ekunavers Gemahlin, ist dem Geliebten Elinot nachgestorben, einem Sohne von Artus, der in ihrem Dienst sein Leben verloren hatte (16 742 ff.).

aber den entscheidenden Schritt getan, um dies zu ermöglichen: er hat Artus und die Ritter der Tafelrunde aus ihr herausgehalten. Garel kämpft und siegt mit Bundesgenossen, die er sich erst durch Aventiure erworben hat und die nicht zum Artuskreise gehören. Erst als die kriegerische Auseinandersetzung mit Ekunaver vorüber ist, tritt Artus wieder auf den Plan, um seine eigentliche Funktion zu erfüllen: Mittelpunkt des ritterlichen Festes zu sein. Nur einen Augenblick scheint sich der festliche Horizont bedrohlich zu umwölken, als Garel mit seinem Heer herannaht und für den Feind gehalten wird. Doch dieser Augenblick wird nur dazu ausgenutzt, um eine artusmäßige Episode einzuführen: Keies Ruhmredigkeit und deren Bestrafung. Die Begegnung Keies mit Garel wird aus der Schlachtsituation heraus als Wartritt stilisiert und nimmt den herkömmlichen humoristischen Verlauf[5]). Dann löst Garels Botschaft an Artus alles in Freude auf. In wohlberechnetem Gegenbild zur Einleitung überbringt auch hier der Riese die Botschaft, zuchtvoll und höfisch hier wie dort. Dann vereinigen sich die beiden Heere, Friede und Versöhnung mit Ekunaver folgen, und der volle Glanz fürstlicher Repräsentation entfaltet sich in dem großen Schlußfest, ungestört durch den Einbruch dämonischer Mächte, der beim Stricker dieses Schlußbild unstilgemäß durchbrochen hatte.

Der Pleier hat nicht alle Motive des Stricker übernommen, er hat dafür neuen Aventiurenstoff eingefügt. Auch dieser paßt in das gewonnene Bild. Ehe er seinen Helden das Volganus-Abenteuer bestehen und damit die Hand Laudamies erringen läßt, führt er ihn durch drei Abenteuer in wohlbedachter Steigerung darauf zu. Sie sind aus dem Geist und z. T. aus dem Stoff Hartmannscher Aventiuren gestaltet. Schutz der Schwachen, Befreiung von Gefangenen lassen sie als ethische Bewährung in ritterlicher Tat erscheinen und so zu eigentlichen Gegenbildern wahrhaft klassischer Aventiurenführung werden. Ohne eindringlichere Analysen zu versuchen, möchte ich hier nur an die verwendeten Vorbilder erinnern.

Das Abenteuer in Merkanie erlöst eine edle Jungfrau von einem lästigen aber ritterlich gesonnenen Freier, dessen sich ihr Vater wegen seines hohen

[5]) Eine Szene mit Keie fehlt auch dem Stricker nicht; sie mußte dem Schwankdichter willkommen sein. Er verwendet die Figur Keies zu einer Szene von grotesker Komik. Der blinde Riese packt ihn am Bein, um mit ihm auf die Feinde einzuhauen. Sehr drastisch wird geschildert, wie dem Unglückswurm Halsberg und Waffenrock über den Kopf rutschen, wie er der Faust des Riesen entwirbelt und durch das Geäst einer Linde stufenweise zu Boden fällt. Auch die typische Szene, daß der ruhmredige Keie alsbald vom Roß gestochen wird, hatte der Stricker schon gleich anfangs verwendet. Der Pleier hat die schwankhafte Szene ausgeschaltet; bei ihm begegnen sich Garel und Keie, wie gesagt, zwischen den beiden Heeren.
Keies Demütigung ist hier viel herber und für ritterliches Ehrgefühl herabsetzender: ihm wird das Roß vorenthalten und er muß zu Fuß zu König Artus zurückkehren. Wie genau der Pleier Motive des Stricker aufgreift und neu verarbeitet, sehen wir auch hier wieder: er baut hier das Motiv der Namenshehlung ein. Auf Keies Frage nach seinem Besieger erwidert Garel (18 279 ff.): „Wer Euch fragt, dem sagt, ich sei der Mann, der Euch das Roß abgewonnen hat."

Alters nicht mehr erwehren kann. Der edle Alte, die schöne Tochter, die bedrängte Lage, in der doch die schönen Gebärden höfischer Gastlichkeit nicht versäumt werden, gemahnen an Erecs Einkehr bei Enites Eltern. Sein Kampf gegen den Bedränger Gerhart, dessen Besiegung im Zweikampf und die Entledigung der Jungfrau von dem Bedränger gehören dem Erzählschema an, das durch Hartmanns Gregorius, durch Wolframs Gahmuret und Parzival endgültig durchgeprägt war. Es steht zugleich als das echt artusritterliche Kontrastbild gegen das erste Abenteuer des Daniel. Auch dieser befreit ja eine Jungfrau von einem lästigen Freier, aber das ist der dämonische Zwerg Juran, der die Jungfrau mit dem furchtbaren Schicksal der Schändung und Auspeitschung bedroht und dessen Daniel durch eine List Herr wird.

Schwerer ist das nächste Abenteuer mit Eskilabon, einem edlen und gewaltigen Ritter, der alle besiegten Gegner zwingt, als Gefangene auf seiner Burg zu bleiben, wo ihnen bei Verlust der Freiheit doch ein ritterliches Dasein gegönnt ist. Garel sucht den Kampf mit ihm zunächst, um zwei junge Königssöhne zu befreien. Mit seinem Genossen Gilan, den er ebenfalls in ritterlichem Zweikampf zuerst überwunden, dann zum Freunde gewonnen hat, besteht er das Abenteuer des Blumengartens und befreit die gefangenen Ritter, zugleich aber erlöst er Eskilabon von einem Gelübde, in das er sich selber verstrickt hatte. Die ganze Aventiure ist aus Hartmannscher Motivik gefügt. Die aus ritterlichem Zweikampf erblühende Gesellenschaft ist ein weit verbreitetes Motiv — etwa die Episode des Guivreiz im Erec. Die Aventiure des Blumengartens hat ihr Vorbild in dem Eingangsabenteuer des Iwein: eine unscheinbare Handlung, hier das Brechen einer Blume im Garten ruft den Gegner auf den Plan. Das Motiv der Erlösung eines Ritters aus seinem Gelübde durch seine Besiegung weist wieder auf den Erec: Mabonagrin und *joie de la court.*

Erst das dritte und schwerste Abenteuer führt in die Welt des Dämonischen hinüber. Es ist die Besiegung des Riesen Purdan und dessen noch schrecklicheren Weibes Fridegart, die die Straße sperren und jeden Vorüberziehenden erschlagen. Hier mischt sich die artusmäßige Befreiung der Straße von Raubgesindel mit dem Riesenkampf, der in vorgebildeten Formen durchgefochten wird. Der Erfolg ist die Befreiung der beiden jungen Königskinder Klaris und Duzabel, die seit Jahren in kummervoller Haft gehalten werden, um als Geiseln für den Tribut aus ihren Ländern zu dienen. Zugleich aber werden der Zwergenkönig Albewin und die Seinen aus dem Frondienst des Riesen befreit. Garel gewinnt in ihm einen Freund, der ihm für den Kampf gegen den Unhold mit dem Medusenhaupt zum unentbehrlichen Helfer wird. Der böse Riese, der Menschen tötet oder verschleppt und Zwerge unterjocht, ist echte Aventiurenfigur. Die Riesen in Hartmanns Iwein bieten die klassische Anknüpfung. Zugleich aber wirkt — wie schon die Namen Fridegart und Albewin zeigen — die jüngere Dietrichepik vom Typus Eckenlied und Virginal herüber. Hier mag Wirnts Wigalois, in dem wir zuerst die Einbeziehung des „wilden Waldweibes“ aus der jung-herorischen Dichtung in den Artusroman beobachten können, die Legitimation für den Pleier hergegeben haben.

Alle Einzelheiten interessieren hier nicht. Wesentlich ist, daß der Pleier sich nicht damit begnügt hat, Motive des Strickerschen Daniel artusgemäß umzuprägen. Er stellt andere Aventiuren daneben, deren offenkundige Beziehungen zur klassischen Epik, namentlich zu Hartmann, keinesfalls nur als plumpe Nachahmung durch einen einfallslosen Spätling zu schelten sind. Sie stehen im Dienste einer Aufgabe. Sie stellen den Strickerschen Aventiuren, die nur mühevoll oder gar nicht in die Forderungen der Gattung einzubiegen waren, die echte, gute Artusaventiure gegenüber, wie sie die klassische Dichtung endgültig durchgeprägt hatte.

Dürfen wir Kleines mit Großem vergleichen, so ist der Stricker dem Pleier als der *vindære wilder mære,* der *mære wildenære* erschienen, als ein Mann, der es gewagt hatte, „wilden“, und das heißt nicht gattungsgerechten Stoff in einen Artusroman einzubeziehen, und der sich weiter erdreistet hatte, *diu mære* zu verwildern, indem er einen Artusritter so handeln ließ, wie ein solcher nicht zu handeln hat. Er hat den Roman des Stricker nicht umgedichtet, er hat vielmehr einen gattungsgerechten Gegenroman geschrieben und schreiben wollen, in dem er exempelhaft vorführte, wie der gesamte Aufbau und einige wesentliche Motive aussehen müßten, wenn sie nach den Forderungen der Gattung behandelt würden. Und um das unüberhörbar deutlich zu machen, hat er seinem Helden denselben Beinamen gegeben wie der Stricker dem seinen: vom blühenden Tal. Aber er nennt ihn nicht Daniel, und schon der neue Name Garel ist ein Protest. Man trägt im Artusroman keinen biblischen Namen, man heißt dort nicht Daniel, sondern eben z. B. Garel, weil dieser Name schon im Erec, im Parzival und im Wigalois vorkommt. Und man steht nicht so im leren Raum wie der Daniel des Stricker, sondern man ist auch sippenmäßig der Tafelrunde zugeordnet. Durch seinen Stammvater Mazedan ist Garel ebenso mit dem Geschlecht von Anjou, also mit Gahmuret, Gandin und Parzival wie mit Artus und Gawein verwandt, und er trägt in seiner Schönheit das Zeichen seines Ursprungs aus Feengeschlecht. So gehört es sich für einen Artushelden.

Von hier aus dürfte sich auch eine andere Beurteilung der stilistischen Abhängigkeit des Pleier von den großen Klassikern namentlich Hartmann und Wirnt, in seiner dichterischen Sprache ergeben. Man hat ihm in der Forschung schwere Vorwürfe gemacht, daß er seine Vorbilder „geplündert“ habe, und hat ihm seine armselige Unselbständigkeit bescheinigt. Ich möchte glauben, daß es sich auch hier um eine beabsichtigte Konstrastwirkung handelt. Rosenhagen hat gezeigt, wie sehr der Stricker seine Sprache und seinen Stil aus seiner Beschäftigung mit der vorhöfischen Dichtung gespeist hat. Außer seinem Hauptvorbild, dem Rolandslied, hat er den Alexander gekannt, wie schon seine unverfrorene Berufung auf Alberich von Bisenze als Quelle beweist, aber auch den Rother und wohl noch anderes. Das beleidigte das Ohr eines Mannes, der an die *kristallînen wortelîn* Hartmanns gewöhnt war und in ihnen das gültige Vorbild sah. Die zahlreichen, oft sehr handgreiflichen Anklänge an die „Klassiker“ können die literarisch gebildeten Zeitgenossen unmöglich überhört, würden sie aber auch schwerlich verziehen haben, wenn sie sie als literarischen Diebstahl betrachtet hätten. Ich meine, wir müssen sie eher als Zitate auffassen, oder noch besser als ein Bekenntnis zu einer ehrfürchtig geliebten und vor aller Entstellung zu hütenden Vorbilddichtung. Sie stehen in dem Gedicht des Pleier als die Wahrzeichen des Eigentlichen und Gültigen. Auch sie sollen darauf hinweisen, was die Gattung verlangt, und wie man ihr in Wort und Stil gerecht zu werden hat. Man mag solch ängstliches Klammern an die Vorbilder, dem das Wagnis zu Eigenem als Verirrung erscheint, Epigonentum nennen. Nur darf man in ihrer engen Abhängigkeit von den klassischen Vorbildern keine Unfähigkeit sehen; der Pleier ist weder in der Komposition noch im Stil ein schlechter Dichter, sicherlich nicht schlechter als die Schöpfer des ritterlichen deutschen Unterhaltungsromans, Ulrich von Zazikofen und Wirnt von Grafenberg. Eduard Hartl hat das ausgesprochen[6]) und eine Art Ehrenrettung des Pleier versucht. Aber auch er meint es nur dadurch zu können, daß er das „Neue“, das Originelle an seiner Dichtung aufzuspüren sucht. Der Pleier würde das gewiß nicht als sein eigentliches Verdienst angesehen haben. Im Gegenteil, ihm ging es bewußt gar nicht um Originalität; eine Betrachtung der Literatur des späten 13. Jhs. unter diesem Gesichtspunkt trägt verfälschende moderne Maßstäbe an sie heran, wovor schon Gottfrieds literarisches Urteil warnen sollte. Diese Männer haben ein ganz anderes, sehr bewußtes und legitimes Anliegen: die Stilreinheit in Wort und Gehalt. Der Garel des Pleier ist ein besonders instruktives Beispiel dafür, weil er eine Gegendichtung zu einem Roman ist, der die Grundanforderungen der Gattung außer acht gelassen hatte.

---

[6]) Stammlers Verfasserlexikon III, 907.

ALBRECHT VON KEMNATEN

[1961]

Albrecht von Kemnaten nennt sich der Dichter des ‚Goldemar', eines strophischen Epos aus dem Kreise der Aventiurenerzählungen um den jungen Dietrich von Bern. Wir besitzen den Anfang des Gedichtes aus einer Handschrift des 14. Jahrhunderts[1]), nicht mehr als neun Strophen und den Beginn der zehnten. Aber wir wissen einiges über den Inhalt aus einer Anspielung im Reinfried von Braunschweig und einem kurzen Inhaltsreferat im Anhang zum Straßburger Heldenbuch[2]).

Das Gedicht ist im Bernerton verfaßt, stellt sich also formal wie inhaltlich in den Kreis von Dietrichs Jugendaventiuren: Eckenlied, Sigenot, Virginal. Dem Herausgeber Zupitza und der Schule seines Meisters Müllenhoff galten alle vier Gedichte unbedenklich als Werke desselben Mannes, eben jenes Albrecht von Kemnaten, der sich in Str. 2 des Goldemar nennt. Diese Ansicht ist nicht haltbar[3]). Bis auf weiteres haben wir diesem Manne einzig den Goldemar zuzuschreiben.

Einen Dichter dieses Namens erwähnt Rudolf von Ems in seinen beiden Literaturexkursen mit großer Anerkennung. Im Wilhelm von Orlens ist dieser Exkurs in die Form eines Gesprächs mit Frau Aventiure gekleidet. Zu ihr sagt Rudolf:

2243 *ôch hetti ûch mit wishait*
Her Albreht bas denne ich gesait
Von Keminat der wise man
der maisterliche tihten kan.
An den soltin ir sin komen.

Und kürzer im Alexander:

3252 *von Kemenat her Albreht*
des kunst gert wîter schouwe.

Die Identität des Goldemar-Dichters mit dem von Rudolf so ehrenvoll genannten Epiker ist immer wieder bezweifelt worden, teils aus Gründen der Datierung, teils aus literarkritischen Gründen. Es sei unwahrscheinlich, daß Rudolf von Ems, der feingebildete Bewunderer Gottfrieds von Straßburg,

[1]) Hrsg. von Julius Zupitza, Deutsches Heldenbuch, Band V (Berlin 1870), S. 203 f., dazu die Einleitung S. XXIX f.

[2]) Beide Stellen bei Zupitza Einl. S. XXX.

[3]) Eberhard Klaass, Verf.-Lex. II, 55 ff. s. v. Goldemar. Ehrismann, Lit.-Gesch. II, 2, 2, S. 169 hält die Verfasserreinheit noch für möglich.

dieses mäßige Dichtwerk und dessen Dichter so hoch habe einschätzen könnnen. Ehrismann, a.a.O., S. 169, gibt für diese ganze Gedichtgruppe die Datierung 1270/80 an und setzt hinter Albrecht von Kemnaten als Dichter des Goldemar ein Fragezeichen. Offenbar schließt sich damit Hermann Schneider an, der in seiner Heldensage Band I (1928), S. 60, den Goldemar als nach dem Eckenlied entstanden ins späte 13. Jahrhundert rückt und in der Nennung Albrechts eine „Autorenfiktion“ sieht. Schneiders Ansicht nimmt Otto Höfler in seinem Aufsatz über ‚Die Anonymität des Nibelungenliedes‘[4]) gerne und ohne neue Begründung an, weil er die wenigen Fälle von Autorennamen in der heroischen Epik auszuscheiden bestrebt ist[5]).

Die Zweifel, die gegen die Echtheit des Autorennamens erhoben worden sind, gründen sich auf allgemeine Erwägungen. Eine Begründung, die auf genauer Untersuchung des Fragments beruhte, ist mir nicht bekannt. Wir müssen also zunächst davon ausgehen, daß der bei Rudolf von Ems genannte Albrecht von Kemnaten der Dichter des Goldemar gewesen ist. Wenn er uns als ein wenig bedeutender Dichter erscheint, dürfen wir uns von unseren Geschmacksurteilen nicht beeinflussen lassen. Ob Albrecht noch weitere Werke verfaßt hat, wissen wir nicht; die Art, wie Rudolf von ihm spricht, scheint es nahezulegen. Wir sind allein auf das Goldemarfragment angewiesen und haben zu fragen, ob sich darin Wesenszüge entdecken lassen, die Rudolfs Hochschätzung rechtfertigen oder verständlich machen.

Man muß dazu von der Form ausgehen. Der Goldemar verwendet eine Strophenform, die nicht so selbstverständlich ist, wie man sie meistens nimmt. Dem strophischen Epos war auf der einen Seite durch das Nibelungenlied ein weithin wirkendes Vorbild gegeben. Die vierzeilige Langzeilenstrophe wurde maßgebendes Muster. Die Dichter des Alphart und der Rosengärten haben sie übernommen, die Dichter des Waltherepos und der Kudrun haben sie variiert; noch Wolframs Titurelstrophe ist aus ihr kunstvoll weiterentwickelt. Unter vereinfachendem Verzicht auf die Schlußwellung bilden wandernde Vortragskünstler sie zum Hildebrandston um, eine Strophe aus vier gleichförmigen Langzeilen, die durch Einführung von Zäsurreimen zur achtzeiligen Kurzzeilenstrophe aus zwei Kreuzreimgruppen *(abab cdcd)* weitergeführt werden konnte. Auf der anderen Seite leben einfachere Strophenformen fort, wie die fünfzeilige Morolfstrophe, die sechzeilige Strophe der Rabenschlacht.

Keine dieser uns bekannten epischen Strophen läßt sich mit der Strophe, die Albrecht für den Goldemar verwendete und die wir den Bernerton nennen, vergleichen. Denn keine ist nach dem Prinzip der ausgebildeten lyrischen Strophe stollig gebaut. Dies aber ist der Bernerton, und zwar in einer besonders kunstvollen Weise[6]).

---

[4]) DVjs. 29 (1955), S. 167 ff., dortselbst S. 192.

[5]) Edward Schröder nimmt in seinem Aufsatz: Rudolf von Ems und sein Literaturkreis, ZfdA 67 (1930), 209 ff., zur Echtheitsfrage nicht Stellung. Was er S. 234 über Albrecht von Kemnaten sagt, ist für unsere Frage unergiebig.

[6]) Besprochen bei Heusler, Verslehre II, § 765 b, S. 287 f.

Der Bernerton ist eine sehr umfängliche Strophe; sie umfaßt 13 Zeilen. Und sie ist eine ebenso klar wie kunstvoll gegliederte, eine klassische Strophe. Ihr einziger rhythmischer Baustein ist der kurze Viertakter in einem Wechsel von klingender und voller Kadenz. Stollenteil und Abgesangsteil sind im rhythmischen und im Reimgefüge klar voneinander abgesetzt. Die beiden Stollen bilden eine sechszeilige Einheit, durch Schweifreim gebunden *(aac/bbc)*, wobei die Paare volle, der bindende Schweifreim klingende Kadenz aufweisen. Der Abgesang ist ein in sich zweistöckig gegliedertes Gebilde von 7 Zeilen. Der erste Teil besteht aus kreuzreimigen Vagantenzeilen *(cdcd)* mit Wechsel von voller und klingender Kadenz, der zweite ist ein dreizeiliger Abschluß aus vollen Viertaktern, gekennzeichnet durch eine Waise, die von einem Reimpaar umschlossen wird[7]). Das Schema sähe in Heuslerscher Terminologie so aus:

4va	*4va*	*4klc*		St I
4vb	*4vb*	*4klc*		St II
4vd	*4kle*	*4vd*	*4kle*	Abg A
4vf	*4vx*	*4vf*		Abg B

Die Str. 2 des Goldemar, in der sich Albrecht nennt, mag es veranschaulichen:

Nu merkt, ir herren, daz ist reht:
von Kemenâten Albreht
der tihte ditze mære,
wie daz der Bernære[8]) *vil guot*
nie gewan[9]) *gên vrouwen hôhen muot.*
wan seit uns daz er wære
gên vrouwen niht ein hovelîch man
(sîn muot stuont im ze strîte),
unz er ein vrouwen wol getân
gesach bî einen zîten:
diu was ein hôchgeloptiu meit,
diu den Berner dô betwanc,
als uns diu âventiure seit.

Eine solche Strophe entsteht nicht aus dem Nichts. Sie muß im Zusammenhang mit der Entwicklung der lyrischen Strophik gesehen und beurteilt werden. Zwei Merkmale werden besondere Beachtung verdienen: der dreizeilige Stollen und der zweistöckige Bau des Abgesangs.

Der dreizeilige Stollen tritt neben dem zweizeiligen von Anfang an auf, sobald das Prinzip des stolligen Strophenbaues sich durchsetzt. Vom Reimgefüge her kommen dabei mehrere Baumöglichkeiten in Betracht, aber nur zwei sind wirklich durchgedrungen. Die eine ist die Folge von drei in sich unge-

[7]) Ich beschreibe hier ausschließlich die Strophe des Goldemar; auf Varianten der übrigen Gedichte des gleichen Tones gehe ich später ein, vgl. S. 204 f.

[8]) Handschrift *Bernaer,* Ausg. *Berner.*

[9]) So in der Handschrift, Ausg. *gwan.*

reimten Zeilen des ersten Stollens, die ihre Reimpartner im zweiten Stollen finden, also: *abc/abc*. Die andere ist die Schweifreimform, wie sie der Bernerton bietet. Von diesen beiden Möglichkeiten ist die erste von Anfang an die häufigere und ist immer die beliebtere geblieben. Sie findet sich in Minnesangs Frühling von Friedrich von Hausen an in einer ganzen Reihe von Beispielen und wird gelegentlich schon zur Viererkette *(abcd)* erweitert, so bei Fenis 83, 25; Morungen 140, 32; Reinmar 187, 31. Diese Kettenform überwiegt auch in der späteren Lyrik bei weitem.

Die Schweifreimform ist in Minnesangs Frühling selten. Der große Formkünstler Morungen hat sie zweimal verwendet (129, 14; 141, 15), in beiden Fällen kurze, rasch fließende Daktylen, die sich synaphisch zur Einheit zusammenfügen und in denen die Reime eher eine gliedernde als eine architektonisch aufbauende Funktion haben. Sie sind mit der Stollenform des Bernertons nur in der Reimstellung, nicht als rhythmische Gebilde vergleichbar. In Minnesangs Frühling habe ich überhaupt nur zwei Beispiele gefunden, deren Stollenbau dem Bernerton wirklich nahe kommt. Das eine steht bei Veldeke 56, 1 in der Form 4wva 4wva 4vb/4wva 4wva 4vb, das andere ist der Pseudo-Dietmar 40, 19, der dem Stollenbau des Bernertons genau entspricht.

Weder Hartmann noch Reinmar kennen diese schweifreimige Stollenform, während Hartmann die Kettenform einmal (20, 19), Reinmar mehrfach (160, 6; 167,31; 186, 19) verwendet[10]). Walther kennt die Kettenform häufig, die Schweifreimform nur in Sprüchen, meist mit breiten sechs- oder achttaktigen Zeilen statt oder neben den Viertaktern[11]). Neithart, der den drei- und mehrzeiligen Stollen in seinen Winterliedern besonders liebt, bietet 14 Belege für die Kettenform neben nur einem einzigen späten Beleg (Nr. 36) für die Schweifreimform.

Im ganzen gewinnt man den Eindruck, daß die Schweifreimform durch Walthers Spruchdichtung erst eigentlich eingeführt wird, und daß sie sich danach nicht eben häufig, aber doch überall auftauchend in der Lyrik einbürgert. Hier ordnet sich dann auch der dem Bernerton besonders nahestehende Pseudo-Dietmar 40, 19 ein. So haben — um nur einiges zu nennen — schweifreimige Stollen die beiden Spruchtöne, die Gottfried von Straßburg zugehören. Burkhart von Hohenfels hat einen Schweifreimton (VI) neben fünf Kettenformen; Gottfried von Neifen besitzt neben zahlreichen Kettenformen und sonstigen kunstvollen Stollenbauten immerhin acht Schweifreimformen, von denen keine dem Bernerton genau entspricht, aber mehrere (VI, XXII; XXXV) wie dieser aus reinen Viertaktern gebaut sind. Unter den Späteren haben alle, die uns ein wenig breiter überliefert sind, die Schweifreimform im Repertoire. Sie hier im einzelnen zu verfolgen, liegt nicht in der Absicht dieses Aufsatzes, wie es auch wenig sinnvoll wäre, ein

[10]) Dazu die unechten Lieder 176, 5; 190, 27.

[11]) Es sind die Spruchtöne 11, 6; 18, 29; 38, 10; 82, 11; 104, 23 und — als einziger aus lauter Viertaktern 105, 13.

direktes Vorbild für den Bernerton aufzusuchen. Worauf es ankommt, ist eine leidlich greifbare zeitliche Einordnung: man wird vom Stollengefüge her die Schaffung des Bernertons frühestens in die Zeit des späteren Walther setzen dürfen, und nichts spricht dagegen, sie in der Zeit von Rudolf von Ems und in der Nähe des Kreises entstanden zu denken, dem Rudolf nahe stand, des Kreises um die Söhne Friedrichs II.

Der Bau des Abgesanges führt zu demselben Ergebnis. Die kunstvolle Form des zweistöckigen Abgesangs scheint in jener Gruppe von Lyrikern ihre erste Pflege gefunden zu haben, die die typische Strophenform mit deutlicher und bewußter rhythmisch-architektonischer Kontrastierung von Stollenteil und Abgesang durchgebildet haben. Wenn ich zunächst von jeder Ähnlichkeit mit dem Bernerton absehe, so setzt diese Form mit Johansdorf 87, 29 ein: ein ungleichtaktiges Reimpaar *aa* und eine umschließende, ebenfalls ungleichtaktige Fügung *bccb.* Sie geht über Hartmann (213, 29; 214, 12; 217, 14) zu zahlreichen Beispielen bei Reinmar und Walther fort. Eine eigentliche Vorform des Bernerton-Typus könnte man in dem fünfzeiligen Abgesang finden, der sich aus einem einfachen und einem durch eine Waise gespaltenen Reimpaar fügt: *aa/bxb.* Der zweite Teil entspricht dem Schluß des Bernertons, der erste hat statt dessen vierzeiligen Kreuzreimgefüges das einfachere Reimpaar. Solche Abgesänge — wie im Bernerton aus lauter Viertaktern — bietet der Pseudo-Dietmar 36, 5 und die große Reihe der unter Rugges Namen gehenden, ihm aber abgesprochenen Spruchstrophen 103, 35 ff. Reinmar greift diese Form auf (150, 1; 152, 25; 153, 14), mischt aber in ihr nach dem Kompositionsprinzip der Wiener Schule ungleichtaktige Zeilen, Viertakter mit Sechstaktern. Ähnlich steht es bei Walther, namentlich in einigen Jugendliedern (43, 9; 71, 35; 96, 29), die unter Reinmars Einfluß stehen, doch daneben auch 45, 37; 46, 32; 54, 37; 122, 24.

Eine genaue Parallele zum Abgesang des Bernertons bietet wieder ein Pseudo-Dietmar 34, 19, einen siebenzeiligen Abgesang mit völlig gleichem Bau, nur mit anders gewählten Viertaktern: das Kreuzreimgefüge mit vier vollen Kadenzen, die Waise weiblich voll *(4va 4vb 4va 4vb / 4vc 4wvx 4vc).* Einen entsprechend gebauten siebenzeiligen Abgesang kennt Reimar 154, 32 mit Wechsel von Vier- und Sechstaktern und, noch kunstvoller aus Vier-, Sechs- und Achttaktern gemischt, der auch im Stollenbau kunstvolle Spruch 119, 13 des Bligger von Steinach.

Auch für den Typus des Abgesangs wird man bei dem Bernerton kaum vor die Zeit Reimars und Walthers zurückgehen können. Unmittelbar an die Wiener Schule anzuknüpfen ist deswegen bedenklich, weil nicht nur dem Abgesang des Bernertons, sondern der ganzen Strophe die rhythmische Variationsfreude fehlt, die mir ein besonderes Charakteristikum dieser Schule zu sein scheint. Die größere Einfachheit in der Wahl der rhythmischen Bausteine, die Beschränkung auf die beiden Typen *4v* und *4kl* könnte für einen älteren Typus sprechen. Aber ein solcher Schluß wäre trügerisch. Denn gerade bei einigen führenden Lyrikern der späthöfischen Zeit: Burkhart von Hohenfels, Gottfried von Neifen, Ulrich von Lichtenstein, selbst Ulrich von Winterstetten, zeigt sich ein neues Formgefühl. Statt der ausgewogenen rhythmischen Architektonik des Wiener Stils, der als Typus auch die Strophik von Neidharts Winterliedern bestimmt, gehen sie entweder zu virtuosen Formexperimenten weiter, oder aber sie kehren zur Einfachheit reiner Viertaktgebilde zurück und suchen ihre Kunst nicht in der kompositorischen Vielfalt der Bauglieder, sondern im leichten Spiel tänzerischen Flusses und virtuoser Reimspiele, wozu gerade die rhythmisch wenig differenzierte Viertakterstrophe die geeignete Grundlage abgab. Die epische Strophe wird solche Spiele nicht mitmachen können. Aber eine kunstvolle epische Viertakterstrophe, wie der Bernerton sie darstellt, läßt sich gerade in der neuen Schule um Neifen und seinen Kreis gestaltet denken. Strophenformen wie Hohenfels Nr. IV, V, VI, VII, X, Neifen Nr. VI, XXII, XXXV oder das Kreuzlied Friedrichs von Leiningen mit Schweifreimstollen und lauter Viertaktern stehen dem rhythmischen Willen nach dem Bernerton sehr nahe.

Wir sehen, wohin das führt. Eine so ausgeprägte Strophe „entsteht" nicht; sie ist die Komposition eines formgewandten Dichters. Eines Dichters, der aller Wahrscheinlichkeit nach jünger ist als Reinmar und Walther, eines Zeitgenossen von Rudolf von Ems und Gottfried von Neifen. Und da wir in Albrecht von Kemnaten einen Dichter kennen, der in dieser Zeit gelebt und in dieser Strophenform gedichtet hat, so liegt der Schluß außerordentlich nahe, in ihm den Schöpfer des Bernertons zu sehen.

Albrechts Goldemar wäre dann das erste Gedicht, das in dieser neuen kunstreichen Form verfaßt worden ist. Er hätte das Vorbild für die anderen Epen des gleichen Tons abgegeben, für Virginal, Eckenlied und Sigenot. Das entspricht nicht der allgemeinen Auffassung, würde sich aber chronologisch sehr gut einfügen. So unsicher auch unsere Datierungen sind, so bleibt vorsichtige Schätzung für die Epen dieser Gruppe doch frühestens bei der Jahrhundertmitte stehen. Für die Virginal Hat C. von Kraus[11a]) einen ältesten Kern herauszulösen versucht, den er einem Schüler Konrads von Würzburg zusprechen wollte. Hugo Kuhn[12]) hat eine andere Rekonstruktion des ältesten Virginaltextes vorgelegt und dem Schüler Konrads von Würzburg erst eine erste Umarbeitung und Erweiterung zugewiesen. Wann er seine Urfassung entstanden denkt, sagt er hier nicht, nennt sie aber „eine rein höfische Neuerfindung" und setzt für ihren Dichter die Kenntnis des Eckenliedes voraus. Etwas positiver nimmt Kuhn im Verfasserlexikon IV, 704 zur Datierungsfrage Stellung: „Es hindert nichts, dieses Gedicht in die Nähe des alten Eckenliedes und des Wolfdietrich A zu rücken"[13]).

[11a]) ZfdA 50 (1908), S. 1 ff.

[12]) PBB 71 (1949), S. 331 ff.

[13]) Eine Verbindung dieser Urfassung der Virginal mit Albrecht von Kemnaten scheint für Kuhn nicht ausgeschlossen: „Der Verfassername Albrecht von Kemnaten,

Damit wird die Datierungsfrage des Eckenliedes wichtig. Sie ist in der Forschung verworren, weil man nicht immer genau zwischen dem Alter des Stoffes bzw. der frühesten liedhaften Gestaltung und dem Alter der überlieferten epischen Fassungen und deren ältestem Kern unterschieden hat. Hermann Schneider (Heldensage I, 259 ff.) setzt das „älteste tirolische Urlied", das noch nicht nach dem Grundriß des französischen Papageienromans gestaltet war, um 1200 an. Damit kann er Recht haben. Wenn er aber die in den Carmina Burana zitierte Strophe im Bernerton als die Eingangsstrophe dieses Tiroler Liedes ansetzt und diesem also die kunstvolle Strophenform zutraut, so scheint mir das auf Grund der oben durchgeführten Formenanalyse nicht mehr möglich, wie auch Heusler in seiner Verslehre II, 288 an Schneiders Ansatz gezweifelt hat[14]). Es ist vielmehr sehr wahrscheinlich, daß jener Dichter, der den alten Stoff nach dem Muster eines französischen Artusromans umgestaltete, zugleich auch die neue kunstvolle Strophenform verwendete, daß mithin die Strophe der Carmina Burana die alte Eingangsstrophe des höfischen Eckenepos gewesen ist. Und es ist dann weiter wahrscheinlich, daß wir den dort genannten Helfrich von Lutringen als den Dichter dieses Epos anzusehen haben. Auf die schwierigen Entstehungs- und Schichtungsfragen der erhaltenen Fassungen braucht hier nicht eingegangen zu werden. Zur Datierung des ursprünglichen Eckenepos nimmt C. von Kraus[15]) keine Stellung; Hans Steinger (Verfasserlexikon I, 490 ff.) läßt die „Urgestalt der erhaltenen Fassungen" um 1250 entstanden sein, und dabei dürfen wir uns beruhigen. Der Sigenot endlich kann als spätere Nachfolgedichtung des Eckenepos außer Betracht bleiben. Das alles ist also vermutlich später als der für 1230/40 bezeugte Albrecht von Kemnaten.

Der Bernerton erscheint in den verschiedenen Dichtungen in leichten Variationen. Die von mir beschriebene Form rechnet mit einem Schlußteil aus drei vollen Viertaktern und mit Kreuzreim *abab* im ersten Teil des Abgesangs. Sie beherrscht den Goldemar. Alle erhaltenen Strophen zeigen Kreuzreim. Im Abschlußdreier dagegen ist an einer Stelle ein Schwanken spürbar. Die volle Form ist Regel, aber die letzte Zeile von Strophe 3 ist in der Handschrift stumpf: *im was ze strîte kunt.* Zupitza hat auch hier die volle Form zu

den Rudolf von Ems so rühmend erwähnt, tritt neu in den Blick." Albrecht selber kann freilich als Verfasser der Ur-Virginal nicht in Frage kommen; es ist kaum denkbar, daß derselbe Dichter zwei Erzählungen erfunden hat, in denen der junge Dietrich von Bern durch verschiedene Frauen (Hertelîn im Goldemar, Virginal in der Virginal) zu erster Frauenminne erweckt wird.

[14]) Aber auch inhaltlich setzt diese Strophe den Papageienroman voraus. Ecke erhält den Titel *her*, ist also nicht mehr wilder Waldriese, sondern höfischer Ritter. Und wenn von ihm gesagt wird, *er lie da heime rosse vil, daz was niht wol getân*, so erscheint er auch darin als der riesengroße Ritter, der Rosse besitzt, sie aber zu seinem Unheil zu Hause läßt und zu Fuß auszieht wie der Ritter im Papageienroman.

[15]) C. von Kraus, Bruchstücke einer neuen Fassung des Eckenliedes (A), Abh. d. Bayer. Akademie d. Wiss. XXXII, Nr. 3 und 4, München 1926.

gewinnen versucht durch Einführung der zweisilbigen Form *ime*. Das ist eine Verlegenheitsauskunft und bleibt unzulänglich; denn in allen anderen Strophen hat die Schlußzeile Auftakt[16]). Eine rhythmisch zureichende Emendation müßte tiefer eingreifen.

Die drei anderen Gedichte im Bernerton weichen im Schlußdreier ab. In der Waise Zeile 12 wechselt klingende und volle Kadenz, in der Abschlußzeile 13 stumpfe und volle Kadenz. Wir treffen auf Strophenschlüsse wie:

Diu stat dem Rîne nâhen lît
und ist gar wol erbûwen.
des ist ir name wît[17]).

C. von Kraus hat in seinen Arbeiten zur Virginal und zum Eckenlied in sorgfältigen Untersuchungen den Nachweis zu führen gesucht, daß dies die eigentliche Form der Eckenstrophe gewesen ist. Für die Schlußzeile fordert er 4*st* durchgehend, für die Waise läßt er Kadenzentausch von 4*kl* zu 4*v* zu. Wenn dies richtig ist, so würde das von unserem Ausgangspunkt her bedeuten, daß der Dichter des Eckenliedes die von Albrecht geschaffene Form mit einer leichten Variation übernommen hat. Ihm hätte sich der Dichter der Virginal angeschlossen. In den erhaltenen Fassungen der beiden Gedichte finden sich dagegen volle und klingende Waisen, volle und stumpfe Schlußzeilen durcheinander. Dazu kommt als zweite Variante eine leichtere Behandlung des Kreuzreims im ersten Teil des Abgesanges. Das Eckenlied scheint statt des Doppelreims *abab,* den wir im Goldemar finden, die erste und dritte Zeile nicht gereimt zu haben, also die häufige Form *xbxb* besessen zu haben[18]), während die späteren Bearbeiter den kunstvolleren Typus *abab* mehr oder weniger konsequent durchzuführen versuchten.

Solche leichten Variationen in der epischen Strophe wiegen nicht schwer. Wir finden sie allenthalben, so den gelegentlichen Zäsurreim im Nibelungenlied, namentlich in C, den Wechsel von Nibelungenstrophe und Kudrunstrophe in der Kudrun, die freie Behandlung der Schlußzeile in Alpharts Tod und in der Rabenschlacht. Wir besitzen vom Goldemar zu wenig, um beurteilen zu können, ob Albrecht volle und stumpfe Schlußzeilen gemischt hat; bei seiner sonstigen formalen Sorgfalt möchte man eher daran zweifeln. Dann wäre die stumpfe Zeile in Str. 3 dem unsorgfältigen Schreiber oder einem jüngeren Bearbeiter zuzuschreiben, und man dürfte etwa lesen: *wan im was ie ze strîte kunt.*

Ist Albrecht von Kemnaten der Schöpfer des Bernertons, so verstehen wir auch, daß er seinen Namen genannt hat. Im Kreis der heroischen Romandichtung ist das bekanntlich nicht üblich. Wir kennen nur noch eine Ausnahme: Heinrich den Vogler, den letzten Überarbeiter von Dietrichs Flucht. Aber

[16]) Strophe 4 hat erlaubte Tonversetzung; in Strophe 7 ist das fehlende *ich* sicher zu ergänzen: *sô wil ich.*

[17]) Eckenlied Strophe 1 nach dem kritischen Text bei von Kraus in der Abh. der Münchener Akademie S. 63.

[18]) C. von Kraus, a.a.O., § 61 f. und Anm. 8.

seine Namensnennung ist anders zu beurteilen. Sie steht nicht, wie es bei der Nennung des Dichters üblich ist, am Anfang oder am Schluß des Gedichtes. Sie findet sich mitten im Text (Z. 8000) als Abschluß einer heftigen Invektive gegen erzwungenen Fürstendienst und dessen üble Folgen für den Ritterstand. Und sie bezieht sich nur auf diesen Exkurs: *dise wernde swære hât Heinrich der Vogelære gesprochen und getihtet.* Es ist das politische Bekenntnis eines wandernden Dichters in der angespannten politischen Situation Österreichs um 1280, mit dem er sich seinem ritterlichen Publikum bzw. seinen ritterlichen Auftraggebern empfehlen wollte[19]. Albrecht von Kemnaten aber nennt sich an der üblichen Stelle als der Dichter eines Werkes. Er fühlte sich als der Schöpfer eines neuen „Tones", den er als sein Eigentum bezeichnen wollte.

Aber darüber hinaus fühlte er sich als der Schöpfer eines neuen Stils im Bereich des heroischen Romans. Er wollte bewußt ein h ö f i s c h e r Dichter sein, und er hat als ein solcher seinen Namen genannt. Denn es ist bisher nicht genügend beachtet worden, wie deutlich Albrecht in seiner Einleitung seine dichterischen Absichten kundtut. Str. 1 enthält eine kritische Stellungnahme zu der bisherigen Dichtung über Dietrich von Bern: Wir haben viel von Helden gehört, die zu Zeiten Dietrichs große Kämpfe ausgefochten haben. Sie erwiesen ihre *degenheit,* indem einer den anderen erschlug, und wollten nur zum Streiten ausreiten. Als der beste galt, wer viele erschlug; ihr Ruhm wurde erhöht, wenn man ihre Opfer vom Platze trug. Klingen solche Formulierungen schon skeptisch, so werden sie zu eigentlicher Kritik, wenn Albrecht hinzufügt: *der mängen â n e s c u l d e ersluoc.* S i n n l o s e s Kämpfen und Töten war ihre Lust und ihr Ruhm.

Str. 2 setzt die Kritik auf anderem Gebiete fort: Man sagt, daß Dietrich *gên vrouwen niht ein hovelîch man* (Z. 7) war und daß er *nie gewan gên vrouwen hôhen muot* (Z. 5), denn *sîn muot stuont im ze strîte* (Z. 8). Es ist der frauenlose Dietrich der historisch-heroischen Dietrichdichtung, der sich noch im Gedicht von Dietrichs Flucht nur seufzend in die Verlobung mit Herrat als in eine politische Notwendigkeit schickt (Dietrichs Flucht 7626 ff.). Jetzt aber — so fährt Albrecht fort — wird er anders von ihm erzählen. Dietrichs unhöfische Haltung verwandelte sich, *unz er ein vrouwen wol getân gesach bî einen zîten* (Z. 9/10); diese *hôchgeloptiu meit* war es, *diu den Berner dô betwanc* (Z. 12).

[19]) Das ist von Otto Höfler, DVjs. 29, in dem oben genannten Aufsatz über die Anonymität des Nibelungenliedes S. 193 ff. richtig erkannt und gewertet worden. Ob es nötig ist, den Namen Heinrich der Vogler als poetische Fiktion anzusehen und ihn auf König Heinrich I., den Vogelsteller, zu beziehen, der als Vertreter königlicher Einfachheit und Geradheit den übermütigen Fürsten der Gegenwart eine ernste Mahnung erteilt, bleibe dahingestellt. Für Höfler, der alle Nennungen von Dichternamen in der heroischen Epik auszuschalten bemüht ist, war eine solche Interpretation wichtig; mir scheint sie nicht nötig und in ihrer Begründung nicht zwingend zu sein. Weder der Allerweltsname Heinrich noch der Berufsbeiname „Vogler" haben für jene Zeit etwas Auffälliges, und die herausfordernde Tonart entspricht genau dem, was wir auch sonst bei wandernden Spruchdichtern gewöhnt sind.

Damit ist ein Programm entwickelt. Albrecht will einen neuen Dietrich zeichnen, nicht weniger begierig auf ritterliche Tat als der Held der bisherigen Dietrichdichtung, aber nun bereit zur Aventiure um einer Frau willen, die ihn zur Minne zwingt, und die er — das wissen wir aus dem Anhang zum Heldenbuch — durch Aventiure erringt. Er will einen höfischen Ritter Dietrich von artushafter Haltung zeichnen. Mit Str. 3 beginnt die eigentliche Erzählung. Albrecht schickt seinen Helden noch aus seiner alten Gesinnung auf den Weg; die Strophe führt uns noch einmal den Dietrich vor, der aus reiner Kampfeslust *(degenheit)* ausreitet und viele im Streit erschlagen oder verwundet oder gefangen nach Bern gebracht hat. Jetzt lockt ihn das Abenteuer der Riesen im Gebirge *Trûtmunt* (Str. 4). Dann aber (Str. 5) begegnet er Goldemar und seinen Zwergen, die eine Jungfrau mit sich führen; der Anhang zum Heldenbuch nennt sie Hertelîn, die Tochter des Königs von Portugal. Und von diesem Augenblick an wandelt sich nicht nur der Sinn des Berners, sondern auch der Stil des Gedichtes. Die Str. 6 bis 8 sind fast ganz Rede Dietrichs an den Zwergenkönig Goldemar, und er redet als der neue, der höfische Ritter. Er fragt höflich nach der Dame, versichert, daß er den Zwergen nicht schaden wolle, bittet *mit iuwer hulde*, sie sehen zu dürfen, das sei ihm mehr wert als tausend Mark. Als Goldemar sie vor ihm verbirgt, spricht er mit *sendem muote*. Er fragt weiter höflich danach, wie die Jungfrau in die Wildnis gekommen sei. Er findet keine Spuren eines Kampfes, darum denkt er daran, daß sie entweder die Dame eines Ritters sei, der mit ihr hier hergekommen ist, oder daß sie allein um eines Mannes willen ausgefahren sei. Das sind beides Situationen von Frauen, die der Artusroman kennt, und Albrecht betont das ausdrücklich: *als hie vor tâten schœniu wîp*. Beide Erklärungen will Dietrich als gültig anerkennen, wie sie der Held eines Artusromanes anerkennen würde. Mit dem Beginn von Goldemars Antwort bricht das Fragment ab. Ein höfischer Minneroman um Dietrich von Bern, das ist das Neue, was der Dichter Albrecht von Kemnaten bieten wollte. Und für die neue Konzeption sucht er die neue Form. Das konnte auf zwei Weisen geschehen. Der Dichter konnte die Form des Artusromans verwenden, das erzählende Reimpaar. Das hatte zuerst der Dichter der Nibelungenklage getan, dann hatte der Laurin es von neuem versucht, die späten Dichter von Biterolf und Dietleib und von Dietrichs Flucht es fortgeführt. Oder er konnte bei der Strophenform verbleiben, diese aber dem an der Lyrik erzogenen Formgefühl anpassen. Das war zuerst geschehen, als ein Nibelungendichter, vermutlich doch der Dichter der Älteren Not, die Kürenbergerstrophe für eine epische Dichtung verwendete. Was damals modern und richtunggebend war, das war jetzt veraltet. Es galt eine neue, verfeinerte Form zu schaffen, ein stattliches Gefüge, das für den epischen Vortrag geeignet war, nicht übermäßig künstlich, aber mit klarer Gliederung in Stollen und Abgesang, geräumig genug für epischen Inhalt und in sich geschlossen. Und wie immer man die darstellerische Kraft des Dichters beurteilen mag, wer diese Strophe bildete, besaß ein ausgesprochenes Gefühl für Form.

Albrecht hat mit seinem Versuch Schule gemacht. Nicht nur in der Form sind die Dichter des Eckenliedes und der Virginal seine Schüler gewesen. Sie sind es auch in der höfischen Verfeinerung und Mäßigung. Der Dichter des Eckenliedes tat es sehr bewußt, indem er einen französischen Artusroman als Grundriß für seine höfische Umgestaltung des alten tirolischen Riesenkampfliedes benutzte. Aber mit dem Stofflichen verband er ein ungewöhnlich entwickeltes Gefühl für Natur und Stimmung, ein deutliches Streben nach *mâze* und den Willen zu kontrastierender psychologischer Erfassung des bedächtigen Dietrich und des jungen strahlenden Draufgängers Ecke. Der Dichter der Virginal versuchte es in derselben Richtung wie der Goldemar: Dietrich als Minneheld. Erst in den späten Überarbeitungen und Erweiterungen dringt die Freude am groben Stoff der Riesen-, Drachen- und Heidenkämpfe in die zarteren Urgebilde wieder ein.

Ist Albrecht von Kemnaten der Schöpfer dieser neuen Gattung des höfisch-heroischen Aventiurenromans mit dem jungen Dietrich als Helden, und ist er zugleich der Schöpfer der kunstvollen Strophe, in der er erzählt wurde, so verstehen wir auch die Wertschätzung, die Rudolf von Ems diesem Dichter entgegenbrachte. Daß er uns als ein Gestalter zweiten Ranges erscheint, kann um so weniger eine Rolle spielen, als wir auf ein kärgliches, ein ästhetisches Urteil kaum zulassendes Bruchstück angewiesen sind. Wer, wie Rudolf von Ems, den Daniel vom blühenden Tal des Stricker rühmenswert fand, konnte auch am Goldemar Geschmack finden, selbst wenn er das einzige Werk Albrechts von Kemnaten gewesen wäre.

DIE RELIGIÖSE SPRACHE DER VǪLUSPÁ UND VERWANDTER DENKMÄLER*)

Es gibt Aufgaben in der Philologie, deren volle Lösung fast hoffnungslos scheint und die doch die lockende Kraft besitzen, immer wieder die Geister zum Ringen um ihre Probleme herauszufordern. Die Vǫluspá, das Eingangslied der Edda, gehört zu ihnen, und fast so lange eine wissenschaftliche Behandlung altnordischer Fragen überhaupt betrieben wird, d. h. mindestens seit der größte Sohn des alten Island sich damit beschäftigt hat, so lange gibt es Versuche, der mystischen Sprache und den ebenso klar aufleuchtenden wie schnell verschwindenden Bildern dieses weltumspannenden Gedichtes ihre wahre Absicht und Geschichte zu entlocken. Wie der Name der fernen Heimatinsel unseres Gedichtes, so ist auch sein Titel Vǫluspá „der Seherin Weissagung" vielen bekannt und mit einem Schimmer von Ehrfurcht umgeben. Wenige aber wissen etwas von seinen Reizen und den fast unübersteiglichen Hindernissen, die den Weg versperren. Wer sich ihm aber einmal gewidmet, seiner Lockung nachgegeben hat, den lässt es nicht wieder los. Wie die Sehnsucht nach Island dem bleibt, der auch nur einmal an seinen Küsten vorübergefahren ist, so ist der diesem Gedicht verfallen, der sich nur einmal um seine Rätsel bemüht hat.

Die Zahl der versuchten Gesamtdeutungen des Gedichtes auch nur seit Müllenhoffs grundlegender kritischer Behandlung ist ausserordentlich gross. Allein die letzten Jahrzehnte haben neben den beiden ausführlichen Kommentaren von R. C. Boer[1]) und Gering-Sijmons[2]) die mehr oder weniger vollständigen Behandlungen durch den Schweden R. Höckert[3]), den Finnländer

---

*) [Anm. d. Hg.] Zu den im Text vorkommenden Abkürzungen vgl. S. XIII—XVI *(Forkortelser)* in: Lexicon poeticum antiquae linguae septentrionalis — Ordbog over det norsk-islandske Skjaldesprog, oprindelig forfattet af Sveinbjörn Egilsson, forøget og pány udgivet ... ved Finnur Jónsson, 2. udgave København 1931; außerdem: Die Lieder der Edda, herausgegeben von B. Sijmons und H. Gering, III. Bd.: Kommentar, 1. Hälfte: Götterlieder (= Germanistische Handbibliothek VII 3, 1), Halle 1927, S. IX—XII *(Erklärung der Abkürzungen)*.

[1]) R. C. Boer, Kritik der Vǫluspá, ZfdPh 36 (1904), S. 289 ff.; Eddaausgabe II, 1 ff.

[2]) B. Sijmons/H. Gering, Die Lieder der Edda, III. Bd: Kommentar, 1. Hälfte: Götterlieder; Halle 1927, S. 1 ff.

[3]) R. Höckert, Vǫluspá och vanakriget (in: Festskr. V. Norström, Göteborg 1916, S. 293 ff.); Vǫluspá och vanakulten I, Diss. Uppsala 1926; vgl. die Besprechung von E. Wessén, ANF 43 (1927), S. 72 ff.

H. Pipping[4]) und die Isländer Finnur Jónsson[5]) und Sigurður Nordal[6]) gebracht. Noch weit größer ist die Zahl der Versuche, Einzelstellen aufzuhellen und zu deuten. Aber ein Vergleich der neuesten Deutungsversuche zeigt, wie wenig an sicheren Ergebnissen wir aus all unseren Bemühungen bisher gewonnen haben. Ja man kann sagen: Nachdem die Autorität von Müllenhoffs Werk abgebröckelt und damit der Buggeschen Kritik zwar nicht in allen Punkten recht gegeben, wohl aber als leitendem Gesichtspunkt Bewegungsraum geschaffen ist, hat die Zuversicht bedeutend abgenommen, dass wir uns einer allgemein anerkannten Lösung nähern. Die Wege, auf denen man zur Lösung vorzuschreiten sucht, gehen äußerst weit auseinander, und bei einem Vergleich von Höckerts und Pippings Arbeiten sieht man, wie verschiedene Antworten das Gedicht gibt, wenn man einen bestimmten religiösen Hintergrund sucht, gegen den man die wechselvollen Bilder sehn und aus dem man eine Erhellung der vielen Dunkelheiten erreichen möchte.

Die Vorlegung einer neuen Gesamtdeutung, ja von Deutungen überhaupt, ist hier nicht erstrebt. Ziel ist vielmehr die feste Einordnung des sonst meist isoliert behandelten Gedichtes in eine Gruppe zusammengehöriger Dichtungen. Wenn der Titel eine Untersuchung der Sprache der Vǫluspá verspricht, so ist damit weder eine Aufnahme des gesamten sprachlichen Bestandes gemeint, noch eine grammatisch-sprachgeschichtliche Untersuchung. Erstrebt ist vielmehr die Analyse einer Reihe von terminologischen Erscheinungen, die charakteristisch stilbildend wirken, nach ihrem tieferen Bedeutungsgehalt und ihrer stilprägenden Kraft. Bezweckt ist ferner die Verknüpfung mit anderen Dichtungen, bei denen sich ähnliche Stilerscheinungen wiederholen. Das geschieht zunächst rein zur Gewinnung einer vernünftigen Gruppierung überhaupt; darüber hinaus werden sich aber bestimmte Beobachtungen machen lassen, die zu einer festeren chronologischen Einordnung brauchbar scheinen. Der vergleichende Blick gilt zunächst der eddischen Umgebung, dann der nordischen Poesie überhaupt[7]). Die Sprache der Prosa ist dagegen nur gelegentlich und ohne System berührt. Manches wäre sicherlich

---

[4]) H. Pipping, Eddastudier I (= SNF 16, 2), Helsingfors 1925.

[5]) F. Jónsson, Völu-spá. Völvens spådom tolket, Kopenhagen 1911.

[6]) S. Nordal, Völuspá gefin út með skýringum (= Árbók Háskóla Íslands 1922/23); dass. in dänischer Übersetzung von H. Albrectsen, Kopenhagen 1927.

[7]) Daß dabei Finnur Jónssons monumentales Werk: Den norsk-islandske Skjaldedigtning (zitiert Skjd.) und das zugehörige Lexicon poeticum (Lp.) unentbehrliche Hilfsmittel waren, braucht nicht besonders betont zu werden. Sie tragen ihren unverlierbaren Wert in sich, den alle Ungerechtigkeit und aller Spott ihres Kritikers E. A. Kock nicht zerstören kann. Schlimm stände es mit Kock, wie mit uns allen, wenn er nicht auf den Werken seines Gegners fußen könnte. Es ist Kocks Verdienst, von neuen Gesichtspunkten her Bewegung in die Skaldenforschung gebracht zu haben. Seine Notationes norrœnae (I—XII, Lund 1923 ff.) sowie die Bücher von K. Reichardt, Studien zu den Skalden des 9. und 10. Jahrhunderts (= Palaestra 159), Leipzig 1928, und Ivar Lindquist, Norröna lovkväden, t. I (bisher nur die Texte erschienen), Lund 1929, werden stets zu berücksichtigen sein. Aber schon

kürzer zu behandeln gewesen, wenn R. Meissner seine Untersuchungen über die Sprache der Vǫluspá, die er der Philologenversammlung in Posen vorgelegt hat, auch hätte erscheinen lassen. So sind wir auf den kurzen Vortragsbericht angewiesen, der allein gedruckt worden ist[8]). Im Vordergrund des Interesses steht uns der Wortschatz[9]), denn er ist es, der den Vǫluspástil eigentlich prägt; die Betrachtung des Satzbaues hat zwar einige Besonderheiten aufgespürt[10]), aber zu ausgeprägter Eigenart steigt dieser nicht empor.

Ich nehme das Gedicht zunächst als ein Ganzes. Nicht als ob ich ein starrer Verteidiger seiner Einheitlichkeit wäre. Allein auch in der Frage der Interpolationen, Überarbeitungen und Schichtungen sind wir so weit von jeder einheitlichen Auffassung entfernt, dass man keinen festen Ausgangspunkt für eine Auswahl fände. Und nach den vielen verschiedenen, mehr oder weniger eingreifenden Zerschlagungen von Müllenhoff bis Boer und Neckel fand die innere Einheit des Gedichtes in Nordal wieder einen beredten und geschickten Anwalt. Daher halte ich mich ganz an die einmal vorhandene Überlieferung sogar einschliesslich der Zwergen- und Valkyrienkataloge, auch berücksichtige ich die Fassungen R, SnE und H gleichmässig.

I.

Ich beschränke mich aus Raumgründen auf die religiöse Terminologie im engsten Sinne und beginne mit dem Versuch einer Gruppenbildung durch überblickhafte Zusammenstellung derjenigen mythischen und göttlichen Namen, die für die Vsp. von eigentümlicher Bedeutung scheinen, und durch eine Feststellung ihres sonstigen eddischen Vorkommens. Eine Behandlung des religiösen Inhalts dieser Namen schalte ich ganz aus. Es kommt lediglich darauf an, die innere Verbundenheit der Vsp. mit anderen Gedichten durch sehr deutliche Beispiele terminologisch zu erhärten, zugleich aber das Vorhandensein einer geschlossenen Gruppe zu erweisen, über deren Grenzen die eigenartige Terminologie nur vereinzelt oder gar nicht hinausgreift. Mit anderen Worten, wir suchen zu zeigen, dass wir in der Vsp. weder das Son-

Reichardts Arbeit zeigt trotz Kocks unfreundlich-überlegener Kritik dagegen in NN. XII, daß eine Sichtung zwischen Spreu und Weizen in den Kockschen Vorschlägen dringend nötig ist. Neben Lp. war mir Gerings Vollständiges Wörterbuch zu den Liedern der Edda, Halle 1903, stets zuverlässige Hilfe.

[8]) R. Meißner, Zum Wortschatz der Vǫluspá, ZfdPh 43 (1911), S. 450 f.

[9]) Schichtung und Lagerung des poetischen Wortschatzes systematisch zu verfolgen, ist eine lohnende, noch nicht genügend fest angefaßte Aufgabe. Ansätze bei J. Sahlgren, Eddica et scaldica, Fornvästnordiska studier, Lund [1927/28], und E. Noreen, Studier i fornvästnordisk diktning I—III (= UUÅ 1921—23).

[10]) G. Neckel, Beiträge zur Eddaforschung, Dortmund 1908, S. 329 ff. Die Versuche R. Höckerts in seinem oben Anm. 3 zitierten Buch, zur Erfassung metrisch-stilistischer Prinzipien im Strophenbau der Vsp. zu kommen, haben mich nicht überzeugt.

dergut eines eigenwilligen Kopfes noch das blasse Allgemeingut allverbreiteter Worte und Vorstellungen vor uns haben.

Ausser Óðinn selbst, dessen mannigfache Namen gleich näher zu behandeln sind, scheinen mir hier unter den Göttern Heimdallr, Baldr und Víðarr, unter den dämonischen Wesen Mímir und Urðr, unter den mythischen Dingen Yggdrasill und Valhǫll besonderer Beachtung wert.

Heimdallr: Vsp. 1, 4 *mǫgo Heimdallar; 27*, 1 *Heimdallar hlióð*; 46, 5 *hátt blæss Heimdallr;* Grí. 13, 2 Besitzer von Himinbjǫrg; Ls. 47/48 Zankwechsel mit Loki; Hdl. (Vsp. sk.) 35/38 und 43, doch ohne Nennung des Namens; Þrkv. 15,1 *Heimdallr hvítastr ása* gibt den Rat zur Verkleidung; FM. 3 Heimdallargaldr; endlich setzt die Prosa von RÞ. ihren Helden Ríg mit Heimdall gleich, ohne dass das Lied selbst einen Anlass dazu böte.

Baldr: Vsp. 31/35 Baldrs Tod; 62, 4 *mun Baldr koma*; 62, 5 Baldr und Hǫðr versöhnt. Grí. 12 Baldr bewohnt Breiðablik; Ls. 27/28 B.s Tod, Loki Urheber. Hdl. 29 B.s Tod; 30, 1 *Baldrs faðir*; Vm. 54 Óðins Schlussfrage, an der V.s Wissen scheitert; Bdr. mit Baldrs Schicksal als Hauptinhalt; Skí. 21/22 Ring, der mit Baldr verbrannt ist, ohne Nennung des Namens *(með ungom Óðins syni);* FM 5. Þǫkk weint nicht um B.[11]).

Víðarr: Vsp. 55, 3 rächt den Vater; Grí. 17, 3 Víðars Wohnort; Ls. 10, 1 V. bringt Loki den Willkommenstrunk. Vm. 51 V. überlebt den Weltbrand.

Mímir (die Namensformen — Mímir, Mímr, Mími — bleiben zunächst ausser Betracht): Vsp. 28,11 *Drekkr mjǫð Mímir.* Sonst immer in genetivischen Verbindungen. *Mímis brunnr* 28,10; *Míms hǫfuð* 46,8; *Míms synir* 46, 1; Sigdr. 14, 4 *Míms hǫfuð* (Runenfindung). Nicht zu trennen ist davon *Mimameiðr, meiðr Mima* Fj. 20, 1; 24, 3. Dagegen ist es zweifelhaft, ob *Hoddmimir* Vm. 45 dazugehört, der Besitzer des Gehölzes oder, nach Gerings Kommentar, das Gehölz selbst, in dem die überlebenden Menschen sich vor dem *fimbulvetr* bergen. *Søkkmímir* Grí. 50, der *aldinn jǫtunn,* mit dem Óðinn einen Zusammenstoß hatte, muß sicherlich außer Betracht bleiben.

Urðr: Vsp. 19, 8 *Urðar brunni*; Vsp. 20, 5 *Urð héto eina.* Háv. 111, 3, *Urðar brunni at* (runenmystischer Abschnitt); Fj. 47, 4 *Urðar orði.*

Yggdrasill: Vsp. 19, 2 *Ask . ., heitir Yggdrasill;* Vsp. 27, 3/4 *und heiðvǫnom helgom baðmi*; Vsp. 47, 1 *Yggdrasils askr.* Grí. 29, 6 *at aski Yggdrasils;* Grí. 35, 1 und 44, 1 *askr Yggdrasils.* Ferner wird die Weltesche mit dem Namen *Læráðr* bezeichnet Grí. 26, 3, mit dem Namen *Mimameiðr* Fj. 20, 1; 24, 3[12]).

[11]) Nach G. Neckel, Die Überlieferungen vom Gotte Balder, Dortmund 1920. Zitat aus einem alten Gedicht von Hermóðs Helritt. Vgl. dazu M. Olsen, ANF 40 (1924), S. 152 f.

[12]) Über die verschiedenen mythischen Bäume vgl. zuletzt A. Olrik, Yggdrasill, DSt 14 (1917), S. 49 ff.

Valhǫll: Vsp. nur 33, 7 *vá Valhallar.* Grí. 8 und 18 ff., unsere ausführlichste eddische Darstellung über Valhǫll und ihre Bewohner; Hdl. 1, 7 *til Valhallar ok til vés heilags*; FM 7, wo der Name Valhǫll in der umgebenden Prosa steht, während die Verse die Umschreibung *Sigtýs salir* wählen. Die heroische Dichtung nennt Valhǫll in der Prosa nach HHu. II., 38, und setzt die Valhǫllvorstellung für Helgis Wiederkunft voraus. Die Bezeichnung *valhǫll* Akv. 2 und 14 gilt dagegen einer irdischen Königshalle und muss aus unseren Betrachtungen ausgeschaltet werden.

Damit ist eine erste Gruppierung dessen gewonnen, was wir als „Verwandte Dichtungen" zu Vsp. hinzuzuziehen haben. Es sind vor allem die Lieder Grí., Vm., Bdr., Lok., Vsp. sk., sowie bestimmte Partien zusammengesetzter Gedichte, namentlich die runenmystischen Abschnitte von Háv. und Sigdr. In zweiter Linie sind die ganz jungen Lieder Alv.[13]) und Fj. zu beachten, sie sind Zeugnisse einer antiquarisch-romantischen Beschäftigung mit der alten Dichtung und haben sich mit mehr oder weniger Gründlichkeit und Geschick die Terminologie der älteren Gruppe zu eigen gemacht. Dagegen bleiben die Gedichte Þrk.[14]), Hy. — doch mit Ausnahme der Rahmenverse —, Hrbl. und wesentlich auch Skí., sowie die meisten mythologischen Fragmente ausserhalb des Kreises der zusammengehörigen Dichtungen. Schon der erste Überblick schafft uns also einen Kreis mythischer Gestalten und Dinge, die nicht überall auftreten, sondern nur solchen Gedichten angehören, die kosmologisches oder runenmystisches Interesse haben. Ihre Terminologie wird uns hier beschäftigen.

Die Óðinsbeinamen der Vsp. führen einen Schritt weiter. Wir finden hier eine Gruppe von Bildungen mit *-faðir* oder *-fǫðr: Valfǫðr* Vsp. 1, 5; 27, 7; 28, 13; *Sigfǫðr* Vsp. 55, 2; *Heriafǫðr* Vsp. 43, 4; *Herfǫðr* Vsp. 29, 1, vier Bildungen, die Óðin als „Vater" bezeichnen. Die drei ersten sind in den Katalog der Óðinsnamen Grí. 48 ff. aufgenommen, wozu dort noch *Alfǫðr* kommt. Doch gehören sie alle nicht zu der Namensmasse, die nur der Freude

[13]) Gegen Finnur Jónssons auch in der 2. Aufl. seiner Litt. Hist. festgehaltene vorchristliche Datierung siehe zuletzt A. Heusler, Archiv 116 (1905), S. 264 ff.; H. Güntert, Von der Sprache der Götter und Geister, Halle 1921, S. 130 ff. Zurückhaltender R. Meißner, Die Sprache der Götter, Riesen und Zwerge in den Alvíssmál, ZfdA 61 (1924), S. 128 ff. und E. Noreen, Den norsk-isländska poësien, Stockholm 1926, S. 62 ff. Auch Svipdagsm. sind für Finnur Jónsson älter, als im allgemeinen zugegeben wird; Gróg. aus der christlich-heidnischen Übergangszeit, Fj. noch vorchristlich. Dagegen Hj. Falk, ANF 9 (1893), S. 311 ff.; 10 (1894), S. 26 ff.; Heusler a.a.O. S. 266 ff.; Genzmer, Thule 2, S. 105. Auch E. Noreen ist a.a.O. S. 75 zu späterem Ansatz geneigt.

[14]) Þrk. trotz des Vorkommens von Heimdall. Das frühere Zutrauen zu dem Alter der Þrk. ist neuerdings starken Zweifeln gewichen. Vgl. A. Heusler bei Genzmer, Thule 2, S. 11; E. Noreen, Studier i fornvästn. diktning III, S. 23 ff.; Fr. R. Schröder, GRM 17 (1929), S. 189 und vor allem Jan de Vries, Over de dateering der Þrymskviða, TNTL 47 (1928), S. 251 ff. Auch ich halte das Gedicht für ganz jung. Über die Szene des Götterthings vgl. unten S. 255.

an totem Wissen ihr Dasein verdankt; wir finden sie in lebendigem Gebrauch auch ausserhalb des Namenskatalogs. *Heriafǫðr* gibt uns Grí. selbst 19, 3, *hróðigr Heriafǫðr*; 25, 2 und 26, 2 *hǫllo á Heriafǫðrs;* Vm. 2, 2 *Heriafǫðr*; Hdl. 2, 1 in typisch religiösem Gepräge *biðiom Heriafǫðr. Sigfǫðr* noch Lok. 58, 6 mit Anspielung auf Óðins Ende[15]); *Alfaðir* HHu I, 38, 4, im Scheltgespräch. Weitere entsprechende Bildungen sind *Aldafǫðr* Vm. 4, 5; 53, 2 und *galdrs faðir* Bdr. 3, 3. Kein einziger dieser Namen ist also reine Katalogweisheit, wir haben es vielmehr mit einer lebendigen Bildungsweise von Óðinsnamen zu tun, die wiederum unserer Gedichtgruppe angehört und in der sich eine bestimmte religiöse Auffassung wenigstens ausdrücken kann. Denn die typische, nicht vereinzelte Bezeichnung eines Gottes als „Vater" wird nicht von ungefähr geschaffen; sie setzt namentlich bei einem Volke voll stärksten Sippenempfindens eine lebendige religiöse Vorstellung voraus, die dahinter steht. Die Bildungen mit *Val-*, *Her-*, *Herja-* und *Sig-* gehören noch zu der engeren Vorstellungssphäre von Kampf und Tod, in der und durch die Óðinn zu seiner hohen Bedeutung aufgestiegen ist. Dagegen bezeugen die Bildungen *Alfǫðr* und *Aldafǫðr,* dass der Geltungsbereich sich geweitet hat und Óðinn zu einem väterlichen Herren über die Menschheit als Ganzes geworden ist[16]).

Demnächst interessieren uns der Óðinsname Hróptr und die mit *-týr* gebildeten Namen. Auch diese gehören dem lebendigen Gebrauch an. Über Hróptr und seine religiöse Bedeutung besitzen wir W. H. Vogts schöne Klarlegung[17]). Der durch Vsp. 62, 6 *(Hrópts sigtóptir)* belegte Name kehrt wieder Grí. 8, 4 *Hróptr kýss vápndauða vera*; Lok. 45, 5 *Hrópts megir* und in der Runenmystik von Háv. 142, 7 *Hróptr rǫgna* und Sigdr. 13, 6 *þær um hugði Hróptr.* Dazu tritt die Weiterbildung *Hróptatýr,* die außer im Katalog der Grí 54, 5 noch durch die mystische Schlussteigerung des Ljóðatal (Háv. 160,6) geboten wird. Damit ist zugleich der Bildungstyp mit *-týr* berührt, der durch *Fimbultýr* Vsp. 60, 7; *Veratýr* Grí 3, 3 und 54, 6 nach den Fassungen T, U, Wr.; *Farmatýr* Grí.48; *Sigtýr* FM. 7 vertreten ist. Eine dritte Erscheinung aus dem Gebiet der Óðinsbezeichnungen ist seine Verknüpfung mit der Genealogie des Burr und der Bestla. Die Vsp. kennt sie in der Bezeichnung *Burs synir* bei der Weltschöpfung Str. 4, 1. Ebenso ist sie Vsp. sk. 30 *Burs arfþegi* bekannt, und mit den Namen Bǫlþorn und Bestla deutet die runenmystische Strophe Háv. 140 dieselbe Genealogie an.

Wir stellen abschließend fest: Die Óðinsterminologie der Vsp. mit ihren vier Gebieten *(faðir*-Bildungen, *týr*-Bildungen, *Hróptr-* und *Burr*-Genealo-

---

[15]) Auch hier ist *Sigfǫðr* natürlich Bezeichnung Óðins, nicht þórs, wie Olrik, Ragnarök S. 55, anzunehmen scheint.

[16]) In Lp. ist auch *herjafǫðr* mit *„hærenes, menneskenes fader"* übersetzt. Aus ähnlichem Denken ist *alda gautr* Bdr. 2 und 13 gebildet.

[17]) W. H. Vogt, *Hróptr rǫgna,* ZfdA 62 (1925), S. 41 ff.

gie) ist nirgends ein isoliertes und nur totes Wissen eines einzelnen Gedichtes, sondern klingt im verwandten Dichtungskreise wider. Dabei bleibt aber die Vsp. in ihrer Verwendung so selbständig, dass auch an ein blosses gelehrtes Zusammentragen aus der benachbarten mythologischen Dichtung nicht zu denken ist. In dieser Lagerung der Óðinsnamen sehe ich ein erstes, schwerwiegendes Zeugnis dafür, dass der Dichter der Vsp. ein lebendiges Verhältnis zu der heidnischen Religiosität seiner Heimat gehabt hat und nicht ein christlicher Geistlicher gewesen ist, der sich die heidnische Dichtung nur stilistisch zunutze gemacht hat. Auf der anderen Seite beschränkt sich die hier behandelte Namengruppe so entschieden auf den ganz bestimmten Kreis eschatologischer und runenmystischer Dichtung, greift so selten und unbedeutend darüber hinaus, dass mindestens für die Edda diese Gruppe als das Erzeugnis einer eigenen, nur von sich aus fassbaren und erklärbaren Vorstellungswelt zu deuten ist. Die Dichter anderer Götterlieder und die meisten heroischen Dichter — mit Ausnahme vielleicht der Verfasser der Helgilieder — haben ihr sichtlich ferngestanden.

Wir hatten die Gruppe der mit „Vater" gebildeten Namen vorangestellt. Ihr entspricht die Neigung, für die Menschen zusammenfassende Ausdrücke zu bilden, die sie als Söhne, Kinder und ähnliches bezeichnen. Sie fassen die Menschen familienhaft zusammen, schaffen erstmalig für den Norden den Begriff „Menschheit", und zwar in ihrer letzten Steigerung in einer Form, die den Menschen mit den Göttern verbindet. Der einfache Typ „Menschenkinder" wird von der Vsp. durch die Ausdrücke *ljóna kindom* (14, 3) und *alda bǫrnom* (20, 11) erboten; die religiöse Steigerung des Begriffes liegt in der Eingangsstrophe vor mit *helgar kindir* und *meiri ok minni mǫgo Heimdallar.* Der Bildungstyp „Menschenkinder" ist eddisch durchaus geläufig. Namentlich Háv. liebt ihn in verschiedenen Variationen, so etwa *ýta synir* (28, 5; 68, 2; 147, 2; 164, 3); *gumna synir* (129, 8); *alda synir* (12,3); *hildings synir* (153, 5); *hǫlða synir* (94, 5). Aber auch in anderen Gedichten finden wir *gumna synir* (Skí. 26, 5; Rm. 3, 5; 4, 2); *alda synir* (Alv. 15; 25; 27; 31; 33; Fm. 16, 2); *hildings synir* (HHu. II, 11, 6); *fira synir* (Fm. 2,5; 3,2; Sigdr. 27, 2); *manna synir* (Grí. 41, 3); *hǫlða synir* (Fm. 19,5; Fj. 40,5). Entsprechend finden wir Bildungen mit *sonr* für Riesen, Asen usw. *iǫtna synir* (Háv. 164,4; Vm. 15,5; 16,2; 30,5); *ása synir* (Alv. 16,6; Skí. 17,2; 18,2; Vm. 38,5; Lok. 3,5; 27,5; 53,5; 56,5; 64,2); *Suttungs synir* (Alv. 34, 6; Skm. 34,3); *Svárangs synir* (Hrbl. 29,4). Aber dieser häufigste Typ für „Menschenkinder" nebst seinen verwandten Bildungen, der *sonr* als Grundwort verwendet, genügt noch nicht, um die Bildungen der Vsp. zu klären. Er ist hier vielmehr nach zwei Seiten weitergebildet. Einerseits variiert er das Grundwort *sonr* mit *kind, barn, mǫgr;* andererseits steigert er die Normalbildung zu höherer religiöser Bedeutung, indem die Menschen nicht als Glied einer Gemeingruppe, als „Menschenkinder" schlechthin, sondern in Abhängigkeit von einem übergeordneten Wesen, als „Gotteskinder", bezeichnet werden.

Und in diesen beiden Sonderprägungen grenzt sich sofort wieder der kleine Kreis von Dichtungen ab, den uns schon die Óðinsbeinamen gezeigt hatten.

b a r n bleibt freilich neben der Vsp.-Bildung *alda bǫrnum* (20,11) ohne weitere Parallele. Für *kind*[18]) finden wir in der Vsp. selbst außer den oben genannten Belegen noch *Fenris kindir* (40,4); ferner Vsp. sk 35,4; *rammaukinn miǫk, ragna kindar* und 32, 5 *Heiðr ok Hrossþiófr Hrímnis kindar.* In die heroische Sphäre hat es sich einmal verirrt; Gðr II 31, 4 nennt Atlis Sippe *bǫlvafullar kindir* ohne besondere Prägnanz, etwa in dem Sinne „unheilvolles Geschlecht".

m e g i r , das von Vsp. ausser in *mǫgu heimdallar* noch in *fífls megir* (51,5 R) geboten wird, ist, wenn auch minder häufig als *synir,* Glied spezieller Umschreibungen. So etwa *hermegir* „Krieger" (HHu. II, 5, 3); *heiptmegir* „Feinde" (Háv. 148, 3); *sessmegir* „Bankgenossen" (Háv. 152, 3); *dróttmegir* „Angehöriger der drótt" (Akv. 2, 1). Aber zu der Bildung des Typus „Menschenkind" und dessen nächster Verwandten wie in Vsp. steigt es nur selten empor. Ich notiere *Hrópts megir* (Lok. 45, 5), wo wir schon durch den Óðinsnamen *Hróptr* in der von uns behandelten Sphäre sind; *ásmegir* „Asen" (Bdr. 7, 5; Fj. 33,6); *dróttmegir* „Menschen" (Vm. 11,6; 12,3). Auch *manzkis mǫgr* in der feierlichen Einleitung des Ljóðatal (Háv. 146, 3) lässt ein *manna mǫgr* „Mensch" anklingen. Daneben bemerken wir *dagmegir* (Am. 65, 6), das dem *dags synir* von Sd. 3, 2 entspricht, ohne daß im Atliliede wie dort irgendeine Steigerung oder Weihe zu spüren wäre. Wie weit Lok. 16: *Bið ek þik, Bragi, barna sifiar duga ok allra óskmaga* hier einzubeziehen ist, bleibt unsicher[19]). Gerings Kommentar erhebt dagegen Einspruch, in *barna sifiar* die Bezeichnung einer kindergesegneten Ehe Iduns und Bragis zu sehen, sondern sucht eine allgemeinere Bedeutung. Ich stimme ihm darin zu, halte aber die Betonung eines Adoptivverhältnisses in *óskmǫgr* nicht für ausreichend, nachdem Sijmons[20]) auf eine Strophe des Þórleik fagri hingewiesen hat, in der Sven Estridsson, der Sohn des Ulfr als *Ulfs óskmǫgr* bezeichnet wird. Wir können hier nur die Bedeutung von „Wunschsohn = Lieblingssohn, auserwählter Sohn" feststellen, und sie wird bestätigt durch die Christuskenning *dróttins óskmǫgr* in den Heilv. 17; *óskmegir* wird in Lok. darum als Parallelbildung zu *óska synir* zu betrachten sein[21]), die

---

[18]) Über das Verhältnis dere singularischen und pluralischen Verwendung von *kind* vgl. unten S. 221.

[19]) In der Kontroverse zwischen E. Mogk, Beitr. 12 (1887), S. 383 ff., und S. Bugge, Beitr. 13 (1888), S. 167 ff., hat Mogk bei aller Anfechtbarkeit seiner Beweisführung sachlich darin recht behalten, dass sich aus dieser Stelle keine Ehe Bragis mit Iðun schliessen lasse. Seiner Textänderung *(duga* in *dylia)* hat sich wohl niemand angeschlossen.

[20]) In Gerings Komm. z. St.; Gerings Auffassung in seiner Eddaübersetzung, „dass ihn [Loki] Óðinn zum Wunschsohn erwählt" verstände ich selbst dann nicht, wenn ich die zuerst von Hj. Falk vorgeschlagene Bedeutung „Adoptivsöhne" für verbindlich hielte.

[21]) Vgl. Gering, Komm. z. St.

Snorri (Gylf. Kap. 19) für die Einherier als Erklärung des Óðinsnamens Valfǫðr gebraucht. Er wird aufzufassen sein, wie *óskmey* „Valkyrie", ein Glied der typischen Walhallterminologie, die Einherier und Walküren zugleich als die adoptierten und auserwählten Kinder Óðins bezeichnen möchte. Daher ist Lok. 16 abweichend von Gering etwa folgendermassen zu interpretieren: In Strophe 8 hat Bragi dem Eindringling Loki Sitz und Stätte beim Göttergastmahl verwehrt. Strophe 9 hat Loki daraufhin seine alte Blutsbrüderschaft mit Óðin angerufen und dieser ihm in Strophe 10 widerwillig den Platz zugestehn müssen. Strophe 12 ff. gerät Bragi mit Loki in einen Wortstreit, in den Idunn eingreift mit dem Hinweis, daß die offizielle Aufnahme durch den Vater und das Haupt der Versammlung auch die Sippe (*sifiar* „Sippenverpflichtung" wie Vsp. 45, 4 *sifiom spilla*), Kinder und Wahlkinder, bindet und verpflichtet, und sie bittet Bragi zu bedenken, daß diese Bindung auch für ihn gelte, und er daher seiner Zunge Zwang antun solle. Ich übersetze also: „Ich bitte Dich, Bragi, die Geltung der Sippenverpflichtung der Kinder und aller Wahlkinder (Óðins) zu bewähren". *Óskasonr* erhält dann eine auf der Bedeutung „auserwählter Sohn" ruhende, geweitete Bedeutung für alle bei Óðin versammelten Wesen nicht göttlichen Ursprungs neben den *bǫrn*, den leiblichen Kindern. Die Strophe bezeugt ein weitgespanntes Bindungsverhältnis des Gottes und nicht göttlicher Wesen, eine Weitung, die durch *allra* noch unterstrichen wird. Überdies bleibt als Gewinn für die hier behandelte terminologische Gruppe die Variante *óskmegir* statt *synir*.

Denn es ist unverkennbar, daß auch das Simplex *mǫgr* als solches für die Vsp. und ihren Kreis eine besondere Bedeutung hat. Sie bietet nicht weniger als fünf Belege (1, 4; 51, 5; 55, 2; 55, 5; 56, 2), eine Fülle, die Lok. mit sechs (35, 4; 36, 5; 40, 3; 45, 5; 49, 5; 50,2) noch übertrifft. Auch Grí. steuert zwei (17,4; 24, 6), die einschlägigen Teile von Háv. einen (146, 3), Vm. einen (33, 3), Heimdallargaldr einen (FM. 3), Fj. drei (6, 3; 45, 6; 49, 6) Belege bei. Aber es ist auch sonst in mythischer wie heroischer Dichtung ein häufiges Wort; Lieder wie Skí., Gðr. I, Fm., Oddr. sind nicht weniger reich daran. Immerhin werden wir ihm im Gegensatz zu *sonr* und *barn* stilprägende Kraft für unseren Kreis zubilligen müssen.

Läßt sich so die reiche Variation des Begriffes „Menschenkinder" und insbesondere die Verwendung von *mǫgr* und *kind* als Eigentümlichkeit unseres Kreises erweisen, so gilt das in verstärktem Maße für die religiöse Steigerung „Kinder einer Gottheit". Es ist zu erwarten, daß sich einem religiösen Denken, das die Prägungen *Alfǫðr* und *Aldafǫðr* wagen konnte, eine reziproke Ausdrucksweise für die Menschheit einstellen wird. Auf der Grenze steht der oben besprochene Ausdruck *óskmegir* der Lok. Er ist, wie schon Snorri spürte, die Antwort auf eine Prägung wie *Valfǫðr*, indem er die waffentoten Männer als auserwählte Söhne Óðins bezeichnet. Er erhebt damit das ursprüngliche Verhältnis Óðins und der Einherier, das sich als

Gefolgsherr und *hirð* darstellt, zu einem engeren, heiliger verbundenen. Die Toten treten in den Sippenverband der Asen ein. Darüber hinaus aber greift nun die Bezeichnung der Vsp. *helgar kindir, meiri ok minni mǫgo Heimdallar,* die ich nimmermehr auf die Götter beziehen kann, sondern nur auf die Menschen als eine ideelle Gemeinde, die um die kündende Vǫlva versammelt ist[22]). Wir werfen ferner für diese Grundauffassung den merkwürdigen Ausdruck der Vsp. sk. 43 in die Waagschale, *sif sifiaðan siǫtom gǫrvǫllom,* beziehen auch diesen Ausdruck auf Heimdall und übersetzen mit Sijmons (Komm. z. St.) „durch Verwandtschaft versippt mit der Gesamtheit der Menschen".

Ferner darf Grí. 45, 1 hier angeführt werden: *sigtíva synir* kann man hier nur mit grösster Schwierigkeit auf die Götter beziehen, wie Gerings Versuch (Komm. z. St.) neuestens wieder zeigt. Man kann mit Str. 45 nur fertig werden, wenn man sie entweder ganz ausscheidet, oder die Bedeutung „Menschen" für *sigtíva synir* anerkennt. Unter allen Deutungen ist die von Detter-Heinzel bei weitem die ansprechendste[23]); ich schliesse mich ihr in allem Wesentlichen an. Óðinn „enthüllt" sich, indem er seine unzähligen Namen nennt. Dann wendet er sich unmittelbar an Geirrøð mit seiner Vernichtungsrede, die in schrecklicher Steigerung aus den Namenhüllen den wahren endlich emporsteigen läßt: *nú knáttu Óðin siá!* (53, 5). Dem muss eine handlungsmässige Enthüllung zur Seite gehn, geschildert in *yppa svipom,* das ich wie Detter-Heinzel = *sjónhverfing* nehme[24]) und also übersetze „aufgedeckt ist nun die Verhüllung"; hinter dem Wort spüren wir die Tat. Dieses Element der Handlung schliesst dann ab mit *nálgaztú mik, ef þú megir!* Doch besagt ja auch Gerings Auslegung ganz ähnliches: „Offenbart ist nun mein (wahres) Antlitz." Aber vor wem? *fyr sigtíva sonom.* Man erwartet auch hier eine Enthüllung vor denen, die Óðinn maskiert besucht und geprüft hat, also gewiss nicht vor den Göttern. Dass eine solche Auffassung überhaupt möglich war, zeigt uns der Mann, der die Formung *sigtíva synir* „Menschen" in Fm. 24, 3 verwendete[25]), für ihn eine leer gewordene Hülse, eine der vielen technischen Umschreibungen, die ihm für den Begriff „Menschen" geläufig waren. Aber als die Form neu geprägt entstand, musste sie erst einmal sinn-

[22]) Beziehung auf die Menschen (Tempelgemeinde oder Dingversammlung) zuletzt auch Gering Komm. z. St. Diese richtig aufgefasste reale Grundvorstellung wird durch *allar* und die Apposition der nächsten Zeile zu ideeller Allgemeinheit gesteigert. Anders Nordal a.a.O. (*helgar kindir* „Götter", *mǫgu Heimdallar* „Menschen").

[23]) Detter-Heinzel, Komm. S. 189. Beziehung auf die Menschen auch bei R. C. Boer, ANF 22 (1906), S. 153 ff. und Komm. S. 62. Seiner Interpolationstheorie kann ich nicht beipflichten.

[24]) Zur Bedeutung von *svipr* vgl. auch das Adj. *svipsvíss* „geübt in Täuschung" Sól. 57.

[25]) Hinweis auf Fm. 24 auch bei Detter-Heinzel und Boer. Vgl. auch G. Alexander, Die Bindungen im Ljóðaháttr, Breslau 1929, S. 140; die Anmerkung 1 a.a.O. scheint mit nach obigem verfehlt.

erfüllt gewesen sein; sie ist die Antwort auf die göttliche Benennung *Aldafǫðr.* Daneben zeigt uns Lok. 1, 6; 2, 3 denselben Ausdruck in einwandfreier Beziehung auf die beim Mahle versammelten Götter.

Eine verwandte Doppelbedeutung gilt für die Prägung *dags synir.* In der Strophe von hymnisch-religiösem Gehalt, mit der Sigrdrífa erwachend das Licht begrüsst, heisst es Sigdr. 3 *heill dagr! heilir dags synir!* Die Parallele der nächsten Strophe: *heilir æsir! heilar ásynior!* gibt der ersten Zeile die Wendung aufs Göttliche, das anschliessende Gebet *(gefið sitiondom sigr!)* lässt die Heilwünsche endgültig als Anreden an göttliche Wesen erscheinen[26]). Die jungen Am. dagegen verwenden das nahverwandte *dagmegir* in dem schwunglosen Schaltsatz *heyrðo dagmegir* (65, 6) mit Beziehung auf die Leute, die Hagens Lachen in der Todesqual hörten. Auch hier eine leer gewordene Formel; aber auch sie muss einmal mit Gehalt und Bedeutung gefüllt gewesen sein.

Doch auch die Fügungen *ása synir, sigtíva synir, Hrópts megir, ásmegir, ragna kindir, dags synir* als Bezeichnungen der Götter sind nicht nur poetische Formen, sondern verlangen Berücksichtigung der Denkweise, aus der sie entstanden sind. Dann wird man sie richtig als Zeugen eines bestimmten religiösen Denkens werten. Die alten, festen Termini *goð, áss, vanr* sind konkrete, fest umgrenzende Götterbezeichnungen. Wohl trägt ihr Plural kollektive Kraft in sich, fasst sie zu einer Gruppe zusammen. Allein die prägnante Einzelgestalt der so zusammengefassten Götter bleibt dabei im Bewusstsein. Óðinn und Þórr sind jeder ein Gott, ein Ase, Njǫrðr und Freyr ein Gott, ein Vane. Ihre Gruppe ist familienhaft; der einzelne gehört dazu, geht aber nicht darin unter. Die grosse Menge der Umschreibungen eines Gottes als Verwandter eines anderen *(Óðins sonr, Baldrs faðir, Friggjar angan, Baldrs andskoti)* lässt die individuelle Geltung des einzelnen nur noch deutlicher hervortreten. Die oben genannten Bildungen aber sind in ganz anderem Sinne kollektiv; sie wischen die Einzelperson fort, betonen ausschliesslich die Gesamtheit. Singularbildungen sind von ihnen nicht denkbar. Wie *alda synir* u. a. den Begriff Menschheit prägt, so *ása synir* den der „Gottheit" in dem Sinne einer gesammelten göttlichen Macht, in der jeder einzelne, noch vorhanden, doch untergeht.

Diese Bildungsgruppe, die wir die V a t e r- u n d S o h n - Bildung nennen wollen, erhält erst ihre richtige Beleuchtung, wenn man sie gegen den Hintergrund der gesamten nordischen Dichtung sieht. Erst dann wird es klar,

---

[26]) Anders Detter-Heinzel, die aus der Parallele von Am. 65 auch für diese Stelle Anrede an Menschen erschliessen. Doch vgl. Gerings Übersetzung S. 212 Anm. 4: „Lichtgottheiten", Genzmers Übers. Anm.: „albische Geister".

dass es sich nicht um bequeme Umschreibungstypen handelt, sondern um die begriffliche Neuschöpfung einer ganz bestimmten religiösen Gesinnung[27]).

Die Óðinsnamen mit *faðir* sind keineswegs so verbreitet, wie es ihre Betonung in der popularisierenden Mythologie erwarten lässt. In der gesamten heroischen Dichtung ist einzig die Helgidichtung daran beteiligt. Ihr ist der Name *Alfaðir* ein Name ohne tieferen Gehalt geworden. Im Scheltgespräch Guðmund-Sinfjǫtli heisst es; *þú vart, it skœða skass, valkyria ... at Alfǫður.* Das Ganze ist also nur eine merkwürdige Abwandlung der ewig wiederkehrenden Schelte: „Du warst ein Weib“[28]). Auch die Skaldik schweigt so gut wie ganz. Einmal klingt sehr früh *aldafǫðr* auf in Bragis Rdr. 14, für uns ein erwünschtes Zeugnis vorchristlicher Herkunft des ganzen Bildungstyps. Dann prägt Arnórr die Gedichtkenning *hrosta brim alfǫður* (Þórfinnsdr. 4), eine elegante Schablone, wie so vieles bei diesem „belesenen“ Vorläufer Þjóðólf Arnórssons[29]). Und damit ist bereits alles zusammengetragen.

Ein wenig verwickelter, aber im Endergebnis gleichartig liegt die Sache bei den Sohn-Bildungen. Von allen Bildungsmöglichkeiten hat nur die mit *kind* in der Skaldik weitere Verbreitung. Es lohnt, ihre Geschichte kurz zu verfolgen. Am ältesten ist der kollektive Singular *kind* mit einem Eigennamen als genetivischer Bestimmung zur Bezeichnung von „Nachkommenschaft, Geschlecht“. Wie Hdl. 32, 5 *Hrímnis kindar* „von Hrímnis Geschlecht“ sagt, so finden wir schon Yt. 5 *Svía kind,* Yt. 25 *Sýslu kind,* um eine bestimmte Volksgruppe zu bezeichnen. Diese Form geht weiter über Eilífs Þdr. 2 *Ymsa kind* „Riesen“ zu Sigvats *alla Ellu kind* „Angeln“ (Víkingav. 7). Nahe steht Gunnlaugs *linns kind* „Schlangen“ (Lv. 1 von ca. 1000)[30]) und Kormáks fragendes *hver kind* (Sig.-dr. 6). Im späten 10. Jh. setzt ein neuer

---

[27]) Es ist zu betonen, dass die von der Gruppe *þióð, folk, kyn* ausgehende Tendenz zu einer Weitung bis auf den Begriff „Menschheit“ unsere Gedichte viel weniger berührt. Zu solcher weiterer Bedeutung steigt es auf in *fyr þióða rǫk* (Háv. 145) sowie einigermassen in *sigrþióð* „Einherjer“ (HHu. II 48), *verþjóð* Lok. 24 und wohl in *til Goðþióðar* des Valkyrienkatalogs Vsp. 30. Beherrschend bleibt aber die aus der Sippe entwickelte Terminologie. Vgl. Anm. 31.

[28]) Vgl. J. Sahlgren, Eddica et Scaldica, S. 34.

[29]) Es ist dasselbe Gedicht Arnórs, das die bekannte direkte Anspielung auf die Vsp. enthält.

[30]) So verbinde ich mit Skjd. und Kock § 263. Anders Reichardt S. 34 f., der *vægja kind* zu einem instrumental-dativischen Ausdruck „mit dem Schwert“ verbindet und sich für die Bildung auf *linns kind* „Schlange“ bei Gunnlaug beruft. Dagegen fasse ich das verbleibende *við vés valdi vægja* weder wie Skjd. *(við vés vægivaldi)* noch wie Kock — und übrigens vor ihm schon Wisén (Carm. Norr. s. v. *vægir)* — *vægja vé* „Schild“. Ich kann in diesem religiös betonten Gedicht (vgl. unten S. 229) für *vé* nur die Bedeutung „Tempel“ anerkennen und fasse mit Skjd. *vés valdi* zusammen, doch nicht als Bezeichnung Sigurds, sondern als Kenning für „Gott“, dann ist *vés valdi vægja* „Gott der Schwerter, Krieger“. Vgl. *sverða Freyr, hringa Baldr* usw.

Gebrauch ein; der Sing. wird durch den Plural ersetzt. Glúmr sagt *bjarmskar kindir* (Gráf. 5), Hallfrœðr *Jamta kindir* (Óláfsdr. 4). Dazu tritt die Kenning *lǫgðis kindir* = „Schwerter" in Þórarins Máhlíðingav. 13. Alle drei Belege fallen zwischen 970 und 1000.

Der Typus „Menschenkind" ist damit noch kaum berührt. Wir begegnen ihm ältest bei Glúm in dem Fragment seiner Eiríksdr.: *herr seggja kindar*, also in einem so alten Gedicht wieder der Sing. Die Bedeutung ist hier wohl noch enger „Krieger". Sonst geht der ganze Typ bei den Skalden nicht über die Mitte des 11. Jhs. zurück. 150 Jahre nach Glúm wiederholt Björn krepph. Glúms singularische Bildung in seiner Magnúsdr. 7. Die pluralische Bildung begegnet erstmalig bei Þorlaug fagri um 1050 *(ýta kindum)* in seinem Gedicht auf Sven Estridson 9. In der geistlichen Dichtung nehmen einzelne Dichter den Bildungstyp auf (Rekst., Lil., Sól., Has., Líkn.), da sie in ihrem steten Kreisen um das Erlösungsproblem einen besonders starken Bedarf an Gesamtheitsbezeichnungen haben. Aber auch hier tritt der Bildungstyp weit zurück, sowohl gegen das einfache *aldir, hǫlðar, ýtar* wie gegen die reich entfaltete Gruppe vom Typ *ljóna lið, ljóna sveit, ýta kyn, beima kyn* u. ä., wie endlich gegen das einfache, singularisch oder pluralisch verwendete *þjóð*.

Die eddische Dichtung verhält sich also zu solchen Bildungen recht eigentümlich. Sie ist mit ihnen zu einer Zeit voll vertraut, wo die Skaldik noch kaum davon Gebrauch macht, und sie kann auf keinen Fall mit der späten christlichen Verwendung in ursächlichen Zusammenhang gebracht werden. Diese entdeckt vielmehr einen ihrem Gedankengang trefflich angepassten Ausdruckstyp für sich neu. Dazu kommt, dass die weiteren Bildungen mit *sonr, mǫgr, barn* den skaldischen Sprachgebrauch im weltlichen wie geistlichen Gedicht überhaupt kaum berühren. Der ausgedehnten Verwendung von *sonr*, die wir namentlich auch in Háv. festzustellen hatten, steht völliges Schweigen der Skalden gegenüber; allein Sól. bietet *ýta synir* (33), *virða synir* (34). Fast ebenso ist es mit *mǫgr*. Sein Gebrauch ist auch eddisch anders gelagert. Es gibt kein *ýta megir*, sondern vorwiegend Komposita vom Typ *ásmegir*. Hier besitzen wir nur das eine, freilich höchst wertvolle Zeugnis der Vellekla, dieses Preisliedes spätheidnischer Gläubigkeit, nämlich *herþarfir ásmegir* „die für die Bedürfnisse des Volkes sorgenden Asensöhne" (Str. 16), eine nahe Parallele zu unseren eddischen Belegen. Zu dem engeren Typus *hermegir* ist ebenfalls nur wenig hinzuzufügen. Wichtig ist *ljóðmegir* Hák. 4; diese einzige frühe Stelle der Skaldik steht nicht zufällig in einem der Edda so nahstehenden Gedicht. Die Fornaldardichtung bildet die Form *Húnmegir* in Ásmund kappabanis Rückblickslied. Die alten Bjarkamál haben die Zeilen *mál's vílmǫgum at vinna erfiði*. Mit Recht hat die bei F. Jónsson (Skjd. B 1, 170) und bei Herrmann (Saxokommentar S. 191) gegebene Übersetzung „es ist Zeit für die Knechte, zu arbeiten" unbefriedigt gelassen. *Vílmegir* kann sich nur auf die Kriegerschar beziehen, die Hjalti weckt; *vinna erfiði* kann im heroischen Gedicht nur bedeuten „Kampf und Not aushalten". Heuslers im

Glossar zu Edd. min. angesetztes, im Text aber nicht aufgenommenes *vílmágr* „Geliebter, Verwandter" ist weder glücklich noch nötig; *víl-*, das wie hier so auch Hárb. 58 mit *erfiði* verbunden und synonym ist, hat im heroischen Gedicht ebenfalls die Bedeutung „Mühsal, Gefahr"; *vílmǫgr* ist gebildet wie *heiptmǫgr* und bedeutet etwa dasselbe wie mhd. *nôtgestalle*. Die Mannen der *drótt* werden mit Bezug auf die gegenwärtige Lage als „Notgenossen" bezeichnet, die gefährlichen Kampf vor sich haben. Eine ähnliche Auffassung hat wohl auch Genzmers Übersetzung „Mannen" veranlasst.

Barn endlich, das in unserem Kreis die geringste Rolle spielte, wird im heroischen Gedicht zur Volksbezeichnung. *Húna bǫrn* (Akv. 27, 12; 38, 4) entspricht ganz dem *Húnmegir* der Ásmundstrophe, während *Gjúka bǫrn* (Am. 52, 4) im Rahmen der Sippe verbleibt. Voll entsprechendes kennt die Skaldendichtung nicht, am nächsten kommt *Marnar bǫrn* (bzw. nach Kock § 450 *þorns bǫrn*) „Riesen", also wie bei *kind* der Typ, der mit einem Eigennamen gebildet ist. Gunnlaugr Lv. 12 bietet *fira bǫrnum,* aber in der speziellen Bedeutung „den Männern" im Gegensatz zur Frau. Daneben mag der Singular *ǫglis barn* „Habicht" (Haustl. 12) wegen der rein umschreibenden Bedeutung von *barn* genannt werden. Sonst treten entsprechende Bildungen erst ganz spät auf, bei Kolli in seiner Ingadrápa Strophe 5, von ca. 1140 *(ulfs bǫrn)* und in einer unechten Strophe der Njála *(ylgja barn).* Erst wenn man den Bildungstyp gegen den dürftigen Hintergrund seiner skaldischen Verwendung sieht, wird der schwellende Reichtum in der eddischen Dichtung, besonders in unserem Bezirk, seine richtige Wertung erhalten. Erst jetzt wird man verstehen, dass man ihn als den Ausdruck eines bestimmten religiösen Strebens innerhalb des späten Heidentums betrachten muss. Denn seine Aufnahme in der geistlichen Dichtung geht so spät vonstatten, dass an einen Einfluss von hier aus gar nicht zu denken ist. Es ist ein Bestreben, das die Welt kollektiv sah, grosse Gruppen zusammenfasste und abgrenzte, die über die alten Bindungen von Familie, Sippe und Stamm hinauswuchsen, das zum erstenmal die Begriffe „Menschheit" und „Gottheit" wagte, und eine Fülle von Ausdrücken dafür schuf. In seinen höchsten Ausläufern verknüpfte diese religiöse Auffassung das Menschliche mit dem Göttlichen: *helgar kindir, megir Heimdallar* sind uns Zeugen dafür[31]).

Die Bildungen vom Typ *ása synir* stehen auf gleicher Stufe wie eine Reihe von Ausdrücken, die den Begriff des Einzelgottes als individuelle Per-

---

[31]) Es hätte nahegelegen, dass sich aus der Gruppe *þióð, folk, kyn, her* die Schaffung des Begriffs „Menschheit" vollzogen hätte, um so mehr, als die speziellere Bedeutung „Volk, Schar, Gefolgschaft, Truppe" schon früh (vgl. z. B. Egils Vorliebe für *þióð*) zu der allgemeineren „die Leute" weitergegangen ist, doch ohne die kollektiv zusammenfassende Kraft, der erst den Begriff „Menschheit" schafft. Das ist erst bei den geistlichen Dichtungen (Has., Lil., Leið. u. a.) geschehn, wo wir die oben berührten Bildungstypen *þióðir* oder *kyn heima, seggia* usw. finden. Daher bin ich für Sdr. 12, 4 ff. geneigt, Heuslers Urteil (Thule 2, S. 169) zu unterschreiben und die Strophe für einen christlichen Zusatz zu halten. In Grí. 48 lässt sich dagegen mit der Übersetzung „die Leute" auskommen.

sönlichkeit auflösen. Sie gehen aber über das bisher Besprochene dadurch hinaus, dass sie die alten Bezeichnungen, hinter denen die Einzelgötter noch zu spüren waren, überhaupt aufgeben und in ihrem Bedeutungskern danach streben, die göttlichen Wesen als eine überpersönliche Kraft zu bezeichnen. Ich meine solche Ausdrücke wie *regin, rǫgn, ráð, hapt, bǫnd,* denen sich, inhaltlich weniger unmittelbar in der genannten Richtung festgelegt, *tívar* zugesellt. Sie alle ausser *tívar* bezeichnen die Götter nicht als Persönlichkeiten, sondern als Mächte. Und zwar geschieht die Wortwahl so, dass wir vor einer „religio" im eigentlichen Sinne stehen, einer Bindung des Menschen an und durch diese Mächte, die selbst in das menschliche Schicksal nicht mehr von Fall zu Fall durch impulshafte Willensentschlüsse eingreifen, sondern die als ein waltendes, ratendes Schicksal über dem Gesamtverlauf des menschlichen Lebens, ja der Menschheit als solcher stehen[32]).

Von dieser Terminologie bevorzugt die eddische Dichtung nur *regin* und *tívar*; je einmal bietet sie *bǫnd* und *véar.* Erst die Betrachtung der Skaldensprache wird uns auf bestimmte skaldische Dichtungen führen, die neben jenen eddischen Ausdrücken auch *bǫnd, hapt* und vereinzelt *ráð* aufnehmen. Innerhalb der Edda beherrschen die Ausdrücke dieser Gruppe wiederum allein den Vsp.-Kreis.

r e g i n : Die Vǫluspá führt es in ihrer ersten Refrainstrophe ein: *þá gengo regin ǫll á rǫkstóla* (6, 1; 9, 1; 23, 1; 25, 1). Ferner tritt es auf in der wichtigen Verbindung *ragna rǫk* (44, 7; 49, 7; 58, 7), und in der Bildung *ragna sjǫt* (41, 3). Grí. 4, 6 liefert die feste Formel *unz um riúfaz regin* als Bezeichnung ewiger Dauer. Dieselbe Formel kehrt so oder ähnlich in anderen Gedichten mehrfach wieder (Lok. 41, 3; Vm. 52, 6; Sdr. 19, 9; Fj. 14, 6) und verwandt: *þá er deyja regin* (Vm. 47, 5). Wiederholt prägt Grí. den Ausdruck *blíð regin* (6, 2; 37, 5; 41, 2), der von Lok. 32, 5 aufgenommen und mit *holl regin* (4, 5) variiert wird. Mit ähnlichen Epitheta bildet Vm. *vís regin* (39, 1); *fróð regin* (26, 6); *nýt regin* (13, 6; 14, 3). Etwas weiter ab liegt *rammaukinn miǫk ragna kindar* Vsp. sk. 35, 3. *Ragna rǫk* wiederholt sich Bdr. 14, 7; Vm. 55, 6 und vermutlich in der vielbesprochenen Stelle Lok. 39, 6 *bíða ragna røkkrs,* die den Ausdruck „Götterdämmerung" hervorgerufen hat, aber sicherlich ein, wenn auch altes Missverständnis ist. Weitere einmalige Prägungen sind *at rǫgn um þrióti* (Vsp. sk. 42, 8), *regin skópo* (Vm. 25, 5; 39, 2), *fjǫlð ek reynda regin* (Vm. in der oft wiederholten Frageformel). Háv. 80, 3 bezeichnen die Runen als *reginkunnar,* Háv. 142, 7 liefert die schon besprochene Fügung *Hróptr rǫgna*[33]).

---

[32]) M. Cahen, Le mot dieu en vieux scandinave, Paris 1921. Das kleine Buch hat sprachliche Zwecke und legt den Hauptnachdruck auf *goð.*

[33]) Vgl. M. Cahen a.a.O. S. 18 ff.; A. M. Sturtevant, A Study of the Old Norse Word *regin.* JEGPh 15 (1916), S. 251 ff.; W. H. Vogt, ZfdA 62 (1925), S. 46 ff.

Dazu treten Weiterbildungen.

g i n n r e g i n : Zweimal in Háv. als Schöpfer der Runen (*gørðo ginnregin* 80,4; 142,6). Das Wort geht ferner in den Synonymenschatz der Alv. 20,3; 30,3) ein[34]). Sein Auftreten Hy. 4, 3 *(mærir tívar ok ginnregin)* bestätigt uns die terminologische Sonderstellung der Rahmendichtung; denn in dieser Formel stecken gleich 3 Termini unseres Untersuchungskreises *(mærr, tívar, ginnregin).*

u p p r e g i n gehört gleich *ginnregin* dem überallher zusammengetragenen Variantenschatz der Alv. (10, 6).

Mit dieser ganzen Masse von Belegen bleiben wir voll im Kreise der von uns untersuchten Dichtungen. Die paar Aussenseiter ordnen sich z. T. auch noch ein. Die Stelle HHu. II 40, 3 gehört zu den Zeugnissen dafür, dass die Helgidichtung an der Terminologie unseres Kreises teil hat. Die Magd kommt zum Hügel und sieht die Erscheinung des toten Helgi. Sie fragt, ob es Sinnestäuschung sei oder das Ende der Welt ankündige, als sie die Schar der toten Reiter sieht, und sie drückt das mit der Vsp.-Terminologie aus: *Hvárt ero þat svik ein, . . . eða ragna rqk?* Über Am. 22,5 *gørdiz rqk ragna* habe ich ausführlich gehandelt[35]) und den Beweis versucht, dass diese Strophe in die Reihe der Frauenträume nicht hineingehört, sondern als fertiges Ganzes von dem Dichter übernommen worden ist, aus einem Zusammenhang heraus, der nach Inhalt und Stil zu unserer Gedichtgruppe passen würde (Óðinn am Galgen). So bleibt einzig die Bezeichnung Jqrmunreks als *reginkunnegr* (Hm. 25,2) ausserhalb organischen Zusammenhangs mit unserer Gruppe, während der Ausdruck der übrigen mythischen Dichtung ganz fehlt[36]).

t í v a r : Wir treffen die gleiche Verteilung. Das Simplex fehlt Vsp., doch finden wir die wichtigen Weiterbildungen *sigtívar* und *valtívar,* das erste in dem dritten Refrain *(um ragna rqk rqmm sigtíva),* das zweite in den Fügungen *sól valtíva* (52,4) und *vé valtíva* (62,7), sofern diese Änderung nötig und nicht mit Neckel *valtívar* appositionell zu *Hqðr ok Baldr* zu ziehen ist.

Das Simplex ist dagegen in Grí. bekannt, *gáfo . . . tívar at tannféi* (5, 6). Daneben *sigtívar* in *fyr sigtíva sonom* (45,2). Auch Lok. meidet das

---

[34]) Finnur Jónssons Annahme (Litt.-hist. ²I, S. 171; Lp. s. v. *ginnregin*), dass *ginnregin* eine Bezeichnung der Vanen sei, kann nicht einmal für die späten und terminologisch nur lose mit dem Vsp.-Kreis verbundenen Alv. sicher erschlossen werden. Sowohl Cahen a.a.O. S. 21 wie Vogt a.a.O. S. 46 lehnen sie ab.

[35]) H. de Boor, Eddica, APhS 2 (1927/28), S. 97 ff.

[36]) Die Stelle ist im übrigen verdorben und hat sehr verschiedene Deutungen erfahren. Für sehr jung müssen sie diejenigen halten, die an die Stabmöglichkeit *hraut: reginkunngi* glauben. Jüngster Anflug ist sie auch für Sievers, Die Eddalieder klanglich untersucht (Abh. der sächs. Ak. d. Wiss. 37, Nr. 3, Leipzig 1923).

Simplex, bietet aber ebenfalls *sigtíva synir* (1,6; 2,3). Bdr. kennt das Simplex in der Fügung *ríkir tívar* (1, 6). Vm. bildet in der formelhaften Fragestellung *tíva rQk* (38, 2; 42, 2), ohne dass diese Fügung gleich dem verwandten *ragna rQk* zu prägnanter Bedeutung gelangt. Sie besagt nur „die Geschehnisse bei den Göttern". Die Rahmendichtung von Hy. liefert gleich zwei Stellen, einmal das Simplex (*mærir tívar ok ginnregin* 4, 2), einmal *valtívar* (*ár valtívar veiðar námo* 1, 1). Endlich kann es in unserem Rahmen bleiben, wenn Háv. 159, 3 in dem Augenblick, da das Ljóðatal von der ebenen Bahn der Spruchaufzählung zur Mystik — oder Mystifikation — aufsteigt und sich göttlichen Regionen zuwendet, den Ausdruck *telia tíva* benutzt. Allein eben weil der Gedanke an Mystifikation nahe liegt und das „Aufzählen" der Götter den alten Sinn der kollektiven Zusammenfassung durchbricht, möchte ich in den Zweifel an dem Alter der Strophe einstimmen, der laut geworden ist.[37]). Ein Spätling hätte dann ohne feineres Stilgefühl den mit antiquarischem Klang behafteten Ausdruck *tívar* für seine Zwecke nutzbar gemacht.

Ist so *tívar* gleich *regin* als Glied der religiösen Terminologie in der mystisch-eschatologischen Gruppe erwiesen, so ist es nicht mit ganz gleicher Strenge darauf beschränkt. Auch Þrk. 14,6 nimmt daran teil mit einer Zeile, die wörtlich gleich Bdr. 1, 5 f. ist. Wer freilich die späte Ansetzung der Þrk. wagt, die Heusler angedeutet, de Vries durchgeführt hat[38]), der wird hier lediglich eine Anleihe bei dem älteren Baldrgedicht sehn dürfen und die Stelle der Þrk. aus der Diskussion ausschalten. Dann verbleibt aber immer noch die Stelle Fm. 24, 3, die oben S. 218 f besprochen ist. So wertvoll sie uns dort war, so bedeutet sie doch die Aufnahme eines Ausdrucks unseres terminologischen Kreises in der heroischen Dichtung. Und dasselbe würde von Akv. 29, 6 gelten, wo der gen. plur. *sigtíva* steht, wenn nicht die ganze Stelle so völlig verderbt und der Wortlaut absolut unsicher wäre.

Die Steigerung des einfachen *tívar* durch Zusammensetzungen (*sigtívar, valtívar*) ist für uns von fast grösserem Interesse als das Vorkommen des Wortes überhaupt. Erinnern wir uns der gleichzeitigen singularischen Bildungen vom Typ *Fimbultýr*, so spüren wir, dass die religiöse Prägnanz des einfachen Wortes zu schwinden beginnt und dass Neubildungen steigernder, mit neuem Leben erfüllender Art nötig werden. Sie stehn neben dem Simplex, wie *ginnregin, uppregin* neben *regin*, sind aber stärker als dort am Werke, das Simplex ganz aus der mit religiöser Kraft erfüllten Sphäre zu verdrängen.

b Q n d wird immerhin einmal (Háv. 109,6) *ef hann væri með bQndom kominn)* geboten.

---

[37]) Schon Müllenhoff, Deutsche Altertumskunde, Bd. V (Berlin 1883), S. 273 ff., und zuletzt wieder Finnur Jónsson, Hávamál S. 163 f. haben das Unorganische dieser Strophe im Verband eines ljóðatal betont. Auch Heusler (Thule 2, S. 175) neigt dazu, die Strophe auszusondern.

[38]) Vgl. oben Anm. 14, unten Anm. 107. Speziell zu dieser Stelle de Vries a.a.O. S. 281.

v é a r : Endlich gehört in diesen terminologischen Kreis v é a r , das mit Sicherheit durch Hy. 39, 5 bezeugt wird. Auch diese Stelle gehört zur Rahmendichtung und gibt uns den erwünschten Beweis dafür, dass Anfang und Schluss des Rahmens auch terminologisch zusammengehören. Vielleicht kann gleich hier die besondere Verwendung des ntr. *vé* = „Heiligtum" in unserem Kreise mit behandelt werden. Der alte Sinn ist die Bezeichnung der heiligen Stätte, insbesondere des irdischen Tempelbezirks. In ihm war der Gott anwesend und wohnhaft gedacht. Ein religiöses Denken, das sich die himmlischen Götterwohnungen im Stil der Grí. ausmalte, übertrug die Bezeichnung *vé* von dem irdischen auf den himmlischen Wohnsitz der Götter. Dieser neue Sinn ist in der Vsp.-Terminologie voll ausgebildet. Vm. 51,2 lassen die jungen Götter nach dem Weltbrand *vé goða* bewohnen, die Sitze der Götter. Mit dieser Parallele gewinnt auch die alte Verbesserung von Vsp. 62,7 *vé valtíva* viel an Wahrscheinlichkeit. Hdl. 1,8 bezeichnet gradezu Valhǫll als *vé heilakt,* Lok. 51,4 spricht Skaði von ihrem Besitz *frá mínom véom ok vǫngom.* Auch in der schwer zu heilenden Stelle Háv. 107, 6 *(á alda vés iarðar)*[39]) ist so viel jedenfalls gewiss, dass *vé* einen himmlischen Wohnort bezeichnen muss. Endlich ist Grí. 13, 3 hier einzubeziehen mit *vé* als Bezeichnung für Heimdalls Wohnung in Himinbjǫrg[40]).

Wir lassen den Blick abermals weiter zu den Skalden gehn. Aber wir bleiben nicht bei der letzten Gruppe von kollektivierenden Götterbezeichnungen allein, sondern greifen noch einmal zurück und betrachten die bisherige, auf die Götter bezügliche Terminologie als ein Ganzes. Wir tragen also erst hier die skaldischen Entsprechungen für die spezielle Götterwelt des Vsp.-Kreises und insbesondere für dessen eigenartige Óðinsterminologie nach.

Der Überblick über die skaldische Dichtung zeigt uns, dass vieles von der hier behandelten Terminologie gar nicht oder nur äusserst spärlich ausserhalb unseres Dichtungskomplexes zu finden ist. Seine Sonderstellung, die an dem Typus „Menschenkinder" erwiesen wurde, wird dadurch noch unterstrichen und erst voll zum Bewusstsein gebracht. Anderes dagegen schichtet sich auch innerhalb der Skaldik so eigentümlich, dass sich ein bestimmter skaldischer Kreis herausschälen wird, der mit dem Vsp.-Kreis terminologisch zusammenhängt und der dann seinerseits wieder zur Deutung und Festlegung der eddischen Dichtungen herangezogen werden kann. Ich beginne mit den Eigennamen.

H e i m d a l l r : Er ist nur in der Húsdr. lebendig handelndes Glied der Göttergemeinde. Sonst bleibt er unerwähnt. Auch in der Kenningtechnik

[39]) Vgl. darüber zuletzt Kock § 205 mit unnötiger Schärfe gegen Finnur Jónsson. Dazu dessen Darlegungen: Hávamál, S. 109 ff.; Gering. Komm. z. St.; Neckel, ANF 43 (1927) S. 358 ff.

[40]) R. Meißner, ZfdA 66 (1929), S. 54 ff. gliedert hier auch das *wi* des Bukarester Runenringes ein, indem er Hennings alte Übersetzung „Göttereigen" als die einzig mögliche bezeichnet und Hdl. 1,8 als nächste Parallele heranzieht.

spielt er eine geringe Rolle. Es handelt sich dabei nur um die merkwürdigen, zuletzt von H. Pipping[41]) eingehend behandelten Kenningar vom Typ „Kopf = Schwert des Heimdall" und „Schwert = Kopf des Heimdall". Nur der erste Typ ist praktisch belegt[42]), und nur für diesen beruft sich Snorri (Skáldsk. Kap. 8) auf eine dahinter liegende Geschichte. Die wirklich vorhandenen Belege sind freilich sehr spät, der älteste nach 1136, wenn F. Jónsson die Stelle richtig auf Magnus d. Blinden bezieht. Bjarni ason schildert eine Blendung mit den Worten *fœrðu bráa merki ór hjǫrvi Heimdalls* (B 1, 523). Ausserdem findet sich *Heimdallar hjǫrr* mit anderer Flexionsform nur noch in der ganz späten Str. 57*a* der Grettissaga[43]). Mir scheint die ganze Kenninggruppe als ein spätes Missverständnis einer schwer deutbaren oder doppelsinnigen Stelle fassbar, von der man nicht wusste, wie man die Beziehung von den in ihr verbundenen Begriffen „Kopf, Schwert[44]), Heimdall" suchen sollte, und die bald die erste, bald die zweite der von Snorri gegebenen Erklärungen gefunden hätte. Diese Stelle müsste dann in dem von Snorri ausdrücklich angerufenen Heimdallargaldr gestanden haben, in dem der Gott als Redender aufgetreten ist. Diesen Kenningtyp zur Klärung des Heimdallbildes zu verwenden, wie Pipping es tut, würde ich nicht wagen.

B a l d r ist wesentlich häufiger. Eddisch ist er ausschliesslich in unserer Gruppe zu finden. Skaldisch beruht sein häufiges Vorkommen allein auf seiner beliebten Verwendung in dem Mannkenningtyp „Gott des Schwertes, Kampfes, Goldes" usw. Kein anderer Göttername ist hier so beliebt, wie grade Baldr; Njǫrðr kommt allenfalls nahe[45]). So sicher Meissner darin recht

---

[41]) H. Pipping, Eddastudier I (= SNF 16,2). Vgl. auch Meißner, Kenningar S. 127 f.

[42]) Für Schwert „Kopf des Heimdall" steht nur Snorris eigene Bildung *fyllir hjalms Vindhlés* „Schwert" zur Verfügung.

[43]) Die Strophe 57 a ist von R. C. Boer, ZfdPh 30 (1898), S. 6 ff. und 20 f. als ganz spät erkannt und in seiner Ausgabe der Grettissaga (Halle 1900, S. 231) in die Anmerkung verwiesen. Übrigens bietet die Hs. *heimdala hior,* und es erscheint mir richtiger, mit Hellquist, ANF 7 (1891), S. 172 von dem Nom. *heimdali* „Widder" auszugehen und *heimdala hjǫrr* „Waffe des Widders, Kopf" zu interpretieren.

[44]) Der Begriff „Schwert" wird dabei an jener Stelle durch *mjǫtuðr Heimdalar* ausgedrückt gewesen sein, wie aus Snorris Notiz hervorgeht: *ok er síðan kallat hǫfuð mjǫtuðr Heimdalar.* Das kann aber in jenem Zusammenhang, der vom Tode Heimdalls durch ein Menschenhaupt redete, zunächst ganz allgemein besagt haben „Heimdalls Schicksal" oder „Heimdalls Verderben", ohne dass an eine eigentliche Waffenkenning zu denken war. Denn selbst an der Stelle, die als vorbildlich für die Waffenkenningbildung mit *mjǫtuðr* gilt, selbst im Hervǫrlied: *sá er mannz mjǫtuðr meini verri,* darf keineswegs an eine ebene Schwertkenning nach dem Typus „Männ rtöter" gedacht werden. Denn dieser Typ ist überhaupt nicht ausgebildet (Meißner, Kenningar, S. 150 ff.); *mannz mjǫtuðr* behält ganz prägnanten Sinn. Es ist nicht an die normale Tätigkeit des Schwertes in der Schlacht, sondern an die besondere Unheilsbelastung der fluchbeschwerten Zwergenwaffe gedacht. Diese hat die Wahl des Ausdrucks bestimmt und erhält ihre besondere Unterstreichung noch durch *meini verri.* Vgl. über *mein* unten S. 269.

[45]) Vgl. Meißner, ZfdA 54 (1913), S. 49 ff.; Kenningar, S. 259 ff.

hat, dass er den Götternamen als Grundwort ansetzt, so sehr bin ich überzeugt, dass die frühzeitige Vermischung mit dem german. Appellativum *baldr* an dieser weiten Verbreitung schuld ist. Die ältesten Belege für diesen Gebrauch sind Goþþorm sindris Hákonardr. 7 (ca. 950), Gíslis Lv. 16 (ca. 970), Hallfrœðs Lv. 13 (ca. 1000). Über diesen einen Typ hinaus sind die skaldischen Belege für Baldr, der selbst niemals kennigmässig umschrieben wird, rasch gezählt. Haustl. 16 heisst Þórr *Baldrs barmi,* ohne dass Baldr selbst eine Rolle hätte. Für Húsdr. steht seine Gestalt im Zentrum, da ja sein Tod Gegenstand der Dichtung ist. In den Eiríksm. hört Óðinn die nahenden Valhǫllgäste, und Bragi scheint es zu dröhnen, „als ob Baldr wiederkehrte". Alles weitere ist spät und ordnet sich in die Gruppe antiquarisch interessierter Dichtung ein. So sprechen die in der Sprache der „Fornǫld" sehr bewanderten Krák. Str. 25 von den Bänken im Saale von Baldrs Vater, und dieselbe Óðinsbezeichnung wählt die unechte Finngálknstr. des Styrbjarnar-þattr. (Skjd. Anon. X, Tillæg.). Unecht ist auch Bjark. 6, wo Baldr erwähnt wird. Noch ein Stück später ist eine ganze Str. des Mhkv. mit Anspielungen auf Baldrs Geschichte erfüllt, und ein Anonymus von ca. 1200 (Skjd. Anon. XII B, 21) verwendet das Weinen aller Dinge um Baldr satirisch, um das Gewinsel eines zum Schafdiebstahl angestachelten und dabei übel hereingefallenen „húskarl" zu verspotten (Bisk. ss. I, 648 ff.).

Das alles sind verschiedene Ausschläge der poetisch-stimmungsmässigen oder wissenschaftlich-antiquarischen Vorzeitfreude.

V í ð a r r fehlt in skaldischer Dichtung.

M í m i r erscheint sehr selten, nur zweimal fast gleichzeitig in der Frühzeit in der Óðinskenning *Míms vinr* (Egill Sonat. 23; Vǫlusteinn 1) und beide Male im Zusammenhang mit dem Begriff „Dichtung"[46]). Dann nimmt erst Snorri (Ht. 3) die Kenning wieder auf[47]).

U r ð r : In zweifellos persönlicher Verwendung — nur darauf kommt es hier an — ist Urðr nur selten. Kormákr schliesst Str. 4 seiner Sigurðardr. *komsk Urðr ór brunni.* Das Gedicht ist in der Form verfasst, die Snorri als „hjástælt" bezeichnet und Ht. 13 vorführt. Jede Strophe endet mit einer Zeile, deren erstes Wort den vorangehenden Satz noch abschliesst, während der Rest der Zeile einen aus dem Zusammenhang vollkommen herausfallen-

[46]) Vǫlusteins — oder nach Gíslasons Vermutung Gest Oddleifssons — Strophe gehört zu denen, für die M. Olsen (Om Troldruner, Edda 5/1916, 240 ff.) runenmagische Zahlenverhältnisse feststellen will. Er macht dort auf die augenfällige Verwandtschaft der Situation von Vǫlusteins Gedicht mit Egils Sonatorrek aufmerksam. Insbesondere betont er die merkwürdige Tatsache, dass von beiden Gedichten berichtet wird, sie seien zur Niederschrift mit Runen bestimmt gewesen. Da ist es kaum ein Zufall, dass just an diesen beiden Stellen und sonst nirgends Óðinn durch seine Verwandtschaft mit Mímr, dem Runenlehrer, gekennzeichnet wird.

[47]) Ob die alten Riesenkenningar *salr bjartr þeira Sǫkmímis* (Yt. 2) und *hrekkmimis ekkjur* „Riesinnen" Þdr. 9 zugehörig sind, ist zweifelhaft. Vgl. oben S. 212.

den Einzelsatz enthält. So ist Kormáks Gedicht ein Preis des Jarls Sigurðr: die letzten Sätze aber sind meist eine mythische Anspielung. Es scheint, dass Snorri den ganzen Strophentyp grade aus Kormáks drápa entwickelt hat. Wenigstens wissen wir vor Snorri kein zweites Beispiel[48]). So wird Snorri auch seine Angabe, dass im hjástælt die letzte Zeile mit einer mythischen Anspielung zu füllen sei, aus Kormák abgeleitet haben, denn in dem einzigen späten Beispiel eines Gedichtes in dieser Form, dem Verskampf in der Haraldssaga harðráða (Fms. VI, 385—87), ist das nicht der Fall. Snorris Angaben sind also Spekulationen über die bei Kormák beobachtete Form. Diese muß aus sich selbst verstanden werden. Die Kormákssaga schweigt über den Besuch bei Sigurð und weiss nichts von der drápa. Kormák ist sonst nicht eben stark religiös berührt; seine Strophen sprechen von Liebe und Kampf. Die mythisch-religiösen Anspielungen in der drápa sind daher als Huldigung des jungen Dichters an den mächtigen heidnisch-religiös interessierten Jarl zu fassen, in dessen Schutz er sich empfahl. Sie würden aber ihrer abrupten Sinnlosigkeit entkleidet und enger mit dem Zweck des Gedichtes verflochten, wenn wir sie als aktuelle Anspielungen auffassen dürften. Ich denke mir das Gedicht vorgetragen in der Halle des Jarls, der gleich der des Óláfr pái mit bildlichen Darstellungen religiöser Art geschmückt war, und dass jede Strophe auf ein solches Bild anspielt. *Vá gramr til menja* (Str. 6) könnte sich auf eine der so beliebten Sigurðdarstellungen beziehen. Die drápa wäre dann eine eigentümliche Abart der damals modernen Bilddichtung, Fürstenpreis und Húsdrápa zugleich.

Urðr wird ferner in dem ebenfalls sehr eigentümlichen christlichen Fragment des Eilífr Goðrúnarson erwähnt, das uns, ganz eingetaucht in die religiöse Sprache des Heidentums, Christus schildert, sitzend am *Urðar brunni*[49]). Endlich tritt Urðr spät noch einmal auf in der Strophenserie, die Hauksb. 388 (I B, 400) einer Unheil prophezeienden Dämonin vor der Schlacht bei Stanford (1066) in den Mund gelegt wird, schwächlichere Seitenstücke zur Darraðarljóð. In der zweiten dieser Strophen bezeichnet sich das Wesen selbst als *angrljóðasǫm Urðr* ⇒ „Urð mit den kummerverkündenden Liedern". Sie ist in Ton und Inhalt von der Vsp. abhängig und hat von dort auch die stilgerechte Urðr bezogen. Die Strophen werden in die Zeit antiquarischen Interesses gehören.

Y g g d r a s i l l: Die Skalden verwenden den Namen nicht, — auch nicht in mit „Baum" gebildeten Kenningformen. Einmal versucht Hallvarðr háreksblesi die barocke Kenning *und jarðar hǫslu* = auf der Erde Knútsdr. 7, Skjd. I B, 294), die im Verein mit der Gotteskenning *munka valdi* sichtlich auf erstaunlichen Effekt berechnet ist. Sonst ist nichts vorhanden.

---

[48]) Vgl. Möbius, Háttatal S. 130.

[49]) Auch Kocks andersartige Einteilung (§ 470) belässt das Gesamtbild unverändert.

Valhǫll: Das Valhǫllbild beherrschte die Jenseitsvorstellung der Vsp.-Gruppe durchaus nicht einseitig; es spielt in der Vsp. kaum eine Rolle, ist aber z. B. für Grí. von Bedeutung. Für die Gruppe Eiríksm.-Hákonarm. steht sie dagegen ganz im Vordergrund, wie auch die Jenseitsszenerie der Helgidichtung davon beherrscht wird. Sonst kommt in der alten Dichtung noch *Gauta setr* (þdr. 8) in Betracht, wenn die von F. J. angesetzte Kenning *eiðsvara víkingar Gauta setrs* (= þórr und seine Genossen) Stich hält. Nach Kocks nicht genügender Deutung fiele dieser Valhǫllbeleg fort[50]). þdr. 2. wird man *frá þriðia* aus dem vorangehennden *setrs* zu *þriðia setr* „Valhǫll", ergänzen dürfen. Dann nimmt erst die poetisch-antiquarische Dichtung (Krák. 4 *Óðins heimsalir*) und die gelehrte Dichtung (Ht. 31 *Hárs salr*) den Begriff wieder auf.

Es folgt die Óðinsterminologie. Als Seltenstes nehme ich die Burr-Bestla-Genealogie voran. Erstmals verrät Egill ihre Kenntnis in Lv. 21 *(Bors niðr)*. Es folgen zwei Belege des späten X. Jh., Vell. 4 *(Bestlu sonr)* und Steinarr Lv. 2 (*Bestlu niðfors* „Gedicht"). Dann wird es still; erst ganz spät nimmt þórvaldr blǫnduskáld in einem ihm zugeschriebenen Strophensplitter (SnE. I, 244) die Bezeichnung noch einmal auf *(mjǫðr búrar Bors, Bura arfa)*.

Von den Óðinsnamen gehn weder die Bildungen mit *-faðir,* noch die mit *-týr,* noch endlich *Hróptr* in Mannkenningar ein. Die *-faðir, -fǫðr*-Bildungen fehlen skaldisch überhaupt.

Hróptr, mit der Weiterbildung *Hróptatýr,* gruppiert sich am auffälligsten. Ältester Beleg ist Kormáks Sigurðardr. 7 *(fór Hróptr með Gungni)*. Sein Zeitgenosse und Gegner, der sonst ebenfalls wenig religiöse Tindr, verwendet den Namen in seiner Hákonardr. 9 von ca. 987 (*Hróptr náði val)*. Zeitlich stehn Hák. Kormáks Gedicht noch näher; sie bieten Str. 14 *Hróptatýr.* Im gleichen Jahrzehnt wie Tindr liefern þórarins Máhlv. 9 *Hrópts hyrskerðir* oder wohl besser mit Kock § 375 *hurðskerðir.* Gleichzeitig bietet Húsdr. 11 *hjalmelda gildar Hrópts,* und Str. 8 kennt *Hróptatýr.* Dann haben wir noch einen Ausläufer in þórð Kolbeinssons Eiríksdr. Str. 5 von 1014 *(Hrópts toptir)*. Das Gedicht ist für den Sohn des heidnisch gesinnten Hákon jarl, den Gegner Óláfr Tryggvasons, verfasst. Danach verschwindet Hróptr aus der skaldischen Literatur[51]). Alle 7 Belege drängen sich auf den Raum von 50 Jahren zwischen ca. 960 und 1010 zusammen.

Die Namen vom Typ *Fimbultýr* bleiben ganz dem eigentlichen religiösen Gebrauch vorbehalten und verschwinden daher in der christlichen Dichtung.

---

[50]) Vgl. Kock § 451. Reichardts Bedenken gegen ihn sind gewichtig; R. selbst bleibt bei Finnur Jónssons Auffassung. Ein abermals neuer, auf Kock gegründeter Deutungsversuch bei Lindquist, S. 96. Er vermeidet Kocks schwächsten Punkt, die Annahme eines *setrs víkingar* „Schildwikinge".

[51]) Eine achte Stelle bei Eyjólfr Valgerðason (ca. 976) *herða Hrópts hlióð* beruht auf weitgehender Konjektur und muss hier ausscheiden.

Fimbultýr selbst ist skaldisch überhaupt unbelegt. Ich gebe eine Übersicht der einzelnen Bildungen:

	Farmatýr: in *Farmatýs svanir*	Hál. 11 (985)
	Gautatýr	Hák. 1 (961)
	Hangatýr: in *Hangatýs hǫttr*	Viga-Gl. Lv. 10 (ca. 995)
	Hertýr: in *Hertýs vingnóð*	Vell. 3 (ca. 986)
	Sigtýr	Gráf. 12 (ca. 970)
	Valtýr: in *brúðr Valtýs*	Hál. 15 (985)
dazu	*Hróptatýr*	Hák. 14 (961); Húsdr. 8 (983)

Die zeitliche Gruppierung entspricht völlig der von Hróptr. Die Belege setzen um 960 ein und gehn bis zum Jahrhundertende. Dann wird es ganz still, bis die Renaissance auch diesen Namenstyp aufnimmt. Sturla bildet entspr. Hál. 15 eine Erd-Kenning *Geirtýs grœn mála* (Hákonarkv. 21). Aber wie stumpf die Bildung geworden ist, spürt man sofort. Statt der prägnanten und unwidersprechlichen Óðinsnamen der obigen Gruppe eine Bildung *Geirtýr*, die an sich so gut oder besser eine Mannkenning wäre. Noch später nimmt Einarr Gilss. (Selkolluv. 7) *Hangatýr* noch einmal auf[52]).

Doch auch das einfache *Týr, tivar* hat seine Geschichte. Es setzt früher ein als die Óðinsnamen mit *-týr* und geht andere Wege. Haustl. liebt es besonders: Str. 1 *týframa tíva trygglaust,* Str. 3 *tívum*[53]), Str. 8 *fróðgum tívi* = Loki. An allen drei Stellen ist *týr, tívar* unmittelbar „Gott, Götter". An drei weiteren ist das Wort an Umschreibungen beteiligt. Str. 2 *byrgi-Týr bjarga* „Riese"[54]), Str. 6 *djúphugaðr herfangs hirði-Týr* = Loki[55]), Str. 20 *sára reiði-Týr* = Þórr[56]). Auch in diesen 3 Fällen bleibt die Beziehung zu *týr* „Gott" voll bewahrt. In Str. 6 und 20 handelt es sich direkt um Götter, die lediglich näher bestimmt werden; doch auch in der Riesenkenning von Str. 2 wird die prägnante Bedeutung „Klippengott" noch stark gefühlt.

[52]) Zu diesen Bildungen vgl. Cahen a.a.O. S. 15. Seine Annahme, dass es sich um alte Beinamen des Gottes Týr handle, die sekundär auf Óðin übertragen seien, ist nach der Verteilung ihres Vorkommens abzulehnen. Es handelt sich um Bildungen des späten Heidentums aus dem Appellativum *týr.*

[53]) Für Lindquists Änderung zu *tíðgum* (S. 32) liegt aus der Überlieferung kein Anlass vor. Seine durchgängigen Änderungen aus Reimgründen, zu denen auch diese gehört, halte ich für bedenklich und unerlaubt. Dagegen ist Kocks einfache Deutung § 1015, auf der Lindquists ruht, sehr glücklich.

[54]) So, nach Kock § 135, Reichardt S. 161 ff.

[55]) Lindquist scheidet S. 85 *herfangs* aus der Kenning aus und bildet ein *hirðu,* gen. sg. eines sw. fem., für das er die Bedeutung „påpasslighet" annimmt. Ich halte es für unmöglich, das fest bezeugte *hirði-* und den häufigen Bildungstyp, den *hirði-Týr* darstellt, zu Gunsten eines konstruierten Wortes wegzudeuten; *hirði* verlangt eine inhaltliche Ergänzung, und *herfangs* passt gut dazu.

[56]) Lindquists Emendation *reiðar-Týr* „Wagengott" ist bestechend, aber durch die Überlieferung nicht gestützt.

Nirgends aber begegnet bei Þjóðólf der Drang zur Weiterbildung nach dem Typ *sigtívar, valtívar,* oder auch nach einer adjektivischen Steigerung *(mærir, ríkir, tívar)*. Unsere Vermutung, dass derartige Bildungen für die spezielle Religiosität der Vsp.-Gruppe besondere Bedeutung gehabt haben, bestätigt sich uns. Daneben wird das einfache *týr* in diesem skaldischen Kreis seltener. Doch finden wir Þdr. 19 die konkrete Þórskenning *karms týr*[57]). Hierher ziehe ich auch Vell. 30, *týr vildi þá*[58]) *týna teinhlautar fiǫr gauta. Teinhlautar týr* von Wisén (Carm. norr.) richtig auf die vorangehende Orakel-Opferhandlung bezogen und mit „deus sanguinis sarcrificalis" übersetzt, dann aber auf den opfernden Jarl (vir sacrificans) gewendet, scheint sich mir besser auf den angerufenen Gott selber zu beziehen. Der Jarl *gekk til fréttar;* die Antwort gaben zwei vorzeichenspendende *(rammar)* Raben. Sie sind Óðins Boten; er ist der *teinhlautar týr,* der sie sandte, um anzuzeigen, dass er das Leben der Gauten vernichten, dem Jarl also Siegerglück und Leben geben wolle. Als Óðinskenning ist es nur leichte Abwandlung des Typs *Hangatýr.*

Aber auch die verblasste Verwendung von Týr in Mannkenningar machen sie nicht mit. Diese durch die Riesenkenning der Haustl. kaum angebahnte Entwicklung setzt um die Mitte des X. Jh. ein, Hásteinn bietet zuerst Lv. 3 (955) *sjau sœki-tívar Svǫlnis garðs*[59]) „die Angreifenden *tívar* der Schilde". Fast gleichzeitig bietet Korm. Lv. 47 das schwer deutbare *Týr taura*[60]), das doch bei jeder versuchten Deutung jedenfalls den hier besprochenen Typ darstellt. Dagegen fehlt der Typ, wie gesagt, in der oben besprochenen Gruppe. Denn Vell. 30 steht *fell i Týr* nur in der Fagrskinna (ed. Finnur Jónsson S. 76 f.), die allgemein bevorzugte Heimskringla-Gruppe bietet *felli-Njóðr.* (So auch F. Jónsson und Lindquist.) Schwieriger ist es mit Hák. 6: F. Jónssons Textherstellung schafft eine sehr komplizierte Stellung und setzt ein *bauga Týr* „Herrscher" an. Gegen F. Jónsson haben Sahlgren[61]) und Lindquist[62]) berechtigten Einspruch erhoben. Sie bauen ihren Text auf der Fagrsk.[63]) auf, Sahlgren mit weitgehenden, daher nicht gern

[57]) Die Deutung der Strophe wird weder durch Kock § 468 noch durch Lindquist S. 100 wesentlich gefördert.

[58]) So mit Hkr. F und Fgsk. AB.

[59]) Die Kenning ist bewusst doppeldeutig; *sœki-tívar Svǫlnis garðs* kann auch übersetzt werden „die *tívar,* die Óðins Gehöft besuchen", also: die Toten die *sœkja heim Óðin.*

[60]) F. Jónsson und Kock § 297 „zauberkundiger Mann"; Meißner, Kenningar S. 262, denkt an *Týr taurra* „Schwert-Tyr, Krieger". Möbius in seiner Ausgabe der Kormákssaga führt S. 176 *taura týr* unter den Umschreibungen für „Frau" auf, ohne eine Erklärung zu geben.

[61]) Sahlgren, Eddica et scaldica, S. 51 ff.

[62]) Lindquist a.a.O. S. 15.

[63]) Ich halte es für berechtigt, hier den Text der Fagrsk. vorzuziehen. Kock § 1053 bleibt wie F. Jónsson bei der Regiusfassung, die er *of bauga* liest unter Hinweis auf Str. 8 *við skýs of bauga.* Aber gerade diese Parallele spricht gegen die

annehmbaren Änderungen, Lindquist mit konservativerer Behandlung des Textes, aber mit der kaum glaublichen Fügung *tǫrgur viðr Týs valdi* „Rundschilde als Schutz gegen den Angriff". Für beide aber ist *Týr* der Göttername, und darin haben sie recht. So lässt sich in dieser Gruppe erst ihr Spätling, Þórðs Eiríksdrápa, auf eine Kenning *farlands fasta Týr* (Str. 6) ein. Der Typ wird überhaupt nach der Jahrhundertwende modern; in den ersten 40 Jahren des 11. Jh. tritt er plötzlich 9mal auf (bei Þórmóð Kolbrúnarsk. dreimal, bei Hallfrœð zweimal). Sigvats Erfidr. von 1040 schliesst die Reihe (Str. 23). Dann verschwindet er für längere Zeit ganz; Arnórr, Þjóðólfr, Markús, Óttarr svarti, Einarr Skúlason — um nur die fruchtbarsten zu nennen — haben ihn nicht. Auch hier ist erst die isl. Gelehrsamkeit Wiederentdeckerin; Rǫgnvalds Hl. benutzt ihn wieder (25 b), Hauks Ísldr. (Str. 8), Snorris Ht. gleich viermal (14; 35; 48; 53). Einarr Gilsson bildet abermals den Abschluß (Guðmundardr. 15; Selkolluv. 1).

r e g i n , r ǫ g n[64]) verläuft im ganzen ähnlich. Bei der singularischen Form *reginn* wird man zweifeln, ob F. Jónsson recht hat, der ein besonderes Nomen agentis „Beweger" ansetzt (Kampf-*reginn*, Waffen-*reginn*), oder ob Meißner beizuflichten ist[65]), der eine singularische Neubildung zu *regin* nach dem Muster von *týr* zu *tívar* darin erkennen will.

Gehn wir von den sicheren Stellen aus, die plur. *regin* „Götter" bezeugen, so liegen die ältesten Belege wieder in Haustl. vor: *sá's ǫll regin eygja í bǫndum* (7); *vóru held hamliót regin* (10); *en skófu ginregin* (13). Es folgt Egils bekannte Fluchstrophe (Lv. 19) *reið sé rǫgn ok Óðinn*. Stärker als *tívar* geht *regin* dann wie zu erwarten in die der Vsp. verwandte Gruppe hinein.

Hák. 18 *rǿð ǫll ok regin.*

Vell. 32 *rammaukin rǫgn kveðk riki Hǫkonar magna.*

Vell. 32 *ragna konr* = Hákon.

Húsdr. 2 *Ráðgegninn frægr ragna reinvári* = Heimdallr.

Damit ist die Gruppe abgeschlossen. Die Mannkenningar setzen sehr früh ein. Zwar könnte Haustl. 12 *leikblaðs fjaðrar reginn* „Gott des Fittichs" = Þjazi in Adlergestalt" wie oben *bjarga byrgi-Týr* als prägnanter Grenzfall beurteilt werden. Aber grade hier liegt die appellative Bedeutung

Regiusfassung. Ihr Schreiber ist von dem *-ýs* in *Týs* abgeirrt und zu *-ýs* in *skýs: of bauga* gehört zu Str. 8, nicht zu Str. 6.

[64]) Vogt, ZfdA 62 (1925), S. 48, geht von einer stark unpersönlich gefassten Bedeutung „beratende und bestimmende Mächte" aus, die vor der anderen, von ihm scharf kontrastierten Bedeutung der „persönlich vorgestellten Götter" liegt. Ich begrüsse die Betonung der Unpersönlichkeit der „Mächte", glaube aber, dass die Verwendung auf die Götter weniger in einem Bedeutungswandel des Wortes *regin* als in jener Wandlung der Göttervorstellung selbst begründet ist, die ich als „Entpersönlichung der Götter" gedeutet habe. Vgl. auch Cahen a.a.O. S. 18 ff.; Sturtevant a.a.O. S. 251 ff.

[65]) Meißner, Kenningar S. 264; Lp. s. v. *reginn.*

„Beweger" besonders nahe[66]). Und schon vorher, bei Bragi (Rgdr. 10) fällt die typische Kenning *þrymregin þremja* „Krieger". Es fällt mir schwer, in so früher Zeit an die Verwendung von *regin* in reinen Mannkenningar zu glauben. Noch unwahrscheinlicher kommt mir eine so frühzeitige singularische Weiterbildung vor, die ausser Haustl. 12 noch Egill Lv. 26 vorläge, wenn *rógnaðra reginn* richtig hergestellt ist. Denn es fehlt an einem Gegenstück, das den Sing. *reginn* in der Grundbedeutung „Gottheit" zeigte und als Glied der vorchristlichen Terminologie erwiese. Daher würde ich eine solche mechanische Weiterbildung erst in nachchristlicher Zeit für möglich halten, als das Bewusstsein der kollektiven Bedeutung von *regin* verblasst war. Aber gerade da fehlen Belege so gut wie ganz. Die Frühzeit ist reich an solchen Kenningbildungen (Rdr. 10; Egill Lv. 26; Gráf. 3; Bersi Lv. 1; Gísli Lv. 33; Halldórr ókristni Eiríksfl. 3). Dann hat erst das 12. Jh. wieder vereinzelte Belege, Markús Lv. 2 *sliðráls reginn* und Sól. 56 *ór baugregins brunni*. Das beweist, dass man Grund zu haben meinte, solche Bildungen zu vermeiden. Ich glaube daher, daß ein altes Appellativum „Beweger" nach Haustl. 12 anzusetzen und für die alten Belege festzuhalten ist, dass aber dann, da *regin* „Götter" in der spätheidnischen Terminologie eine bedeutende Rolle hatte, die Assoziation mit diesem eingetreten ist, und dass die christliche Dichtung daher *reginn* ebenso gemieden hat wie den Plur. *regin*. Es ist außerdem denkbar, daß der Zwergenname *Reginn* und seine ebenso bekannte wie unrühmliche Rolle eingewirkt und die poetische Würde des Wortes geknickt hat[67]).

---

[66]) Die erste ist Kocks Auffassung (§ 138), die andere Finnur Jónssons. Seine Tmesis *fjaðrar blaðs leik-reginn* ist vermeidbar, da *leikblað fjadrar* „das bewegliche Blatt aus Federn" eine unanfechtbare Kenning für Fittich ist. Dessen „Beweger" ist der Adler. Ähnlich Lindquist S. 87.

[67]) Diese Auffassung scheint durch ganz ähnliche Verhältnisse bei der Ableitung *rǫgnir* unterstrichen zu werden. Einerseits steht ein altes, heroisches Appellativum *rǫgnir* „Herrscher" fest (Neckel, Eddakomm. s. v.; Lp. s. v. *landrǫgnir*), das am klarsten durch Akv. 12 *(landrǫgnir)*, Akv. 28 *(dolgrǫgnir)* und skaldisch durch Þorl. fagri 6 (*folkrǫgnir)* belegt ist. Auch *rǫgnis* in der zerstörten Str. 33 der Akv. dürfte hierher gehören. Endlich ist nach der in diesem Punkt übereinstimmenden Auffassung von F. Jónsson und Kock § 136 *vingrǫgnir vagna* aus Haustl. 4 hierher zu rechnen. Andrerseits ist *Rǫgnir* sicherer Óðinsname in der Gedichtkenning *vágr Rǫgnis* (Vell. 5) nach Skjd. und der gut geglückten Interpretation von Reichardt, die ich der von Kock § 391 vorziehe. Þdr. 3a, bisher von keinem befriedigend gedeutet (Kock § 445, Lindquist S. 94) schliesst mit den Worten *an Rǫgnir*, die kaum zu trennen sind und doch wohl den Óðinsnamen ohne genetivische Beziehung enthalten. Die übrigen Belege sind sämtlich mehrdeutig, sie lassen sich aus dem Óðinsnamen, aus *rǫgnir* „Herrscher", z. T. endlich aus *rǫgnir* „Beweger" deuten. Immerhin ist es auffällig, wie sehr sich auch *rǫgnir* auf unseren Gedichtkreis konzentriert. Haustl. 4; Korm. Sigdr. 6; Vell. 5; 8; 25; Þdr. 3 gehören hierher. Dazu treten im 10. Jh. noch die zwei Belege bei Egil, Lv. 18 *(þrymrǫgnir)*, von E. Noreen, Studier i fornvästn. diktning II, S. 34 in ihrer Echtheit bezweifelt, und Gísli Lv. 5 *(mærðar Rǫgnir)*. Die Traumvísa der Gunnlaugssaga (hg. Mogk Nr. 24, S. 30) mit

Ich schliesse die Behandlung von b ǫ n d , das eddisch spärlich, und h a p t , das eddisch gar nicht belegt ist, an.

b ǫ n d : Ältester Beleg wieder Haustl. (Str. 17) *bǫnd ollu því.* Dann folgen zwei Lvv. Egils, von denen die eine in ihrer Echtheit angezweifelt, die andere als unecht erwiesen ist. Die erste ist die Fluchstr. 19 *gram reki bǫnd af hǫndum*[68]). Die zweite ist Str. 28, zu der allgemein als jünger anerkannten Ljótr-Episode der Saga gehörig. Die verächtliche Verwendung von *blota bǫnd* gehört mit zu den Kriterien, die ihre Unechtheit erweisen[69]). Alle übrigen Belege liegen wieder zwischen 960 und 1010. Ältest ist Hák. 10 *Hǫ́koni hafa bǫnd heim of boðit.* Jüngste Stelle ist die Bandadrapa des Eyjólf dáðaskald Str. 2, im übrigen wörtliches Zitat *(at mun banda)* der Vell. 9. Ihr Name charakterisiert bereits ihren Inhalt, und sie ist gleich der früher berührten Dichtung Þórð Kolb.s an Eirík jarl, den Gegner Óláf Tryggvasons, gerichtet. Dazwischen liegt die reiche Belegschar bei Tind (Hákonardr. 8); Vell. 9 und 15; Húsdr. 4; ferner in den antichristlichen Propagandaversen der Steinun 2, des Haraldsníð (B I, 166), des Anon. X. B, 8; endlich in der seltsamen christlichen Halbstr. des Eilífr. *lǫnd setbergs banda.* Es verbleibt dann nur noch die Frauenkenning Gísli Lv. 27 *því bandi báls vala slóðar* zwiefach bedenklich wegen der Singularbildung und wegen der Verwendung einer neutralen Wendung „Gottheit“ in einer Frauenkenning. Ich halte Meißners Einspruch[70]) für berechtigt und seine Verbindung dieser Kenning mit der Gruppe *brú, spǫng, þilja* für einleuchtend. Gísli scheidet also hier aus.

h a p t ist auch bei den Skalden seltner. Wieder beginnt Haustl. mit der Óðinskenning *hjalmfaldinn hapta snytrir* (Str. 3). Dann folgen dieselben

---

Beziehung auf Ereignisse des Jahres 1008 würde sich hier unmittelbar anschliessen, wenn sie echt wäre. Da dies nicht zu erwarten ist, gehört sie wohl in die Zeit antiquarischer Dichtung ebenso wie Ód. 27, falls Jónsson mit seiner Konjektur das Rechte trifft, und Anon. XIII B. 36 (*dolgrǫgnir* vgl. Akv. 23). Zwischen der vorchristlichen und der antiquarischen Gruppe bleibt einzig noch die oben berührte Stelle des Þorl. fagri 6.

[68]) W. H. Vogt, Zur Komposition der Egilssaga (Progr. Görlitz 1909, S. 56) sieht in Str. 19 eine Dublette zur Prosa des Níðstǫngfluches. P. Wieselgren, Författarskapet till Eigla (Lund 1927) hält sie auf Grund klanglicher Analyse für norwegisch und denkt (wegen *granda vé*) an eine Propagandastrophe gegen Harald gráfeld. Dem steht M. Olsens wichtige Untersuchung Om Troldruner (Edda 5/1916) gegenüber, die Lv. 18 und 19 als Inschrift der Níðstǫng auffasst und in ihrer Buchstabenzahl magische Zahlenverhältnisse nachweist. Dadurch wird Wieselgrens Trennung der beiden Strophen, die er beide für unecht, aber unzusammengehörig hält, sehr unwahrscheinlich. Auch für Vogt dürfte die Strophe die echte Inschrift der Níðstǫng sein; E. Noreen, Studier II, S. 35 und 57, hält ihre Echtheit für sicher.

[69]) Vogt a.a.O. S. 33; Bley, Eiglastudien S. 153; Wieselgren a.a.O. S. 45, 66 ff.

[70]) Meißner, Kenningar S. 411 f.; Kock gibt § 363 eine einleuchtende Gesamtdeutung, nimmt aber an dem Kenningtyp keinen Anstoss. Vgl. auch Reichardt ANF 46 (1930), S. 40 zu Glúms Lv.

Dichtungen, die zu erwarten sind. Vell. 16 *hapta vé;* Gráf. 1 *gildi hapta beiðis,* Þdr. 3 mit der von F. J. angesetzen Frauenkenning *arma farmr galdrs hapts* ist sehr unklar, und von Kock § 445 und Lindquist S. 95 mit Recht kritisch betrachtet worden. Eine befriedigende Lösung haben sie freilich auch nicht gefunden. Aber es gelten die gleichen Einwände wie bei *band:* Singularbildung und Verwendung in einer weiblichen Kenning[71]). Ebenso umstritten ist ein weiterer Beleg, *haptsœnis heið* „Gedicht" (Kormákr Sigurðardr. 5). *Haptsœnir* wird von F. Jónsson als Óðinn aufgefasst, gebildet wie *hapta snytrir,* doch mit einem unerklärten *sœnir.* Meißner[72]) greift mit Recht auf Sveinbjörn Egilssons alte Erklärung *haptsœni* „pacificato deorum" zurück; sein anmerkungsweise gemachter Vorschlag, von *haptsœnir* „qui deos pacificavit" auszugehn, scheint mir das Richtige zu treffen. Wie dem auch sei, alle Erklärungen rechnen mit *hapt* „Götter", und wir merken an, dass auch diese Wendung des jungen Dichters auf Jarl Sigurðs religiöse Neigung berechnet sein wird[73]).

r á ð ist vereinzelt: Hak. 18 *rǫ́d ǫll ok regin*[74]).

v é a r ist als Götterbezeichnung skaldisch nicht sicher belegt. Immerhin lässt sich erwägen, ob in den Fügungen *þyrma véum* (Hak. 18) und *granda véum* (Einarr, Hákonardr. *Gamla kind, sú's þorði granda véum*) nicht die personelle Verwendung vorliegt. Beide Verben verbinden sich mit personellem Objekt. Doch auch *vé* „Heiligtum" ist ganz wesentlich auf die heidnische Sphäre beschränkt geblieben. Die Kirche hat es nicht in ihren Wortschatz einbezogen, daher ist auch die kirchliche Dichtung nicht davon berührt. Doch auch die Kenningtechnik hat es so gut wie gar nicht verwendet. Die eigentümliche Übertragung vom irdischen Heiligtum auf die himmliche Wohnung der Götter ist skaldisch kaum zu spüren; in der Regel ist die Rede von den irdischen Tempeln und Heiligtümern. Dass aber auch die Skaldik von dieser Übertragung gewusst hat, bestätigt uns ein merkwürdiger Nachzügler, die Lv. des Skúli Þórsteinsson, die mit einer eigentümlichen lyrischen Anschaulichkeit einen Sonnenuntergang schildert und dazu die Terminologie des jüngst versunkenen Heidentums benutzt: *Goðblíð Glens beðja veðr með geislum í vé gyðju.* Die Sonne steigt herab *í vé gyðju;* das ist *vé* „Götterwohnung". Auch *goðblíð* passt ganz in die terminologische Gruppe. Wie dieser Enkel Egils zu solcher Neigung kam, ist leicht zu begreifen; auch er gehört auf die Seite Jarl Eiríks und nahm an der Svolderschlacht gegen Óláf Tryggvason hervorragend teil. Auf dieses sichere Beispiel gesützt, fragen wir, ob nicht auch *ginnunga vé* (Haustl. 15) eine entsprechende Inter-

[71]) Linquists Versuch, *sóknar hapt* = Valkyrie (Angriffsfessel) zu fassen, beruht sichtlich auf diesem Bedenken.

[72]) Meißner, Kenningar S. 427. Ähnlich Kock § 262.

[73]) Haustl. 11,8 werden die zwei fehlenden Silben mit ziemlicher Wahrscheinlichkeit als *hapta* (im Reim auf *aptr*) ergänzt.

[74]) Vgl. W. H. Vogt, ZfdA 62 (1925), S. 47.

pretation zulasse. *Qll ginnunga vé knǫtto brinna* ist mir immer zu pathetisch vorgekommen, als dass ich mich von der Interpretation „Heimat des Habichts“ = „Luft“ befriedigt fühlte. Das Nebeneinander von *vé* und *ginnunga* lenkt den Blick unwillkürlich auf die terminologische Sphäre der Vsp. F. Jónsson hat im Lp. für *ginnungi* die Erklärung „ungeheure Erstreckung“ gegeben, die ich für richtig halte. Verbinden wir hiermit *vé* „himmlische Götterwohnung“, so erhalten wir in *ginnunga vé* eine pathetische Umschreibung des Himmels: „die ganze ungeheuer weit sich erstreckende Wohnung der Götter“, eine Parallele zu *ginnunga gap*, die dem Stil des Gedichtes weit angemessener ist, als die übliche Erklärung, die eine anderweit kaum belegte Verblassung von *vé* und eine sonst nur bei Rǫgnvald einmal vorkommende Bezeichnung des Habichts benötigt. Zudem brauchen wir eher eine Bezeichnung des von den flammenden Blitzen brennenden Himmels, antithetisch zu der Z. 3 ebenfalls pathetisch *(endilǫg grund)* genannten Erde, als eine Umschreibung für Luft, wie sie die übliche Interpretation erreicht[74a]).

Sonst gilt die Bezeichnung irdischen Heiligtümern, so schon Yt. 12 *(véstalls vǫrðr)* und dann weiter Egill Lv. 19; Kormákr Sigurðardr. 6; Vell. 15; Vell. 16; Hák. 18; Ulfr Lv. 1; Einarr Hákonardr.; Hallfr. Óláfsdr. 4 *(végrimmr)*.

Wir gewinnen mit diesem ausgedehnten terminologischen Bezirk eine ganz bestimmte Gruppe skaldischer Gedichte, in denen allein die Glieder dieser Terminologie beheimatet sind. Sie hängt offensichtlich mit der Vsp.-Gruppe eng zusammen; beide gemeinsam sind der Ausdruck einer besonderen religiösen Entwicklung, die wir dank der skaldischen Belege chonologisch festlegen können. Ihr bezeichnendster Zug ist der Drang nach kollektiver Zusammenfassung nach einer Gruppierung im Grossen, in der der einzelne, Mensch wie Gott, untergeht, um weitergreifenden religiösen Vorstellungen von der Beziehung einer zusammengefassten Menschheit zu einem gottheitlichen Wirken Platz zu machen, in dem die Göttervielheit zu der Einheitlichkeit bestimmenden, schicksalshaft bindenden Wirkens konzentriert wird. Die religiöse Weiterentwicklung, die zweifellos darin liegt, hat hier nicht den Weg gewählt, dass sie einen einzelnen aus der Masse zu einer so überragenden Bedeutung steigerte, dass sich alle anderen ihm unterordneten. Die Ansätze, die sich auch dazu finden, sind jedenfalls für die Gruppe von Menschen, in der und für die unsere Gedichte entstanden, nicht verbindlich gewesen. Ich betone das ausdrücklich, weil meine Feststellungen durchaus der von B. Kummer aus der Saga gewonnenen mystischen — und, wie ich meine, ein wenig mysteriösen — Eingottheitlichkeit widerstreben, die aus den Göttermöglichkeiten den einzelnen als *fulltrúi* zu einfach absoluter Alleingeltung

---

[74a]) Soeben erscheint der Aufsatz „Ginnungagap“ von J. de Vries, APhS 5 (1930/31), S. 41 ff., in dem genau die obige Auffassung von Haustl. 15 vertreten wird.

erhebt[75]). Für die religiös fortgeschrittenen Kreise, die hier zu uns sprechen, gilt die Göttermehrheit, gelten Óðinn, Þórr, Freyr mit ihrer Sonderart und ihrem Sonderschicksal in *ragnarǫk*. Aber diese Leute haben die Kraft des Blickes auf eine Gesamtheit, die nicht mehr einfach additiv entsteht wie *goð, æsir, vanir,* sondern zur ratenden Einheit verschmilzt: *bǫnd, hapt, regin,* in der der einzelne aufgeht und in deren Hand das Geschick einer — nun eben auch als Gesamtheit gefassten — Menschheit ruht. Was diese unverächtliche Quellengruppe uns lehrt, ist also das grade Gegenteil von der ganz individuellen Beziehung der menschlichen Einzelperson zu ihrem *fulltrúi.* Ich möchte, nebenbei gesagt, gegenüber Kummers Überdehnung des Begriffes bis zu völliger Gleichgültigkeit des so bezeichneten Einzelgottes zur Erwägung geben, ob nicht schon das reine Vorhandensein des Ausdruckes *fulltrúi* eben doch die Gültigkeit der Göttermehrheit voraussetzt. Als den bevorzugten Vertrauten kann man sich doch wohl nur einen einzelnen aus einer an sich geltenden und vertrauenswerten Vielheit herauslösen, unter denen der einzelne nur als primus inter pares bewertet werden kann. Ob diese Vielheit rein additiv gesehn wird oder wie in unserer Zeugnisgruppe kollektiv, spielt dabei keine Rolle. Auf jeden Fall sehe ich keine Möglichkeit, wie der Begriff *fulltrúi* zu einer tatsächlichen Auflösung des Mehrgötterverhältnisses gebraucht werden kann, wie es bei Kummer geschieht.

Diese kollektiv denkende Religiosität, die ich hier terminologisch zu verfolgen versuchte, setzt natürlich nicht ganz neu ein. Sie baut vorstellungsmässig wie terminologisch auf Älterem auf. Termini wie *regin, tívar*, Namen wie *Baldr, Urðr* sind wesentlich älter und z. T. nicht einmal nordisches Sondergut. Aber sie erhalten einen erhöhten religiösen Sinn und sozusagen programmatische Bedeutung erst in den Gedichten unserer Gruppe. Bragi steht trotz seines mythischen Themas noch außerhalb. Der erste, der eine wirkliche und reiche Verwendung für die ganze Terminologie hat, ist Þjóðólfr, aber noch kaum im Yt. Erst Haustl. ist das älteste Gedicht, das der neuen Terminologie wirklich Spielraum gibt. Þjóðólfs schöpferische Kraft, die von F. Jónsson schön und kräftig unterstrichen wird[76]), offenbart sich hier nach einer neuen Seite. Doch fehlen ihm noch einige der typischen Bildungen *(Hróptr;* Typus *Fimbultýr;* Typus *valtívar).* Wir begreifen, dass Þjóðólfr die Terminologie und die dahinter stehende Anschauung in den Kreisen um den grossen Reichseiniger Haraldr hárfagri kennengelernt haben muß. Ein Mann wie Þorleifr spaki, der bekannte Gesetzgeber, für den Haustl. geschaffen ist, lässt sich gut als ein Träger solcher gesteigerter heidnischer Religiosität denken. Es ist auch nicht unwichtig, daß wir von einem näheren Verhältnis Þjóðólfs zu Hákon Jarl, Haralds Schwiegervater und Vater des Jarl Sigurð, wissen.

[75]) B. Kummer, Midgards Untergang (Veröffentl. des Forschungsinstituts für vgl. Rel.-Gesch. d. Univ. Leipzig II, 7. Leipzig 1927).

[76]) Litt. Hist. ²I, S. 440 ff.

Unberührt von unserer Terminologie ist þórbjörn hornklofi auch da, wo er wie im Haraldskv. Gelegenheit zu ihrer Verwendung gehabt hätte. Ein paarmal hatten wir den Namen Egils zu nennen, und es wäre nicht wunderbar, wenn der weitgereiste, eigenwillige und religiös berührte Mann auch an dieser religiösen Vergeistigung teil hätte. Indessen lässt sich Egill wenigstens terminologisch kaum als Zeuge für sie aufrufen. Von den wichtigsten Stellen ist Lv. 28 sicher unecht, Lv. 19 mindestens angefochten. Aber auch wenn sie Egils Eigentum verbleibt, ist sie ganz auf sich gestellt. Es ist die pathetische Fluchstrophe gegen Eirík und Gunnhild, sie spricht daher eine Sprache, die auf jene abgerechnet ist. I h r e Götter, die *bǫnd*, die *rǫgn* sollen ihnen feindlich sein. Dass Egill persönliche, religiöse Gefühle damit verband, ist wenigstens nicht nötig. Sonst beschränkt sich Egils Beitrag auf zwei Namenskenningar für Óðin (*Míms vinr* Sonat., *Bors niðr* Lv. 21). Die grossen Gedichte lassen jedenfalls kaum etwas von jener religiösen Niveausteigerung spüren, mit der wir es hier zu tun haben. So sehr Sonatorrek von einer persönlichen Óðins-Religiosität getragen ist, so liefert uns dies Gedicht nicht mehr als die Kenningbildung *Míms vinr,* deren Auftreten bei Egil wegen ihres oben erörterten engen Zusammenhangs mit der Runenfindung am wenigsten verwundern kann. Sie bezeugt uns für Egil nur die schon viel früher einsetzende mystische Steigerung der Runenauffassung, die wir als eine Vorbedingung der Vsp.-Religiosität kennenlernen werden, nicht aber diese selbst. Ebenso wie Egill ist Glúmr von der neuen Terminologie nur gestreift. In zwei Strr. der Gráf. (1; 12) tauchen wichtige Worte unserer Gruppe auf, *hapta beiðis gildi* „Gedicht" und *Sigtýr*[77]). Trotzdem kann man nicht sagen, dass dies Gedicht und die wenigen anderen Verse von Glúm zu einer Einbeziehung des Dichters in die Gruppe der wirklichen Träger der neuen Ausdrucksweise berechtigen. Er hat einzelne, moderne Formeln mit Nutzen verwendet. Endlich sind Eirm. wohl von speziellen Walhallvorstellungen erfüllt, auch von Ragnarökgedanken gestreift, aber ein vollwertiges Glied unserer Gruppe sind sie nicht.

Erst mit Eyvind treten wir in den Kreis der Dichter, die sich mit vollem Bewusstsein der neuen Vorstellung zuwenden. Mustern wir die Reihe durch: Eyvindr, Kormákr, þórarinn svarti, Tindr, Einarr, Ulfr Uggason, Eilífr, Eyjólfr dáðaskáld, þórðr Kolbeinsson, so finden wir die meisten mehr oder weniger eng mit Norwegen verbunden und in enger Fühlung mit den Führern der heidnischen Partei. Während die einflussreichsten der Söhne und Enkel Haralds in ihrer steten Beziehung zu England und Dänemark nicht mehr wie Harald selbst Träger spätheidnischer Gläubigkeit sind, vielmehr an Bekehrungsversuchen arbeiten, werden die mächtigsten Leute des nördlichen Norwegen, die Ladejarle als Freunde wie als Feinde der Harald-Nachkom-

---

[77]) Beide Strophen gehören zu dem geringen Bestand, der allein durch die Beispielsammlungen der SnE., nicht durch eine andere Quelle (Heimskr., Fgrsk., Lndn.) gedeckt und nirgends als Teil der drápa bezeichnet ist. Das ist sonst nur noch mit Str. 4 der Fall. Ich notiere dies, ohne weitere Folgerungen zu ziehn.

men die Stützen des Heidentums. Und es ist unverkennbar, dass die meisten der hier behandelten Gedichte mit dieser Familie in einem Zusammenhang stehn. Schon Þjóðólfs näheres Verhältnis zu Jarl Hákon erregte unser Interesse. Eyvindr dichtete ihre Genealogie und verfasste in ihrem Geiste das Preisgedicht auf den christlich gesinnten König Hákon Aðalsteinsfóstri, aufgebaut auf den Eiriksmál, aber charakteristisch erweitert in seiner religiösen Terminologie. Der wenig religiöse Kormákr zwingt sich im Preislied auf Sigurð Ladejarl zur Verwendung von Bildern und Ausdrücken aus unserem Kreise. Ähnlich flicht Tindr in seine drápa für Sigurðs Sohn Hákon einige diesbezügliche Wendungen ein, während Einarr in seiner Vellekla tief religiös durchdrungen scheint. Auch Eilífr hat ein verlorenes, aber gut bezeugtes Gedicht auf denselben Jarl Hákon verfasst. Eyjólfr dáðaskáld und Þórdr Kolbeinsson, gehören zu den Parteigängern von dessen Sohn Eirík gegen Óláf Tryggvason, und noch das letzte Aufleuchten in Skúlis lyrischem Bruchstück führt auf einen Mann, der zu Eiríks Partei gehört hatte. Das ist eine so einmütige Gruppierung, dass sie nicht zufällig sein kann. Diese mächtige Familie vererbte von Vater zu Sohn das treue Festhalten an der heimischen Religion gegen die Bekehrungsversuche des englisch beeinflussten Königtums. Sie war eine der Grundlagen ihrer Politik grade auch, als die Gegensätze zu den Höhepunkten der Óláfskämpfe aufstiegen. Aber sie waren frei von der ängstlichen Bindung an die einzelne Kulthandlung und von dem Fanatismus dumpfer Traditionsgebundenheit, wie das Verhältnis Sigurð Jarls zu Hákon Aðalsteinsfóstri und die berühmte Julszene in Þrœndalag aufs deutlichste zeigt. Sie waren die Träger eben jenes vergeistigten Heidentums, das aus der hier behandelten terminologischen Gruppe zu uns spricht. Seine Wirkung nach Island hinüber zeigt die Dichtung Ulf Uggasons. Es ist wohl kein Zufall, dass der reichste, im breitesten Stil lebende der isländischen Grossbauern, Óláfr pái, mit seiner von Ulf in jenem Stil besungenen Halle als der isländische Träger einer solchen Denkrichtung erscheint[78]). Die Reste einer antichristlichen Propagandadichtung, die mit dieser Terminologie vertraut sind, zeigen endlich, dass Ausdrücke und Vorstellungen auch auf Island weiter verbreitet gewesen sind. Den Gegensatz bilden die Óláfsskalden, Hallfrœðr, Sigvatr und Óttarr an der Spitze, die nicht nur in der poetischen Technik, sondern auch in der Terminologie einen neuen Einsatz bedeuten.

II.

Wir gehn nun zu der ebenfalls sehr ausgeprägten Gruppe der a u s - z e i c h n e n d e n E p i t h e t a über. Sie sind für die Götter selbst und für die mit ihnen zusammenhängenden Dinge so oft identisch oder nahe verwandt, sie stammen jedenfalls so ganz aus den gleichen Vorstellungssphären

[78]) Wenn meine oben S. 229 vorgetragene Deutung von Kormáks Sigurðardrápa als „Húsdrápa" zu Recht besteht, möchte man auch Óláfs kostbare Halle im Zusammenhang mit jener älteren der Ladejarle sehn. Vgl. Nordal a.a.O. S. 136.

her, dass wir uns nicht länger auf die personelle Sphäre beschränken können. Die Angaben des folgenden Abschnittes belegen ein als typisch erkanntes Adjektivum in allen seinen Anwendungsmöglichkeiten.

Die drei Eigenschaften der Götter, die am stärksten herausgearbeitet werden und zu einer typischen Terminologie führen, sind Macht, Glanz und Freundlichkeit. In vielem müssen sich die Ausdrücke für diese Eigenschaften mit denen der heroischen Sphäre oder namentlich des Fürstenpreises decken. Dennoch ist es erstaunlich, wie sicher sich die Terminologie des Vsp.-Kreises auch hier abgrenzt und eine Gruppe für sich bildet. Indem ich die drei Gruppen absichtlich locker fasse, um nicht unnütz viel untergruppieren zu müssen, nenne ich als Termini, die der Bezeichnung

göttlicher Macht dienen: *heilagr, ǫflugr, máttugr, rammr, ríkr;*
göttlichen Glanz betonen: *mærr, dýrr* und unmittelbar physisch: *skínandi, hvítr, skírr, bjartr, heiðr;*

göttliche Freundlichkeit und Weisheit: *hollr, nýtr, sváss, blíðr, ástugr — víss, fróðr.*

h e i l a g r : Das Wort ist geeignet, die Reihe der speziell religiösen Bezeichnungen für die göttliche Kraft zu eröffnen. Unter dem Stichwort „Heiligtümer, heilige Orte" gibt Mogk (Reallexikon d. germ. Altertumskunde) folgende Erklärung: „Das Adjektivum ‚heilig' hat durch Einführung des Christentums seinen Begriff wesentlich verändert. In den nordischen Quellen ... wird es nie von Personen in subjektiver Bedeutung und Zeiten gebraucht, sondern stets nur von Sachen ... Das germ. *heilig* ist demnach eine auf Dinge beschränkte Abart dessen, was die vergleichende Religionsgeschichte mit dem polynesischen „Tabu" bezeichnet, ein Heiligtum, eine Sache oder ein Ort, der mit magischer Kraft erfüllt ist oder in dem Geister, Dämonen oder Götter dauernd oder zeitweise ihren Sitz haben." Meissner[79]) hat sich zuletzt auf diese Definition berufen. Demnach wäre das Wort ein typischer Ausdruck des magischen Kreises. Indessen, so viel Richtiges in Mogks Definition ist, so ist in ihr die religiöse Bedeutung des Wortes gegenüber der magischen unverhältnismässig zurückgedrängt. Die Entwicklung vollends, die es in unseren Gedichten genommen hat, führt aus dem Magischen und selbst aus dem Kultischen weit hinaus. Diejenige Stelle, die Mogks „Tabu" rein magisch am nächsten kommt, ist grade eine späte und vermutlich von der christlichen Talisman- und Reliquienterminologie beeinflusste. Es ist eine Strophe der Ragnarssaga (hg. M. Olsen, Str. 25, S. 156), in der es von einem waffenfesten Kleid heisst: *né bíta þig eggjar í heilagri hjúpu*[80]). Verwandt

[79]) R. Meißner, Die Inschrift des Bukarester Ringes, ZfdA 66 (1929), S. 56. Vgl. auch S. Ochs, Die Heiligen und die Seligen, Beitr. 45 (1921), S. 102 ff. Dort auch ein berechtigter Einspruch gegen Mogks Einschränkung von „heilig" auf Dinge.

[80]) Die christliche Bedeutung von „heilig" liegt von der magischen durchaus nicht so weit ab. Das Wunder ist notwendige Voraussetzung des Kanonisationsprozesses. (Vgl. Reallex. d. protest. Kirche, Stichw. „Heilige" und „Kanonisation".)

ist aus alter Zeit die Bezeichnung Jǫrmunreks als *gumi enn gunnhelgi* (Hamð. 28, 7) „der mit einem Kampftabu geschützte Mann". Schon in der Runenmagie der Sigdr. 18, wo die Runen als *hverfðar við inn helga mjǫð* bezeichnet werden, ist eine höhere Weihe damit ausgedrückt.

Klarer ist die Bedeutung im Kult, für die schon der Bukarester Runenring angeführt werden kann[81]). In diesem Zusammenhang sind die beiden Stellen des Hunnenschlachtliedes zu nennen, die *heilagr* verwenden: *grǫf ena helgu* (Str. 7) werden ebenso eine gotische Kultstätte bezeichnen[82]), wie die *mǫrk en helga,* auf der Hlǫðr aufwächst, einen hunnischen heiligen Bezirk. Auch der heilige weisse Stein, bei dem Gudrún im dritten Gudrunliede ihre Unschuld beschwören will, ist ein kultischer Gegenstand. Freilich ist es hier ebenso fraglich, ob der Dichter des jungen Liedes mehr als eine nach „fornǫld" klingende Phrase anbringen wollte, wie bei der Stelle Fj. 40 *blóta á stallhelgom stað.*

Mit diesen Belegen bleiben wir in dem Kreis irdischer Magie und irdischen Kultes, wie ihn Mogk angegeben hat. Sie berühren kaum die Gruppe unserer Gedichte. Hier erhebt sich vielmehr *heilagr* zu einer Bezeichnung dessen, was in der göttlichen Welt selbst zu Hause ist, mit den Göttern in Berührung ist, von ihnen stammt. Und es wird darüber hinaus auch in Fällen verwendet, wo es etwa die Bedeutung „venerabilis, ehrfurchtgebietend" erhält, ohne dass die Götter noch Vermittlung seiner „Heiligkeit" sind. Am naivsten ist diese Verwendung von *heilagr* wohl Haustl. 4 geschehn, wo der Tisch, auf dem die wandernden Götter ihre Mahlzeit herrichten, als *heilagr skutill* bezeichnet wird, nicht weil ihr höhere Weihe innewohnt, sondern einfach, weil sie Eigentum der Götter ist. Aber schon, wenn sich in frühchristlicher Zeit der Skalde Hofgarða-Refr, der Sohn der antichristlich dichtenden Steinunn, in einem jener merkwürdigen heidnisch-christlichen

---

In der legendären und volkstümlichen Fassung ist vollends die reale Erfülltheit mit wunderwirkender Kraft das Wesentliche.

[81]) Zuletzt R. Meißner a.a.O. und C. Marstrander, De gotiske runeminnesmerker, NTS 3 (1930), S. 44. Daselbst Mitteilung aller früheren Deutungsversuche.

[82]) Es wäre verlockend, das „heilige Grab", das Hlǫðr als Vatererbe fordert, mit der zentralen Stellung des Königs-„*haugr*" in Zusammenhang zu bringen, die M. Olsen (Ættegård og helligdom, S. 262 ff.) für gewisse Bezirke Norwegens erwiesen hat. Der mächtige Grabhügel des Königsgeschlechtes ist nach Olsens bestechenden Darlegungen zugleich religiöser und politischer Mittelpunkt der fylki-Organisation. Hier treffen wir auf genau die gleichen Vorstellungen. Hlǫðr fordert die Hälfte des königlichen Erbes, das noch nicht in heroischer Typisierung zum blossen Schatz konzentriert ist, sondern wirklich noch Land und Leute umfasst, eine heroisch gesteigerte, aber juristisch formulierte Forderung. Zentral aber stehn das heilige Grab an der Heerstrasse, das auch Heusler (Thule 1, S. 26) als den Grabhügel der Gotenkönige fasst, und der Danparstein, der als ein zweites Heiligtum gelten muss. Ihr Besitz, oder der Anteil daran, umschliesst zugleich Anerkennung als gleichberechtigter Bruder und Herrscher. Ihre Verweigerung trifft das Herz der gestellten Forderung.

Mischgedichte der ersten christlichen Generation an Óðinn mit einem ausdrücklichen Dank für die Dichtergabe wendet und diese als *heilakt full Hrafnásar* bezeichnet, so ist nicht nur die Göttergehörigkeit, sondern die daraus erfliessende Kraft und Weihe das Entscheidende für die Wahl des *heilagr*. In diesem doppelten Sinn des göttlichen Eigentums und der göttlichen Weihe ist das Wort dem Vsp.-Kreise vertraut. Das Eigentumsverhältnis überwiegt an einer Stelle wie Grí. 22, wo die Umzäunung und Tore Valhǫlls als „heilig" bezeichnet werden, ohne dass an eine Betonung der innewohnenden göttlichen Kraft zu denken wäre. Die Benennung Valhǫlls als *vé heilakt* Hdl. 1 knüpft unmittelbar an entsprechende kultische Bezeichnung des irdischen Tempelbezirks an, erhebt sie aber ins Göttliche (vgl. S. 226). Aber in den beiden Stellen der Grí. *land er heilakt, er ek liggia sé* (4) und *heilog vǫtn hlóa* (29, 9) überwiegt das Gefühl der Erhabenheit die Realität des göttlichen Besitzes und der daraus erfliessenden Kraft. Diese mystische Stimmungsfülle war es, die den Dichter der HHu. I anlockte und seine Nachahmung: *hnigo heilog vǫtn af Himinfjǫllom* (1, 3) veranlasste. Vollends erhebt die Bezeichnung *heilagr* für den Weltbaum (Vsp. 19, 3; SnE. 27, 4) den Ausdruck ganz ins Kosmologische und sozusagen über die Götter. Der Weltbaum trägt die Eigenschaft des *heilagr* in sich, nicht als Eigentum der Götter oder dank der Berührung mit ihnen.

Die letzte Entwicklungsstufe ist die personelle Verwendung, wie sie in *ginnheilog goð* des Vsp.-Refrains, aufgenommen Ls. 11, 3, vorliegt. Auch *helgar kindir*, durch *mǫgo Heimdallar* noch unterstrichen, gehört hierher. Von der christlichen Geltungssphäre des personellen *heilagr*, die natürlich in der geistlichen Dichtung zu finden ist, sehe ich keinen graden Weg zu der Vsp.-Stelle. Dass wir es mit einer besonderen Abwandlung der terminologischen Gruppe „Menschheit" zu tun haben, ist früher betont. Doch nicht eine auf Lebensform und Wunderkraft gestützte Erhöhung des einzelnen über das Menschliche liegt in *helgar kindir*, sondern eine enge Verbundenheit mit den Göttern, als deren Kinder die Menschen bezeichnet werden. Wie die Götter selbst mit einem gesteigerten Ausdruck *ginnheilog* sind, so sind die mit ihnen verbundenen Menschen *helgir*. Dass die personelle Wendung nicht erst nach der Bekehrung möglich ist, zeigt die Húsdr., die Baldr, also einen Gott, als *heilakt tafn* (Str. 9) bezeichnet. Die Fornaldardichtung nimmt auch diesen Gebrauch auf; Ragnars saga (Kap. 6, Olsen S. 129) sagt in einer Str. *blóta heilug goð*, in derselben Verbindung also mit *blóta*, wie Fj. 40. Solche Fälle mögen literarischer Nachhall kultischen Redegebrauchs sein[83]). Endlich darf vielleicht Snorris Angabe über Heimdall: *hann er mikill ok heilagr* (Gylf. Kap. 26) einbezogen werden. Sie wird gleich allen übrigen Angaben dieses Abschnittes über Heimdall aus der Heimdalldichtung stammen und bezeichnet einen einzelnen Gott, ein typisches Glied unseres Kreises, als *heilagr*.

[83]) Sexuell-euphemistischen Beiklang stellen M. Olsen in seiner Ausgabe (Kopenhagen 1906—08) und E. Noreen, Studier II, S. 54 fest. Nach Olsen würde der Ausdruck jedoch auf einer alten, ernst zu nehmenden kultischen Formel beruhn.

Diese gesteigerte Bedeutung von *heilagr* trifft speziell den Vsp.-Kreis. Im skaldischen Bezirk ist sie durch die Linie Haustl. — Húsdr. — Gebetsanruf des Refr gegeben, endlich von der Helgidichtung und Fornaldardichtung aufgenommen. Vom kirchlichen Bezirk ist sie getrennt zu halten[84]).

ǫflugr ist ein Adj., das auf personelle Verwendung beschränkt, dabei aber fast ganz dem aussermenschlichen Bereich vorbehalten ist. Die Skaldendichtung ist recht sparsam damit im Fürstenpreis. Arnórr, der grosse Eklektiker, bildet zweimal im gleichen Gedicht (Erfidr. auf Harald harðraði) die Fügungen *ǫflugr herr* (Str. 12) und *ǫflgar aldir* (Str. 7), beide Male auf die Feinde des Helden bezogen und also sicher nicht uneingeschränkt preisend. So ist Steinn Herdísarson der einzige, der das Simplex *(við ǫflgum stilli* Óláfsdr. 6) für seinen Helden Óláf kyrri verwendet. Das Kompositum *dáðǫflugr* bildet doch schon Hallfr. in seiner Erfidr. auf Óláf (1001) Str. 2. Literarische Reminiszenz an diese Stelle ist Hallar-Steins Epitheton *hríðǫflugr* Rekst. 34, wo er Hallfr. drápa auf Óláf Tryggvason direkt zitiert. Und dann sind wir mit Einars Geisli *(gunnǫflugr miskunnar sólar geisli)* bereits mitten in der geistlichen Terminologie, und Óláfr ist nicht mehr als irdischer König, sondern als himmlischer Wundertäter gefasst. Derselbe Einarr gibt Sigurðardr. 1 seinem Helden das Epitheton *vásǫflugr.*

Dagegen gehört nun *ǫflugr* der religiösen Sphäre in heidnischem wie christlichem Gebrauch an. Im Vsp.-Kreis ist es zu Hause. Vsp. 17 *Unz þrír kvómo . . . ǫflgir ok ástgir æsir.* Auch Str. 65 darf nicht von vornherein ausgeschaltet werden. Sie spricht von *inn ríki . . . ǫflugr,* der zum letzten Gericht erscheint. Ihr gesellt sich die Eingangsstrophe der Rþ. mit ihrer typischen Häufung von Beiwörtern, die das Wesen des wandernden Gottes steigern: *ǫflgan ok aldinn ás kunnigan, ramman ok rǫskvan.* Der Rahmen von Hy. (39, 1) bezeichnet Þór als *þróttǫflugr,* während die typische Þórsdichtung dies Beiwort für ihren starken Gott nicht verwendet. Im heroischen Bezirk ist abermals HHu. II an dem Wort beteiligt, doch auch hier in Verwendung auf dämonische Wesen: *verða ǫflgari allir á nóttom dauðir dólgar en um daga liósa* (51,5).

In der skaldischen Dichtung setzt der Gebrauch mit Bragis Þórskenning *œgir ǫflugbarða* (Rdr. 15) ein[85]). Die Bezeichnung gilt einem dämonischen

---

[84]) Die Frage nach der speziellen westnord. Wortform mit dem ganz ungewöhnlichen *-agr* (statt *-ugr*) spielt für die Gesamtbeurteilung keine Rolle. Denn auch der Beleg Húsdr. 9 kann uns streng genommen über die Wortform zu Ulfs Zeit nichts verraten. Vgl. R. Henning, Deutsche Runendenkmäler, S. 31; B. Kahle, Die altnord. Sprache im Dienste des Christentums, Berlin 1890, S. 24. Die ostnord. Verhältnisse (Söderwall s. v.; A. Noreen, Aschw. Gramm. S. 180; Kalkar s. v.; Gutalag, hg. H. Pipping, s. v. *hailigr*) lassen eine viel grössere Mannigfaltigkeit der Formen für den Norden erkennen. In unserem Zusammenhang kommt es nur auf das Hervortreten des Wortes in heidnisch-religiöser Sphäre an.

[85]) Die Hss. führen auf *ǫflugbarða,* wie es auch SnE. I, 527 und bei Gisle Brynjúlfsson AnO. 1860, 8 in den Text aufgenommen ist, an der ersten Stelle als

Wesen. Danach wird Húsdr. zum Zeugnis der Verwendung im religiösen Skaldengedicht. Str. 11 gesteht der Riesin, die Baldrs Leichenschiff bewegt, die Bezeichnung *fullǫflug* zu, während dasselbe Beiwort Str. 6 für Þórr gilt, abermals also eine Þórsbezeichnung, die sich ausserhalb unseres Gedichtkreises nicht wiederfindet. Endlich ist Str. 12 *móðǫflugr mǫgr átta mœðra ok einnar* eine eigentümliche Benennung Heimdalls, die sich mit dem Eingang der RÞ. in Beziehung setzen lässt. Die Þórgrímsþula (FM. 8) nennt den Reiter des Rosses Blóðughófi *ǫflgan Atriða,* was man gemeinhin auf Frey deutet, weil in der Kálfsvisa (FM. 9) der Reiter desselben Rosses als Freyr *(bani Belja)* angegeben wird.

Die kirchliche Dichtung übernimmt *ǫflugr* in ihren religiösen Wortschatz auch in personeller, vor allem aber in abstrakt-dinglicher Verwendung. Gott und die Heiligen erhalten das Epitheton ebenso wie ihre Wirksamkeit und andere, mit dem Christentum zusammenhängende Begriffe. Das ist eine spezifisch geistliche Erweiterung; und diese christliche Lokalisierung geschieht nicht alsbald nach der Bekehrung; vor Einar, Has. und Plac. begegnet es nicht, dringt aber dann zu ziemlicher Beliebtheit vor. Die gelehrt-antiquarische Dichtung ist viel weniger an dem Wort beteiligt, nur Snorri (Ht. 65) bildet *ǫflugt sverð.* Einars Øxaflokkr Str. 4 mit der barocken Wendung *þróttǫflga Vanabrúðar dóttir* (= *hnoss* „Kostbarkeit", hier die kostbare Axt, die er als Geschenk erhalten hatte) ist ganz auf ein Spiel mit mythisch-antiquarischen Namen und Wörtern gestellt und hat daher ihr Epitheton bezogen.

Sehr eigentümlich liegen die Verhältnisse für *máttugr.* Während die Wortsippe von *ǫflugr* (*afl, afla* usw.) ziemlich in der Ebene außermagischen Gebrauchs für „Kraft, Leistung, Ertrag" bleibt, ist die Gruppe *máttr* und *megin* von vornherein stärker in den magischen Dienst gestellt. *Máttr* ist neben oder verbunden mit *megin* der typische Ausdruck für die wirkende Lebenskraft, die durch Krankheit und Alter geschwächt, durch den Tod ausgelöscht wird (vgl. *lítt megandi* Vsp. 17, 6 „ohne Lebenskraft")[86]. *Máttugr* hat sich dagegen seinen eigenen Bezirk geschaffen. In der eddischen Dichtung bleibt es, im Gegensatz zu *ǫflugr*, ganz dem riesisch-dämonischen Kreise vor-

gen. pl. eines Fem. (gigantidum), an der zweiten als gen. pl. eines schw. Mask. (de starke jætters rædsel) gefasst. Die Änderung zu *ǫflugbǫrðu* geht auf Finnur Jónssons Kritiske Studier S. 21 f. zurück, der das ἅπαξ λεγόμενον *ǫflugbarði* scheute. Doch ist das Fem. *ǫflugbarða* nicht besser bezeugt; wir kennen es einzig aus þulur IVc, 4. Da scheint es mir richtiger, dem Sammler der þula eine Flüchtigkeit zuzutrauen und bei der handschr. Lesart zu bleiben. Und da F. Jónssons Beobachtung, dass bei Þórskenningar dieses Typs der Singular häufiger sei, auch für ein maskulines Bestimmungswort gilt (vgl. Meißners Kenningar S. 254 f.), so halte ich *ǫflugbarða* für den gen. sing. eines schw. Mask. „der mit dem gewaltigen Bart" oder vielleicht besser „der durch seinen Bart Gewaltige".

[86]) Vgl. N. Söderblom, Gudstrons Uppkomst, Stockholm 1914, S. 30 ff.; dtsche Ausg. 2. Aufl. Leipzig 1926, S. 26 ff.

behalten[87]). So sagt Vsp. 60, 3 *máttugr moldþinurr,* wie Grott. 1,7 seine Riesenmädchen als *mátkar meyjar* bezeichnet. Beliebter ist noch die Weiterbildung *ámáttugr*, die nicht nur Vsp. 8, 7 *þursa meyjar ámátkar mjǫk* vorliegt, sondern in der Bildung *sá inn ámátki iǫtunn* (Grí. 11, 3; Skí. 10, 7; ähnlich HHj. 17, 3) zu formelhafter Geltung gelangt ist, auf der Háv. 94 *sá inn mátki munr* stilistisch aufbaut. Ganz abseits von diesem durchgängigen, bis zur Formelbildung vordringenden Gebrauch steht Vsp. sk 44, 1 *þá kømr annarr, enn mátkari,* wo das Beiwort nicht einem dämonischen, sondern grade dem geheimnisvollen höchsten Wesen gilt, das zu nennen Frevel wäre. Deutlich liegt diese Stelle, die wie eine Übersteigerung von Vsp. 65 *(þá kømr inn ríki at regindómi)* wirkt, auf einer ganz anderen Ebene des Gebrauchs als alles andere.

Diese Ebene scheint gegeben durch den reichlichen Gebrauch, den die christliche Dichtung von *máttugr* macht, und der nun, ganz im Gegensatz zu der vorchristlichen Dichtung, *máttugr* und seine Weiterbildungen für Gott oder andere christliche Begriffe verwendet. Das lateinische potens, omnipotens, das deutsche *mahtic, alamahtic* steht hinter diesem Gebrauchswandel. Schon Sigvatr (9,2) beginnt hier mit *máttugr Kristr.*[88]). Die eigentliche kirchliche Dichtung seit Einar braucht dann *máttugr* und dessen speziell geistliche Weiterbildung *allmáttugr* ebenso häufig wie *ǫflugr* und damit synonym[89]). Bei diesem Befund bin ich geneigt, in der genannnten Stelle der Vsp. sk. einen späteren, geistlichen Einschub zu sehn, der *máttugr* im christlichen Sinne verwendet[90]).

---

[87]) Doch findet sich *máttugr* vereinzelt auch im heroischen Gedicht (Hamð. 19 *fyr mátkom mǫnnum*) und im Preislied (Egill, Arbj. 14 *máttigr kundr*). Dagegen halte ich HHj. 14,2 *halr inn ámátki* für eine stilwidrige Verwendung jenes gesteigerten Epithetons, das der Dichter der Sprache des Vsp.-Kreises entnahm.

[88]) Eine so frühe Aufnahme in die spezifisch christliche Terminologie bei Sigvat spricht ebenfalls nicht für eine bevorzugte Geltung im heidnisch-religiösen Sprachgebrauch.

[89]) An der Christianisierung nimmt auch das Subst. *máttr* und seine Steigerung *almáttr* lebhaft teil, wie aus den Belegen des Lp. hervorgeht. Vgl. auch Kahle a.a.O. S. 75. Von hier aus erklärt sich die Verwendung von *máttugr* als Götterepithet bei Snorri, z. B. Gylf. Kap. 19 (alle Götter), Kap. 23 (Freyr u. Freyja).

[90]) Von entscheidender Bedeutung für die Geschichte von *almáttigr* muss die bekannte Eidesformel sein, die in verschiedenen Ausstrahlungen der Landnáma als Teil der Ulfliótslǫg angeführt wird: *hjálpi mér svá Freyr ok Njǫrðr ok hinn almátki áss.* Bestimmend für ihre Beurteilung ist die Anschauung, die man sich über den Quellenwert der Stelle, d. h. speziell über deren Zugehörigkeit zu Aris älterer Íslendingabók bildet. Maurers grundlegende Abhandlung: Die Quellenzeugnisse über das erste Landrecht und über die Bezirksverfassung des isld. Freistaates (Denkschr. der Münchener Akad. d. Wiss. 12/1871, S. 1 ff.) hat so viel erwiesen, dass wir direkt über Sturlas und Styrmirs Wirksamkeit nicht zurückkommen. Und die Zuversicht, mit der Maurer die Stelle trotzdem weiter auf Ari zurückführt, kann nach Heuslers warnendem Hinweis darauf, dass die zweite Fassung der Íslb. von einem *auka* gegenüber der ersten spreche, nicht von einem *minka* (ANF 23/1907,

Der geistlichen Gruppe fehlt die Steigerung *ámáttugr*, die als eine heidnisch-dämonische vermieden wurde. Dafür nimmt sie die Fornaldar-Dichtung in den verwandten Bildungen *ámátlegr, ámáttr* wieder auf. Die Bedeutungsfärbung „bedrohlich, unheimlich", die dabei sehr deutlich heraustritt, wird man auch dem eddischen *ámáttugr* schon zubilligen dürfen. Eddisch ist Wort und Wortfärbung durch HHu. I 38 gegeben in der Schelte *þú vart it skœða skass, valkyria, ǫtol, ámátlig*[91]). Der Verbindung *ámáttugr jǫtunn* kommt der Schluss der Jǫtnaheiti (Skj. B I, 659) nahe *nú eru upptalið ámátligra jǫtna heiti.* Die Scheltrede zwischen Grím und Feima der Gríms s. loð. (Edd. min. 85) gibt der Riesin die Anrede *ámátligast at yfirlitum,* ähnlich die HjalmÞérss. der Ima: *enga veitk þér ámátligri.* Älter wird das einleitende Gespräch des Hervǫrliedes sein (Edd. min. 13), wo der Hirte warnend sagt: *allt er úti ámátt firum.*

Auch die verwandte Gruppe von *megin* tritt in ihrer magischen Geltung und ihrer von dort ausgehenden Steigerung gut heraus. Die Runenmagie der Sigdr. bildet die stilistisch wie inhaltlich steigernde Form *meginrúnar* in der Runenklimax der Str. 19. Und über rein magische Bindungen hinaus führt die mystisch-pathetische Erbietung des Trankes an Sigurð Str. 5: *Bjór fœri ek þér ... magni blandinn ok megintíri.* Die nächste Verwandte dazu ist der Zaubertrank der Gðr. II 21, der als typischen Bestandteil *jarðar megin* enthält[92]). Derselbe Ausdruck einerseits im eng magisch medizinischen Sinne im Arzneirat der Háv. 137, andererseits in einer religiösen Steigerung in Vsp. sk. 38, 2; 43, 4 bei den Ingredienzien, die zur Erfüllung Heimdalls mit Kraft *(aukinn)* verwendet werden. Hier gliedert sich endlich terminologisch Vsp. 26, 7 ein: *mál ǫll meginlig* „die mit weihevoller Kraft erfüllten feier-

---

S. 319 ff.), und nach Finnur Jónssons glänzender Analyse Litt. Hist. ²II, S. 347 ff. nicht aufrecht erhalten werden. Wir können die Formel faktisch nicht über das 13. Jh. zurückverfolgen. Eine andere Eidesformel finden wir Vígaglúmss. Kap. 24 (Reykjavíker Ausg. S. 74): *segi ek þat æsi.* Mir scheint es kein Zufall, dass jene beiden angeblich heidnischen Eidesformulare mit den christlichen der Grágás übereinstimmen; die zweite mit der normalen Eidesformel: *ok segi ek þat guði,* die erste mit der feierlicheren des fimtardómseiðr: *hiálpi svá mér guð í þvísa liósi ok auðro.* (Vgl. Arnamagn. Ausg. 1883 Register s. v. *eiðr.*) Die Formulierung mit *hjálpa* auch in ostnordischen Texten, namentl. Skånelag. Ich halte es danach für wahrscheinlich, dass die angebliche Formel der Ulfljótslǫg eine gelehrte Schöpfung ist und dass *almáttugr* auch hier die christliche Herkunft verrät. Als heidnisch führt die Formel nach Maurer noch K. Lehmann (Hoops Reallexikon s. v. „Eid") an. Dagegen scheint mir Amiras Auffassung des germanischen Eides (Grundriss des germanischen Rechts, 3. Aufl. S. 270), insbesondere die Feststellung, dass dem Heidentum die Anschauung von der Gottheit, die als Schützer der Wahrheit den falschen Eid strafen werde, fremd war, eine heidnische Geltung der hier behandelten Eidesformel auszuschliessen.

[91]) Die Übersetzung des Lp: „kraftig med bibetydning af fjendskab" trifft besser als Gerings „lästig, beschwerlich, widerwärtig". Beiden fehlt die Hindeutung auf die dämonische Beziehung.

[92]) J. Reichborn-Kjennerud, Eddatidens medisin. ANF 40 (1924), S. 103 ff.

lichen Abmachungen". Ein drittes Mal begegnet ein zugehöriger Ausdruck Vsp. 60 *minnaz á megindóma*[93]).

Vom Zauberlied sagt Oddr. 7, 5 *ríkt gól Oddrún, ramt gól Oddrún,* womit zwei weitere Glieder der ursprünglich magischen Terminologie angegeben sind, die zu religiöser Bedeutung aufsteigen.

Ríkr ist auch in der heroischen wie in der Sphäre der Saga zu Hause, von unserem „reich" nur soweit gedeckt, als Reichtum *(auð, auðigr)*[94]) die Grundlage von Macht und Einfluss ist. Der Bedeutungskern von *ríkr* ist „mächtig". So gönnt die Edda ihren Helden fast allen dieses Beiwort, das zu einem der typischst heroischen wird. Wie andere Glieder des Bedeutungskomplexes „mächtig" sehn wir es aber in die magische und religiöse Sphäre übertreten. Ist Oddrúns Zauber *ríkr,* so leitet zu religiöser Bedeutung über Fm. 39, 1 *verða svá rík skǫp*[95]), dem auf skaldischer Seite Korm. Lv. 40 *rík skǫp valda* und religiös gehoben bei Eyvind Lv. 9 *rǫ́ð eru ramrar þjóðar rík* entsprechen. Finnurs Übersetzung „de mægtiges handlinger er uomstødelige" ist flach und im Zusammenhang — Klage über des freigebigen Hákon Tod — sinnlos, wenn damit an menschliche Herrscher gedacht ist, eigenartig und sinnvoll dagegen, wenn „die Mächtigen" eine Bezeichnung der Götter ist. *Þjóð,* oft mit einem bezeichnenden Beiwort, gehört zu den Möglichkeiten, allgemeinere Bezeichnungen für „Menschen", zuletzt auch kollektiv für „Menschheit" zu schaffen *(verþjóð, yrþióð* Vell. 22; 29; Darr. 1; Lok. 24; *fyr þjóða rǫk* Háv. 145, 2 in einer runenmystischen Strophe; *lið engla ok þjóðir* Plác. 32; *englar ok þjóðir* Lil.). Und wie andere derartige Prägungen greift es über den menschlichen Bezirk hinaus (*þursa þjóð* Skí. 10; Fj. 1; *fjǫru þjóð* „Riesen" Þórsdr. 11; *máná stéttar þjóð* „Engel" Margr. 26; *sigrþióð* „Valhǫlls Bewohner HHu. II 49). So kann auch *rǫmm þjóð,* mit einem Beiwort aus dem magisch-religiösen Bezirk, eine Bezeichnung für die waltenden Götter sein, eine Prägung, die sich der zuvor skizzierten Auffassung vom Wesen der Götter aufs beste einpasst. Dann erhält auch *rík rǫ́ð* seine religiöse Färbung, die mit Finnurs „unumstösslich" gut getroffen wäre. Derselbe Dichter gibt Hák. 13 der Valkyrie das Beiwort *rík,* das sie hier in ihrem schicksalhaft entscheidenden Eingreifen in den Kampf bezeichnet.

---

[93]) Das Wort liegt auf der Grenze zur rein steigernden Verwendung von *megin-,* über die hier nicht gehandelt werden kann. Die Durchsicht der von Lp. und Fritzner gebotenen Belege zeigt schön die ganze Entwicklungslinie von wirklichem Bedeutungsgehalt des Kompositionsgliedes „von (übernatürlicher) Kraft erfüllt" bis zu blasser allgemeiner Steigerung. Das eine Ende ist etwa durch die Bezeichnung des Miðgarðsormr als *megindrǫ́ttr* (Húsdr. 3) „übermenschlich-gewaltiger Fischzugertrag (Þórs)", das andere durch Adjektivbildungen wie *meginkátr, meginsnimmr* u. ä. gegeben.

[94]) Über die Bedeutung von got. *audags* „beatus" und die weitere germ. Bedeutungsentwicklung vgl. E. Ochs, Beitr. 45 (1921), S. 102 ff.

[95]) Vgl. die sprichwörtliche Wendung *fátt er skǫpum ríkara* Vatnsd. Kap. 12, 15. Dazu ANF 30 (1914), S. 186.

Eilífr nennt Þór (Þdr. 2) *ríkri Gandvíkr Skotum.* So wird denn *ríkr* Epitheton zu *tívar,* eine der Bildungen, die zur religiösen Hebung des einfachen *tívar* dienen. Es ist die Str. Bdr. 1 *(ok um þat réðo ríkir tívar),* die in Þrkv. 14 wörtlich wiederkehrt[96]). Und höchste Steigerung erfährt *ríkr* wieder in der Vsp. *Þá kømr inn ríki at regindómi* (Str. 65), als Bezeichnung des ungenannten Gottes, der am Ende der Dinge erscheint. Die christliche Dichtung geht, ganz anders als bei *máttugr,* nur spät und zögernd zum Gebrauch von *ríkr* über, eine Hindeutung darauf, dass nicht *máttugr,* wohl aber *ríkr* der lebendigen heidnischen Terminologie angehörte. Nur die jungen Lehnbildungen vom Typ *ástríkr* = „reich an etwas", nicht aber das Simplex oder der alte Kompositionstyp *vígríkr* = „mächtig in, auf, durch etwas" sind hier verbreitet. (Vgl. Lp. *ástríkr, hjálpríkr, kraptaríkr, rausnaríkr, skilríkr).*

Doch verschmäht die geistliche Dichtung das Epitheton so wenig wie die Übertragung der heroisch-preisliedhaften Bildungen *jǫfurr, ræsir, stillir* und so weiter auf Gott. So kommt es zu Wendungen wie *margríkr jǫfurr foldar œgis* (Has. 56); *ríkr ræsir seggja* (Has. 51); *ríkr dróttinn sólar fróns* (Heilv. 10); *ríkr rǫdla býs ræsir* (Líkn. 19) u. ä. Sie zeigen deutlich, dass *ríkr* keinen eigenen religiösen Inhalt hat, dass es vielmehr zugleich mit den genannten Fürstenbezeichnungen aus dem Bezirk des Fürstenpreises in den des Gottespreises übergegangen ist[97]) von der heidnisch-religiösen Verwendung ist diese geistliche ganz zu trennen. Sie liefert auch keine Bildungen, aus denen sich Vsp. 65 *inn ríki* herleiten und erklären liesse. Es hat als heidnisch zu gelten.

r a m m r , das Oddr. und Eyvindr Lv. 9 mit *ríkr* eng verbunden auftritt, ist typisch magisches Wort bis in seine spätere Verwendung hinein[98]). Ausserhalb der magischen Sphäre geht es nicht mit *ríkr* zusammen; es gehört nicht zur heroischen Terminologie. Keiner der eddischen Helden wird so bezeichnet; erst das späte Bruchstück eines Starkaðliedes (Edd. min. XI D, S. 64) nennt einen Helden *rammastan at afli*[99]). Ebensowenig hat die Skaldik Verwendung für das Wort; erst Óláfr hvítaskáld bildet Eyvinds Lv. 2 nach,

---

[96]) J. de Vries a.a.O. S. 281 hält es für denkbar, dass auch hier Bdr. älter sei als Þrk., da dieser „pompöse Anfang" besser in die Einleitung eines Gedichtes passe. Derartigen ästhetischen Erwägungen wohnt natürlich allein keine Beweiskraft inne. Wenn man aber die Jugend von Þrk. einmal zugibt, sehe ich nichts, was gegen die Priorität von Bdr. spräche.

[97]) Kahle a.a.O. S. 74 ff. führt *ríkr* nicht unter den Gottesepitheta der geistlichen Prosa an.

[98]) Vgl. die sprichwörtliche Wendung Vatnsd. Kap. 44, 30: *við ramman draga reip,* hier in typisch magischer Bedeutung. Dazu W. H. Vogt, Einl. S. XXVI und LXIV f. Nach Finnur Jónsson ANF 30 (1914), S. 180 allgemein für etwas sehr Schwieriges.

[99]) Zur Beurteilung des Strophensplitters vgl. außer Edd. min., S. LX auch P. Herrmann, Die Heldensagen des Saxo grammaticus II, 436. Dort weitere Literatur.

um *ramri þjóð* in einer — wie ich oben S. 248 erwiesen zu haben glaube — missverständlichen Auslegung des älteren Vorgängers auf die Grossen des Landes zu beziehen. Die Verwendung in der Prosa (z. B. Eyrb. [ASB.] 36, 6; Laxd. [ASB.] 25, 15 u. ö.) sowie in den Beinamen (*Finnbogi inn rammi* Vatnsd., Finnbs.; *Rauðr inn rammi* Hálfss.; *þórarinn inn rammi* Korm.s.) lässt das Wort nicht als uneingeschränkte Anerkennung, sondern als Ausdruck einer rohen und ungezügelten Kraftfülle erkennen und macht sein Fehlen in der Poesie begreiflich. Damit bekommt das gelegentliche eddische Auftreten seine besondere Färbung. Wenn Fáfnir (Fm. 16) von sich selbst sagt, *einn rammari hugðomk ǫllom vera* oder der Riese Hymir (Hy. 28) das Wort verwendet *(kvaðat mann ramman)* oder Grott. 21 das Riesenmädchen *ramliga* mahlt oder ein Berserker als *þróttrammr* bezeichnet wird. (Grímss. loð. Edd. min. S. 96), so ist damit eine eigene, nicht rein menschliche-heroische Note angeschlagen[100]). Der Starkaðgegner von oben wird in diese Gesellschaft gehören.

Um so greifbarer hebt sich dagegen der Aufstieg in die religiöse Sphäre ab. Er geht von der magischen Bedeutung aus. Magischen Anklang finden wir in den *meginrammir galdrar* von Sigvats Erfidrápa (Str. 16), sowie mit der Wendung aufs Mantische in der Bezeichnung der Glück verkündenden Raben als *rammar hrægammar* Vell. Str. 30[101]).

Eine Steigerung der rein physischen Kraftbedeutung ist die Beziehung des Wortes auf einen Riesen oder þór, zuerst Haustl. 7 *rammr reimuðr jǫtunheima,* dann *Magna faðir inn rammi (*Anon. X, II B 3) und Hallfr. Lv. 9 (Abschwörung des Heidenglaubens) *þórr inn rammi.* Dazu Húsdr. 6 *ramt mein vas þat* von einem Schlag, den þórr führt.

Aber das Wort vergeistigt sich. Wie neben dem *gala ríkt* ein *rík skǫp* steht, so neben *gala ramt* die *rǫmm rǫk ragna* des Vsp.-Refrains. Auch Vm. 2, 4 *engi iǫtun ek hugða iafnramman sem Vafþrúðni vera* im Munde Óðins bei seiner Ausfahrt kann nicht mehr die rohe Riesenkraft bezeichnen. Óðinn rüstet sich zum Wissensstreit, und *rammr* ruht hier auf dem magischen Grunde in der Bedeutung „voll von übernatürlichem Wissen". Und so wird *rammr* und seine Steigerung *rammaukinn* zum Götterepitheton. Auf der eddischen Seite bestätigt es der Eingang von Rþ. *ramman ok rǫskvan (ás)* und die Heimdallbezeichnung der Vsp. sk 35, 3 *rammaukinn miǫk ragna kindar.* Auf skaldischer Seite liefert Vell. 32 die schlagendste Parallele *rammaukin rǫgn.* Nach früher Gesagtem (S. 248) ist auch Eyvinds *rǫ́mm þjóð* (Lv. 9) hier einzubeziehn. Aus der heidnisch-christlichen Kampfzeit klingt es uns wider in Eilífs christlichem Bruchstück *inn rammi konungr*

---

[100]) *Rammi ormr* Fm. 19 ist zwar falsch, aber es charakterisiert den Bedeutungsgehalt von *rammr* gut.

[101]) Die schwer zu beurteilende Stelle Háv. 136: *ramt er þat tré, er ríða skal ǫllum at upploki* lasse ich beiseite. Kock § 207 gibt einen beachtlichen Hinweis auf den magischen Gehalt von *rammr,* aber keine fest gegründete Erklärung.

Róms und in dem vielleicht geistesverwandten Stückchen, das uns von Orm barreyjarskáld geblieben ist. Es ist ein religiöses Bruchstück, dessen Parenthesesatz *ramman spyrk vísa* so gut auf Óðin wie auf Christus gehn kann. Þórðr Kolb. endlich, der Nachfahre der Dichtergeneration um die Ladejarle, dichtet die wichtige Lv. 9 mit dem Gebetsanruf an *allar rammar véttir,* die die Gestirne und ihre Bahnen geschaffen haben. Das kosmologische Interesse, das den Dichtern der Vsp.-Gruppe eigen ist, verdichtet sich hier zu religiös ergriffenem Gebet im Augenblick sich erfüllender Rache. Die Formung ist christlich deutbar, aber kaum christlich gemeint. Die kosmologischen Dinge sind kein blosses Wissen, sie haben für das religiöse Empfinden etwas zu sagen. In diesem Zusammenhang hebt sich auch *véttir,* ähnlich wie Oddr. 9, hoch über alle primitive Bedeutung. Finnur übersetzt richtig „alle stærke magter". Die archaisierende Dichtung kennt noch den heidnisch-religiösen Gehalt; Óláfsdr. 12 dichtet *koma ramri trú á land.* Die geistliche Dichtung aber nimmt den Versuch der ersten, frühchristlichen Skalden, das Wort christlich anzupassen, nicht auf; die breite Verwendung des 13. Jahrhunderts bleibt ganz in der profanen, namentlich auf Kampf und Seegang gerichteten Verwendung[102]).

Mit dieser Gruppe von Epitheta sind wir dem typisch heroischen oder preisliedhaften Stil fast ganz fern geblieben. Einzig *ríkr* war beiden Gruppen gemeinsam, doch zeigte sich in der magischen Anknüpfung und Verwendung der eigentliche Quellgrund für die Verwendung im Vsp.-Kreise; die Berührung mit dem heroischen Gedicht war auch hier nur locker. Anders ist es mit der Gruppe *mærr, dýrr,* die sicherlich auch im rein heroischen wie skaldisch-preisliedhaften Kreise volle Geltung hat. Dennoch ist auch hier eine nähere Behandlung nicht ohne Interesse.

m æ r r ist das führende dieser Epitheta: *inn mæri mǫgr Hlóðynjar* nennt Vsp. 56 den Gott Þór; *mærir tívar* stellt Hym. 4 (Rahmenstrophe) neben die *ríkir tívar* von Bdr., *Miðvitnis, ins mæra burar* heisst es Grí. 50, 3.

Dagegen ist *mærr Hymir* im Innentext von Hy. (Str. 21) äusserst unsicher. Die Hss. bieten *mǫr* (R) oder *mæirr* (A). Neckel und Sievers (Die Eddalieder klanglich untersucht, 1923) nehmen *meirr* in den Text auf, das in der Bedeutung ‚dann, danach' guten Sinn gibt und den Vorzug verdient[103]).

Neben der personellen steht die dingliche Verwendung. In der Vsp. trägt Mímis Brunnen (28,9), die Erde (4, 2), der *mjǫtviðr* (Str. 2, 7) diese Be-

[102]) Auch Plác. 29 gehört *rammr (róg rekka)* zu der noch überwiegend preisliedhaften Terminologie des Gedichtes. Dagegen scheint wie so häufig auch bei *rammr* die Weiterbildung mit-*ligr* der jüngeren Dichtung eigen zu sein. Dabei tritt die Adverbialbildung *ramliga* früher auf. Sie allein ist auch eddisch (Grott. 21, HHu. I 30, Sigsk. 22) vertreten, wenn schon auch hier Zeichen jüngerer Herkunft. Der Bezirk des Adj. *ramligr* ist dagegen, mit Arnór als ältestem Zeugen, einerseits durch Qrv.-Oddss. und Hálfss., andererseits durch Has., Leið., Merl., Gd., Mhkv. gegeben — Fornaldardichtung und geistlich-gelehrte Dichtung.

[103]) Neckels Lesartenangabe *mærr* R ist irrtümlich.

zeichnung. Entsprechend wird der Fimbulwinter (Vm. 44, 5), der Weltbaum (Fj. 21, 5); der kostbare, göttliche Met (Lok. 6, 6; Skí. 16, 3) mit dem Epitheton ausgezeichnet. Und die Runenmystik der Sigdr. 19 hält das Adj. für würdig, die letzte Steigerung ihrer Kenntnis, die *mærar meginrúnar* damit zu bedenken[104]).

Die heroische Dichtung ist, wie gesagt, mit dem Worte vertraut. Die ältesten Gedichte (Akv. Hamð.) wenden es personell wie dinglich an. Hier scheint es volles Heimatrecht zu haben. Von Akv. übernehmen es Am. (8;95). In der jüngeren Dichtung fällt das Fehlen im Helgikreis und der Sigurðdichtung, die reichliche Verwendung in der ganz jungen Gríp., daneben einmal in Odd. auf. Diese Verteilung werden wir nach Ausweis des skaldischen Befundes so deuten dürfen, dass *mærr* ein Glied der alten vorchristlichen Dichtung ist, das dann erst wieder von der antiquarisch interessierten Epigonendichtung aufgenommen wurde. Denn auch im skaldischen Bezirk gehört *mærr* überwiegend dem 9./10. Jh. an. Gleich Bragi liefert nicht weniger als 3 Belege (Rdr. 2; 9; ferner myth. Bruchstück 2, 1[105]); ferner bei Gísli (Lv. 33; 35) zwei, bei Kormák (Sigdr. 5; Lv. 26) zwei Belege. Auch die uns interessierende Skaldengruppe ist gut daran beteiligt: Haustl. 11 nennt Iðunn *mær mær,* Hák. 11 spricht von *mærar valkyrjor,* Eilífs Hákonardr. bietet in dem uns erhaltenen Fetzchen *mæran kon* als zugleich preisendes und den Namen des Jarls andeutendes Wortspiel. Korm. Sigdr. 5 gehört ebenfalls hierher. Endlich gibt eine anonyme Gelegenheitsstr. (Skjd. Anon. X. Jh. I B 5) den Asen das Epitheton *almærir.* Schon im 11. Jh. lässt die Verwendung beträchtlich nach. Þorbjǫrn Brúnasons Lv. 3 ist eine Nachahmung von Kormáks Lv. 26, wenn die Besserung von F. Jónsson richtig ist. In Arnórs Erfidr. auf Harald harðráði ist *heiðmærr* nur eine von F. Jónsson verworfene varia lectio zu *heiðmildr.* Bestehn bleiben noch 4 Belegstellen: Gunnl. Lv. 12 (1006); Sigv. Erfidr. 24 (ca. 1040); Har. harð. 16 (ca. 1050—60); Þork. Skallas. Lv. 3 (ca. 1070) — gegen 11 im 9./10. Jh. Und danach verschwindet *mærr* fast ganz. Je ein Beleg bei einem Anon. von 1180 (Skjd. Anon. XII. Jh. B 20), in der Merl. II, 82 und bei Óláf hvítask. 2, 1 sind hier die ganze Ausbeute. Die geistliche Dichtung macht keinen Gebrauch davon. So wird uns auch das

[104]) So nach der Vǫlss. R hat *mætar.* Indessen ist dies ein jüngeres Modewort. Eddisch steht es außerhalb des alt-heroischen wie des Vsp.-Kreises. Nur das Dvergatal Str. 10 hat, seine Jugend damit verratend, das Wort. Im übrigen ist es beschränkt auf eine bedenkliche Zeile von Sigsk. (Str. 18), Hdl. 5 und zweimaliges Vorkommen in Gríp. (Str. 7; 52). Skaldisch fehlt es nicht ganz. Abgesehn von der zweifelhaften Str. 9 der Rdr. (v. l. *mærr*), ist es durch die zwei Stellen Goþþormr sindri 1 und Gráf. 7 doch schon für das 10. Jh. festgelegt. Aber es bleibt auch weiter spärlich. Neben Gunnlaugs, von Mogk (Ausg. S. XIII) in ihrer Echtheit mit Recht bezweifelten Lv. 13 sind wir auf die beiden nicht personellen Belege bei Sigv. (Vestrf. 7 „Ring") und Þorbj. Brúnas. (Lv. 3 „Kampf") beschränkt. Erst das 12. Jh. und insbesondere die geistliche Dichtung machen *mætr* zum bevorzugten Epitheton. In Sdr. 19 ist daher *mærar* vorzuziehen.

[105]) Kocks Deutung § 220, die Lindquist aufgenommen hat, ist einleuchtend.

reichliche Auftreten von *mærr* im Vsp.-Kreise und in diesem Gedicht selbst ein wichtiges Zeugnis für die alte, vorchristliche Herkunft dieses typisch poetischen Wortes.

Anders lagern die Dinge bei *dýrr*. Zwar gehört es in personeller Verwendung ebenfalls der heroischen (*margdýrr* Br. 20) und der frühskaldischen Schicht (Eyv. Lv. 10; Korm. Lv. 64) an. Aber im Gegensatz zu *mærr* fehlt das personelle *dýrr* sowohl dem Vsp.-Kreise wie der zugehörigen Skaldik ganz. Erst Krák. 25 wagen die antiquarisch-falsche Bildung *dýrr Fjǫlnir*. Und sowohl in der heroischen wie in der skaldischen Dichtung scheint es einer jüngeren Schicht erst wirklich geläufig zu sein, die durch Fm., Am., Gríp. einerseits, Hallfrœð und Sigvat andrerseits gegeben ist.

In Beziehung auf Dinge dagegen ist *dýrr* Glied der Vsp.-Terminologie. Beide Partien der Háv., die von der Erwerbung des Óðrœrir berichten, die Gunnlǫðepisode wie die Selbstopferung, benutzen dafür die gleiche Formel: *drykk ins dýra miaðar*. Dem entspricht Hdl. 50, 6 *dýrar veigar*. Als Hyndla gezwungen dem Óttarr den *minnisveig* reichen muss, legt sie den Fluch darauf: *ber þú Óttari biór at hendi, eitri blandinn miǫk, illo heili.* Freyja wendet dagegen Fluch in Segen: *hann skal drekka dýrar veigar.* In beiden Fällen geht *dýrr* von der einfachen Bedeutung „kostbar" aus, steigert sie aber und berührt die Sphäre gehobener Magie: „mit heilvollen Kräften erfüllt". Hier knüpft abermals die Helgidichtung an. In der jubelnden Strophe, mit der Helgi Sigrúns Kommen begrüsst (HHu. II. 46), ruft er: *vel skolom drekka dýrar veigar.* Ist das nur stilistische Reminiszenz aus der heroischen Sphäre, wofür Hunnenschl. 13 *(drekka ok dœma dýrar veigar)* sprechen könnte, oder besagt es im Munde des wiederkehrenden Toten mehr? Ist es ein besonderer Trank, aus dem sich der Tote neue Lebenskraft saugt bis zur Rückkehr nach Walhall, oder untermalt es wenigstens die Stimmung von Grabesmystik und Totenumgang? Endlich hat *dýrr* in Vkv. 1, 8 besondere Einfärbung. Die Schwanenmädchen spinnen *dýrt lín*, nämlich das Schicksalsgewebe, denn sie wollen *ørlǫg drýgia*. W. H. Vogt hat die Parallele zum Darraðarlióð zögernd gezogen[106]), arbeitet aber freilich mehr den stilistisch-stimmungshaften Gegensatz als den inhaltlichen Gleichklang heraus. Was aber geschieht, dort in krasser Grausigkeit, hier in zarter Andeutung, ist das gleiche: schicksalhaftes Feststellen der Kampfeslose, beide Male im Bild des Gewerbes gesehn; *dýrt lín* hat seine besondere Betonung: „ein Faden eigener, übernormaler Art". So knüpft sich auch *dýrr* der Gruppe von Epitheta ein, die aus der magischen Sphäre eine besondere Bedeutungsfärbung erhalten.

In der Skaldik fehlt dieser Typ ganz. Einzig Þórvaldr Koðránsson bildet einmal *dóm en dýra*, um den neuen Glauben zu bezeichnen, den er propagiert. Aber das ist Missionssprache. Ohne die vergeistigte Einfärbung

[106]) W. H. Vogt, Die Vǫlundarkviða als Kunstwerk, ZfdPh 51 (1926), S. 275 ff., insbes. S. 296. Ein zögernder Hinweis auf die „Weberinnen" des Schicksals auch bei R. C. Boer, Ausg. Komm. z. St.

ist *dýrr* in dinglicher Beziehung häufig, zuerst bei Egil Lv. 1 *(knǫrr)* und Hásteinn (Gold). Aber das Simplex und noch mehr die Komposita nehmen in allen Anwendungsformen erst in nachheidnischer Zeit zu, namentlich Sigvatr schwelgt darin, und dann greift die geistliche Dichtung *dýrr* und seine Weiterbildungen, namentlich *dýrligr* und *dýrðar*-Komposita begierig auf.

Die Götterwelt ist mit einem strahlenden Glanz erfüllt. Das Leuchten des Goldes liegt über ihr. *Var þeim vettergis vant ór gulli* sagt Vsp. von den Göttern in ihrer frühen Glanzperiode und nimmt diesen Goldglanz in der wiederkehrenden Götterwelt durch die *gullnar tǫflor,* den goldgedeckten Saal, den Namen *Gimlé* wieder auf. Noch mehr Goldglanz hat Grí. über die jenseitigen Göttergefilde gebreitet, und die Eigennamen aus diesem Bezirk, die Gold, Glanz, Strahl in sich enthalten, helfen das Bild untermalen. So fehlt auch im Schatz der Epitheta diese Nuance nicht, und wie die Dinge der Götterwelt so hat auch diese selbst an den Epitheta teil.

s k í n a n d i als Epitheton der göttlich-personal gefassten Sonne ist vom unmittelbaren Natureindruck her bestimmt; *it skínandi goð* heisst sie Grí. 38, 3; Sigdr. 15, 2, minder eindeutig persönlich gefasst Rm. 23, 3 *síð skínandi systur Mána.* Auch das Verbum *skína* in Verbindung mit der Sonne ist im Vsp.-Kreise beliebt (Vsp. 4 *sól skein sunnan;* 52, 3 *skínn af sverði sól valtíva;* Alv. 35, 7 *nú skínn sól í sali.*). Vgl. auch das Sonnenross Skinfaxi (Vm. 12). Dagegen fehlt die in der Skaldik beliebte Beziehung auf glänzendes Metall.

Zu *skínandi* tritt *heiðr* und seine Ableitungen als spezielle Bezeichnung des lichten Tages und der Gestirne. Es gehört naturgemäss auch sonstigem Sprachgebrauch an (Sigsk. 55; Hrbl. 19; Akv. 16). Der glanzfrohe Dichter der Vsp. macht sich den Ausdruck gern zu eigen. Str. 57 lesen wir *heiðr himinn* (R, H) oder *heiðar stjǫrnur* (W), und der zum Himmel ragende Weltbaum erhält die bezeichnende Charakterisierung *heiðvanr.* Der Name der Ziege *Heiðrún* (Grí. 25; Hdl. 46) wird sicher mit eben jenem Zusammensetzungsglied gebildet sein, und auch den Namen des mystischen Weisheitsspenders oder -quells *Heiðdraupnir* (Sdr. 13) möchte ich am ersten zu dieser Gruppe ziehn.

h v í t r als Götterbeiwort kennen wir als typisch durch die Anwendung, die es in der Bekehrungszeit für Christus gewonnen hat. *Hvíta-Kristr* ist eine Bezeichnung, die sich charakteristisch genug nur in der Frühzeit des Christentums findet. Die Skaldik bietet zwei Belege, in Sigvats Lv. 25 und in einem Splitter des Þórbjǫrn dísarskáld wohl noch aus dem 10. Jh. Ich sehe die Bildung nicht wie F. Jónsson Lp. im Zusammenhang mit den weissen Taufgewändern, sondern ich finde hier wie anderwärts den Versuch der ersten christlichen Generation, den terminologischen Gebrauch des späten Heidentums, das zweien seiner typischsten Götter, Baldr und Heimdall, jenes zugleich physische und ethische Eigenschaften bezeichnende Beiwort *hvítr* gegeben hat, für den neuen Glauben auszuwerten. Freilich fehlt das Epitheton im Vsp.-Kreise selbst. Aber Snorri legt in seiner Charakteristik Baldrs alles so sehr auf seine lichte Heiligkeit an, dass er sie in seinen Quellen als das Entscheidende empfunden haben muss. Er nennt ihn *bjartr*, braucht für ihn das Verb *lýsa* und betont die Weisse der Pflanze *Baldrs brár*, die eben wegen dieser Eigenschaft nach ihm heisst. Ebenso kennt Snorri für Heimdall den Namen *hvíti-áss* (Gylf. 26). Das bestätigt Þrk. 15 *Heimdallr hvítastr ása*. Das Wort steht in der Episode des AsenÞings, die in der vorangehenden Str. 14 auch die Prägung *ríkir tívar* aus unserem terminologischen Kreise besitzt. Þrk. scheint mir an dieser Stelle eine ganz besonders deutliche Spur ihrer Jugend zu zeigen[107]). Der sonst so wenig mit realen Szenen ausgestattete, aber mit besonderer Erhabenheit umgebene Gott auf diesem humoristischen Götterþing als der Anstifter des trügerischen Schwankes von Þórs Verkleidung liegt so ganz ausserhalb der Heimdallgestalt, die Vsp. und Vsp. sk. zeichnen, die Grí. in Himinbjǫrg *valda véom* lässt, dass ich mir seine Verwendung hier nur als die Tat eines Mannes denken kann, dem die Götternamen eben nur noch Namen waren. Vorbild war ihm die typische Szene der ristischen GötterÞing als der Anstifter des trügerischen Schwankes von Þórs Haustl. 10) gekannt hat. Þrk. hat sie humoristisch nachgeahmt, dabei aber die Fügung *ríkir tívar* und den Gott Heimdall mit einem stehenden Epitheton seinen Zwecken angepasst.

Erscheint uns so *hvítr* als erhebendes Götterepitheton für den Vsp.-Kreis gesichert, so werden wir zweifeln, ob Gering (Komm.) in Lok. 20, 4 *sveinn*

---

[107]) Ich denke dabei an die Fügung *sem aðrir Vanir* „wie sonst die Vanen". Die Edda und, soweit Lp. erkennen lässt, die Poesie überhaupt, bietet kein zweites Beispiel dieser Verwendung. Denn Gðr. I 1, 8; II 11, 8 *sem konur aðrar* gibt keine Parallele, da der Vergleich hier einer artgleichen, nicht einer artverschiedenen Gruppe gilt. Daher treffen auch die Beispiele, die J. Grimm in der Einleitung seines Reinhart Fuchs (Berlin 1834, S. CCLVII) aus dem Nordischen gibt, nicht. Wirkliche Parallelen aus der Prosa hat dagegen Fritzner s. v. gesammelt. Von diesen ist der älteste aus der Sverrissaga Kap. 150 *svá at eigi væri þær (kyrkjor) helgari en porthús ǫnnur* (Indrebøs Ausg. Kristiania 1920, S. 157, 25. Auch die Eirspennill-Fassung hat diese Worte). Das Kapitel gehört zu dem letzten, allgemein als später anerkannten Teil der Saga, also ins 13. Jh. Aus den Íslendingasögur stammen zwei Belege. Erstens Vatnsd. Kap. 44, 6: *hann kól sem aðra hundtík*. Das Kapitel gehört nach W. H. Vogt (Ausg. S. LXIVf.) zu den jüngst überarbeiteten, geistlich durchklungenen der Saga. Zweitens Gíslas. (ed. K. Gíslason S. 86, 8) *enn þar sé konur aðrar*. Der Vergleich gilt Männern. Die Stelle steht in den jungen Einleitungskapiteln der Überlieferungsgruppe S (Finnur Jónsson Ausg. S. XXIIff.). Neben diesen drei Stellen, die in die geistliche oder geistlich gefärbte Prosa des 13. Jhs. hineinführen, stehn die noch jüngeren Belege der Eiríkss. víðfǫrla (Flat. I 29, 28) und der Plácitúss. (Heilagra manna ss. II 199, 37). So scheint mir, genaue Nachprüfung vorausgesetzt, alles dafür zu sprechen, dass diese Fügung eine junge, und doch wohl Fremdem nachgebildete Form sei. Bei den reichen und alten deutschen Belegen, wäre deutscher Einfluss denkbar. Vgl. dazu O. Behaghel, Syntax § 332; J. Grimm, Deutsche Grammatik 4, 357; J. Meier, Bruder Hermanns Leben der Gräfin Iolande von Vianden, Breslau 1889, Anm. zu Z. 719, S. 91 ff.

inn hvíti mit Recht ein Scheltwort (‚Milchbart') sieht. Lp. führt die gleiche Stelle als rühmendes Beiwort auf, und ich glaube, dass F. Jónsson darin recht hat. Die Lok. ist so mit der Terminologie des Vsp.-Kreises vertraut und erfüllt, dass auch dieses *hvítr* in dem gleichen Zusammenhang gesehn werden darf. Dass es zugleich, wie die pathetische Vsp.-Terminologie überhaupt, parodistisch verwendet ist, gibt ihm erst die richtige Klangfarbe, und erst damit kommt etwas von dem in die Stelle, was Gering darin zu spüren glaubte.

In sachlicher Verwendung sehn wir *hvítr* gebraucht zur Bezeichnung der glänzenden Flüssigkeit, die den Weltenbaum überströmt, *ausinn hvíta auri* Vsp. 19, 4.

Dem Schatz der heroischen Dichtung gehört *hvítr* an; der Schild trägt hier (Akv. 7; Hamð. 20; Helr. 9) wie in der Skaldik das Epitheton mit besonderer Vorliebe. Doch auch das Ross, das Silber sind in der heroischen Sphäre weiss. In personeller Verwendung ist es ein überwältigend häufiges Frauenepitheton, als Simplex wie als steigerndes Kompositum (*brúnhvítr, fannhvítr* u. v. a.). Um so stärker sticht die Verwendung für männliche Göttergestalten in der religiösen Dichtung ab. Und das wiederholt sich bei den häufigeren Epitheta *bjartr* und *skírr.*

b j a r t r heisst in Vsp. Freyr (*bjartr bani Belja* 53, 5); *in sólbjarta brúðr* wird Menglǫð Fj. 42, 5 genannt; *en gullbjarta* ist Grí. 8, 2 Bezeichnung von Valhǫll. Auch *skírr* ist Epitheton für Frey Grí. 43, 5. Skaði trägt den Namen *skír brúðr goða* Grí. 11, 5, die Sonne den Namen *it skírleita goð* Grí. 39, 2. Wenn unter den Sonnennamen der Alv. 16 auch *alskírr* auftritt, so ist die Steigerung mit *all-* eine junge Weiterbildung eines alten typischen Sonnenepithetons. Wie die Sonne so ist der Tag *skírr* Vm. 12, 2. Vor allem aber ist *skírr* eines der zahlreichen Beiworte zur Auszeichnung des göttlichen Mettrankes (*skírr mjǫðr* Grí. 25, 5; *skírar veigar* Bdr. 7, 3).

Wie steht es damit ausserhalb der Vsp.-Sphäre? *Bjartr* ist häufig, *skírr* seltener Epitheton der heroischen Sphäre. Gleich *hvítr* decken auch diese beiden Epitheta zwei Gebiete heroischen Lebens, das glänzende Metall und die lichte Frau. Das Vorkommen in Akv. verbürgt das Alter dieser Epitheta[108]). Aber sofort drängt sich die Eigenheit der Vsp.-Gruppe auf; *bjartr* und *skírr* gelten hier neben *heiðr* dem Lichte des Tages, der Sonne, und sie werden dem m ä n n l i c h e n Gotte zugebilligt. In beiden Punkten weicht auch die Skaldik von unserer Terminologie stark ab. Der Sonnenglanz wird mit *bjartr* erstmalig bei Arnór bezeichnet in der berühmten Stelle Þórfinnsdr. 24, die ein Zitat nach Vsp. ist. Dann kennt erst die geistliche Dichtung diese Verwendung; namentlich Einarr Skúlason liebt sie im Geisli. Dazu Has. 9 *(bjartlogi hreggs hróts),* Sturla Hrafnsmál 4 *(laust á bjarthimna).* Im

[108]) In der Akv. die Frauenepitheta *in gaglbjarta* (39, 2), *in skírleita* (35, 1), die Silberbezeichnung *skírr málmr* (39, 6), endlich Metallglanz und Frauenlichtheit zugleich *brúðr í brynio . . . biǫrt* (43, 8).

übrigen gibt sich *bjartr* auch innerhalb der skaldischen Dichtung als heroisches Wort (Metallglanz und Frau) zu erkennen. In der ältesten Gruppe kennt es Þjóðólfr in dem heroischer Formgebung nahestehenden Gedicht Yt. (2 *salr bjartr þeira Sǫkmímis*): das Lied auf Harald (*brynjur bjartar* Str. 3 mit ihrer an Akv. und Hunnenschl. erinnernden Aufzählung heroischer Utensilien) ist unecht. Demnächst hat Þórbjǫrns Harkv. Str. 1 die typische Schilderung der Valkyrie *mey hvíta, haddbjarta.* Auch später besitzen gerade solche Gedichte das Wort, die mit heroischer Terminologie in Verbindung stehn oder posieren, wie Háttal., Óláfsdr., Krák., Nóregskónungat., Ívars Sigurðarbǫlkr.

Die Skaldik geht sonst spät an das Wort heran; Hallfrœðr. (Hákdr. 9) und Sigvatr (Austrf. 15; Erfidr. 8 u. 10) sind auch hier die ersten, die das heroische Wort in die preisliedhafte Kampfschilderung einführen. Bersi, Arnórr, Þjóðólfr, Markús folgen ihnen. Dann nimmt die geistliche Dichtung *bjartr* in ihren Schatz auf und gibt ihm mit der Wendung auf unpersönliche und abstrakte Dinge eine neue Färbung[109]).

Für die personelle Verwendung haben wir zwei Zeugnisse des 10. Jhs., beide auf Frauen bezogen, nämlich ausser Þórbjǫrns Harkv. (s. o.) Tjǫrvis Lv. *(skoptsbjǫrt)*; dazu Korm. Lv. 2 *bjǫrt ljós kinna* „Augen (einer Frau)". Für die männliche Verwendung können wir vor Þjóð A. 3, 17 nichts anführen, und hier wie Háttal. 34 a und 3 b (mit der Beziehung auf Hǫgni ganz in heroischer Luft) gibt die Komposition *(vígbjartr, ógnarbjartr, sóknbjartr)* die Kampfsphäre an und zeichnet den Krieger im Glanz seiner Waffen. Das Simplex tritt erst bei Einar Sk (4, 2) zu *dǫglingr,* bei Ívar (Sig.-b.) zu *konungr.* In der geistlichen Dichtung wird es fast synonym mit *hreinn* und so auch zum Epitheton Gottes.

Weit weniger breitet sich *skírr* aus. Wie es deutlich ausserhalb der Akv. nur dem Vsp.-Kreis angehört, so ist es auch skaldisch äusserst selten. Darum ist das einzige frühe Auftreten (Hák. 6 *skírar skjaldborgir*) von besonderer Bedeutung. Dann gibt es nur noch eine profane Verwendung bei dem vielgewandten Arnór *(en skíra Skotborgarǫ́).* Sonst hat die spezifisch christliche Entwicklung, die Verbindung der Wortsippe mit dem Begriff der Taufe, das Wort ganz zu sich hinübergezogen. Es erhält schon bei Sigvat eine Wendung ins Moralische (*skír of svík* Lv. 18), die später vorherrschend geworden ist.

h e i ð r endlich wird abgesehn von wenigen Fällen einer übertragenen Anwendung (*heiðr at Hildar veðri* GDropl. 4, *heið hirð* Sigv. 2, 2) erst wieder der späten Dichtung mit ihrer Freude an lichter Helligkeit geläufig. Snorri bildet Wendungen wie *heiðar vala leiðar* (Hátt. 48); *heiðr orðrómr* (Hátt. 14); *heið gjǫf* (Hátt. 28). Und erst die geistliche Dichtung, in ihrer steten Blickrichtung auf Gott im Himmel, wendet ihr Interesse auch dem Glanze dieses Himmels und seiner Gestirne zu. Hier finden wir *heiðar*

---

[109]) Z. B. *allbjart ástar ljós* Líkn. 4; *bjǫrt elskugi* Heilv. 14; *bjartr andi* ebda. 17 u. ä.

stjǫrnur (Lil. 93; sollte nicht auch Sól. 60 *heiðar* statt *heiðnar* zu lesen sein?) *heiðs hyrja tjalda gramr* (Has. 14); *mildingr heiða tjalds* (Líkn. 12); *heiðstallr* (Líkn. 25) u. ä.

Zuletzt stelle ich die Belege für die dritte Gruppe zusammen, die den Göttern die Attribute der Freundlichkeit und Milde gibt. Im Vsp.-Kreise sind es die folgenden:

h o l l r : *holl regin* Lok. 4, 5. Dazu gesellt sich *hollar véttir* als eine Reminiszenz lebendiger heidnischer Frömmigkeit in dem gebethaften Anruf von Oddr. 9.

n ý t r erweist sich zunächst als Glied magischer Terminologie „mit nützlichen Kräften erfüllt" durch zweimalige Verwendung im Lióðatal, einmal für den einzelnen Spruch (*nytsamlikt at nema* Háv. 153, 3), einmal bedeutungsschwerer in der Abschlußstrophe (Háv. 162). Genau entsprechend ist der Gebrauch von *fjǫlnýtr* für ein Zauberlied Gróg. 6, 2. Dieselbe kompositional gesteigerte Form *fiǫlnýtr* finden wir Sigdr. 4, 3 wieder: *Heil siá in fiǫlnýta fold.* Aber in der Gebetshymnik dieser Stelle wird auch *fiǫlnýtr* zu einem mehr als magischen Worte. Religiöse Empfindungen strömen ein; aus „krafterfüllt" wird „segenspendend". So wundert es nicht, auch *nýtr* als Götterepitheton zu finden. Es tritt zu *regin* Vm. 13,6; 14,3; 25,5 und zu Freyr in der appositionellen Fügung *skírom Frey, nýtom Niarðar bur* Grí. 43, 5.

s v á s s : *Surtr ok in sváso goð* Vm. 17, 6; 18, 3.

b l í ð r : *blíð regin* ist die Lieblingsform von Grí. (6, 2; 37, 5; 41, 2) und wird von Lok. 32, 5 wiederholt.

á s t u g r : Diese letzte Steigerung des ganzen Komplexes bietet Vsp. 17, 3 *ǫflgir ok ástgir æsir.*

Auch diese Gruppe wurzelt terminologisch in breiterer Schicht, hebt sich aber von der heroischen und skaldisch-preisliedhaften deutlich ab. Im eddischen Bezirk begegnen wir freilich einem vereinzelten *nýt vígdrótt* ohne besondere Gefühlsnuance mit einem Wort der Gefolgschaftsdichtung verknüpft. Doch steht die Wendung im späten ersten Óðinsbeispiel (Háv. 100, 2) und will nicht viel besagen[110]). Denn sonst tragen *blíðr, hollr, sváss* auch im heroischen Bezirk stets eine gefühlsbetonte Färbung verwandtschaftlicher oder erotischer Liebe und Innigkeit. *Mist hefir þú þér hollra* sagt Atli (Am. 68, 6) zu Guðrún nach dem Tode der Brüder. Und Guðrún verspricht Atli letzte Liebesdienste *sem vit holl værim.* (Am. 103, 6). Rein erotischen Inhalt hat *hollr* Hrbl. 18, 4 „geneigt zu Liebe". *Sváss* ist wie im ahd. Hildebrandsliede und im Ags. namentlich Epitheton der Eltern für die Kinder; *buri svása* von Guðrún Akv. 38, 8; Hm. 10, 2; *enn svási sonr* von Hildebrand (Sterbelied,

---

[110]) Wird damit eine Datierung des 1. Óðinsbeispiels möglich? Dem Urteil Heuslers „viel jünger" schliesse ich mich voll an.

Edd. min. 54). Im späten Gðr. III (8, 4) auch *svása brœðr*[111]). *Blíðr* verwenden Am. 34, 2 für Hǫgnis Frau Bera, als sie *blíð í hug sínom* den Abreisenden Segenssprüche nachsendet, und dasselbe Gedicht (30,13) gibt dem mitreisenden Schwager das Zeugnis *blíðr var bǫrr skialdar*. Für den brüderlichen Erbstreit gibt Rm. 12, 1 den Rat: *Bróður kveðia skaltu blíðliga*. Die zarten, neugeborenen Kinder Borgnýs nennt Oddr. 8, 3 *bǫrn þau in blíðo*.

Gegen diesen Hintergrund hebt sich die Wesensart der Götter erst richtig ab. Solche Epitheta hängen aufs engste mit jener Auffassung zusammen, die Götter und Menschen in ein persönliches, familienhaftes Verhältnis bringt, die Óðinn *faðir* nennt und die Menschen als „Kinder" zusammenfasst. Neben der schicksalshaft grossen Macht der Götter, die in den Substantivbildungen *regin, bǫnd, hapt*, den Adjektiven der Gruppe *heilagr* Ausdruck suchte, ist ihre väterlich-sippenhaft gedachte Güte und Fürsorge nun auch in der Epithetongruppe *hollr* schön verkörpert. Die vereinzelte Bildung *ástugr* der Vsp. bedeutet dabei Spitzenentwicklung der ganzen Vorstellungsreihe.

Wir wenden uns dem skaldischen Bezirk zu. *Nýtr* ist im 10. Jh. noch kaum vorhanden. Eyv. Lv. 4 läßt es mit *nýtr Norðmanna gramr* erstmals in preisliedhafter Fügung anklingen. Im Beginn des 11. Jh. schwillt der Gebrauch mächtig an; Gunnl. Lv. 10, Bjǫrn hítd., Lv. 3, Þorgils Hǫ́lluson *(þjóðnýtr)* verwenden es. Insbesondere wird es aber im Óláfskreise heimisch. Hallfr. Lv. 3 gehört freilich seiner erotischen, nicht seiner Preislieddichtung an und richtet sich, wie auch Bjǫrn hítd., an eine Frau. Aber neben dem hl. Óláf selbst (Lv. 6) brauchen Sigv. (Lv. 23, Nachahmung von Eyvind?), Þórarinn loft. (Tøgdr. 6) Þórmóðr (Þórgeirsdr. 11) Óttarr (Hǫfuðl. 14) das Epitheton. Danach nimmt seine Beliebtheit wieder ab. Unter den Späteren haben nur einzelne, so vor allem Háttatal und Einarr sk. besondere Neigung zu dem Wort, und die geistliche Dichtung greift es gern auf. Wir dürfen *nýtr* zu den Wörtern rechnen, die erst in der Ausgestaltung der Preislied-Terminologie im Óláfskreis wirklich modern geworden sind, und müssen die geistliche Verwendung hiervon ebenso fern halten wie von dem Auftreten im Vsp.-Kreis.

Hollr geht in seiner skaldischen Verwendung weit zurück. Wir notieren es aus dem Wortschatz von Haustl. Str. 3 *vasat Hœnis vinr hǫnum hollr*, Str. 7 *holls vinar Hœnis*. Wir hören die Innigkeit des Wortes aus der schönen Str. Egils (Lv. 27) an Arinbjǫrn *hnígrat allr, sás holla hjalpendr of fǫr gjalpar*, und spüren verwandten Klang in dem Gedicht Refs, dessen von persönlicher Wärme getragener Anruf an Óðin uns schon beschäftigt hat[112]), und der seinem Lehrmeister das schöne Zeugnis ausstellt: *opt kom mér hollr*

[111]) Die ebenfalls schon germanische Bedeutungsweitung „angenehm, lieblich" bietet Akv. 1, 8 *(at bióri svásom)* und Fj. 5, 3 *(svást at siá)*. In Str. 41; 42 desselben Liedes heißt es: *er knegi á Menglaðar svásom armi sofa*, wo sich die Bedeutung „lieblich" erotisch präzisiert.

[112]) Vgl. oben S. 242 f.

at helgu fulli Hrafnásar. Und auch in dem Gedicht dieses stimmungsreichen Mannes an Þórsteinn ist *hollr* Ausdruck nahen Freundschaftsverhältnisses.

Das häufig gewordene Kompositum *hollvinr* zeigt die Sphäre nahen Vertrauens und persönlicher Zuneigung, die mit *hollr* gegeben ist. Es ist nicht aus dem typischen Gefolgschaftskreise erwachsen, aber es tritt in ihn ein. Eyvindr bildet in derselben Lv. 4, die den ältesten Beleg für *nýtr* liefert, das Königsepitheton *hollr gumnum ne golli* „gnädig gegen die Männer, nicht gegen das Gold". Und Glúmr nennt seinen König Gráf. 9 *hollr gætir Glamma sóta.* Sigvatr (Bers. 1); Erfidr. 18; Lv. 3) und Bersi Lv. stellen das Wort in den Rahmen des Gefolgschaftsverhältnisses; im Óláfskreis ist *hollr* wie *nýtr* zu Hause gewesen. Danach verschwindet es wieder aus der Preisliedterminologie, bis die gelehrte (Hátt.; Ísldr.; Sturla Óláfsdr.) und geistliche Poesie es erneut aufnimmt. Hier tritt es dann in den reichen Schatz der Gottesepitheta ein (Geisli; Sól.; Leið.). Auch die Skaldik lässt die Gefühlswärme des Wortes also schön heraustreten. Es ist ein Wort der Freundschaftsverbindung, nicht, wie man zu denken geneigt ist, ein technischer Terminus des Gefolgschaftswesens. Es kann sich auch in dieses einführen, aber es bleibt dann mit der besonderen Gefühlswärme erfüllt, und es ist ein schönes Zeugnis, dass grade Sigvat sein Verhältnis zu seinem König so gern durch dieses Beiwort charakterisiert.

Ähnlich spürt man die Gefühlsbetontheit von *blíðr.* Auch dies ist keineswegs ein abgegriffener Terminus skaldischer Preisterminologie. Die ältesten Skaldenzeugnisse liegen nicht zufällig bei Kormák und Gísli und sind für Frauen verwendet. Gísli Lv. 22 schildert, wie seine weisse „draumkona" ihn freundlich und sanft in ein schönes Haus und zu einem weichen Lager führte (Saga Kap. 29); hier verwendet die Strophe den Schaltsatz *þá vas brúþr blíþ.* Eine ähnliche Situation, Traum eines Eintritts in eine Totenhalle, schildert Lv. 13 (Saga Kap. 21). Gísli sieht sich von einer an Feuern zechenden Schar *blíðliga* empfangen; die Prosa klärt darüber auf, dass es seine toten Verwandten waren, die ihn aufnahmen. Lv. 4 (Kap. 14) endlich schildert Gíslis liebevolle Gattin Auð zugleich in der Trauer um den Bruder; *blíð lauka eik* ist sehr gefühlsbetont zu fassen. Auch Kormákr Lv. 44 bezieht *blíðr* auf die Geliebte; die Prägung *en blíðhuguð beiði-Njǫrun golls bauð fingrgoll gefit trollum*[113]) ist grade durch die Gefühlsuntermalung des *blíðhuguð* zu der

[113]) Finnur Jónssons, durch Annahme von Tmesis gewonnene Lesung *blíðhuguð golls beiði-Njǫrum* wird durch Kocks Versuch (§ 293) *bjóði bliðhugud* „dem Spender freundlich" nicht ersetzt. Die Hs. liest *en blidhugud bædi baudgyls maran audar.* Der Sagatext paraphrasiert Steingerðs Verwünschung *trǫll hafi þik allan ok svá gull þitt* (ed. Möbius S. 42). Das spricht gegen eine Veränderung des *bæði,* das vielmehr der erste Teil eines *bæði-ok* sein wird, das eine Bezeichnung für „Mann" und für „Gold" verbindet. Ich möchte glauben, dass *bliðhugud* allein Bezeichnung der Steingerð ist und dass in *gyls maran* die Verderbnis steckt. Es muss eine Mannkenning gewesen sein, deren Bestimmungswort *gulls* war und die für ein *ok* Raum liess. Die Lösung kann nach dem Typ *gulls bǫrr* oder nach dem Typ *gulls deilir* hin gesucht werden.

Schärfe der Ironie gekommen, an deren Ausdruck dem enttäuschten und verzweifelnden Liebhaber hier lag. Hierzu gesellt sich unmittelbar aus Skúli Þórsteinssons schöner Sonnenuntergangsstrophe: *Glens beðja veðr gyðju goðblíð í vé*[114]). Das erste Auftreten von *blíðr* im Fürstenpreis finden wir bei Sigvat (Bers. 4) und Óttar (Hǫfuðl. 10). Aber auch hier spürt man den besonderen Anlass. Str. 4 der Bers. schildert unter Magnús' Vorfahren und Vorgängern Hákon Aðalsteinsfóstri und seine Beliebtheit beim Volke. Die ganze Str. ist eine Paraphrase seines Beinamens *góði,* im ersten Helming durch *hét fjǫlgegn* angegeben, im zweiten durch *fjǫlblíðr* variiert. Und ist es wirklich Zufall, daß die Stelle bei Óttar in einer Hǫfuðlausn steht? Mir scheint, dass die Prägung *blíðr hilmir* als Anrede sehr prägnant zu fassen ist: „du Herrscher mit dem milden, gnädigen Sinn". Wenn endlich Sigvatr in der warm persönlich gefassten Lv. 26 den Tod Óláfs beklagt und dies so ausdrückt, dass die heimatlichen Berge ihn nicht wie früher anlachen, sondern seit Óláfs Tode *óblíðari* erscheinen, so ist auch dies der Ausdruck eines neuen, verinnerlichten Gefühls, in dem Heimatliebe und Fürstentreue verschmolzen sind, eines der schönsten Zeugnisse für die Atmosphäre persönlicher Nähe und Vertrautheit in dem Kreise um Óláf. Die einzigartige Stimmung der Strophe gibt den Hintergrund für das Wort *blíðr.* Damit ist, wenn wir die von Hallfrœð an zu verfolgende Verwendung von *blíðr* in Kompositis der Bedeutung kampffroh *(gunnblíðr, ógnblíðr* u. ä.) bei Seite lassen, die Verwendung von *blíðr* vor der geistlichen Dichtung bereits erschöpft. In der geistlichen Terminologie tritt *blíðr* in seine Ableitungen dann unter der Gruppe der Ausdrücke für „freundlich, gnädig" auf. Dieser Überblick über die skaldische Verwendung vollendet uns die Erkenntnis, dass unsere Epithetongruppe die Beziehung der Menschen zu den Göttern mit einer eigenen, persönlichen Wärme erfüllt, die weder mit der heroischen noch mit der skaldischen Gefolgschaftsterminologie etwas zu tun hat, sondern aus der besonderen Sphäre der Liebe, der verwandtschaftlichen oder freundschaftlichen Vertrautheit stammt.

Hier hatten wir endlich die Gruppe *víss* und *fróðr* anzuschließen.

v í s s ist kraft der festen alliterierenden Bindung insbesondere Epitheton der Vanen, so Vm. 39, 6; Skí. 17, 3; 18, 3; Sigdr. 18, 7. Auch Vm. 39, 2 werden die *regin* durch den Zusatz von *vís* als die Vanen gekennzeichnet. Doch behält die Verbindung ihr Interesse, denn *víss* erweist sich überhaupt durchaus als ein Wort aus der magisch-dämonischen Sphäre innerhalb wie außerhalb des Vsp.-Kreises. *Vísir Vanir* ist also abermals eine religiöse Steigerung eines magischen Begriffes. So heißen *víss* die Zwerge Alv. 8, 3; Vsp. 48, 7, *hundvíss* die Riesen Hymir (Hym. 5, 3), *Loðinn* (HHj. 25, 4), *vís kona* die Vǫlva Bdr. 13, 6, *framvís* die Riesenmädchen des Grott. (1, 3; 13, 3) und Grípir (Grp. 21, 7), *bǫlvís* Weiber, die Schadenzauber treiben,

[114]) Vgl. oben S. 236. *goðblíð* ist noch ganz aus heidnischem Denken herausgebildet.

Sigdr. 27, 4, und Riesenweiber Hrbl. 23, 3; *skollvís kona* nennt im Scheltgespräch Sinfjǫtli seinen Gegner, den er eben *vǫlva* gescholten hat und dem er vorwirft: *bartu skrǫk saman* (HHu. I, 37[115]); *lævíss* wird Loki (Lok. 54, 7; Hy. 37, 7) genannt, ebenso ein Zauberweib Gróg. 3, 2. Die individuelle und parodistische Bildung *snapvíss* findet Lok. 44, 3 als Schelte Lokis gegen den kleinen Byggvir. So spüren wir in den *vísir vanir* und in der Bezeichnung Óðins als *vísastr vera* Vm. 55, 6 eine religiöse Steigerung eines Terminus, der nicht menschliche, sondern übermenschlich-dämonische oder zauberhafte Begabung und Sinnesart ausdrückt. Darum ist vielleicht auch Háv. 99 *vísom vilia frá* nicht zufällig von Óðin über sich selbst ausgesagt. Es bedeutet wohl nicht nur die Betörung eines Klugen durch die Liebesbegierde, sondern den Verlust einer göttlich gesteigerten Weisheit bei dem Gotte, der sich durch die Lockungen einer Menschenjungfrau betören und von ihr überlisten lässt. So geht denn *víss* direkt in die Bedeutung zauberhaft über und wird dinglicher Verwendung fähig; die mehrfache Fügung *víss vafrlogi* (Skí. 8, 3; 9, 3; Fj. 31,6) bezeugt es.

Bei dieser Bedeutungsprägnanz versteht man es, daß *víss* kein Epitheton der heroischen Sphäre ist; unser nhd. „weise" deckt sich in keinem Falle mit an. *víss.* Und die Skaldik bestätigt das. In der vor-geistlichen Dichtung gehört *víss* zu den seltenen Beiwörtern. Im Rahmen der eddischen Verwendung bleibt Haustl. 5 *bragðvíss ósvífrandi ása* für Þjazi und Bjǫrn hítd. Lv. 22 *framvísar dísir* „zukunftsprophezeiende Traumfrauen". Nahe steht auch Egils Lv. 2 (Saga Kap. 44). Sie ist erstens eine Hohnstrophe, in der der Schaltsatz *því telk þik bragðvísan* ironisch herabsetzend steht, und zweitens ist von Vorgängen die Rede, bei denen Opfer *(blétuð dísir)* und Magie eine bedeutende Rolle spielen; *bragðvíss* heisst hier wie Haustl. „erfahren in zauberhaften Handlungen". Auch die individuelle Bildung Hallfrœðs *matvíss,* dem *snapvíss* der Lok. verwandt, steht als Schelte in einer seiner Hohnstrophen auf Gríss (Lv. 25). Suchen wir *víss* als menschlich hervorhebendes Epitheton, so finden wir es als Simplex nirgends, im Kompositum *allvíss* erst in einer anonymen Lv. des 12. Jh. (1118) (Skjd. Anon. XII. B 6) und, mit Beziehung auf denselben Þorgisl, *happvíss* „der sich auf den Erfolg versteht" (ebd. Anon. XII. B 5). Sonst müssen wir erst wieder zur geistlichen Dichtung gehen, um *víss* und seine Komposita in reicher Fülle verwendet zu sehn. Um so merkwürdiger wirkt in seiner völligen Vereinzelung das sehr alte *skilvíss* in Þórbjǫrn hornklofis Harkv. 21; *skyli enn skilvísi* wäre nach Fagrsk. auf Harald zu beziehen. Anders lautet der Text in Flat. (I, 568): *þá er skatnar skilvísir i skjǫld hǫggva;* das würde sich auf die Berserker beziehen und könnte übersetzt werden: „die es verstehn, ihre Feinde zu zerstreuen", und für Berserker hätte ein Kompositum mit *víss* nichts Auffallendes. Ich bin

[115]) Unsicher ist die Bedeutung von *svévíss,* das HHu. I 38 parallel zu *skollvíss* auftritt, dessen auf A. Noreen (Svenska etymologier 1897, S. 281) zurückgehende Übersetzung „eigensinnig" (so Gering, Lexikon) kaum denkbar ist. Die meisten Lp, Neckel, Detter-Heinzel, Boer) denken an *sveipvíss* oder *svipvíss.*

daher geneigt, der Lesart von Flat. den Vorzug zu geben, da ich das isolierte Auftreten von *víss* als hervorhebendes Fürstenepitheton nicht erklären kann[116]).

Weit mehr ist *fróðr* „wissend, erfahren" in der rein menschlichen Sphäre zu Hause. Es genügt, auf seine häufige Verwendung in den Weisheitslehren der Háv. zu verweisen. Auch im heroischen Gebiet ist es bekannt (Gðr. I 12; Akv. 38; Sig. sk. 20). Aber vom Wissen steigt es leicht zu zauberischem Wissen auf. Der häufige Gebrauch, den Vm. (6; 19; 26 und refrainhaft 20 u. ö.) von dem Wort machen, ist bezeichnend. Ihm entspricht die Frageformel von Fm. 12 und 14. In beiden Fällen handelt es sich um verborgenes, mythisches Wissen. So erhalten übernatürliche Wesen das Epitheton *fróðr*, der sprechende Vogel HHj. 2, 3 *(fugl fróðhugaðr)*, die weiblichen Wesen Vm. 48, 6 (*fróðgeðjaðar*), die Riesen Vafþrúðnir (Vm. oft) und Fjalarr (Háv. 14, 3). Ins Göttliche endlich steigt das Wort empor Sigdr. 14 *(þá mælti Míms hǫfuð fróðlikt it fyrsta orð)*. So heisst Freyr Skí. 1, 5; 2, 5 *inn fróð afi* und Fj. 4, 2 nennt Fjǫlsviðr ihn *fróðr sefi*. Vm. 26, 6 ist *fróð* Epitheton zu *regin;* Háv. 141 sagt Óðinn bei der Runenfindung von sich selbst: *þá nam ek frævaz ok fróðr vera*, ebenso wie er bei dem Raub des Óðrœrir Háv. 107 von sich sagt: *fás es fróðom vant.* Es ist der übliche Aufstieg eines Wortes aus der menschlichen Ebene über die magische Stufe zu religiöser Sonderbedeutung.

In der Skaldik bestätigen uns Haustl. *(með fróðgum tívi)*, ferner Húsdr. 7 *(bǫðfróðr Freyr)* und 10 *(mǫgr kynfróðs Hrafnfreistaðar)* die Geltung in unserem terminologischen Kreis. Im übrigen gehört das Wort von früh an (Yt. 6; Gldr. 8) zum Epithetonschatz der skaldischen Dichtung.

Die Technik der schmückenden Beiwörter gibt für die religiöse Sprache des Vsp.-Kreises und für das dahinter liegende Denken reiche Ausbeute. Sie bildet einen vielfach überraschend geschlossenen und von der übrigen Dichtung abgelegenen Kreis für sich. Zwar berührt sie sich naturgemäss mit dem Epithetonschatz des heroischen Gedichtes, so bei *ríkr, dýrr, mærr, fróðr;* aber teils treten Epitheta auf, die der heroisch-preisliedhaften Herrscher- und Kriegerterminologie überhaupt fernliegen, teils erfahren sie so spezielle Wendung, dass sie sich semasiologisch deutlich von der Verwendung im heroisch-panegyrischen Gedicht unterscheiden. Ich verweise auf *ǫflugr, ríkr, rammr, bjartr, skírr, nýtr, blíðr, hollr, víss fróðr.* Dazu kommt nun das Zurücktreten oder Fehlen zahlreicher Epitheta, die im heroisch-panegyrischen Gedicht vorhanden sind. Auch diese Kontrasterscheinung muss wenigstens andeutungsweise erwähnt werden. So fehlen in der — abermals weit gefass-

[116]) Den Text von Flat. hat auch Wisén, Carmina norrœna, bevorzugt. Die Form der Fgsk. bietet auch sprachlich eine Schwierigkeit in ihrem Nom. Man erwartet einen A. c. I., abhängig von *hykk;* daher Lindquists Änderung S. 6: *skylja enn skilvísa.*

ten — ersten Gruppe *frœkn*[117]), *sterkr, snarpr, snárr, móðugr* und die mit *þrótt-* und *þrúð-* gebildeten Zusammensetzungen[118]). In der zweiten *mætr, ítr*[119]), *auðugr, sæll, hǫ́r, fríðr, vænn, hreinn,* in der dritten *mildr, góðr, horskr, vitr, spakr, snotr.* Andere wie *fagr, glaðr, værr, frægr* sind zwar auch in der Vsp.-Gruppe mehrfach vertreten, erscheinen aber nicht sonderlich stilprägend und machen den Eindruck hier und anderwärts gleichmässig zur Verwendung gelangten Schmuckgutes. Ich glaube, man muß sich hüten, die Suche nach Stileigenart zu weit zu treiben, und darf nicht vergessen, dass Stil die Hervorwölbung bestimmter, zweckdienlicher sprachlicher Bestandteile, nicht aber eine ängstliche Vermeidung jeglicher Berührung mit anderen Stilgruppen ist.

Es ist eine idealisierte Götterwelt, die sich uns auftut. Eine Fülle von Macht, Glanz und Weisheit umgibt sie, aber auch ein Verhältnis zu den Menschen, das von einer auffallenden Innigkeit ist *(nýtr, blíðr, hollr, svâss, ástugr).* Die Bezeichnungen göttlicher Kraft und Weisheit sind aber nicht die des irdischen Herrschers; sie stammen aus der Sprache der Magie und der übernatürlichen Kräfte. Wieder und wieder sahen wir Wörter, die in der magischen Welt zu Hause sind, mit Namen und Begriffen der göttlichen Welt zusammentreten. Das bindet den Gebrauch der Epitheta mit der appellativen Gruppe *regin, hapt, bǫnd* zusammen, die das schicksalhafte Walten der Götter betonen. Aber die Epitheta eines strahlenden Glanzes, die sonst vor allem dem leuchtenden Metall und der idealisierten Schönheit der Frau gelten, und mehr noch die aus der Sphäre persönlicher Zuneigung, freundschaftlichen Vertrauens und inniger Liebe emporgesteigerten Epitheta der Gruppe *hollr* geben dem Walten der Götter zugleich eine Färbung persönlicher Fürsorge und Verbundenheit, die sich zu der zweiten appellativen Gruppe, den Bindungen mit *-faðir* und den auf sie antwortenden der Gruppe *kind, megir* usw. gesellen. Wir stehn vor der Terminologie einer fest gefügten, vergeistigten und gehobenen religiösen Welt[120]).

---

[117]) Charakteristisch ist das Auftreten von *frœkn* Grí. 17, weil die Str. von der Rache, also einer heroischen Handlung, spricht und alsbald neben *frœkn* noch in der Formel *af mars baki* heroische Stimmung anklingen lässt.

[118]) Zu den spezifisch christlich-geistlichen Gliedern dieser Gruppe, die dem Vsp.-Kreis ganz fehlen, gehört auch in weitester Ausdehnung das Wort *krapt* und seine Ableitungen.

[119]) Eine ganze Reihe derartiger Epitheta, ganz besonders *ítr* und *mætr,* sind der geistlichen Dichtung sehr geläufig.

[120]) Das Vorkommen der Epithetongruppe in den zugehörigen skaldischen Gedichten stelle ich hier noch einmal zusammen. *Heilagr:* Haustl. 4, Húsdr. 9, Hofgarða-Refr. — *ǫflugr:* Húsdr. 2; 6; 11 — *ríkr:* Hák. 13, Eyv. Lv. 9, þdr. 2 — *rammr:* Haustl. 7, Eyv. Lv. 9, Vell. 30, Húsdr. 6, Eilífr christl., Ormr barr., Þórðr K. Lv. 9, Anon. X. II B, 3 (Hallfr. Lv. 9) — *rammaukinn* Vell. 32 — *mærr* Haustl. 11, Hák. 11, Korm. Sigdr. 5, Eilífr Hákdr. — *skírr* Hak. 6 — *hollr* Haustl. 3; 7 — *goðblíð* Skúli. — *bragðvíss* Haustl. 5 — *fróðr* Haustl. 8, Húsdr. 7; 10.

III.

Dieser lichten, freundlichen und mächtigen Welt der Götter begegnet im Endkampf der Ragnarǫk eine dämonische Welt, deren geprägtester Ausdruck der gefesselte und sich losreissende Wolf ist. Mit ihm als Symbol deuten Eirm. und Hákm. die Endkampfsituation an, und er ist es, dem Óðinn, der Herrscher der Götter, erliegt. Neben ihn stellt die Ragnarǫkphantasie andere Gestalten, von denen die wechselndste und rätselvollste Loki ist. Unzweifelhaft legt die Betonung der Ragnarǫk in der religiösen Phantasie die Entwicklung eines dualistischen Systems nahe; hier göttliche, dort antigöttliche Mächte, hier strahlende Götterwelt, dort finstere Unterwelt. Ehe wir versuchen, wie weit sich Spuren solchen Denkens terminologisch aufdecken lassen oder nicht, ist auf das schärfste zu betonen, dass die gesamte Ragnarǫkvorstellung, im Gegensatz zu christlichen Endphantasien, mit den Menschen und deren moralischem Verhalten nichts zu tun hat. Die Valhǫllvorstellung, zentral für die Gruppe Eirm.-Hákm., ist darin für die Vsp.-Gruppe nicht verbindlich. Sie schafft in der Tat so etwas wie eine religiöse Untermauerung des kriegerisch-sittlichen Verhaltens, freilich keineswegs ein vorbehaltloses Kriegerparadies[121]). Für Vsp. und verwandte Denkmäler aber ist Ragnarǫk eine Abrechnung lediglich zwischen Götterwelt und Dämonenwelt, und sie trifft die Menschheit nur leidend, nicht handelnd. Der moralische Verfall vor dem Anbruch von Ragnarǫk ist nur wirkungsvolles Parallelsymbol zu der Unruhe und Störung der physischen Welt. Und ebenso ist der Tod aller Menschen (Vsp. 52 *troða halir helveg*) lediglich Parallelvorgang zum Zusammensturz der Welt *(griótbiǫrg gnata)*. So kann es nicht verwundern, daß Höllenvorstellungen im prägnanten Sinne nicht ausgebildet sind. Es ist bekannt, dass die christliche Visionsliteratur auch im Norden[122]) ihre höchste Anschauungskraft stets der Höllenvision zugewendet hat, weil ihre Phantasie von der ursächlichen Verknüpfung irdischer Sünde und ewiger Qual gepeitscht war. Dagegen verfliessen ihr die himmlischen Orte in einem einzigen Strahlen und Funkeln, dessen reale Einzelheiten sie nicht zu gestalten vermag. Die germanische End-Dichtung verfährt genau umgekehrt. Grí. weiss sehr viel Anschauliches von den Orten, Sälen und Gewohnheiten der Götter zu erzählen. Vsp. gewinnt einige ihrer einprägsamsten Bilder in der Schilderung der göttlichen Welt vor und nach den verwirrenden Ereignissen. Aber selbst ihre Straforte, die für mich der christlichen Interpolation dringender verdächtig sind als Str. 64, sind doch nur ein Teil einer dämonischen Welt, in der auch der goldene Saal der *Sindra ættar*, der Biersaal des *Brimir*, der harfenspielende *Eggþér* Raum haben. Auch Bdr. legen es nicht auf Unterweltschrecken an; die Vorbereitungen zu Baldrs Empfang bei Hel sind von den

[121]) Das hat Neckel, Walhall (Dortmund 1913), durchaus richtig gesehn, wenn auch wohl zu einseitig herausgearbeitet.

[122]) Vgl. Moltke Moes hinterlassene Arbeit über das Draumkvædi, Saml. Skr. 3, 197 ff.

entsprechenden bei Óðin in Eirm.-Hákm. nicht wesentlich verschieden *(í hávo Heljar ranni ... bekkir baugom sánir ... flet fagrliga flóoð gulli ... bruginn miǫðr, skírar veigar).* Selbst bei Snorri ist Hermóðs Ritt zu Hel wohl gefahrvoll durch *døkkva dala ok djúpa,* das Haus der Hel und Baldrs Lage aber keineswegs in grell verzerrten Farben gemalt. Nur wo Snorri seinen christlichen, moralisch gefärbten Dualismus einwirken lässt, wird auch seine Helbeschreibung davon berührt[123]).

So ist denn überhaupt nicht Hel das entscheidende Gegenstück der Götterwelt[124]). Es ist mir sehr zweifelhaft, wie viel von einer persönlichen Helvorstellung in die alte Dichtung hineingelegt werden darf. Dass sie vorhanden war, zeigt Grí. 31,4 *(Hel býr und einni).* Sonst finde ich auch unter den Stellen, die Lp. für die persönliche Geltung anführt, keine wirklich verbindliche vor den späten, nach Snorri liegenden Bildungen *Heljar diskr* (SigvSt.) und *Heljar askr* (Anon. XIII. B 38) „Hunger". Die frühen Personifizierungen vom Typ *Loka mær* scheinen mir eher eine poetische Mode als Nachhall wirklich vorhandener Vorstellungen zu sein. Denn sie sind ganz auf einen engen Kreis beschränkt, ja sie werden nur in dem einen Gedicht Yt., dort aber bis zum Überdruss angewendet. Nach Meissner, Kenningar S. 396, fallen von den 10 alten Belegen volle 7 auf Yt.; nur 2 auf Egil (darunter einer zweifelhaft), einer auf Bragi. Dann ist diese Mode völlig vorüber; auch kein Skalde des Vsp.-Kreises nimmt sie auf. Erst nach-snorronisch taucht auch er wieder in 5 Exemplaren auf (2 Belege in Sturlas Hák.-kv.; je einer in Grettis Ævidrápa, in einer Draumvísa des 13. Jhs. und in Nkt., wo direkte Nachahmung von Yt. 7 vorliegen dürfte. Jedenfalls darf man wohl sagen: Hel als Person gibt es nur, weil und soweit es den Ort gibt; sie hat sich von dem Ort nicht zu einem frei beweglichen Wesen gelöst. Darum glaube ich nicht an Bugges Emendation von Vsp. 51, die Hel und die Helleute zu aktiven Teilnehmern des Endkampfes machte. Snorris Notiz darüber (Gylf. Kap. 50) ist mir um so weniger verbindlich dafür, als er die von Bugge fortemendierten *Múspellz-sønir* ebenfalls kennt[125]).

Die Gegnerschaft gegen die Götter liegt nicht bei Hel, sondern bei den Riesen, also bei Wesen, die mindestens in der Zeit der Ausbildung von Ragnarǫkvorstellungen mit Tod und Unterwelt nichts zu tun haben. Diese grosse Gegnerschaft ist nichts erst dem Vsp.-Kreis Eigenes; auf ihr bauen sich

---

[123]) Z. B. die Kontrastierung *Gimlé-Niflhel* Gylf. Kap. 2 oder das Helporträt Kap. 33.

[124]) Gegen den Dualismus Hel-Valhǫll siehe die entscheidenden Ausführungen bei von Unwerth, Totenkult und Odinsverehrung bei Nordgermanen und Lappen, Breslau 1913, §§ 55—58.

[125]) Auch Gering, Komm. z. St., tritt noch für Bugges Emendation ein, vgl. jedoch den berechtigten Einspruch, den Sijmons an gleicher Stelle unter reichlichem Literaturhinweis erhebt. Gegen Bugge wendet sich jetzt auch H. Pipping, Eddastudier II (= SNF 17, 3), Helsingfors 1926, S. 112 ff., ohne dass mir seine weiteren Schlussfolgerungen haltbar scheinen.

ja alle Þórsgeschichten auf. Neu ist auch hier erst wieder der zusammenfassende Blick, dem Götter wie Riesen als wirkungsmäßige Einheit erscheinen, ein konzentrierter, weltumspannender Hass, in dem die einzelnen Geschichten, etwa Þórs Kampf mit der Midgardschlange, nur noch beispielhafter Einzelausbruch sind. Dieser konzentrierende Blick, den wir kennengelernt haben, gibt den Ragnarǫkvorstellungen ihre Eigenart gegenüber den Þórsgeschichten, die einzeln gesehn sind.

Aber für diese Gegenwelt der Götter fehlt mit der Anschaulichkeit auch die spezifische Terminologie. Von den drei geläufigen Riesensynonymen *jǫtunn, þurs, risi* fällt das letzte aus dem Rahmen der Vsp.-Gruppe ganz heraus. R i s i , b e r g r i s i ist Sondergut des Grott. und später Fornaldardichtung[126]). Þ u r s ist das bei weitem seltenere; Grí., Vm., Háv. benutzen das Simplex überhaupt nicht, wohl aber das Kompositum *hrímþursar* (Grí. 31, 5; Vm. 33,2; Háv. 109,2). Vsp. 8,6 nennt die Schicksalsmädchen *þursa meyjar*; Bdr. 13,8 lässt Óðin zu der erweckten *vǫlva,* die ihn erkennt, sagen: *heldr ertu þriggia þursa móðir*[127]). Die überwältigende Fülle der Beispiele hat dagegen *jǫtunn,* und es scheinen jüngere Dichtungen zu sein (Þrkv.; Hym.; Alv.; Fj.; Helgidichtg.), in denen *þurs* vordringt. Das bestätigt die Verwendung in der Fornaldardichtung (Qrv. IX, 21; Ormþs. IV, 9; Grettiss. 41; Bóss. 8), die dagegen *jǫtunn* nicht zu verwenden scheint. Entsprechend selten ist *þurs* in der skaldischen Dichtung. In Eyv. Lv. 11 scheint eine Kenning vom Typ „Wind der Riesin“ mit *þurs* gebildet zu sein, Hl. (36 a) gibt die Goldkenning *þursa kvedja*; das ist alles. *Hrímþursar* bleibt überhaupt ausserhalb der skaldischen Terminologie. Jedenfalls gibt es keine eigenen, neuen Termini für die Riesenwelt, denn auch von den seltneren Wörtern *flagð, gífr, gýgr, skass, troll* ist keines zu besonderer Bedeutung vorgedrungen, und *jǫtunn,* das beherrschende Wort der Vsp.-Gruppe, ist überhaupt das gebräuchlichste gewesen und geblieben.

---

[126]) Erst Snorri nimmt auch *bergrisi* in sein mythologisches System auf und gliedert die Riesen in *hrímþursar* und *bergrisar.* Deutscher Lehnbezug scheint mir für das auch im Ags. fehlende Wort erwägenswert. An der einzigen alten Stelle, Þdr. 13, ist *risa kvánar* eine ganz unsichere Konjektur für handschriftliches *res.*

[127]) Mir scheint Bdr. 13 nicht richtig interpretiert zu werden. Es ist keine Schelte, sondern eine Erkennungs- bzw. Enthüllungsszene. Was auch Str. 12 bedeuten möge, sie hat inhaltlich den Sinn, Óðin zu verraten. Die Vǫlva begreift und sagt: „Du bist nicht der menschliche Zauberer Vegtamr, sondern du bist Óðinn selbst“. Und Óðinn antwortet parallel, indem er die Maske fallen lässt: „Du bist keine menschliche Zauberfrau *(vǫlva, vís kona),* du bist *þriggia þursa móðir*“. Hier steckt die Parallele zu *alda gautr.* Ich möchte übersetzen „die Mutter der drei Þursen“ und Bdr. mit Vsp. 8 *(þriár þursa meyjar)* unmittelbar verknüpfen. Óðinn, der Meister aller Zauberkunst, hat keine Geringere emporgemahnt als die Mutter der drei schicksalswissenden und schicksalschaffenden Mädchen selbst. Dann erhält das ganze Gedicht eine gedankliche Vertiefung, insbesondere aber der Schluss eine richtige Resonanz für seine pathetischen Sätze. Sie besagen: „Bis zu diesem Quellgrund schicksalshaften Wissens wird niemand wieder herabsteigen bis zum Ende der Welt.“

Auch die einzelnen führenden Wesen des Dämonenheeres, Loki, Surtr, der Wolf, die Midgardschlange, so einprägsam sie sind, haben wohl Gestalt und Grössenmasse der phantastischen Gestaltungskraft der Untergangsdichtung zu verdanken, aber sie sind weder für sie geschaffen noch in ihr allein zu Hause. Insbesondere der Miðgarðsormr ist in der Fabel der Rdr.-Hym. entwickelt[128]). In ihr wurzelt die typische Feindschaft des Gottes und des Wurmes, die, wie W. H. Vogt richtig erkannt hat, einst ernsthaft bis zum Ende durchgefochten wurde. Erst als der Wurm kosmologische Bedeutung bekam, wurde der Gegensatz Þór : Wurm zu einer Ragnarǫkepisode gestaltet, der alten Fabel zugleich aber ihr Gewicht genommen und sie zu leichter, schwankhafter Behandlung gedrängt[129]). Auch Loki ist neben der Rolle im Endkampf anderweitig typisch beschäftigt, Glied der wandernden Götterdreiheit, Begleiter Þórs auf seinen Fahrten ins Riesenland. Erst als die Baldrgeschichte Vorspiel des Unterganges wurde, wird er mit und aus dieser seine vernichtende Dämonenrolle übernommen haben. Spezifischer scheint mir die Emporsteigerung des Wolfes und des Riesen Surt, der erste im Vsp.-Kreise durch Vsp. 40; 41; 53; 54; Grí. 17; 39; Vm. 46; 47; 53; Lok. 6; 38; 39; Vsp. sk. 42; FM. 8, der andere durch Vsp. 47; 50; 51; 52; 53; Vm. 17; 18 bestätigt, wozu für Surt noch das Stückchen eschatologische Didaktik Fm. 14 und die nachahmende Aufnahme des Namens Fj. 18 kommt. Ausserhalb dieser Beleggruppe kennt die Edda beide nicht.

Aber eine eigene Terminologie haben doch auch diese Gestalten nicht hervorgebracht. *Ormr, úlfr, vargr, jǫtunn* sind ihre Bezeichnungen oder Umschreibungen, die zu keiner Typik führen.

Ebensowenig ist im Vsp.-Kreise für die dämonische Gegnerschaft der Götter ein typischer Schatz von Epitheta entwickelt, am wenigsten einer, der ihre körperliche oder geistliche Scheusslichkeit unterstriche. So fehlen die Epitheta *illr, vándr, grimmr, harðr, flárr, atall* u. ä. einerseits, *svartr, blár, dökkr, myrkr* u. ä. andrerseits entweder ganz oder sind nicht zu typischer Geltung gesteigert. Die Epitheta der Riesen sind Lp. s.v. *jǫtunn* zusammengestellt. Davon kann als typisch einerseits die schon behandelte Gruppe *máttugr, ámáttugr* gelten, andrerseits die Gruppe *forn, aldinn, gamall*[130]),

[128]) Vgl. W. H. Vogt, Þórs Fischzug. Eine Betrachtung über ein Bild auf Bragis Schild. Studier tillägn. A. Kock, Lund 1929, S. 200 ff. Er erkennt die alte Geschlossenheit der Fischzugfabel, die in sich selbst mit der Tötung des Wurms zu Ende läuft. Wie weit die Eingliederung des Wurmkampfes in die Ragnarǫksituation an der Entwurzelung der alten Eigenfabel zu einem schwankhaften Abenteuer beteiligt ist, wird von Vogt nicht erwogen.

[129]) Der Wurm hat nirgends einen konstitutiven Anteil an den Geschehnissen von Ragnarǫk. Auch wo das Meer die Erde vernichtet, ist das nicht etwa der Wirkung des Miðgarðsormr zuzuschreiben; *ormr knýr unnir* (Vsp. 50) ist stimmungsmalende Episode des Aufbruchs ohne Folgen. Auch eine Ragnarǫkformel, die dem „wenn der Wolf kommt" entspräche, gibt es für ihn nicht.

[130]) Die Terminologie der „Raum- und Zeitausweitung", die ein typisches Phänomen der Vsp.-Gruppe ist, gibt beachtliche Resultate. *Forn* und *aldinn*, zwei

endlich die Teilnahme der Riesen an den Epitheta *víss* und *fróðr*. Mit anderen Worten, diese Epitheta, mögen sie geprägt in den Vsp.-Kreis aufgenommen oder in ihm neu gebildet sein, lassen die Riesen als uralt, mächtig und voll magischen Wissens erscheinen, ein nicht ins Groteske oder Teuflische gesteigertes, eher ein durch ideale Stilisierung stark gebändigtes Bild. Sie ist weder auf dem Boden christlicher Höllenvorstellungen erwachsen noch mit den grotesken Trollporträts der Fornaldarsaga wesensverwandt. Die Riesenwohnungen sind nicht die Felsenhöhlen jener Sagagruppe oder der Schwefelpfuhl, sondern das Bauerngehöft und die Königshalle. Das idyllische Bild des Riesenhirten Eggþér mit der Harfe auf dem Hügel dient ebenso dem Streben nach einer verfeinernden Mässigung, wie andrerseits der Aufbruch und Anmarsch der Riesen heroische Steigerung ist. Die Gestalt Surts mit dem lohenden Schwert (Vsp. 52) wird uns die eines ungeheuer gesteigerten Wikinghelden, und selbst die Untiere Wolf und Schlange werden im heldischen Zweikampf vorgeführt, und man gönnt dem Wolf den heroischen Tod mit dem von vorne ins Herz dringenden Schwert. All das gibt der Riesenwelt ihr eigenes Gepräge gezügelter Wildheit, das keinen Gedanken an die christliche Dualistik mit ihrer Teufelsphantasie aufkommen läßt.

Suchen wir nach der Signatur der feindlichen Gefährlichkeit, die dieser Welt trotz allem so handgreiflich innewohnt, so finden wir sie nicht in der moralischen Bosheit christlicher Teufel, nicht in der fratzenhaften Übersteigerung volkstümlicher Trollvorstellungen, die viel eher in den Scheltgesprächen der heroischen Dichtung zu Worte kommt. Ich sehe sie am stärksten festgelegt in den drei Ausdrücken m e i n , l æ , f e i k n. Ihre Geschichte ist das einzige, was ich auf der Seite der Götterfeinde durchsprechen will. Ich beginne mit ihrem Auftreten im Vsp.-Kreise.

m e i n liebt besonders Lok. *Blend ek þeim svá meini miǫð* droht Loki 3,6 und setzt das 28,3 mit *fleiri telia mína meinstafi* fort. Mit *þú ert . . . meini blandin miǫk* richtet er 32,3 seinen Vorwurf gegen Freyja, ebenso gegen Beyla 56,3. Als Gegengabe trifft 43,5 auch ihn das Scheltwort *meinkráka*. Grí. 16, 5 wird Njǫrðr als *manna þengill inn meins vani* bezeichnet. Im Zaubergebiet der Sigdr. gibt Str. 8 Segenszeichen und magisches Mittel gegen *meinblandinn miǫðr*, und schicksalsergeben sagt die Erweckte 20, 6: *ǫll ero mein of metin*. Im Gebiet von Fj. wiederholt sich das; Gróg. 13 enthält einen Spruch *at því firr megi þér til meins gøra kristin dauð kona*, und die tote Mutter gibt dem Sohn selbst den Heilswunsch mit *ok standit þér mein fyr munom* (15, 3). Endlich dürfen wir die *menn meinsvara* aus Vsp. 39,3 hier erwähnen.

læ ist insbesondere der Vsp. geläufig. Die vielumstrittene Str. 25 stellt die Frage *hverir hefði lopt allt lævi blandit*. Str. 35,3 gibt Loki die ebenfalls schwer deutbare Bezeichnung *lægiarnlíki*. Und selbst an der kenninghaften

stimmungshaft unterstrichene Epitheta, gehören dazu. Ihre eingehende Behandlung ist nur aus Raumgründen unterblieben.

Wendung *með sviga lævi* (52,2) ist die Vorliebe des Gedichtes für den Ausdruck zu erkennen. Weiter notieren wir die typische Prägung *inn lævísi Loki* Lok. 54,7 und im Rahmen von Hy. (37,7). Sigdr. 2,3 bietet den sentenzenhaften Satz *lǫng ero lýða læ,* und Gróg. nimmt das Adj. *lævíss* 3, 2 wieder auf *in lævísa kona.* Auch findet Fj. den Schwertnamen *Lævateinn,* gebildet nach einem geläufigen Kenningtyp, aber als Schwertkenning nirgends verwendet[131]).

feikn: Wie Njǫrðr als *meins vani* bezeichnet wird, so sagt Grí. 12,6, dass in Baldrs Wohnsitz Breiðablik *fæsta feiknstafi* liegen. Dieser letztlich mit der Runenmagie zusammenhängende Ausdruck, etwa mit „unheilvolle" oder „unheilbringende Kräfte" zu übersetzen, ist der Gegensatz etwa zu *líknstafir* (Sdr. 5, 6; Háv. 8, 3), das mit „Beliebtheit und Freundschaft hervorrufende Kräfte" übersetzt werden kann. Den Gegenpol zu allem, was zu Baldr in Beziehung steht, bildet Loki und seine Welt. Daher heisst Vsp. sk. 40, 6 eines der dämonischen Kinder Lokis *skass allra feiknast.* Der Übergang des Ausdrucks in die Helgidichtung *(feiknalið* HHu. I 33, 5) bestätigt die Zugehörigkeit zum Vsp.-Kreis.

Verfolgt man diese drei Termini weiter, so ist *mein* der verbreitetste und zugleich der am wenigsten geprägte. Er bezeichnet auch jeden konkreten Einzelschaden an Leib, Besitz oder Ansehen, den einer erleidet oder zufügt. So ist *mein* auch Glied der Rechtsterminologie. Darüber hinaus wird *mein* zur Bezeichnung allgemeineren Unheils in den verschiedensten Färbungen: Gefahr, Schaden, Verderben, Verrat, Hinterlist, Falschheit. So etwa skaldisch: Þdr. 18 *meina nesta* „Verletzungen zufügender Bolzen", d. h. die glühende Eisenstange, die der Riese gegen Þór schleudert; Arn. 5, 1 *morðkennir galt mǫnnum mein* „vergalt ihnen den Verrat"; Þórðr Kolb. Lv. 10 *meins beinir* „Unheilstifter" usw. Die eddischen Wendungen gehn ganz parallel, doch zielen sie meist mehr auf die umfassende Bedeutung „Unheil" ab.

Über diese Grenze hinaus aber erfüllt sich die passive Bedeutung von *mein* mit der Färbung „fatum", die aktive mit der Bedeutung „unheilvolle Kraft". Wenn Gísli Lv. 13 von einer Traumerscheinung sagt: *vǫrum mér at meini,* so bedeutet dies „fatalis, Bote kommenden Unheils". Es entspricht ganz dem eddischen *ǫll ero mein of metin.* Nach der Bedeutung „Unheilskraft" hin aber liegen insbesondere jene Stellen, an denen sich *mein* mit dem Verbum *blanda* verbindet. Ausser den oben schon genannten Stellen ist noch Helr. 2,7 (nach der NÞ.-Fassung) *Þú hefir vǫrgom ... meini blandat mannz blóð gefit* zu nennen. Dem entspricht auf skaldischer Seite *meinblandit hræ* in Bjǫrns, gegen Þórð K. gerichtetem Grámagaflim: halb Schelte, halb Schilderung zauberischer Unheilswirkung. Auch die oben beigebrachten Bildungen *meinstafir* (wo noch das aus der Runenmagie stammende *stafir* mitwirkt),

[131]) In der Kenningtechnik fehlt *læ* überhaupt bis auf ein barockes *klungrs læ* „Wind" bei einem Anon. XII, obwohl mehrere Gruppen (Wind, Feuer, Kampf, Waffen) Verwendungsmöglichkeiten bieten.

meinkráka, meins vanr gehören zu dieser Gruppe. Besonders nehmen aber die Fornaldardichtung und ihr nahestehende späte Zutaten der Familiensaga das Wort auf, hier wie sonst nicht ohne Instinkt für Stimmungsklang und Effekt. Das Hervǫrlied (Edd. min. S. 15, Str. 9, 3) nennt die Arngrímsöhne aus Hervǫrs Mund *megir meinsamir;* für dieselben hat die Qrv. Odds. s. (Boer S. 98) die Bezeichnung *meinúþgasta manna.* Ketill redet im Scheltgespräch mit Framar sein Schwert an *mœtir þú meingǫldrum, máttat þu bíta* (Edd. min. S. 84 Str. 9). Grett. 41 nennt *meinvættir* parallel mit *þursar, hamarsbúar* u. ä. Die Hjalmþ-s. kennt die Schelte *garpr meinhugaðr.* In den beiden letzten Belegen klingt bereits die christliche Weiterentwicklung ein, in der die objektive Seite von *mein* zur Bedeutung „Hölle, Höllenstrafe", die subjektive zur Bedeutung „Sünde" fortgeschritten ist. Wir spüren eine durch die Vsp.-Gruppe besonders vertretene, in der Fornaldardichtung wieder aufgenommene Sonderentwicklung von *mein,* die sich auf dem Gebiet des Magisch-Übernatürlichen vollzieht.

Enger umgrenzt ist *læ.* Es ist kaum in der Prosa, nicht in der Rechtssprache zu Hause und konzentriert sich nicht auf einen konkreten Einzelfall. Es ist mit der allgemeinen Bedeutung „Unheilswirkung" anzusetzen und jeden Augenblick bereit, für magische Wirkung verwendet zu werden. Im Vsp.-Kreis tritt es besonders mit Loki in Verbindung, dem es sich stabend anschliesst. Sein Vorkommen in der eddischen Dichtung ausserhalb unseres Kreises ist problematisch. Die vielumstrittene Str. 136 der Háv. *(ramt er þat tré ...),* die schon in *rammr* ein Wort der magischen Sphäre bietet (vgl. S. 249 ff.), enthält den Schlußsatz *eða þat biðia mun þér læ hvers á liðo.* Ohne eine neue, auch durch Kocks Vermutungen (§ 220) nicht überflüssig gewordene Gesamtdeutung zu versuchen, stelle ich hier als sicher nur fest, dass *læ* durch seine Verbindung mit dem Verbum *biðia* als eine durch die Kraft des Wortes herbeigeführte Unheilswirkung erwiesen wird. Es steht in einer dem Besitzer des *ramt tré* zugedachten Verwünschung. Gðr. II 38 ist eine Traumstrophe vom jüngeren Typ, die in ihrem Inhalt das kommende Unheil nicht verhüllt andeutet, sondern offensichtlich vorausnimmt. Wir werden sie den jungen Bestandteilen des merkwürdigen Gedichtes zuweisen müssen. Atli erzählt seinen Traum in einer Form, in der mit den Wörtern *nornir* und *vílsinnis spá* die schicksalhafte Unheilsstimmung gut angeschlagen ist. In dieser Umgebung will auch der Satz *hugða ek þik læblǫndnom hiǫr leggia mik í gǫgnom* beurteilt werden. *Læblandinn* muß stilistisch voll ausgewertet werden. Lp. gibt die Bedeutung mit „vergiftet" zu eng und konkret, Gerings Übersetzung „unheilvoll, verderblich" ist zu blass. Genzmers „tückisch" trifft weit besser, sofern darin zugleich die Unheilswirkung und die in dem Schwert verborgene Kraft — fast möchte ich sagen Lust — zum Schaden einbegriffen ist. Hier ordnet sich Sdr. 2,3 ein: *lǫng ero lýða læ.* Die Zeile wirkt sprichworthaft; *lýða* kann dabei subjektiv und objektiv gefasst werden. „Lang sind die von den Menschen ausgehenden", oder „die den Menschen treffenden

Unheilswirkungen", das soll hier speziell von einem auf Verwünschung oder magischer Kleidung beruhenden Zauberschlaf ausgesagt werden. Hervorragend sinn- und stimmungserfüllt ist. Darr. 8, 8 (Edd. min. S. 60) *munu of lǫnd fara læspiǫll gota.* F. Jónsson hat es mit „mændenes nederlag" nicht ausgeschöpft; Genzmers „Volksverderben fährt durch das Land" trifft bedeutend besser. Mag man *spiǫll* zu *spiall* „Bericht" oder zu *spiall* „Zerstörung" stellen, immer bleibt *læ* im Munde der unheimlichen Weberinnen die Quintessenz von ihrem Tun. *Læ* entspringt aus dem zauberhaften oder schicksalshaften *vefr darraðar* für die Männer, das *spiall* ist ein besonderes, magisch-dämonisch erzeugtes und unabwendbares.

Die Stelle Sdr. 2 muss mit einer skaldischen zusammengesehn werden, wenn F. Jónsson die richtige Deutung gibt. Þórðr Kolbs. sagt Belgskakadr. 2 über Hákon jarl: *brá ljóða læ Hákonar ævi.* F. Jónsson übersetzt „mændenes svig gjorde ende på Håkons liv." *Ljóða læ* führt den Gedanken auf *lǫng ero lýða læ.* Dann ist „Verrat der Leute" zu schwach, wir würden auch hier an das über dem Menschen ruhende, unheilvolle Schicksal zu denken haben. Damit würde die Dichtung dasselbe aussagen, was die Prosa (Hkr. I, 356; Flat. I, 239; Cod. Fris. 131) mit den Worten ausdrückt: *en hina mestu úhamingiu bar slíkr hǫfðingi til banadœgrs síns.* Ich gestehe indessen, daß mir der Gen. pl. *ljóða* = *lýda* unbequem ist; *ljóðr* „Volk" ist nur durch Þul. IVj. 3 und durch Snorris Bemerkung *lýðr heitir landfolk eða ljóðr* (SnE. I, 532) belegt. Außerhalb des Zusammenhanges würde man für *ljóða læ* nur die eine Übersetzung „Unheilskraft der Zauberlieder" suchen. Freilich geben unsere Berichte über Hákons Ende keinen Anhalt zu einer solchen Deutung. Aber es verdient doch Beachtung, dass eben jener Jarl das Ziel des unheimlichen Zaubers der Þokuvísur gewesen und den Berichten nach dadurch fast zu Tode gekommen ist[132]). Wir kennen über seinen einsamen und schimpflichen Tod nur die anekdotisch durchgeformten historischen Berichte[133]), die ihn als *hinn rammasti guðníðingr ok blótmaðr* verurteilen und auf seinen grossen Gegner Óláf Tryggvason alles Licht fallen lassen. Wir wissen nicht, ob nicht in den heidnischen Kreisen um den Jarl und seine Söhne, zu deren Dichtern Þórðr[134]) gehörte, mancherlei erzählt

[132]) Flat. I, 122. Vgl. dazu W. H. Vogt, Stilgeschichte der eddischen Wissensdichtung, Bd. I: Der Kultredner (þulr). Breslau 1927, S. 58 ff.

[133]) Der Erzählungstyp von Hákon jarls Ende ist der vom Tode des Darius im Alexanderroman (Tod durch einen eigenen Mann, der durch ausgesetzte Belohnung zum Mord des Herrn verleitet wird. Der überlegene Gegner löst das Versprechen durch sophistisch begründete Hinrichtung des Mörders ein). Abseits steht nur der knappe Tatsachenbericht der Fgsk.

[134]) Kocks § 576 vorgetragene Deutung scheitert m. E. schon daran, daß *skǫp varga* „Schicksal der Geächteten" im Munde eines Mannes von Hákons Partei und vor den Ohren von dessen Sohn unmöglich ist; *vargr* sieht den Geächteten von der Gegenpartei aus. Auf *misurki* des Eggjumsteines wird man nicht verweisen können. Denn abgesehn von der Unsicherheit der ganzen Deutung ist „Wolf" hier „Rächer", nicht „Geächteter", und wir sind bei einem magischen Text. Und trotzdem hat

wurde, was den schnellen und unrühmlichen Tod des eben noch so mächtigen Jarls auf ähnliche zauberhafte Nachstellungen schob, wie Þórleifs Þokuvísur es nachweislich gewesen waren.

In einem Streitvers gegen Gunnhild (Lv. 29) verwendet Egill das Wort in der Fügung *ungr gatk læ launat.* Unsicher ist der nähere Inhalt eines Strophensplitters des Svein, der als Beleg im 3. gramm. Traktat zitiert ist. Ich halte ihn mit Bj. M. Ólsen für einen gegen eine Frau gerichteten Hassvers[135]). Von ihr heisst es *vanði mik lǫngum leika lævi,* von F. Jónsson übersetzt „kvinden vennede mig ofte til at spille puds". Doch ersetzt er Lp. diese zu schwache Übersetzung durch die bessere „anvende svig". Die Situation gleicht beträchtlich der des Egil. Beide Male ein Streitvers, beide Male ist eine Frau das Ziel, beide Male liegt der Grund in einem ränkevollen Verhalten gegen den Dichter, das ihn in eine unvorteilhafte Situation gebracht hat. Beide benutzen in diesem Moment das Wort *læ.* Bei Egils Feindin wissen wir, was das *læ* enthält: menschlichen Hass, menschliche List, in deren Dienst auch magische Mittel stehn. Gunnhildr ist hervorragend *fjǫlkunnig.* War Sveins Unbekannte von ähnlichem Schlage? *Leika lǫngum lævi* gemahnt abermals an *lǫng ero lýða læ.* Man wird *leika lǫngum lævi* konkreter fassen dürfen: „an einem langdauernden *læ* zu tragen haben". Wenn die Str. mit den übrigen Fragmenten des Svein zusammenhängt, so sind die darin mitgeteilten Seefahrtsnöte das *læ.* Und wenn es heisst, die Frau *vanði mik,* so müssen diese Wetternöte von ihr ausgehn. Sie erscheint dann als eine Wettermacherin, die dem Dichter das Unheil *(lǫng læ)* auf den Hals geschickt hat. In der christlichen Dichtung um Óláf nimmt *læ* eine Wendung ins Moralische und führt zu den preisenden Königsepitheta *læstyggr* (Hfr. 3, 22), *lætrauðr* (Sigv. 7, 3) mit dem Nachzügler *læskjarr* bei Bǫðvar balti (1150).

Von besonderer Wichtigkeit ist endlich Haustl. 11, deren erster Helming von F. Jónsson unübersetzt geblieben ist. Kocks § 223 führt sicherlich ein gutes Stück weiter. Für das erste Kurzzeilenpaar mit der Kenning *hrynsæva hræva hundr ǫlgefnar* „Wolf der Frau, Frauenräuber" hat Kock wohl die endgültige Lösung gefunden, vgl. *snótar ulfr* Str. 2. In dem zweiten hat er *leiðiþír* als nordische Parallele zu ags. *ladþeow* „Führer, dux" erkannt und *læva lund* richtig zusammengefasst. Die beiden Teile des Helming sind in enger Parallele aufgebaut, die durch die Reimtechnik (*sæva hræva; hund fundu* einerseits, *læva lund bundu* andrerseits) stark unterstrichen ist. Darum wird man auch den Kenningbau parallel zu gestalten suchen. Das zweimalige *ǫlgefnar* gibt dazu weiteren Anlass, und es ist eine Ergänzung zu suchen, die ebenfalls zur Bedeutung „Frauenräuber, Frauenbetrüger" führt; sie ist mit *læva lundr* gegeben, die dem Wort *lundr* technisch dieselbe Rolle wie *hundr,* dem *læva* die des *hrynsæva hræva* zuerteilt. So weit gehe ich mit Kock.

M. Olsen selbst die Bedenken dieser Bezeichnung in seiner Publikation des Eggjumsteins (Norges Indskrifter med de ældre runer III, 2) stark hervorgehoben.

[135]) Bj. M. Ólsen, Ausg. S. 231. Finnur Jónssons Einspruch gegen seine Auffassung (Litt. hist. I, 530) ist mir nicht recht verständlich.

Aber die Einordnung des *leiðiþír* unter Änderung der handschriftlichen Überlieferung zu *leiðiþí* als dritte Parallele mit ἀπὸ κοινοῦ - Konstruktion des *ǫlgefnar* leuchtet mir nicht ein. Bedeutet *leiðiþír* hier noch „dux“, so kann man unter Beibehaltung der Überlieferung an einen Vokativ denken, der dem einflussreichen Führer und Gesetzsprecher Þórleif gelten darf. Wie dem auch sei, auf jeden Fall bezieht sich die Stelle auf Loki und bestätigt dessen Verbindung mit *læ* auch für die skaldische Dichtung[136]).

Den engsten Kreis hat endlich *feikn*. Es ist ausschliesslich Wort der Poesie. Eddisch findet es sich ausserhalb der genannten Stellen nur noch Sigsk. 31, 9 *feikna fœðir* als Scheltanrede an Brynhild. Skaldisch tritt es nur einmal in einer dem Styrbjǫrn (10. Jh.) zugeschriebenen losen Strophe auf: *frost ok kulða, feikn hvers konar,* eine Traumstrophe, deren Alter füglich bezweifelt werden kann und die nach romantischer Stilisierung im Sinn von Trollbotn-Fahrten klingt. Sonst nimmt sich nämlich abermals die Fornaldardichtung in richtigem Stilgefühl dieses so prächtig nach fornǫld klingenden Wortes wieder an. Das Hervǫrlied Str. 11 (Edd. min. S. 16) lässt den Haugbúi seine Tochter fragen: *Hví kallar svá full feiknstafa?* Aus der Ketilss. stammen die zwei Stellen *hygg ek þik feiknum vera* (Edd. min. S. 82) und *hygg ek, at valdi Finnz fjǫlkyngi feiknaveðri* (Edd. min. S. 77). In der Orv. Oddss. fragt die *gyðia* den Helden: *Hverr eflði þik austan hingat feiknafullan ok fláráðan?* Endlich nimmt die christliche Visionsdichtung wie *mein* und *læ* so auch *feikn* wieder auf (Lil. 9; Sól. 60). Der Platz von *feikn* ist z. T. wie der von *mein* in der Scheltrede (Sigskr.; Ketilss.; Qrv. Oddss.). Aber der Verfasser des Hervǫrliedes hörte mehr und Ernsteres in dem von dem toten Vater an die Tochter gerichteten Vorwurf der *feiknstafir.* Er suchte nicht nur archaischen Klang, wie er der Rede des toten Kämpen wohl ansteht, er hörte zugleich den richtigen Gehalt des Wortes. *Feiknstafir* sind die dunklen Kräfte, mit denen verbotene Wirkung geübt und der Tote aus der Grabesruhe emporgezwungen wird. Ähnlich empfindet der Verfasser des Sól. in seiner Wendung *stjǫrnur fáðar feiknstǫfum* nicht nur den Inhalt von *stafir prägnant,* wie das Verbum *fá* beweist, sondern ihm sind *feiknstafir* unheilverkündende Vorzeichen, die wie Runen in die Sterne geschrieben sind, also Zeichen magischmantischen Charakters.

Diese Gruppe *mein, læ, feikn* erhält ihre besondere Betonung weiterhin durch die Verbindung mit den beiden Wörtern *blanda* und *stafr.* Erst diese Verbindungen geben ihnen den Klang, den sie als Glied unserer terminologischen Gruppe haben.

---

[136]) Das Weiterleben von Lokis Namen in der jüngeren Dichtung (þrymlur, Folkevise) ist behandelt bei S. Bugge und M. Moe, Torsvisen i sin norske Form (Festkr. til Kong Oskar II. fra det kgl. norske Frederiks-Universitet 1897), insbes. S. 91 ff. Die dän.-schwed. Namensform *(Locke Leymandt, Lœjermand; Locke Lewe, Loye)* wird dort auf *Lóðurr* zurückgeführt. Mir scheint die schon von Finn Magnusen erwogene Beziehung auf das eddische *Loki inn lævísi* sehr beachtenswert und erneuter Untersuchung würdig.

Blanda ist das nord. Wort für „mischen“ bis zum heutigen Tage. Es ist ein heroisches Wort der Kampfsphäre und schildert das strömende Blut, das Wogen der See oder des Kampfes. Eddisch durch Am. 82 und 85; Fm. 14 Helr. 2 (Fassg. Nþ), skaldisch durch die vorchristlichen Skalden (Yt., Rdr., Hál., Hák., Þórð Kolbs. Lv. 4) und den Nachzügler Arn. 5, 21 vertreten, ist es einer der zahlreichen Ausdrücke, die die ältere Skaldendichtung mit der eddisch-heroischen verbinden, in der Dichtung des 11./12. Jhs. aber zurücktreten oder verschwinden. Daneben aber wird *blanda* insbesondere in Verbindung mit Gift verwendet und zum terminus technicus einer giftmischerischen Betätigung, bei der teils die unheilbrütende Gesinnung, teils und besonders die übernatürliche Zauberwirkung den Inhalt des Wortes spezieller prägt. Schon jene Stellen der Am., die von dem blutgemischten Trank des Thyestesmahles reden, legen auf *blanda* den Akzent der aus ungeheurem Hass geborenen, abscheulichen Tat. Hdl. 49 spricht die Riesin über Óttars *minnisveig* einen Fluch; er solle *eitri blandinn mjǫk* sein, ein Fluch, der von Freyja mit dem Wort *dýrar veigar* zum Segen gewandelt wird. Auch dies nimmt die Fornaldardichtung auf; eine Version der Vǫlvenstr. der Qrv. Oddss. (Edd. min. S. 93 Anm.) spricht von einem *ormr með eitri blandinn;* eine Strophe der Hjálmþss. (Skjd. B II, 357, 10) von *eggjar eitrblandnar.* Das führt unmittelbar zu dem freieren Gebrauch über, der *mein* und *læ* mit *blanda* verbindet, indem statt des realen Unheilsgegenstandes *(eitr)* die irreale Unheilskraft eintritt. Neben jenen *eggjar eitrblandnar* steht unmittelbar Guðrúns *læblandinn hjǫrr,* das, wie gesagt, nicht mehr die straffe Bedeutung „mit Gift erfülltes Schwert“, sondern „mit Unheilskraft erfülltes Schwert“ besitzt. *Blanda* berührt sich hier unmittelbar mit dem Bedeutungsgehalt der Verba *auka* und *magna.* Der Trank ist dabei die vorherrschende Form. Neben dem heilerfüllten Tranke der Sigrdrífa *(magni blandinn ok megintíri)* stehn die Unheilstränke. Lokis Drohung *blend ek þeim meini miǫð* „denen werde ichs eintränken“ hat den realen Hintergrund: „Ich erfülle ihren Trank beim Göttergelage mit solchen Kräften, dass ihnen Schaden und Verdruss daraus entsteht.“ Diese Realität zeigt unmittelbar der *meinblandinn miǫðr* Sigdr. 8, 6. Von ihr aus ist Vsp. 25 *hverir hefði lopt allt lævi blandit* prägnant zu fassen: „Wer die Luft mit unheilwirkenden Kräften erfüllt habe“. Genau derselbe Gedankengang liegt in dem *meinblandit hræ* des Grámagaflim und in der Anrede an Island *grund bǫlví blandin* (4. Gramm. Abh. ed. B. M. Ólsen Kap. 5). Von hier aus dringt *blandinn* zu der Bedeutung „erfüllt sein“ vor und geht bis zu personeller Verwendung. So finden wir es in den Beispielen aus Lok. Auch hier gibt *auka* die nächste Parallele in den Heimdallstrophen der Vsp. sk. 43 *sá var aukinn iarðar megni. Blanda* ist gleich *auka*[137]) und *magna* in den magischen und religiösen

[137]) Hierfür ist besonders auf das nachdrückliche *aukinn ertu, Völsi* des Völsaþáttr ins Feld zu führen, das zuletzt S. Eitrem, Lina laukar (Festkr. tilegn. A. Kjær, Christiania 1924, S. 85 ff.), behandelt und mit *magna* in Parallele gesetzt hat. Man beachte auch das Nebeneinander von *rammaukin rǫgn* als Subj. und *magna* als Präd. in

Sprachgebrauch eingetreten; alle drei haben die gleiche Entwicklung durchgemacht.

Weit unmittelbarer knüpfen die Bildungen mit *stafir* an die magische, insbesondere runenmagische Terminologie an. Das Vorkommen von *stafr* in der speziellen Bedeutung „Runenstab“ und der zahlreichen daraus abgeleiteten Zusammensetzungen braucht hier nicht verfolgt zu werden. Es kommt nur auf die Bedeutungsweitung an, die nach zwei Richtungen geht: freilich hängen beide eng miteinander zusammen: *stafir* mit seinen Zusammensetzungen kann „Wissen“ und kann „Kraft“ bzw. „Kraftquelle“ bedeuten. Beides geht von der Vorstellung einer Gesamtwirkung aus, die die Runenkraft in Bewegung setzt. Nur wer das rechte Wissen von den Runen hat, nur der Eingeweihte kann sich ihrer Kräfte bedienen. Die Geschichte von Egil und dem kranken Mädchen (Egilss. Kap. 72) ist die klassische Stelle für den innigen Zusammenhang von Wissen und Wirkung. Dehnt sich dieser Gesamtinhalt von *stafir* von runenkundlicher zu allgemeinerer Bedeutung von „Wissen“ und „Kraft“ aus, so zeigt uns dies, dass die Runenmagie die führende unter den Wissenschaften von der Erkenntnis und Beherrschung der Kräfte gewesen ist; die Bedeutung der Runenkunde wird uns nachdrücklich klar. Und ihre Weiterführung auf dem religiösen Plan zeigt, daß ein Teil der religiösen Vorstellungen auf einer Weitung des magischen Feldes beruht, das mit der Runenkunde zusammenhängt.

Belege für *stafir* in der Bedeutung „Wissen“, und zwar Wissen um die religiösen, insbesondere kosmologischen und eschatologischen Dinge, gibt die Edda reichlich; *fornir stafir,* d. h. Wissen von den ältesten Dingen, besitzt sowohl Vafþrúðnir (Vm. 1, 55) wie der Zwerg Alviss (Alv. 35). Ich glaube, dass *fornir stafir* sowohl subjektiv „alterworbenes Wissen“ wie objektiv „Wissen um die uralten Dinge“ umfasst, und dass unter *forn* nicht nur die kosmologischen Vorgänge der Urzeit, sondern die uralt bestimmte Ordnung der Dinge, also Kosmogonie wie Eschatologie einbegriffen sind. Vafþrúðnir hat jedenfalls Wissen auf beiden Gebieten erwiesen. Für Alv. ist es wohl eine rein stilistische Formel geworden. *Sanna stafi,* d. h. Worte wahrer Einsicht in die Weltereignisse spricht *Míms hǫfuð* zu Óðin in der geheimnisvollen Str. 14 der Sdr. Aber auch in der weniger aufgehöhten Sphäre von Háv. 29 liegt dieselbe Grundauffassung vor. Der Schwätzer spricht *staðlauso stafi.* Lp. und Gering geben, von der Bedeutung „ohne festen Halt“ für *staðlausa* ausgehend, die Übersetzung „unzuverlässige Worte“. Genzmer übersetzt *mæla staðlauso stafi* mit „unverantwortlich ausschwatzen“, wobei „unver-

Vell. 32. Zauberhafte Verwandlung bezeichnet *auka* Haustl. 12: *hauks bialfa aukinn* „zum Habicht verwandelt“. Aber auch in den Belegen für *auka,* die sich auf Kampf und Dichtung beziehn, und die Lp. s. v. Abs. 2 mit „udføre noget med kraft“ übersetzt, steht die prägnantere Bedeutung dahinter: „etwas mit Kraft erfüllen, so dass es nun wirkend hervortritt“. Auch in dieser Beziehung geht *auka* und das einwandfrei magische *magna* ganz parallel. Dieses letztere breitet sich auch im geistlichen Gedicht kräftig aus.

antwortlich" in *staðlausa* wohl zu viel Ethisches legt, „ausschwatzen" aber die Bedeutung von *stafir* als ein Wissen glücklich betont. Gerings Edda-übersetzung bietet „nimmer redet ... wohlbedachtes Wort". Am nächsten käme „ohne sichere Einsicht", „ins Blaue hinein". Dass auch hier die nahe Beziehung von *stafir* zum magischen Wissen empfunden wurde, scheint mir daraus gewiss, dass dieselbe Str. das Verbum *gala* verwendet, um auszudrücken, dass der Tor sich Unheil auf den Hals schwätzt[138]). Auch Lok. nimmt an dieser Gruppe teil. Lokis *lastastafir* (10, 5), und *leiðstafir* (29, 3) sind nicht nur die kränkenden Reden als solche, sondern zugleich das Wissen um die dunklen Punkte im Dasein der Götter, jenes Wissen, durch das die Rede aus seiner sinnlosen Verleumdung erst der beissende und treffende Vorwurf wird und *lǫstr* und *leið* erst wirklich entstehen.

Die wirkende Kraft ist dagegen in Ausdrücken vom Typ *meinstafir* gegeben. Die konkrete Beziehung zur Rune bleibt dabei mehr oder weniger klar fühlbar. Am stärksten vielleicht bei *flærðarstafir* Sdr. 32, wo Genzmers Übersetzung „Buhlstäbe" wohl das Richtige trifft. Nirgends lebt die Runenmagie so lange und allgemein nach wie im Liebeszauber. Die Tanzballade ist voll von Liebesrunen. Gering fasst den Inhalt weiter und blasser mit „Buhlkunst". Mir scheint es richtig, in der Strophe an ein Abreden von Liebeszauber zu denken. *Líknstafir* (Sdr. 5) steht nahe. Der Willkommenstrunk der Sigrdrífa ist *fullr lióða ok líknstafa, góða galdra ok gamanrúna,* d. h. die Kräfte magischer Worte und Zeichen, darunter von Runenzeichen, die Zuneigung erwecken„ sind in den Trank eingegangen. Auch hier bleibt die Bedeutung nahe am konkreten Runenzeichen. Dagegen kann das gleiche nicht von *helstafir* HHj. 29, 3 gesagt werden. Nicht irgendwelche Runen, sondern die Kraft der Sonne trifft die Riesin so verderblich. *Þik lostna hefr Helgi helstǫfom* bedeutet „dich hat Helgi mit einer tödlich wirkenden Kraft getroffen". Zugleich liegt aber auch die Überlistung darin, d. h. das Wissen um die nötige Kraftauslösung. Ebensowenig braucht bei *blundstafir* Sdr. 2, 6 nur an Schlafrunen gedacht zu werden; *bregða blundstǫfom* besagt „die Kraft des Zauberschlafes von sich abschütteln", den „Schlummerbann" nach Genzmers Übersetzung. Dass der Schlafdorn Óðins mit Runen gezeichnet gewesen sei, kann als Vorstellung dahinter stehn, braucht es aber nicht. Endlich ist *líknstafir* Háv. 8,3 ganz von konkreter Runenvorstellung gelöst; es bedeutet nur noch „die Kraft, Zuneigung zu erwecken". Ähnlich weit von der Grundbedeutung ist Sdr. 30, 5 *bǫlstafir* entfernt, das als Parallelausdruck neben *móðtregi* und *bani* steht und mit „Verderben" wiedergegeben werden kann. Sehr deutlich klingt die Bedeutung „Kraft" wider aus den *feiknstafir* des Hervǫrliedes. Auf die kriegerische Jungfrau selbst gewendet, besagt es die Kraft zu dem furchtbaren Werk ebenso wie das Wissen um die Möglichkeiten der Ausführung. Sól. verwendet sowohl *feiknstafir* wie *dreyrstafir* für

---

138) Vgl. J. Reichborn-Kjennerud, Den onde Tunge, Festschr. f. E. Mogk, Halle 1924, S. 519 ff.

erschreckende Vorzeichen; das Bild der geschriebenen Rune bleibt in der Vorstellung, aber als warnendes Vorzeichen wohnt ihr zugleich eine magische Kraft inne.

Die Möglichkeiten, terminologische Eigenheiten der Vsp.-Gruppe aufzuspüren, sind damit nicht erschöpft. Um nur eine zu nennen, so ist es die Lust an der Steigerung mit *fimbol-*, *ginn-*, *gamban*, *jǫrmun-* u. ä., eine Steigerungsgruppe, die sich von der namentlich in der jüngeren Skaldik immer stärkeren Sucht nach der Bildung steigernder Adjektiva mit *all-*, *fjǫl-*, *marg-* u. ä. scharf abhebt. Der Raum erlaubt mir nicht, über die eigentlich religiöse Terminologie hinauszugehn. Doch auch sie lässt die Eigenart der Gruppe voll heraustreten. Nicht als ob sie eine ganz unbekannte, sonst nirgends fassbare Sprache spräche. Ein Wort oder Ausdruck verliert nicht an Prägnanz für ein fest umrissenes Gebiet, wenn er auch ausserhalb desselben einmal verwendet wird. Jede Stil- und Ausdrucksgruppe ist durch tausend Fäden mit der Sprache ihrer Zeit und ihres Volkes verbunden. Auch wo wie hier eine offenbar kleine Menschengruppe zu einer neuen Einsicht über die Welt und die Gottheit gelangt und sich die Sprache schafft, um dieser Einsicht Worte zu leihen, fängt sie nicht im Nichts von neuem an. Sie knüpft sachlich wie sprachlich an Vorhandenes an. Aber sie schafft sich Lieblingsformen, die sie immer wieder ausspricht und die für sie von eigenem Wert und Klang sind. Sie erfüllt sie mit einem neuen, bedeutsamen Leben. Diese beiden Vorbedingungen, häufiges Auftreten und eigene Bedeutungserfüllung, scheinen mir nötig, um von terminologischen Erscheinungen sagen zu können, dass sie stilprägend seien. Beides gilt in vollem Masse bei der von uns behandelten Gruppe der religiösen Terminologie.

Es sei erlaubt, wenigstens noch ein Wort über den Quellboden dieser neuen Ausdrucksweise und der dahinter stehenden Anschauungen zu sagen. Es ist im Lauf der Untersuchung oft darauf verwiesen worden, wie ein Wort aus der magischen in die religiöse Sphäre emporgestiegen ist. Der Zauber mit seiner Terminologie steht hinter Wörtern wie *ríkr*, *rammr*, *víss*, *feikn*, *stafir u. a.* Auch ein so zentrales Wort wie *regin* ist bekanntlich schon längst vor unseren Dichtungen in der Magie zu Hause. Die spezielle Art der Magie aber, in der wir es finden, ist die Magie der Rune. Über Runenmagie ist in letzter Zeit viel Übertriebenes, aber auch viel Richtiges gesagt worden. Ihre Bedeutung für das nordische Heidentum darf keinesfalls gering angeschlagen werden. Die Steigerung runenmagischer Technik zu einer tieferen Runenmystik haben uns die Untersuchungen M. Olsens, von Friesens[139]) und anderer erkennen gelehrt. Ihre an besonders schwierigen Runendenkmälern gewonnenen Ergebnisse mögen im einzelnen noch vielfache

[139]) M. Olsen, Om Troldruner, Edda 5 (1916), S. 225 ff.; ders., Norges Indskr. med de ældre runer III, 77 ff. (Eggjumsten); O. von Friesen, Lister- och Listerbystenarna i Blekinge, UUÅ. 1916; ders., Rökstenen, Stockholm 1920; I. Lindquist, Galdrar, Göteborg 1923.

Korrektur erfahren. Aber die Erhebung der Rune zu einer weit über primitive Magie reichenden Bedeutung, ihre Verknüpfung mit zentralen sittlichen Forderungen und ihre Verbindung grade mit solchen religiösen Vorstellungen, die für den Vsp.-Kreis von Bedeutung sind (Baldr), haben sie für mich ganz überzeugend dargetan. In diesen Bezirk gehört eine Prägung wie *runo raginaku(n)ðo* des Nolebysteines, oder *ginoronoR*, *gin ArunAR* der Steine von Stentofta und Björketorp, Bildungen, die in unmittelbarer Beziehung zur Terminologie unseres Vsp.-Kreises stehn. Die Rune bringt den Menschen in Beziehung und eventuell zu Beherrschung von Mächten, die außerhalb des Ablaufs alltäglicher Ereignisse stehn. Diesen Mächten gilt die Bezeichnung *regin,* ihnen die Steigerung *gin-* des Stentoftasteines. Die Unpersönlichkeit und den Zusammenhang mit der Runenmagie hat für das Wort *regin* W. H. Vogt stark und richtig betont. Aber die „Mächte", die „Waltenden" sind bereits mehr als nur primitive oder dämonische Kräfte, die durch irgendeine Magie bezwungen werden. Sie sind in weiterem Sinne bestimmend und verbinden sich mit dem Begriff des Schicksals. Die Nornen der Vsp. werden nicht dargestellt als spinnende oder webende Wesen, wie die Nornen des ersten Helgiliedes, die Valkyrien der Darraarlióð. Sie *skáro á skíði,* d. h. sie bestimmen das Schicksal *(ørlǫg seggia)* durch Ritzen von Runen. Werden die Götter als *regin* bezeichnet, als waltende Mächte, so steht dahinter die Emporentwicklung der Runenmagie, deren „Mächte" zu überpersönlicher Weite aufgestiegen sind. Ein Begriff der Runenmagie begegnet sich mit dem Drang nach Entpersönlichung der Göttervielheit zum Begriff der Gottheit. Die mystisch gesteigerte Runenkunde schafft einen Begriff, der ein bereites Gefäss wird, um eine neue religiöse Vorstellung zu beherbergen; *hapt, bǫnd, ráð* sind Variationen dieses unpersönlichen Begriffes, *tívar* gliedert sich ihm ein. Die spekulative Runenkunde ist eine der Vorbedingungen, aus der die neue, spekulative Religiosität erwächst.

Diese Steigerung der Runenkunde verändert das Weltbild der nordischen Germanen. Die Rune wird der symbolische Ausdruck für die vorbestimmte Ordnung und die wirkenden Kräfte in der Welt. Nirgends ist das so programmatisch ausgedrückt wie in der scheinbar öden und unzusammenhängenden Priamel Sigdr. 15[140]).

Á skildi kvað ristnar, þeim er stendr fyr skínanda goði,
á eyra Árvakrs ok á Alsvinnz hófi,
á því hvéli er snýz und reið Rǫgnis,
á Sleipnis tǫnnom ok á sleða fiǫtrom,
á biarnar hrammi ok á Braga tungo,
á úlfs klóom ok á arnar nefi,

[140]) Ich kann mich nicht entschliessen, mit Genzmer-Heusler (Thule 2) Str. 14 und 15 zu trennen. Genzmers Übersetzung „auf dem Schild sind sie geritzt" unterdrückt das *kvað* des Textes. Als Redner dieser Zeilen passt aber niemand besser als Mímr, der Meister der Runenkunde und Óðins Lehrer. Er wird in Str. 14 genannt.

á blóðgom vængiom ok á brúar sporði,
á lausnar lófa ok á líknar spori,
á gleri ok á gulli ok á gumna heillom,
í víni ok í virtri ok á vǫlo sessi,
á Gungnis oddi ok á Grana brióсti,
á nornar nagli ok á nefi uglo.

Die Kraft der Runen erfüllt die Welt, und sie bewegt sie. Wo Wirkung ist, steht die Rune geritzt. Sie erzeugt nicht nur die Naturkraft der Tiere, der Tatze des Bären, der Klaue des Wolfes, des Schnabels der Eule. Sie wirkt ebenso in der geistigen Welt des Menschen. Wenn er denkt und dichtet, so ist Gehirn und Zunge von der Kraft der Runen berührt, und wenn er Nützliches hervorbringt, so ist darin eine eigene Kraft, die in der geheimnisvoll aufgeprägten Rune ruht *(á brúar sporði; á gleri ok á gulli)*. Aber auch die göttlichen Dinge besitzen ihre göttliche Kraft dank der ihnen aufgezeichneten Rune, und die Weltkörper selbst, voran die Sonne und der Tag, können ihre Kräfte nur entfalten, weil sie ihnen durch eine Rune eingeschrieben sind. Die Rune — nicht mehr reales Einzelzeichen, sondern magisch-mystisches Sinnbild — wird zum Symbol einer einheitlichen, zusammenfassenden Kraftwirkung durch alle Erscheinungen der Welt, Ausdruck der Werthaltigkeit der Dinge. Sie ist vom primitiv-magischen Bezirk viel weiter entfernt, als etwa Heusler (Thule 2, 165) meint, wenn er annimmt, dass diese Aufzählung noch im Dienst einer magischen Beherrschung von Einzelkräften durch den Runenkundigen stehe, oder Boer (Comm. z. St.), wenn er darin eine Anweisung Míms sieht, wo Óðinn die Runen zu suchen und sich anzueignen habe.

Darum wird Erlangung und Beherrschung der so weit gefassten Runenkunde Ziel und Mittelpunkt der Óðinsvorstellung in der heidnischen Spätzeit. Die Götter, insbesondere Óðinn, nicht mehr menschliche Runenmeister, werden Erwerber und Verwalter dieser großen Runenwirkung. Óðins Runenfindung und die Zeremonie der Selbstopferung an jener Stelle der Háv. rückt erst mit der vollen Anerkennung dieser Runensteigerung in das richtige Licht. Sigdr. 14 ist ein anderer Bericht über die Runenfindung.

Die Gestalt Mímirs, die in beiden Gedichten als Spender der Kenntnis erscheint, dürfte von hier aus zu fassen sein[141]). Die irdisch-praktische Runenkunde erhält von dieser hohen, religiös gewordenen Auffassung der Runen rückstrahlend Licht. Die Runen sind nicht nur Mittel, um einmalige praktische Wirkungen hervorzubringen, sie sind nun Abkömmlinge und Ausstrahlungen der göttlichen Runenwelt, sie sind *reginkunnar,* gemacht von den *ginnregin,* gefärbt vom *fimbulþulr* Óðin. So tritt diese Runenauffassung in die Religiosität unserer Dichtungsgruppe ein, die einen Teil ihrer mystisch-gesteigerten Terminologie von hier bezogen hat. Wir begreifen den terminologischen

[141]) Vgl. oben S. 228 nebst Anm. 46, wo auf die enge Beziehung Míms zur magischen Dichtung verwiesen ist.

Zusammenhang zwischen Gedichten wie Vsp., Grí. u. a. und den runenmystischen Abschnitten von Háv. und Sdr.[142]).

Aber ich glaube nicht, dass die Religiosität der Vsp.-Gruppe von hier aus allein zu begreifen ist. Zwei ihrer Merkmale sind das Interesse für kosmologische und eschatologische Fragen und ihre „Vater-Söhne"-Terminologie. Auch hier haben ältere Generationen vorgearbeitet. Olriks Buch über Ragnarǫk hat wesentliche Teile der konkreten Weltuntergangsvorstellungen so fest mit entsprechenden süd-östlichen Vorstellungen verbunden, dass nordische Eigenschöpfung nicht mehr in Frage kommt. Und die Diskussionen über die Gestalt Baldrs haben bei aller Verschiedenheit der Einzelansichten das aussernordische Vorbild des lichten, sterbenden Gottes nur noch sicherer gemacht. Es ist mir unzweifelhaft, dass die Vorstellungen von Weltschöpfung und Weltuntergang erst unter dem Einfluss des Christentums zu Dingen von zentralem Interesse und zum Gegenstand einer systematisierenden Durchformung geworden sind. Und ich gebe Sigurð Nordal darin völlig recht, dass es die eschatologische Grundstimmung vor der Jahrtausendwende gewesen ist, die auch die fortgeschrittenen heidnischen Denker zu der intensiven Beschäftigung mit diesen Problemen gedrängt hat. Ich bin ferner geneigt, mit M. Olsen den eigentlichen Anstoss zur Gestaltung der Baldrfigur in der Berührung mit christlichen Vorstellungen zu sehn[143], und füge hinzu, dass auch die konzentrierende Weltbetrachtung, die die Begriffe „Gottheit" und „Menschheit" schafft, und die Gottesauffassung, die den Vaterbegriff prägt und den Göttern die Bezeichnungen *hollr, nýtr, blíðr* beilegt, ohne christliche Impulse kaum denkbar ist. Aber ich bestreite ebenso stark, dass ein Gedicht wie die Vsp. als ein poetisches Spiel eines Bekenners der neuen Religion mit den leer gewordenen Gestalten und Begriffen der alten denkbar sei, und ich betone mit Nachdruck die mächtige, schöpferisch-umgestaltende Kraft, mit der der Dichter der Vsp. heimisches und fremdes Gut verschmolzen hat. Und diese Kraft war keine nur poetische, auch nicht die eines einzelnen Mannes. Meine terminologischen Untersuchungen haben vielmehr ihr Ziel in dem

[142]) Nur anmerkungsweise kann hier gesagt werden, dass eine zweite, ähnliche Steigerung einer zunächst eng-magischen Erscheinung zu religiöser Höhe und geistiger Weite in dem Komplex der Óðrœrir-Vorstellung vorliegt. Der Rauschtrank, zunächst rein magisch-ekstatisches Mittel, wird wie die Rune zu einem Prinzip. Daher wird neben der Runengewinnung die Trankgewinnung durch Óðin ein eifrig behandeltes Problem. Der Gewinn aus Óðins Selbstopfer ist neben Runen und *fimbolljóð* auch der *drykkr ins dýra miaðar, ausinn Óðrœri.* Und der Trankraub des 2. Óðinsbeispiels ist von einer so pathetischen Sprache getragen, wie sie nur einem wesentlichen, nicht einem anekdotischen Stoffe ziemt. *Sumbl, miǫðr, veig* gehören terminologisch zu der von uns betrachteten Gruppe. Die Bedeutung des ekstatischen Trankes auch für die Vsp. richtig erkannt zu haben, ist das Verdienst der Arbeiten von R. Höckert (vgl. Anm. 3). Ihre Wege und Einzelergebnisse kann ich mir freilich nicht zu eigen machen. Vgl. die eingehende Bespr. v. E. Wessén, ANF 43 (1927), S. 72 ff.

[143]) Vgl. M. Olsen, Om Balder-digtning og Balder-kultus, ANF 40 (1924), S. 148 ff.

Nachweis, dass die Vsp. nur eine Schöpfung neben anderen aus einem Kreise heraus ist, der sich in intensiver geistiger Arbeit ein neues vertieftes Bild von den Göttern, ihrem Wesen und Walten, ihrem Schicksal und Sterben gemacht hat.

Ich halte es daher für falsch und gefährlich, aus terminologischen Übereinstimmungen hierhergehöriger eddischer Dichtungen zu rasche Schlüsse auf literarische Abhängigkeit zu ziehn, wie es nicht selten geschieht. Wie die heroische Dichtung über einen festen Formenschatz verfügt, der bereitlag und nicht aus einem bestimmten älteren Gedicht angelernt sein muss, so steht auch grade unsere Gedichtgruppe in einer festen terminologischen Tradition, oder, vielleicht besser, ihre Dichter sind auch im Leben von einer bestimmten religiösen Sprache ergriffen gewesen, die ihnen stets bereiter Ausdruck ihres inneren Erlebnisses war. Es ist die ausgeprägte Sprache einer religiösen Gemeinschaft. Hier ordnet sich uns auch Lok. geistesgeschichtlich ein. Dieses Gedicht voll genialer Frechheit ist nicht nur eine Verspottung der alten Göttergeschichten; es nimmt zugleich die neue Religiosität aufs Korn und kleidet seine Frivolitäten in die Sprache der religiösen Ergriffenheit. Wenn Loki seinen Wunsch nach einem Trunk an der Göttertafel ausdrückt: *at mér einn gefi mæran drykk miaðar,* oder wenn er die von ihm geschmähten Götter *blíð regin* nennt und mit feierlich-hymnischem Heilsgruss begrüsst, so ist das ausgesprochen parodistisch und erhält die Stärke seines Witzes nicht aus dem literarischen Anklang an andere Gedichte, sondern dadurch, dass sich der Dichter die Ausdrucksweise einer aktuellen religiösen Bewegung mit ihrem ausgesprochenen Wortschatz zu eigen macht. Ich sehe in dem Dichter der Lok. einen Zeitgenossen der Vsp. und der religiösen Bewegung, aus der sie erwachsen ist, einen Mann vom alten Schlage, dem die ganze Richtung unsympathisch war, der vielmehr an seinen alten, bodenfesten Þór glaubte, und der eine beissend witzige Satire sowohl über die poetische Verwässerung der Einzelgötter in der Götternovellistik wie über die Vergeistigung der Götter in den „neureligiösen“ Kreisen schrieb.

Der Kreis, in dem diese Terminologie und die dahinter stehende religiöse Auffassung lebendig war, lässt sich durch Heranziehung der Skaldendichtung zeitlich und räumlich näher festlegen[144]). Terminologisch steht die Vsp.-Dichtung der christlichen Dichtung des 12./13. Jahrhunderts in vielem nahe. Trotzdem wäre es ein hoffnungsloser Versuch, die gesamte Gruppe in diese Zeit hinaufzurücken und zu einem gelehrt-antiquarischen Spiel zu verflüchtigen. Dann aber sind es die von uns früher herausgehobenen skaldischen Dichtungen aus den letzten Jahrzehnten des 10. Jahrhunderts, die in ihrer auffälligen und genauen Übereinstimmung mit der Terminologie der Vsp.-

[144]) Die vielfach von mir berührte Beziehung der Helgi-Lieder zum terminologischen Kreis der Vsp. kann hier nicht eingehender verfolgt werden. Die Frage ist, ob sie rein stilistisch-stimmungsmässig ist, oder ob wenigstens einer der hier zu Worte kommenden Dichter dem Kreis der Vsp. gedanklich nahe gestanden hat.

Gruppe eine nähere Festlegung gestatten. Es war die Skaldengruppe der Lade-Jarle, um die es sich handelt. In ihrer Zeit und ihrem Kreis dürfen wir die Herausarbeitung der neuen religiösen Auffassung und deren Sprache versetzen. In diesen zugleich heidnisch frommen und geistig vorgeschrittenen Schützern von Thingfreiheit und altem Glauben und ihnen geistesverwandten Männern Norwegens und Islands ist der Boden gegeben, aus dem die verheissungsvollen Keime einer religiösen Weiterentwicklung und Neuschöpfung erwachsen sind, die auch poetisch reiche Frucht getragen haben. Die Vsp. ist nichts Vereinzeltes, sie ist eine der reifsten und besten Früchte aus dieser Saat.

ZUM ALTHOCHDEUTSCHEN WORTSCHATZ AUF DEM GEBIET DER WEISSAGUNG

I.

Die Arbeit von Heinrich Wesche „Der althochdeutsche Wortschatz im Gebiete des Zaubers und der Weissagung“, der letzte Teil seiner an verschiedenen Stellen verstreut erschienenen Göttinger Dissertation, stellt das erreichbare Wortmaterial für diese Bezirke sehr sorgfältig und erschöpfend zusammen. Dagegen läßt sich in der Gruppierung und Auswertung des Materials noch weiter kommen, und durch schärferes Zupacken sind bessere Ergebnisse für die Wort- und Sachforschung herauszuholen. Ich gebe im folgenden einen Teil dessen, was zunächst eine Besprechung des Buches werden sollte, dann aber über diesen Rahmen erheblich hinausgewachsen ist, nämlich eben das, was sich mir aus der Beschäftigung mit dem Material zur Weissagung ergab[1]).

Ich beginne mit einem leicht greifbaren, klar umschriebenen Einzelbezirk, der Bezeichnung des biblischen *propheta*. W. stellt dafür drei Hauptausdrücke fest: *wiz(z)ago, forasago, warsago*. Er behandelt sie auf S. 92 ff. in drei aufeinanderfolgenden Paragraphen. Doch stellt er darin das gesamte Material für die drei Nomina samt den zugehörigen Wortsippen zusammen ohne scharfe Ausscheidung von Bedeutungsgruppen. Es lohnt sich indessen, zunächst nur die Nomina agentis und nur in der angegebenen biblischen Bedeutung herauszuheben, da hier nicht nur die Glossen, sondern gerade auch die zusammenhängenden Texte reichliche Belege bieten. So gewinnt man alsbald bedeutsame Gruppierungen, die nicht in gleicher Weise für die weiteren Bedeutungen der drei Nomina oder für die übrigen Glieder der drei Wortsippen gelten.

wiz(z)ago ist die einzige Form der Murbacher Hymnen, des Tatian und, soweit er nicht beim lateinischen *propheta* bleibt, Notkers. Nur viermal (Ps. 39, 6; 104, 13; Cant. Zach. Luc. 1, 70 und 1, 76) greift Notker selbst zu dem deutschen Wort *wîzego*. Dagegen verdeutscht der Glossator *propheta*

---

[1]) (= Untersuchungen zur Geschichte der deutschen Sprache, H. 1), Halle 1940. Eine Besprechung des Buches, die mehr den ersten Teil über den Zauber berücksichtigt, wird in der ZfdPh erscheinen. Mein aufrichtiger Dank gilt dem Ahd. Wörterbuch in Leipzig, dessen Bestände und Vorarbeiten ich bei einem kurzen Aufenthalt in Leipzig benutzen konnte und dessen wissenschaftliche Mitarbeiter mir sehr hilfreich entgegengekommen sind.

fast regelmäßig und dann so gut wie immer durch *wizzago*. Ebenso verdeutschen die WPs. häufig und dann stets durch *wissago*.

forasago ist alleinige Form bei Isidor, in den Monseer Fragm. und, von einer einzigen Stelle ganz zu Anfang des Werkes (I, 3, 37) abgesehen, bei Otfrid. Schwankend ist die Benediktinerregel; sie beginnt mit zweimaligem *forasago*, geht dann aber zu *wizzago* über (7 Belege) und entzieht sich danach durch die Verwendung der Abkürzung *-go* bzw. *-gen* der Beurteilung. Schließlich verwendet der Glossator zu Notker neben massenhaftem *wizzago* zweimaliges *forasago* (Ps. 44, 3; 68, 21). Über Heliand siehe gleich.

warsago ist die Hauptform des Heliand (11 Belege)[2]). Doch kennt der Dichter auch *forasago* in den drei Stellen 928. 1422. 1429 — von denen indessen die beiden letzten nur als ein variierender Beleg zu fassen sind.

Es zeigt sich also, daß keines unserer ahd. Denkmäler die verschiedenen Wörter durcheinander verwendet. Jedes entscheidet sich wesentlich für einen Ausdruck, und die Ausweichungen sind erstaunlich gering. Selbst im Heliand ist *warsago* als deutliche Leitform zu betrachten; die Verwendung eines zweiten Wortes wird hier durch die variierenden Bedürfnisse der Stabreimdichtung nahegelegt.

Neben dem Nomen agentis sind andere Bildungen der drei Wortsippen im Sinne des prophetischen Tuns, namentlich auch die Verba *wizzagon*, *forasagen*, *warsagen* weit spärlicher vertreten; neben *warsago* fehlen sie im biblischen Sinne sowohl im Heliand wie anderswo ganz. Doch auch für die beiden anderen Sippen fallen die meisten Denkmäler aus — ein einmaliges *bifora sagen* des Tatian liegt ab — und außer den Glossen liefert nur noch Notker Belege. Um so wesentlicher ist sein Verhalten. Denn während für den *propheta* bei ihm und seiner Sippe *wizzago* so gut wie ausschließlich herrscht, verwenden sie die Verben *wizzagon* und *forasagen* samt ihren weiteren Sippen durcheinander!

Freilich ist bei Notker wie anderswo *forasagen* weitgehend nichts anderes als wortgetreue Nachbildung des lat. *praedicere* und *praedicare* in seinen verschiedenen, von der Prophetie abliegenden Bedeutungen[3]). Selbst wo es „vorhersagen" meint, ist es noch nicht überall der technisch fest umschriebenen Begriffssphäre der biblischen Prophetie zuzuweisen. Aber von da aus kann das Verbum *forasagen* und das Abstraktum *forasaga* in diesen Bedeutungskreis eintreten. Und so finden wir bei Notker das Verbum *forasagen* mehrfach klar auf das Tun des Propheten bezogen. Etwa Ps. 118,

---

[2]) Vgl. E. H. Sehrt, Vollständiges Wörterbuch zum Heliand und zur altsächsischen Genesis. Göttingen 1925 (= Hesperia Bd. 14). Die Marburger Diss. von G. Geffcken, Der Wortschatz des Heliand (1912), trägt nichts ab.

[3]) *praedicare* bedeutet in erster Linie 'predigen' im Sinn der damaligen Zeit, d. h. geistlichen Lehrstoff vortragen. Dann verwendet man das part. praet. im Sinne von 'wie schon oben gesagt'. Endlich bedeutet es 'vorhersagen' ganz allgemein, ohne feste Beziehung zu mantischer Technik oder biblischer Prophetie.

84: *Dîa frâgun foresaget disiu prophetia.* Ps. 68, 21: *Vuaz half dô daz ih iz fóreságeta in prophetis.* Ps. 88, 20: *aaz sie* (die Propheten des Alten Testamentes) *fone Christo fóreságeton.* In genau derselben Bedeutung verwendet Notker aber auch *wizzagon,* z. B. Ps. 47, 9: *Álso uuir iz kehôrton geuuîzegot fone prophetis.* Ps. 147, 12: *Dise zeuuêne prophetę uuîzegoton in babylonia.* Ebda: *Also ouh ieremias iro uuîzegota.*

Noch unmittelbarer zeigen Notkers beide einzige Abstraktbelege *forasaga* und *uuizzectuom* die völlige Bedeutungsgleichheit. Ps. 53, 7 heißt es: *Daz neist fluoh nube uuizzegtuôm.* Und ganz entsprechend Ps. 136, 5: *Pe diu sint tiz fóreságâ, nals fluôcha.* Der Glossator fügt nur wenige Fälle von *forasagen* hinzu. WPs. scheint indessen über Notker hinaus nur die Sippe *wizzagon* zu verwenden.

Ich verschiebe eine Besprechung dieser Verhältnisse und stelle vorerst die einschlägigen Glossenbelege zusammen; sie sind begreiflicherweise für das Wort *propheta* selbst (samt *prophetissa*) nur spärlich (3 Belege) — wer hätte ein Interesse daran? Aber auch die weiteren Wortsippen sind wenig verbreitet (4 Belege).

Folgende Belege (mit W.s Nummern) führe ich an:

1: *Abdias/servus domini uuizzago/scalch truhtines* Abr. Pa, K, Ra.
6 b: *prophetissa uuizaga* St. Pauler Lukasgll.

13 c: *profeta wissago* (IV, 156, 54). Es sind die erweiterten Gll. Sal. der aus Tirol (13. Jh.) stammenden Hs. 18379 des Brit. Mus. Nach Steinmeyer (IV, 490) bietet sie eine Verarbeitung der Gll. Sal. mit Abavus major. Dieser enthält in der Tat *propheta predicatur* (Corp. gloss. lat. IV, 275, 24). Die Glosse dürfte also aus einem deutschen Abavus stammen; spärliche Reste eines solchen sind Gll. IV, 26 f. abgedruckt.

6 a: *profetabat uuizagota* St. Pauler Lukasgll.

20: *prophetatus est* $\overline{xpc}$ *keuuizigot uuard* (IV, 313, 2) Bedagll. 10. Jh. einer Hs. Brit. Mus.

22 b: *prophetalis uuizaksam* (II, 330, 8) Hieronymuskomm. zu Matth. Clm. 14747, St. Emmeram, 10. Jh.

Zu diesen 6 Belegen der Sippe *wizzago* tritt ein einziger der Sippe *forasago*[4]):

prophetans forasaganter (I, 762, 26; IV, 306, 24). Er steht zu I. Kor. 11, 4 in dem von Steinmeyer mit S bezeichneten Zweig des großen Bibelglossars, dem sich für Teile des Neuen Test. auch Clm. 22201 anschließt. Die deutsche Glosse beruht nach St. (V, 373) auf der lat. Erklärung: *prophetare est adventum fore domini uoce symboli post orationem effari,* die ihrerseits auf den Kommentar des Haymo von Auxerre zu den paulinischen Briefen zurückgeht (vgl. Steinmeyer a. a. O. S. 370 f. Anm.).

[4]) Wesche S. 100 f. behandelt die Belege für die Sippe *forasagen* sehr summarisch, da sie fürs Germanische nichts bieten. Sein einzig wörtlich angeführter Glossenbeleg fällt aus, wie oben dargelegt wird.

Danach bedeutet *prophetare* hier genau das, was sonst *praedicare* bezeichnet, und das legt die Bibelstelle auch nahe[5]). Daraus rechtfertigt sich die Wahl des deutschen Interpretamentes; es ist eine der zahlreichen Stellen, wo man — je länger, je mehr — die überlegte sprachliche Feinheit der Glossatoren schätzen lernt und an denen offenbar wird, daß man die Glossenbelege aus dem Zusammenhang interpretieren muß, in den sie gehören.

Eine zweite Stelle aus dem Glossar R, die W. beizieht, ist dagegen auszuschalten. Sie lautet in der Druckanordnung der Gll. (I, 232, 23 f.):

Propheta qui plus novit
quam hominis modus
de suo genere existat
Predicator forasago.

Die Anordnung zeigt, daß *Propheta* usw. ein eigenes Glossem ohne deutsche Interpretation ist und daß sich *forasago* allein auf *Predicator* bezieht und mit *propheta* nichts zu tun hat. Die Glosse fällt in die übliche Wiedergabe der Sippe *praedicare* durch die Sippe *forasagen.*

warsago im Sinne von *propheta* kommt auch in den Glossen nicht vor.

Damit ist das Material zusammengetragen. Es zeigt erstens, daß *wizzago* die verhältnismäßig älteste Form ist. Die ältesten Glossen (Abr., St. Paul) bieten sie, und sie ist einziges Glossenwert geblieben. Zweitens stellen wir fest, daß sie am festesten in Oberdeutschland sitzt. Dorthin gehören nicht nur die ältesten Glossenbelege, sondern auch die alten Denkmäler: Murbacher Hymnen und Benediktinerregel. Eine sehr wesentliche nördliche Ausstrahlung ist der Tatian. Wir fassen das Tatianische *wizzago* als Stück der alten Sprachschicht, die Fulda mit Baiern gemein hat, von der Baesecke ZfdA 58 (1921), S. 277 spricht und deren genauere Untersuchung er dort fordert[6]).

Demgegenüber kommen wir mit Isidor und Mons. zwar auch in recht alte Zeit, aber in einen anderen geographischen und geistigen Bezirk. Es sind Denkmäler des fränkischen Westens, hervorgegangen aus den Anregungen der karolingischen Zentrale. Nutzhorns Festlegung des Isidor auf Murbach ist mir, trotz Baeseckes nachdrücklicher Befürwortung[7]), minder wahrscheinlich als die Verlegung ins Westfränkische, für die Bruckner, oder ins Lothringische, für die von Unwerth-Siebs eintreten[8]). Indessen spielt die Frage

---

[5]) 1. Kor. 11, 4: *omnis vir orans aut prophetans velato capite deturpat caput suum.*

[6]) E. Gutmacher in seiner Zusammenstellung des Wortschatzes des Tatian (Beitr. 39/1914, S. 1 ff. u. 571 ff.) hat *wizzago* nicht behandelt, ebensowenig W. Braune in seiner Ausschöpfung des Gutmacherschen Materials, Beitr. 43 (1918), S. 361 ff.

[7]) G. Nutzhorn, Murbach als Heimat der ahd. Isidorübersetzung und der verwandten Stücke, ZfdPh 44 (1912), S. 265 ff., S. 430 ff.; G. Baesecke, Der deutsche Abrogans und die Herkunft des deutschen Schrifttums, Halle 1930, S. 4, Anm. 2.

[8]) W. v. Unwerth/Th. Siebs, Geschichte der deutschen Literatur bis zur Mitte des 11. Jh.s, Berlin 1920, S. 216 ff.; W. Bruckner, Zur Orthographie der ahd. Isidorübersetzung und zur Frage nach der Heimat des Denkmals. In: Festschr. f. G. Binz, Basel 1935, S. 69 ff.

kulturgeschichtlich eine minder große Rolle; denn auch für Murbach hat Baesecke die unmittelbare karolingische Inspiration nachdrücklich betont. In diesem Kreise also galt *forasago* als Gegenwort für *propheta.* Und da, wie noch zu zeigen ist, *wizzago* ein vorkirchlich-heidnisches Vorleben hat und also in seiner biblischen Verwendung Anpassung ist, wird man in *forasago* den Versuch der kirchlichen Zentrale zu sehen haben, das ältere und immer noch anrüchige Wort durch eine rein kirchliche Neuprägung zu ersetzen, die das *pro-pheta* unmittelbar nachbilden will. Daher tritt dies Wort zunächst in den beiden Denkmälern auf, die wir uns im engsten Zusammenhang mit Alkuins zentraler Wirksamkeit entstanden denken.

Die weitere Wirkung wird uns namentlich an Otfrid deutlich. Auch ihm war *wizzago* an sich geläufig; es schlüpft ihm in den ersten Anfängen einmal durch. Aber er will sich an die offizielle Terminologie halten und verwendet daher danach durchgehendes *forasago.* Auch das zweimalige *forasago* der Benediktinerregel läßt sich als Ausstrahlung von der Zentrale her fassen. Die interlineare Übersetzung erwächst ja aus Karls Eifer für Verbreitung und Verständnis der Regel. Ist sie auf der Reichenau entstanden[9]), so geschah es unter der Ägide jenes Abtes Erlebald, den Baesecke a. a. O. als Schüler von Alkuins Akademie in Tours nachgewiesen hat. Die Übersetzung ist, wie Steinmeyer (Die kleineren ahd. Sprachdenkmäler, S. 283 f.) nachgewiesen hat, nicht an der für die erhaltene Handschrift erwachsen, sondern aus einer älteren übertragen. In dieser war, wie Steinmeyer ebda S. 285 ff. nachweist, die eigentümliche Kurzschreibung ausgedehnter als in der erhaltenen. Es ist daher sehr denkbar, daß die Vorlage das offizielle *forasago* wünschte und an den beiden ersten Stellen, wo sich Anlaß bot, auch ausschrieb, später aber zu der Kurzschreibung *-go, -gen* überging. Der Abschreiber hat dann an den beiden ersten Stellen die Vorlage getreu kopiert und dort also *forasago* geschrieben. Später, als er die Kurzschreibung ergänzte, ist er zu seinem reichenauisch-oberdeutschen *wizzago* übergegangen, bis auch er sich bei der Kurzschreibung genügen ließ.

Fulda hatte hingegen zur Zeit der Tatianübersetzung das karolingische *forasago* noch nicht aufgenommen, was uns seit den Untersuchungen von Gutmacher, Braune und Frings nicht verwundert. Die Begrenztheit der zentralen Wirkung wird uns daran klar. Und so ist auch im Heliand nicht *forasago* die führende Form geworden. Indessen scheint hier das ahd. *wizzago* nicht auf ein verwandtes **witego* gestoßen zu sein, das dem Helianddichter zur Hand gewesen wäre. Der Vorstoß des obd. Kirchenwortes macht an der ndd. Grenze halt[10]). Der Dichter des Heliand hat vielmehr ein anderes Synonym,

[9]) Dazu G. Baesecke, Das ahd. Schrifttum von Reichenau, Beitr. 51 (1927), S. 207 ff., und dazu zuletzt zustimmend W. Betz, Die Herkunft der ahd. Benediktinerregel, Beitr. 65 (1942), S. 182 ff. Vgl. auch H. Brinkmann, Sprachwandel und Sprachbewegungen in ahd. Zeit, Jena 1931, S. 229.

[10]) Doch verwendet der Heliand das Adj. *uuitig* als Beiwort zum Propheten: 3718 *uuitig uuarsago.*

eben *warsago*, *bevorzugt* (vgl. dazu unten S. 294 f.). Daneben hat ihn das karolingisch-fränkische *forasago* erreicht, das ihm ein willkommenes Synonym mit anderem Stab-Anlaut wurde[11]).

Hinter dem deutschen *wizzago* steht der ags. *witega*, ein Glied jenes alten ags. Spracheinflusses, den uns Braunes unveralteter Aufsatz Beitr. 43 (1918), S. 361 ff. richtig sehen gelehrt hat. Die Angelsachsen verwenden *witega* für den biblischen Propheten; sie waren es, die die Umdeutung des heidnischen *witega* zum christlichen Propheten vollzogen. Da sie auf obd. Missionsgebiet dasselbe vorkirchliche Wort vorfanden, war die Anpassung auch hier leicht durchführbar. Sie saß schon fest, als die fränkische Kirchenpolitik die Lehnübertragung *forasago* propagierte. Diese blieb auf den unmittelbaren Ausstrahlungsbereich der von dort angeregten Literatur beschränkt.

Also ist *wizzago* als scharf umschränktes Einzelwort angepaßt, nicht die ganze Sippe. Zudem ist diese Sippe selber eben gerade von *wizzago*, dem substantivierten schwachen Adjektiv „der Wissensbegabte", ausgegangen. Von ihm ist erst später — und vermutlich erst von der kirchlichen Sonderbedeutung *propheta* her — das Verbum *wizzagon* abgeleitet: „handeln wie ein *wizzago*". Umgekehrt ist bei der Sippe *forasagen* das Verbum das Primäre, von dem *forasago* als Nomen agentis abgeleitet ist. Und damit wird es verständlich, daß Notker das Nomen *wizzago* mit dem Verbum *forasagen* verbinden konnte; *wizzago forasaget* dürfte nicht nur die Notkersche, sondern die allgemeine Ausdrucksweise gewesen sein.

Ich gehe jetzt über den Sonderbezirk des *propheta* hinaus. Nach dem Dargelegten ist klar, daß *forasago* nunmehr ausfällt; es war ja übersetzende Neubildung, um *propheta* auszudrücken. Wir haben es nur noch mit *wizzago* und *warsago* samt ihren Sippen zu tun. Das Material stammt jetzt nur noch aus den Glossen und Notker. Ich behandle zuerst das weit verbreitete *wizzago* und beginne mit den Glossenbelegen. W. hat sie S. 92 ff. zusammengestellt, freilich dabei terminologisch nicht genügend scharf gesichtet. Es ist nötig, vorerst zwei terminologische Sondergruppen auszuschalten.

Die eine betrifft die Lemmata der Gruppe *praesagium*. Sie werden naturgemäß mit Ableitungen von *wizzan*, mehrfach sogar speziell von *wizzag* übersetzt. Doch ist diesen eigentümlich, daß sie in treuer Nachbildung des lateinischen Lemmas stets als *fora*-Komposita erscheinen. Sie stehen also ihrem Bildungstyp nach auf einer Linie mit *forasago*, *forasagen*[12]). Dies sind die Belege:

---

[11]) Die ganze Sonderfrage ist bei Th. Frings, Germania Romana (= Mitteldeutsche Studien H. 1), Halle 1932, in dem Kap.: Zum Wortschatz des Heliand und zur Heimatfrage, S. 214 ff., nicht berührt.

[12]) An abseits liegenden Verdeutschungen für *praesagium* finden sich: *forapauhan* (I, 226, 35) und *sagunga* (II, 345, 52), für *praesagus* das falsche *cotlih* in Ra (I, 226, 32), das sich sicherlich auf *diuina* des Abrogans bezieht, und *forazeichan(n)an* in Jb-Rd (I, 287, 7—9). Doch vgl. dazu S. 303, Anm. 40.

1. von *forawizzan* abgeleitet

8 a: *presagum futurorum forauuizzo zuauuartero* Rb.
10: *presagum forazeichannan forauuizzun prescium futurorum* Jb/Rd.
11 b: *presagum foravuiso* Clm. 18140 (übergeschrieben).
12: *presagium forauuizida* (IV, 12, 33) Jc.
18: *presagio forakiuuizidu* (II, 347, 19 f.) Clm. 14461 (9./10. Jh.)
19: *presagiam forauuizzida* (II, 319, 5) Fulda 10. Jh.
21: *praesagio forauuizzida (*I, 311, 7) Fragm. s. Pauli 10. Jh. (aus Reichenau).

2. *forawizzac* und seine Ableitungen

3: *Presaga forauuizac/prescia forauuis* (I, 226, 32 f.) R.
9: *presagum forauuizzak* (II, 317, 19) Jb-Re.
11 a: *presagio forauizactuome* (I, 303, 20 ff.) M.

Nur zwei von W.s Belegen scheinen aus dem Rahmen zu fallen. Einmal die alte Abrogansglosse (I, 262, 38 ff.):

5: *Uaticinium, prophetatio, presagium coaridia* (l. *maritha*), *uuizinunc, lera* K[13]).
Aber W. hat die Glossationstechnik von K nicht genügend berücksichtigt, die Wort um Wort überträgt; *uuizinunc* kann sich nur auf *prophetatio* beziehen, und *presagium* ist durch das farblose *lera* wiedergegeben.

Zweitens der verderbte Beleg No. 15: *presagio uzaztuoma* aus einer alten Bedahs. des 9. Jh.s (II, 44, 26). Sie besitzt wenige, auch sonst stark entstellte, namentlich verstümmelte deutsche Glossen. Steinmeyers Herstellung *uuizzactuoma* leuchtet ein; aber da mehrfach gerade die ersten Buchstaben der deutschen Glossen fehlen, ist es erlaubt, auf ein **forauuizzactuoma* der Vorlage zu schließen. Jedenfalls kann diese vereinzelte, schlecht überlieferte Glosse den Gesamtbefund nicht aufheben.

Nächst *praesagium* und *praesagus* verdienen zwei sehr alte Stellen Beachtung. Es ist die eben erwähnte Glossierung von *prophetatio* durch *uuizinunc* in K. Zu ihr tritt ein zweiter Abrogans-Beleg:

2: *Negromanticus euocatur umbrarum diuinatio hleotharsazzo kinendit scuuuo uuizanunc* (I, 215, 33 ff.) K.

Hier bezieht sich *uuizanunc* auf *divinatio*. Die Schwesterglossare haben nur *hleodarsaz* (Ra) bzw. *hleodarsizzeo* (R) beibehalten. Hier stoßen wir also in ältester bairischer Zeit zweimal auf ein Wort *wizzanung*, das nur das konservative K beibehält, die beweglicheren Ra und R aber an beiden Stellen aufgeben. Es ist ein vom Verbum *wizzon* abgeleitetes Abstraktum, und dieses tritt abermals im Abrogans, diesmal in K und Ra, als Interpretament für *divinare* auf:

Uaticinatur diuinat marid uuizzod (K); *marit uuizot* (Ra) (I, 262, 35 f.).

In den Mons. Fragm. überträgt dasselbe Verbum *prophetizare* (zu Matth. 26, 68; der Tatian verwendet hier sein übliches Verbum *wizzagon*). Zu diesem Verbum ist entweder über ein erweitertes Verbum *wizzanon* oder wahrscheinlicher unmittelbar mit dem erweiterten Abstraktsuffix *-anunga* jenes Abstraktum des Abrogans gebildet. Es tritt in Baiern auch noch später

[13]) Von der Synonymenkette behält Ra nur noch *marida* bei; in R fehlt jede Verdeutschung.

auf. Clm. 14747 (aus St. Emmeram, 10. Jh.) glossiert *Vaticinio uuizinungu* (II, 328, 23), und mit einer jüngeren Abstraktbildung stellen sich die Tegernseer Vergilglossen in diesen Kreis: *Uatum uvizintuoma* (II, 663, 53). Wir erhalten also eine ganz kleine Gruppe einer offenbar sehr alten und vorab oder, wenn man das *wizon* der Monseer Fragmente als bairisch ansehen dürfte, ausschließlich bairischen Prägung, die neben den siegreichen Prägungen von *wizzac* steht. Sie ist auch in den kirchlich-biblischen Bedeutungsbereich gelangt, dann aber durch die von den Angelsachsen propagierten *wizzac*-Prägungen überwältigt worden. In Alemannien wußten jedenfalls schon die reichenauisch-murbachischen Bearbeiter des Abrogans nichts mehr damit anzufangen, während man sie in Baiern noch im 10. Jh. beibehalten hat.

Nun erst liegt der Weg zu den eigentlichen *wizzac*-Bildungen frei. Während in der Buchliteratur *wizzago* und seine Ableitungen ganz nur dem biblischen *propheta* vorbehalten schienen, ändert sich das Bild bei den Glossen und Notkers Martianus Capella gründlich. Die lateinischen Wörter, die durch diese deutsche Wortsippe übertragen werden, zeigen ganz klar den alten, außerkirchlichen Bedeutungsgehalt dieser Wortsippe. Häufigstes Lemma ist *divinare*, *divinatio*, wozu unmittelbar das seltenere *vates*, *vaticinare* usw. stößt. Als dritte folgt die Gruppe *phiton*, *phitonicus*. Hingegen bleibt die Gruppe *augurium*, *auspicium*, *aruspicium*, *omen*, deren Verdeutschung uns noch beschäftigen wird, ganz außerhalb. Daraus ergibt sich: die Sippe *wizzac* wird nicht auf eine Zukunftserforschung mit magisch-technischen Mitteln bezogen, sondern auf ein eingeborenes, aus der Kraft zukunftssichtiger Begabung erflossenes Zukunftswissen. Damit wird zugleich verständlich, daß gerade ags. *witega*, ahd. *wizzago* auf den biblischen Propheten mit seiner inneren Zukunftssichtigkeit Anwendung finden konnte.

Doch die meisten Glossenbelege sind, wie schon gesagt, nicht diesem gewidmet. Die Mehrzahl der Belege, meist auf Stellen des Alten Testamentes oder der Canones bezüglich, geht gerade auf heidnische, an der betreffenden Stelle als teuflisch verworfene oder minderwertig behandelte Personen und ihr Tun. Auf außerkirchliche Schriften bezieht sich die Vergilglosse:

24: *vates wizzago* (II, 685, 73) Teg. Vergilgll.

Außerhalb der Glossen ist nur noch Notkers Martianus Capella ein — freilich sehr ergiebiges — Feld. Apollo und sein Orakelwesen ergeben eine Fülle von einschlägigen Stichwörtern, die Notker zu interpretieren hatte. W. stellt das Notkersche Material unter No. 31 zusammen[14]). Dabei zeigt sich, daß für Notker die alte Bedeutungsumgrenzung zwar noch gilt, daß sie sich aber in ihrer Schärfe zu verwischen beginnt. Zu berücksichtigen ist freilich, daß sich Notker einer wesentlich schwierigeren Aufgabe gegenübergestellt sah, als es galt, den reichen Synonymenschatz des barocken Spätlateiners zu bewältigen. So bleiben auch bei Notker die Gruppen

[14]) Doch sind W.s Belege 31 adefg als bloße Sachübersetzungen von *prescire*, *prescientia* durch *foreuuizzan* für uns ohne Wert.

divinatio und *vaticinium* zwar die vorherrschenden, aber daneben treten nun bei ihm auch *presagium, presagire, praescius, prevenae fates* als Entsprechungen zur Sippe *wizzac* auf. Gehen wir freilich von der Terminologie zum Inhalt, so handelt es sich sachlich bei dieser Gruppe überall noch um eine wirkliche *divinatio,* eine Zukunftssichtigkeit ohne erforschende Technik, meist um Apollos eingeborene Gabe der Zukunftsschau.

Doch einzelne Stellen gehen noch weiter. Auch *aruspicium* (31 h und v) und *augurales alites* (31 p) werden bei Notker mit Wendungen aus der Sippe *wizzac* übertragen. Mögen auch die *augurales alites,* die Raben und Schwäne, die Apollos Wagen ziehen, im Zusammenhang von Mcp Lib. I, 21 nicht als Gegenstand der Vogelschau, sondern als die Begleiter des Divinations-Gottes erscheinen und somit nach dieser Richtung hin auch deutsch interpretiert werden können, so bleiben doch die beiden Fälle von *aruspicium* bestehen. Daß Notker doch auch hier das Uneigentliche der Verwendung von *uuîzegunga* noch empfunden hat, zeigt sehr schön — worauf W. schon hingewiesen hat — der Fall 31 h: Hier hat N. *aruspicium* nicht durch das einfache Wort, sondern durch die Zusammensetzung *opferuuîzegunga* übertragen und dadurch deutlich gezeigt, daß ihm das Simplex allein nicht genügte, um einen Vorgang der mantischen Technik auszudrücken.

Auch in den Glossen gibt es wenige, nicht uninteressante Ausweichungen. Nicht als Durchbrechung des divinatorischen Bedeutungsbereiches, sondern nur als besondere Anwendung ist 13 b zu betrachten: *oracula wizechtûm.* Die Glosse findet sich in der schon oben S. 286 herangezogenen Londoner Hs. der Gll. Sal., die mit dem Abavus major durchsetzt ist. Doch muß sie ihrer Orthographie nach älter sein als die Hs. Im 13. Jh. wäre nur ein *wissagtuom* oder vermutlich nur noch eine *wissagunge* zu erwarten[15]).

Ein wirkliches Ausweichen bedeuten dagegen die beiden Fälle 11 c und 22 d. Im ersten Fall gibt Clm. 18140 ein *augurari* von Gen. 44, 5 mit *wizzagon* wieder. Die gesamte Gruppe M, einschließlich 18140, bietet zunächst die richtige Glossierung *heilison.* In 18140 ist dann mit Geheimschrift *xxk zb gpn,* d. h. *wizzagon* übergeschrieben. Die Geheimschriftglossen von Clm. 18140 — die Hauptmasse, 133, in Genes. bis Ruth, dazu 13 in Reg. I—IV und nur noch 9 im Rest der Hs. — verlangen erneut eine Untersuchung. Steinmeyer äußert sich (Erlanger Festschr. S. 43 ff.) zurückhaltend darüber, da 19440 für Genes. bis Ruth nicht zur Verfügung steht. Doch möchte er „für die Partie bis Ruth resp. bis Regum eine besondere, später nicht mehr benutzte Quelle ... statuieren ..., welcher a (18140) seine zahlreichen steganographischen Glossen entnahm." Es bestimmt ihn dazu einmal die Tatsache, daß neben den 10 Geheimschriftglossen, die innerhalb von Regum 18140 mit 19440 teilt[16]), in 18140 3 stehen, die sich in 19440 nicht finden, deren eine aber (I, 400, 9) in Rf begegnet (408, 18) (nicht in Geheimschrift), und weiter offenbar dies, daß der größte Teil der in Geheimschrift geschriebenen Worte des Regum-Glossars von 19440 wohl in 18140 begegnet, die Geheimschrift dort aber aufgelöst ist. Dagegen möchte ich meinen, daß man die Geheimschriftglossen von dem übrigen Sondergut

[15]) Vgl. darüber S. 296 f.

[16]) Folgende 10 der 13 Fälle von Geheimschriftglossen decken sich mit Clm. 19440: I, 400, 40. 401, 66. 417, 12. 17. 26. 420, 22. 421, 50. 433, 34. 441, 33. 452, 34. Ohne Entsprechung bleiben: I, 400, 9. 405, 39. 437, 40. Doch ist 19440 nicht die Vorlage von 18140; denn I, 421, 50 *munitionibus kfrxstfn* (l. *kerusten*) ist richtig, während 19440 die falsche Glosse *Circumdederunt kfrxstfn* aufweist. In I, 452, 34 hat 18140 die richtige Form *scfchp* (l. *scecho*) gegen *scfthp* (l. *scetho*) in 19440. Ebenso 417, 17 *spkzprbtp (spizprato)* gegen *spkzbrbzp (spizbrazo).*

des Clm. 18140 nicht zu sehr isolieren darf, und 10 von den 13 des Clm. 18140 zu Reg. I—IV sind eben doch in 19440 nachweisbar.

Weitere und wesentlich ältere Beziehungen der Geheimschriftgll. von Clm. 18140 — und mit ihr wieder der Sonderglossen überhaupt — deute ich hier nur vorsichtig an. Eine Linie scheint mir sicher nach Rd-Jb hinüberzuführen, und es besteht wohl ein innerer Zusammenhang zwischen der Tatsache, daß Rd-Jb und die Geheimschriftgll. von Clm. 18140 an der gleichen Stelle, nämlich in Reg., aufhören. Eine zweite Linie scheint mir nach der alten Glossengruppe um die Hs. St. Paul XXV d/82 hinüberzuführen. Vielleicht gehen auch Beziehungen nach Ja hinüber. Ich habe den Eindruck, daß der Grundstock dieser Sonderglossen recht alt sein muß. Daneben bleibt aber eine ganze Masse von Glossen, die Clm. 18140 allein besitzt, bzw. in Reg. nur mit Clm. 19440 teilt. Unser *wizzagon* gehört zu dieser Gruppe[17]). Man wird im allgemeinen zu der Annahme neigen, daß diese Glossen eine jüngere Schicht bilden.

22 d stammt aus der spärlichen Glossierung zur Passio Simonis et Judae (II, 763, 9) aus Clm. 14747 und lautet:

Arioli uuizagun ł leodarsezzun.

Der ganze Satz der Passio ist bei W. S. 94 zitiert; er enthält die Kette: *sacrificatores et arioli et magi et incantatores.* Hiervon ist *sacrificatores* durch *pluostrara, incantatores* durch *kalstrara* glossiert. Es liegt daher nahe, anzunehmen, daß die Doppelglosse zu *arioli* ursprünglich im interlinearen Context auf die beiden Wörter *arioli* und *magi* verteilt waren. Der Glossator hatte also eine große Menge von Synonymen zu verdeutschen; so wird es verständlich, wenn er zu einer nur ungefähren Verdeutschung griff und das sehr bedeutungsbreite *arioli* durch *uuizagun* erklärte. Der Schreiber, der die Glossen exzerpierte, nahm hingegen *leodarsezzun* als nähere Erläuterung zu *uuizagun* und bezeugt dadurch, daß ihm die Interpretation nicht treffend schien. Denn *leodarsezzun* ist nur ein Terminus der wirklichen magischen Technik; er bezeichnet, wie ich später S. 316 f. auszuführen habe, den Ausüber der nordischen *útiseta.* Auf keinen Fall sind diese beiden einzelnen Glossen geeignet, den Eindruck einer starken Einheitlichkeit im Terminologischen zu verwischen.

Umgekehrt durchbricht auch die lateinische Sippe *divinatio* nur recht selten den Bereich der deutschen Sippe *wizzago.* Ich kenne nur drei Fälle, sämtlich aus den Monseer Glossen.

I, 599, 65 *Diuinis zouprarun* in sämtlichen Hss. von M. erklärt sich daraus, daß das zuständige *uuizagun* schon für das erste Glied der Doppelformel *phitonibus et diuinis* (Esr. 8, 19) aufgebraucht war.

I, 746, 72 *(spiritum) phitonis ursinnigi ł vuizactuomes* (zu Apostelgesch. 16, 16). So lautet die Glosse in den vier alten Hss.; die jüngeren behalten nur das erste der beiden Interpretamente bei. Über dieser sachlich einwandfreien Glosse trägt Clm. 18140 interlinear nach: *phitonica divinatio coucalheit.* Die Sippe *goukalon* bezeichnet, wie sich aus Wesches Material S. 28 ff. ablesen läßt, Sinnenverblendung durch teuflischen Trug. Die Nachtragsglosse von Clm. 18140 stammt auf Bedas Kommentar zur Apostelgesch. und kehrt wörtlich gleich in einer alten Glossierung dieses Kom-

[17]) Da für bestimmte Teile: Reg. + Paral. I. II, Clm. 18140 enge Beziehungen zu Rf hat (vgl. Steinmeyer S. 43 f.), wäre es denkbar, daß ein Glossar, von dem Rf nur Teile überliefert, auch für Sonderglossen der vorangehenden Bücher verantwortlich wäre. Zu diesem hypothetischen Rf-Bestand kann aber *uuizzagon* nicht gehören, da es sich durch seine Geheimschrift als Glied jenes durch Clm. 19440 bezeugten Glossars beglaubigt. Dies Glossar hatte zu Rf keine Beziehungen.

mentars in der alten Hs. Clm. 14478 (9. Jh.) wieder, die ihrerseits Abschrift einer noch älteren Vorlage ist (Gll. II, 44, 30)[18]). In jener Bedastelle wird die *phitonica divinatio* ausdrücklich als eine *ars* bezeichnet, die durch den Hinweis auf die Hexe von Endor und die Erweckung des toten Samuel zu mantischen Zwecken in ihrem Wesen näher bestimmt wird. Sie erscheint als heidnisch-teuflisches Blendwerk, das also mit *goukalheit* nicht übel interpretiert ist.

II, 109, 71: Die Monseer Canonesgll. geben (zu Conc. Anc. XLIII) *divinationes* mit *zoupar* wieder. Andere Canonesgll. interpretieren die Stelle richtig. So bieten die Frankfurter Can.-gll. (II, 146, 7) *uuizagun*, die Hildesheimer (II, 141, 38) *þizekon*[19]). Es ist der von Baesecke (Beitr. 46/1922, S. 449 ff.; vgl. auch: Der Vocabularius Sti. Galli in der angelsächsischen Mission, Halle 1933, S. 111) angesetzte alte rheinfränkische Zweig der Canonesglossen, der diese korrekte Glossierung aufweist[20]). In abgewandelter Form erscheint die gleiche Glossierung in den zweiten Can.-gll. von 19440: *Qui divinationes expetunt die die vuizacheit suochant*, eine Übertragung, die nicht nur in dem unmittelbar verwandten alten Clm. 19417, sondern auch in der alten Hs. des Salzburger Museums wiederkehrt und über 19440 in Clm. 18140 eingeht. Diesen Zweig der Can.-gll. von 19440 hat Steinmeyer (Erlanger Festschr. S. 18) mit b 2 bezeichnet und als die ältere Form dieser Gruppe von Can.-gll. festgestellt. Demgegenüber teilt die erste Can.-gll. von 19440, von Steinmeyer mit b 1 und als jünger bezeichnet, die Glossierung *zoubar* mit M.; aus b 1 ist sie dann als Eintrag über der Zeile in 18140 aufgenommen worden. Somit erweist sich *zoubar* gegenüber der gesamten alten Überlieferung der Can.-gll. als junge Entgleisung von M.

Nunmehr behandle ich die Sippe *warsagen.*

Sie besitzt außerhalb des Heliand auf deutschem Gebiet nur eine recht schmale Basis. Aus Wesches Zusammenstellung S. 101 f. scheidet No. 5 aus[21]), so daß insgesamt nur drei Glossenbelege verbleiben:

2: *aruspices uuarsagun* (II, 609,14). Die Pariser Hs. des 11. Jh.s stammt aus Echternach[22]).

3: *Conjectorem warsage* (I, 406, 15) Jd, also niederrheinisch.

1: *divinos warsagon* (I, 398, 30) Clm. 22201 aus Windberg bei Straubing; 1165 geschrieben.

Alle drei Belege sind spät, ihre lateinischen Lemmata uneinheitlich. So bleibt *warsago* ohne scharfen Bedeutungsumriß. Aber zwei der drei Belege führen

[18]) Damit erledigt sich Steinmeyers Annahme (Beiträge zur Entstehungsgeschichte des Clm. 18140, in: Festschrift der Universität Erlangen ... IV, Erlangen 1901, S. 39), daß die Glosse in Clm. 18140 neu geschaffen worden sei.

[19]) Wesche hat S. 99 übersehen, daß es sich um das ags. Zeichen *þ* handelt und hat *pizekon* als Schreibfehler verbucht.

[20]) Der von E. Karg-Gasterstädt, Die Glossen der Stuttgarter Handschrift H. B. (früher iur. et pol. 109). Ein Beitrag zur Geschichte der *Canones*-Glossierung, in der Festschrift für K. Bohnenberger, Tübingen 1938, S. 231 ff. nachgewiesene bairische, in das Freising Arbeos zurückführende Zweig der Canonesgll. besaß diese Glosse nicht.

[21]) Die betreffende Glosse lautet *presagio sagunga* (II, 345, 52) und stammt aus der alten Hs. Clm. 6325. Warum W. hier gerade ein zu ergänzendes *warsagunga* erwartet (S. 102), ist nicht ersichtlich; will man sich nicht bei dem Befund beruhigen, so würde die Erfahrung (vgl. oben S. 290 f.) nur auf *forasagunga* führen können.

[22]) Die Schwesterhs. Pal. Vat. 889 enthält die Glosse gegen W.s Angabe nicht.

aus dem bislang hauptsächlich begangenen Gebiet der oberdeutschen Bildungsstätten ins mittel- und niederrheinische hinüber. Hierher gehört zunächst das niederfränkische Jd. Aber auch die Paris-Echternacher Hs. zeigt moselfränkischen Sprachstand[23]); sie dürfte in Echternach entstanden sein. Schwierigkeiten macht dagegen der dritte Beleg.

Clm. 22201 gehört zur weitverzweigten Sippe der Monseer Bibelglossen und ist eine der seltsamsten Hss. dieser Gruppe. Er bildet mit Clm. 17403 und 13002 eine engere, mit dem konservativen Göttweiger Codex 103 eine weitere Gruppe junger Hss. und mündet schließlich mit diesen zusammen in Vind. 2723 ein. Daneben zeigt aber 22201 zweifellose Beziehungen zu der zweiten Hauptgruppe von M, die Steinmeyer (Gll. V, 110) mit S bezeichnet hat und deren führende Hs. Clm. 6217 ist. Darüber hinaus aber weist er in Wortschatz und Sprache eine ungemeine Selbständigkeit auf und ändert in Hunderten von Fällen die Glossierung gegenüber allen andern Hss. (vgl. Steinmeyers Charakterisierung der Hs. Gll. V, 420ff.). So bietet M an dieser Stelle einheitlich die La. *wizzagon*; allein 22201 führt *warsagon* ein. Sprachlich verdient die Hs. größte Beachtung. Sie stellt eine höchst eigentümliche Mischung ausgesprochen bairischer und ausgesprochen mitteldeutscher Eigenheiten dar, die sie ebenfalls von allen übrigen Hss. der Gruppe M unterscheiden. Eine eingehende Beschreibung der sprachlichen Eigentümlichkeiten spare ich einer besonderen Darstellung auf. Hier genügt die Feststellung, daß 22201 terminologisch und sprachlich entschieden seine eigenen Wege geht und daß sprachlich vieles sehr energisch nach Mitteldeutschland weist.

Denn damit wird nun auch der dritte Glossenbeleg für *warsago* fränkisch-mitteldeutsch festlegbar. Die jüngere Schicht von Glossaren vervollständigt das Bild. Das rheinfränkische Summarium Heinrici[24]) besitzt die reine Wortinterpretation *veridicus warsago* (III, 141, 24; 186, 71); das jüngere alphabetische 11. Buch fügt dann auch *fatidicus warsago* (III, 238, 53) hinzu. Das ebenfalls rheinfränkische Glossar der Hildegard liefert *vates warsago* (III, 390, 12). Endlich bieten die Gll. Herradinae die Glossierungen *divini warsegge* (III, 415, 78), *divinos warsekke* (419, 15), *pythones warsekke* (420, 56). Hier ist die sprachliche Zuweisung unsicherer; jedenfalls bleibt man auch mit diesen Glossen des späten 12. Jh.s am Rhein[25]). Somit ergibt sich ein gutes Bild der Verbreitung an Mittel- und Niederrhein mit einer alten, durch den Heliand bezeugten Ausstrahlung nach Osten. Ein

[23]) Sie besitzt einerseits spirantisches *b (geuen)* und Umlaut von *ā* zu *ē* *(meindedige)*, andererseits *rp* > *rf (santgewurfen)*.

[24]) Edw. Schröder hat neuerdings (ZfdA 73/1936, S. 103 f.) seinen älteren Ansatz (ZfdA 66/1929, S. 32) in Worms beibehalten, aber statt um 1100 schon um 1000 datiert.

[25]) Die Herrad-Glossen nicht bei W. Die Straßburger Diss. von H. Reumont (1904) über die Herrad-Glossen hält sie für eigenhändiges Werk der Herrad, d. h. also für elsässisch.

Blick in die Wörterbücher, so unvollkommen sie Aufschluß geben, zeigt doch, daß *warsage* auch im 13. Jh. kein Wort der Literatur gewesen ist. Ich finde es dort zu ältest im niederrheinischen Marienlob und einer dem Rheinfranken Stricker zugeschriebenen Versnovelle. Im Freidank tritt es nur als varia lectio zu *wissage* in der Würzburger Hs. (14. Jh.) auf. Daraus scheint sich soviel zu ergeben, daß wir es mit einem niederdeutschen und mittelrheinischen mundartlichen Wort zu tun haben, das sich erst spätmittelhochdeutsch weiter verbreitet.

Scheidet somit *warsago* als ein landschaftlich gebundenes Sonderwort für die Grundfrage aus und erweist sich *forasago* als kirchlich gebundenes Kunstwort, so verbleibt nur *wizzago* als ein Wort mit starker vor- und außerkirchlicher Wurzel. Die Glossen und Notker verbürgen sein Weiterleben als Bezeichnung für einen Mann divinatorischer Zukunftsschau außerhalb der gottgefälligen und kirchlich zugelassenen Sphäre. Die Anwendung für den biblischen *propheta* erweist sich mithin als Anpassung eines schon vorher vorhandenen Wortes, die, wie erwähnt, von den Angelsachsen durchgeführt und auf den Kontinent mitgebracht wurde.

Erfahrungsgemäß ist ein solcher erster Wurf häufig früher oder später wieder aufgegeben worden. Gerade die Fortdauer der außerkirchlichen Bedeutung hat die karolingische Kirchenpolitik veranlaßt, ein neues, blasses und darum eben nicht vorbelastetes Wort zu propagieren, die Lehnübersetzung *forasago*. Sie hat sich nur in einzelnen Spritzern über ihren Ursprungsherd fort einnisten können; die großen Werke: Tatian und Notkers Verdeutschungen, nehmen sie nicht auf. Notker bleibt vielmehr in der Regel beim lateinischen *profeta* und steht damit unbewußt im Strom der sprachlichen Entwicklung. Es ist zu vermuten, daß hier wie in vielen anderen Fällen die cluniazensische Bewegung das Wort der Laiensprache verdrängt und durch das kirchliche Fremdwort ersetzt hat. Mhd. ist *profete* bereits ein geläufiges Wort.

Der *wizzago* hat also zunächst den *forasago* besiegt. Aber er hat sich doch dem kündenden Propheten, den *forasago* ausdrücken wollte, bedeutungshaft angenähert. Denn eben zur Zeit Notkers beginnt die Umdeutung des *wizzago* in den *wissago*, den 'Weissager'. Notker selbst schreibt, auch in den Psalmen, noch durchaus *wîz(z)ego*; *wissago* ist ihm noch fremd. Dagegen schreiben die WPs. schon durchweg *wissago*. In den Glossen zu Notkers Psalter endlich zeigt sich ein Schwanken, das schon auf die Vorlage der St. Galler Hs. zurückgehen muß. Denn, was noch nicht beachtet zu sein scheint, das 1. und 3. Buch schreiben ebenso beharrlich zz bzw. z wie das 2. *ss*[26]). Die Belegzahl, 10 *z* im ersten und dritten Buch gegen 11 *ss* im zweiten, ist zu groß, als daß es sich um Zufall handeln könnte. Viel-

[26]) Wenigstens hat der sorgfältige Sammler Schatz in seiner Althochdeutschen Grammatik S. 119 wohl das Schwanken in der Orthographie des Glossators notiert. aber nicht die Verteilung.

mehr muß die Vorlage von mindestens zwei Schreibern geschrieben worden sein, von denen der eine noch die alte, der andere schon die neue Schreibart anwendete. Da greifen wir die Umwandlung mitten im Entstehen.

Ähnlich zeigen die Hss. von M den Übergang. Fest bei der alten Form beharren noch die alten Hss. des 10./11. Jh.s: Clm. 18140. 19440; Vind. 2723. 2732. Eine erste Unsicherheit (*wiezsagun* I, 455, 6) verrät der so konservative Göttweiger Codex. Schwankend ist noch Clm. 14689 aus der Wende 11./12. Jh., Clm. 22201 zeigt noch Reste der alten Vorlage mit *z*; die ganz jungen Clm. 13002 und 17403 sind ebenso durchgängig zur *s*-Schreibung übergegangen wie die ganze Gruppe S.

Auch die älteste frühmhd. Dichtung ist schon zu *wissage* übergegangen (Wiener Genesis). Das 11. Jh. also, die Zeit zwischen Notker und der Genesis, ist die Zeit der Umdeutung des alten *wizzago*, des Wissensbegabten, zum *wissago*, dem Wissenskünder, und zweifellos haben Wortsinn und Sachgehalt des *propheta* als des großen Künders dabei mitgewirkt. Damit ist aber das Wort auch inhaltlich auf eine neue, außergermanische Ebene verschoben. Gerade der *-sago* lag nicht von Anfang an darin. Der *wizzago* ist Wisser, vielleicht Schauer, doch wesenhaft nicht Künder des Zukünftigen. Es kommt auf das innere Verhalten an, nicht auf das äußere. Natürlich kann ein Vorauswisser sein Wissen mitteilen, aber es liegt nicht im Wesen des *wizzago* und gibt ihm nicht sein Gepräge. Kündung war offensichtlich nicht an feste technische Formen geknüpft, nicht Besitz und Vorrecht einer bestimmten sozialen oder gar berufsmäßigen Gruppe, die danach ihre Bezeichnung getragen hätte. Sonst hätte wohl kaum ein deutsches Wort für Kündung gefehlt. Daß es nicht vorhanden war, zeigt die Tatsache, daß es für lateinisches *oraculum* keinerlei einheitliche Übersetzung gibt.

Wesche hat auf S. 102 eine, wie eine Nachprüfung auf der Arbeitsstelle des Ahd. Wörterbuchs ergab, vollständige Liste von Übersetzungen für lat. *oraculum* zusammengestellt, ohne die Belegstellen anzumerken. Ihm lag nichts daran, weil sie nichts Positives für die germanische Weissagung abwarfen. Aber auch diese bloße Aufzählung — die Stellen wären mit geringer Mühe zu identifizieren — genügt schon, um zu erkennen, daß die deutsche Sprache nichts hergab, was sich auch nur halbwegs mit dem lateinischen Begriff deckte. Einmal treffen wir eine Verdeutschung, die an den Ort, nicht an die Art denkt: *oracula sprahhus* (I, 285, 67) Jb.-Bd. Doch auch diese Glossierung, die sonst für *curia*, *consistorium*, *praetorium* eintritt, zeigt, daß man mit dem, was in diesem *hus* vor sich ging, keine nähere mantische Vorstellung verband. Farblos sind Interpretationen wie *spracha*, *reda*, *gisprahhi*, *pimeinida*[27]), alles Wörter des bloßen Redens oder Äußerns ohne magischen Gehalt. Dem Sinn näher, doch abermals ohne

[27]) In den Pariser Prud.gll. findet sich *Oraculum, prophetiam .i. pimeinida.* Aber *prophetiam* ist erklärender Zusatz nur dieser Überlieferungsgruppe, wie die Apponyische Hs. mit *Oraculum bimeinida* (II, 539, 14) beweist.

magischen Sonderklang, steht *antuurt* und spezieller *pipot*, *impot* und besonders gewendet *dreuua*[28]). Schließlich macht die Abrogans-Glosse *kipet* den Versuch, einem vermeintlichen Wortsinn (zu *orare*) nahezukommen. Sowohl die Vielfalt wie die inhaltliche Hilflosigkeit gegenüber dem zu übersetzenden Wort zeigen mit aller Deutlichkeit, daß es sich hier um eine fremde 'Sache', einen dem Germanen fremden mantischen Vorgang handelt, der in der Sprache keine Anknüpfung fand.

II.

Gegen die Sippe *wizzagon* setzt sich als zweite Hauptgruppe die Sippe *heilison* ab. Wesche S. 92 stellt für den Inhalt von *heilison* lediglich fest, daß es „neben *wizzagon* der gebräuchlichste Ausdruck für prophezeien" sei, und erwähnt als Unterschied einzig, daß die Sippe *heilison* „durchaus ihren heidnischen Klang bewahrt" hat; „*wizzagon* dagegen ist verchristlicht". Dem Grund für die Verschiedenheit geht er nicht nach. Daß seine Anschauung über *wizzagon* nur bedingt richtig ist, daß dieses vielmehr weitgehend auch heidnische Vorstellungen deckt, ist eben dargelegt. Seine Anschauung über *heilison* ist nicht haltbar. Es ist schade, daß W. die lateinischen Lemmata für die einzelnen von ihm untersuchten deutschen Wortsippen nicht überall zusammengestellt und daß er, wo er es getan hat, sie nicht genügend scharf untersucht und nicht die nötigen Schlüsse daraus gezogen hat. Die Glossatoren waren gemeinhin mit feinerem Gefühl für sprachliche Schwingungen begabt, als man annimmt, und aus ihren Übersetzungen läßt sich entsprechend mehr lernen.

Das Verbum *heilison* und seine Sippe, das Abstraktum *heilisod* und das Nomen agentis *heilisari*, sterben spätahd. ab. Für Notker ist *heilisod* noch lebendig; er benutzte es etwa ein Dutzend Mal in Mcp. Auch die Glossenhss. des 10., 11. Jh.s schreiben und verwenden es noch richtig. An den Hss. des 12. Jh.s läßt sich dann der Verfall ablesen. Auch hier geben die Hss. von M wieder das geeignete Anschauungsmaterial her:

Durchweg richtig schreiben die 4 alten Hss. (Clm. 18140. 19440; Vind. 2723. 2732) sowie meist Göttweig 103. Dagegen war das Verbum *heilison* schon in der gemeinsamen Vorstufe der drei jungen Hss. Clm. 22201. 13002. 17403 zerstört; 22201 gibt ein sinnloses *helscon*, woraus die beiden andern ein *heilscouwen* deuten. Eine andere Entstellung, *heilsein* (< *heilsen*), bietet Clm. 4606.

Ähnlich ist *heilisod* in den 4 alten Hss. unangetastet. Hier tritt Göttweig zur jüngeren Gruppe. Sein *heilodun* (dat. pl.), dem 22201 *helodun* entspricht, zeigt das schwindende Verständnis. Die beiden jüngsten Hss. gehen auch hier zur Umdeutung *heilscouwen* (dat. pl. zu *heilscouwa*) über,

[28]) Die Glosse *dreuua* hat ihren besonderen Grund in der Prudentiusstelle, zu der sie gehört. Es ist dort von einem *oraculum sinistrum die* Rede, und bei Migne PL. 59, col. 853, findet sich dazu die lat. Glosse *responsum minam.*

einer Bildung, der das *heilscowede* des Summarium Heinrici, die *heilschouwunge* Herrads verwandt sind. Andere jüngere Glossen ersetzen das Suffix *-od* durch das modernere *-unga* (*heilisunga*, *heilsamunga*), Bildungen, die z. T. ebenfalls den Zusammenhang mit *heilison* verlieren[29]).

heilisari endlich bleibt sogar in den jungen Monacenses als *heilsare* noch ziemlich unangetastet; dagegen hat Clm. 22201, der in seiner Vorlage ein md. *heil(i)sere* vorfand, einen *heilsehere* daraus gemacht.

Die Sippe *heilison* ist eine *s*-Ableitung von germ. *heil,* die auch im Ags. und Nord. belegt ist. Außer den drei oben besprochenen Ableitungen scheint das Deutsche keine weitere besessen zu haben. Ein vereinzeltes *auguriis heilisom* in Rb würde auf ein Femininabstraktum *heilisa* führen, das immerhin auch im Rahmen der *s*-Ableitungen verbliebe. Es fehlt ihm jeder stützende Nachbarbeleg; so mag Graff recht haben, wenn er darin eine Verschreibung — für *heilisodom* — sieht.

Die Zusammenstellung der lateinischen Lemmata zeigt eine erstaunlich geringe Berührung mit der Sippe *wizzagon.* Waren dort Wörter der inneren Zukunftsschau (*divinatio*, *vaticinatio*) führend, so finden wir hier als leitende Lemmata *augurium*, *auspicium* und *omen*, zu denen sich die selteneren Nachbarn *aruspex*, *ariolus*, *oscen* gesellen. Damit ist der Wesensunterschied zwischen *wizzagon* und *heilison* schon klar: jenes bezeichnet die innere Gabe divinatorischer Zukunftserfahrung, dieses die Technik der äußeren Vorzeichen und ihrer Ergründung. Eben deswegen war jenes fähig, verchristlicht zu werden, dieses nicht.

Wie selten *wizzagon* in die Sphäre des technischen *augurium* hineinragte, ist oben dargelegt. Umgekehrt greift *heilison* nicht ein einziges Mal in die Sphäre von *divinare* und *vaticinare* über. Unter den rund 30 Glossenbelegen bei W. S. 87ff. geben nur zwei überhaupt Anlaß zur Besprechung: Nr. 18 und 19.

Zu 18 *contemplare heiliso* (Imperativ) NGGW 1927, 95 hat W. bereits das Richtige gesagt. In der sehr schwierigen Jesaiasstelle: *pone mensam contemplare in specula comedentes et bibentes* . . . (21, 5) hat der Glossator die Schilderung einer magischen Handlung gesehen, vielleicht eine Art magischen Spiegels und seiner Anwendung, und entsprechend übersetzt.

Schwieriger steht es mit No. 19. Die Stelle der Can. Anc., um die es sich hier handelt, lautet im Zusammenhang: *Qui divinationes expetunt et morem gentilium subsequuntur aut in domos suas hujusmodi homines introducunt, exquirendi aliquid arte malifica aut expiandi causa.* Diesen letzten Ausdruck *expiandi causa* glossiert die alte, von E. Karg-Gasterstädt[30]) her-

---

[29]) Den Verfall bezeugen auch die Wessobrunner und die Bamberger Beichte mit *heilslihtunga* bzw. *heilsite* (< *heilset* < *heilsod*).

[30]) E. Karg-Gasterstädt, in Festschrift für K. Bohnenberger, Tübingen 1938, S. 231 ff.

ausgearbeitete oberdeutsche Canonesglosse mit *za heilisonne*, und diese Glosse geht durch die ganze Breite der Überlieferung. Einzig Vind. 361 (11. Jh.), ein Glied von M, schreibt *pouzinnis* (d. h. *buozennes*); doch ist dies als Neuerung der auch sonst sehr selbständigen Hs. anzusehen[31]). Hingegen besitzt der rheinische Zweig der Can.-gll. seine eigene Übersetzung. Leipzig-Hildesheim überträgt mit *zi kireinonne*, Frankfurt mit *zi arsochanne*, das natürlich zu *exquirendi* gehört. Dieser Zweig hat also eine breitere Glossierung der Stelle besessen. Die alte Freisinger Glosse *za heilisonne* wird dem Sinn von *expiare* nicht unmittelbar gerecht; sie würde sich passender zu *exquirere arte malefica* ordnen. Denn eben dieses, durch magische, im Sinne des christlichen Dekretes also sündige Künste etwas erforschen, ist ja *heilison*. Hingegen ist *expiare* eine andere Form eher kultischer denn magischer Handlung und wird denn auch sonst entsprechend glossiert: *gireinon* nicht nur (s. o.) in den Leipziger Can.-gll., sondern genau so Clm. 19440 (I, 338, 30) zu Exodus 29, 36; *hluttran* und dazu *hluttrida* Abrogans (I, 128, 15), *galutaran* Pariser Prudentiusgll. (II, 419, 47 und 426, 9); *gafurban* die Form von Rb (I, 336, 64; 409, 26; 469, 33). Farbloser ist *expietur gipuozit vuerde* (I, 397, 45) in M. Eine entsprechende Interpretierung von *expiare* würde man auch für die alten Freisinger Canonesgll. und ihre Nachfolgegll. erwarten. Mir scheint es daher am nächsten zu liegen, daß man *za heilisonne* als ursprüngliche interlineare Glosse zu *exquirendi causa* auffaßt, die, genau wie in den Frankfurter Gll., bei der Herstellung des ältesten Spaltenglossars falsch exzerpiert worden ist. Dabei kann der Bearbeiter *exquirendi* und *expiandi* für durch *aut* verbundene Synonyme gehalten haben.

Es läßt sich freilich nicht widerlegen, wenn man an der Zusammengehörigkeit von *expiare* und *heilison* festhalten und also dem deutschen Verbum eine ursprünglich größere Bedeutungsbreite zumessen wollte; *heilison* müßte dann allgemein bedeutet haben 'heilvolle Handlungen ausführen'. Man könnte sich dabei darauf berufen, daß auch das Ags. und das Nord. das Verbum kennen, aber nicht in der deutschen Sonderbedeutung verwenden. Im Nordischen bedeutet *heilsa* wie noch neuschwed. *hälsa*, neudän. *hilse* 'grüßen' (also 'Heil wünschen'), deckt sich also bedeutungsmäßig mit der verwandten deutschen Bildung *heilezzen*. Für das Ags. ist die Bedeutung 'grüßen' höchst zweifelhaft; die Belege für die Bedeutung *auguriari* sind so spät und selten, daß hier eher an späten festländischen Gelegenheitsimport zu denken ist. Die Hauptbedeutung ist 'beschwören', und zwar sowohl im Sinne von 'inständig bitten', wobei Vermischung mit *healsian* 'umhalsen' eintritt, als auch im magischen Sinn. Von hier aus gelangt das ags. *halsian, hælsian* in den Sprachgebrauch der Kirche und wird zur Über-

[31]) Vind. 361 hat zahlreiche neue und eigene Glossen, die sich nirgends mit der sonstigen breiten Überlieferung der Can.-gll. berühren.

setzung von *exorcizare*[32]). Indessen finden sich im Deutschen sonst nirgends Spuren einer anderen als der spezifischen Bedeutung von 'Vorzeichen beobachten' für *heilison*, und diese ruht unmittelbar auf der Verwendung von *heil* in der Bedeutung 'Vorzeichen'[33]). Somit scheint es mir vorsichtiger, auf allzu weitgehende germanische Beziehungen zu verzichten und die alte Can.-Glosse nicht dafür aufzubieten[34]).

Außerhalb der Glossen ist *heilison* nur in Notkers Mcp. zu erwarten. Notker kennt und benutzt eifrig das Abstraktum *heilisod*, nicht dagegen *heilison* und *heilisari*, obwohl er dazu Gelegenheit gehabt hätte. Er bleibt vielmehr bei dem lateinischen *augur, aruspex.* Als lateinische Entsprechung für *heilisod* finden wir bei Notker neben zweimaligem *augurium* (W. No. 21 c und l) vor allem *omen* (achtmal). Damit verbleibt Notker ganz im Rahmen der Glossen[35]).

Eigentümlicher liegen nur 21 b und 21 e, beides Fälle, in denen Notker dem Text gegenüber selbständiger ist. 21 e betrifft Konstellationen der Planeten und ihre Beurteilung durch Sternkundige *(mathematici).* Die Stelle ist nur aus dem Kommentar des Remigius verständlich. Er erörtert die Konstellation von Merkur und Juppiter und bemerkt dazu, die Sternkundigen *(phisici)* hielten sie für *salubres nuptiae*[36]). Das überträgt Notker: *héilesod tûe demo gehîleiche.* Da es sich um eine Technik der Zukunftsbestimmung handelt, ist die Verdeutschung, die zugleich wortmäßig an *salubres* anklingt, geschickt gewählt.

21 b stammt aus der Einleitung Notkers zu seiner Martianus-Übersetzung: *Ze déro ságûn bitet er* (Martian) *hélfo únde héilesodes himeneum, dén álte líute hábetun fúre hîgot únde fúre máchare állero natúrlichero míteuuiste.* Die Angaben

32) Für *exorcizare* findet sich ahd. nur ein älterer Beleg. Die Can.-gll. der Würzburger Hs. Mp. th. f. 146 (der einzigen, die Glossen zum Anfangsteil des Conc. Laod. bringt; alle übrigen erst ab CIV oder noch später) bieten II, 92, 51 *Exorcizare uuihen.* Erst die späten Gll. Heinrici, Hildegardis und Herradinae bringen *biswerere* als Verdeutschung von *exorcista.*

33) Die Tegernseer Vergilgll. interpretieren II, 641, 16 und 651, 54 *omen* mit *heil.* Das deckt sich mit nord. Sprachgebrauch (etwa Reginsmál 19 u. 20).

34) Die Sippe *heilison* fehlt im Abrogans. Doch vielleicht nur durch den Zufall einer falschen etymologischen Spielerei. Wir finden nämlich das Lemma *aruspes, qui ad aras colit* und entsprechend die Glosse: *parauuari, der za demo parauue ploazzit.* Es muß sich um eine weiter verbreitete etymologische Vorstellung handeln. Ganz ähnlich heißt es in Jb-Rd (I, 272, 32) *ariolus, qui ad aras colit anapetare.* Vgl. ferner: *Ariolandi bnbpftfs,* d. h. *anapetes,* in den Geheimgll. von Clm. 18140 und 19440 (I, 400, 40. 405, 24). Aus einer derartigen Glosse muß noch der Glossator von Notker seine Glosse *anebetare* für *aruspices* (Ps. 73, 15) entnommen haben.

35) Für einige Stellen hat W. die textlichen Beziehungen übersehen. 21 a stammt aus dem Remigiuskommentar. Für 21 d und f bietet der Text selbst das Wort *omen.* 21 g bezieht sich auf die gleiche Textstelle wie 21 f.

36) Vgl. dazu auch: Johannis Scoti Annotationes in Marcianum, ed. Cora E. Lutz (= The Mediaev. Acad. of America. Publ. Nr. 34) Cambridge Mass. 1929, p. 29, 31 f.: *dum vero eadem stella Iovis in coitu Mercurii fit, hoc est dum simul in eisdem partibus signiferi concurrunt, saluberrimos conceptus omnium quae in terris et in aquis nascuntur fieri fisica comprobat ratio. Ideoque Iovis per id temporis conubiali consortio crederetur.*

über Hymenäus und seine Wirksamkeit verdankt Notker wieder Remigius. Den einleitenden Hauptsatz über Martians Gebet an Hymenäus hat er dagegen selber verfaßt. Er weist auf den folgenden Abschnitt, den Hymnus Martians auf Hymenäus, hin. Und da dieser in dem Satz ausklingt: *Caliopea componens conubium diuum probat te annuere auspicio carminis,* so wird Notker, der *auspicium* auch hier mit *heilesod* wiedergegeben hat, das *heilesod* der Vorrede von hier bezogen haben. Immerhin läßt die stabende Formel *helfa unde heilesod* daran denken, daß Notker hier altes Sprachgut verwendet hat[37]).

Mit Notker verschwindet die Wortsippe aus der deutschen Literatur; nur Glossen und Beichtformeln schleppen sie noch unverstanden mit (vgl. S. 298 f.). Die frühmhd. Denkmäler kennen sie nicht, und die mhd. Wörterbücher vermögen nur noch geringe Spuren eines mundartlichen Nachlebens auf alemannischem Boden nachzuweisen; wirklich literarisch verwendet nur noch in der Martina des Hegauers Hugo von Langenstein.

III.

Von *heilesod*: *omen, augurium* hebt sich *zeichan* und das früh veraltende *bouhhan,* wofür W. die Belege in §§ 26. 27, S. 84 ff. zusammenstellt, deutlich ab. Dabei hat er mit Recht die reine Wortinterpretation von lat. *signum* nicht verbucht, sondern nur die Fälle festzustellen versucht, wo wirklich mantische Bedeutung vorzuliegen scheint. Doch sind auch seine No. 1 und 3 aus dem Abrogans bloße Wortübersetzungen. Denn wiewohl die lateinischen Synonyma zeigen, daß an Vorzeichen gedacht ist, erlaubt die Übersetzungstechnik des deutschen Abrogans, die Zug um Zug interpretiert, keine Schlüsse auf den deutschen Sinngehalt. Namentlich bei I, 10, 30 ist ganz deutlich, wie die Übersetzung ohne Rücksicht auf die Umgebung nur dem Einzelwort gilt. Somit sind auch hier nur Belege für die Wortgleichung *signum* : *zeichan* vorhanden.

Dasselbe gilt für den Abrogans-Beleg No. 6 (I, 247, 23), nur daß hier die lateinische Umgebung lehrt, daß mit *signa* Sternbilder, insbesondere die Zeichen des Tierkreises gemeint sind. Von da her wird auch No. 2 verständlich (I, 16, 33). Dort gilt in Pa und K die Übersetzung *zaichan* in einer Kette astronomischer Synonyma dem lateinischen Worte *astra.* Ra behält für die ganze lateinische Kette *astra, sidera caeli, stellas* nur *zeichan* bei. Daraus ergibt sich, daß die Lehnübersetzung *signum* : *zeichan* für die Sternbilder des Tierkreises, die auch ags. und an. vorliegt, ebenso ahd. vorhanden ist. Und zwar, wie der Abrogans-Beleg erweist, so frühzeitig, daß hier nicht die Angelsachsen, sondern nur die Langobarden als Vermittler in Frage kommen[38]).

Damit sind aber zugleich alle Belege erschöpft und ausgeschaltet, die W. für das Simplex *zeichan* in der Bedeutung 'Vorzeichen' zusammen-

---

[37]) Ich notiere dieselbe stabende Formel *hjálp ok heilsa,* freilich spät, aus dem Norden: Stjórn 447, 4.

[38]) Später wird dann Notker, etwa Mcp. 51, 15. 58, 22. 96, 4 u. ö., Zeuge dieses Sprachgebrauches.

gebracht hat. Alle weiteren Belege bezeugen das Kompositum *forazeichan*, das also als der allein gültige deutsche Ausdruck, dem nhd. *Vorzeichen* entsprechend, zu gelten hat. Erst Notker verwendet (Mcp. 181, 21) einmal das Simplex *zeichan* zur Übertragung von *prodigia*[39]).

Als lateinische Entsprechungen zu *forazeichan* treten auf: *prodigium* (7 Belege), *portentum* (5 Belege), *monstra* (4 Belege), dazu einmal *prenotatio*[40]). Diese Zusammenstellung zeigt, wie ungemein sauber die Grenze gegen die Sippe *heilison* verläuft. Insbesondere fällt auf, daß niemals *omen* durch *forazeichan* wiedergegeben wird; *forazeichan* sieht die Erscheinungen nicht von der menschlichen Auslegungskunst her wie *heilisod*, sondern als Offenbarungen der übernatürlichen Welt, die sich unerstrebt und unerzwingbar den Menschen darbieten, unabhängig von seiner Fähigkeit, sie zu deuten. Das Rätselvolle und die Maße der Natur Durchbrechende solcher Erscheinungen wird oft erschreckend empfunden werden (*monstrum*, *portentum)*, ist aber nicht notwendig damit verknüpft. Erst wenn das *forazeichan* aus dem Bezirk bloßer Erscheinung in den Kreis menschlichen Bemühens um seine Deutung tritt, erst dann beginnt der Geltungsbereich der Sippe *heilison.*

IV.

Neben den beiden grundlegenden Sippen *wizzagon* und *heilison* hat W. eine Reihe speziellerer Wörter und Wortsippen aus dem mantischen Bereich untersucht. Er hat dabei vier verschiedene Erscheinungen beachtet: Loswerfen, Traumdeutung, Vogelschau und Totenbefragung. Nicht zu allen habe ich Wesentliches zu sagen; zu einigen glaube ich über W. hinaus Neues beitragen zu können.

[39]) Der Glossator verwendet hingegen *forazeichen*, jedoch im Sinne der *bezeichenunga*, der alttestamentlichen Präfiguration. Notker selbst sagt dafür *forazeichenunga* (Ps. 39, 7).

[40]) Dagegen fällt W.s einziger Beleg für *presagum* (No. 8 b) fort. Die Glosse lautet in Rd-Jb *Presagum forazeichannan forauuizun prescium futurorum.* Sie gehört zu Gen. 41, 11 *Vidimus somnium presagum futurorum.* Die Glosse erweist sich durch das in Rd ganz ungewöhnliche Durcheinander von lateinischen und deutschen Elementen als gestört. Ihr Aufbau wird aus dem lat. Glossar Rz bzw. dessen Nachfolgeglossaren geklärt, die Steinmeyer in Bd. V der Gll. untersucht hat. Zur Stelle gibt Rz die Glosse *Presagum prescientem*, die so in die Nachfolgeglossare AFR übergeht. Dazu tritt eine zweite Glosse im Hieronymusprolog, die in Rz lautet *Presagio providentia* bzw. *prescientia* (P). Sie findet sich wieder in den deutschen Glossaren M und Fragm. St. Pauli. In den Nachfolgeglossaren AFR wird sie erweitert zu *Presagium iđ prescientia ł signum futurorum* bzw. *signo futurorum ł prescientia* in Clm. 18140.

In Rd-Jb ist eine Glosse verarbeitet, die *presagum futurorum* der Bibelstelle überträgt. Sie liegt in Rb vor (W. No. 8 a; vgl. oben S. 290) und geht in der kürzeren Form *presagum foravuizo* in die Sondergll. von Clm. 18140 ein. Diese wird durch das *prescium* ergänzt, das sich aus *prescientem* ergibt. Durch *futurorum* der Bibelstelle wird dann die zweite Rz-Glosse in ihrer erweiterten Form angezogen: *Presagium, signum futurorum.* Von hier stammt das Interpretament *forazeichannan* als wörtliche Übertragung von *signum futurorum.*

Wenig weiß ich der sehr reichlichen Sammlung auf dem Gebiet des Losens hinzuzufügen. Es handelt sich zum guten Teil um reine Wortübertragung von lat. *sors* und seiner Sippe in seiner ganzen Bedeutungsbreite, und viele Belege haben nur sehr mittelbar etwas mit mantischer Technik zu tun. Aber die Sammlung macht eine grundsätzliche Beobachtung möglich. Wir wissen, daß die Losbefragung ein uralter germanischer Brauch ist. Und es ist methodisch wichtig, zu sehen, wie eine alte und wirklich lebendige kulturelle Erscheinung sich alsbald sprachlich durch die bewegte Mannigfaltigkeit der zugehörigen Wortsippe zu erkennen gibt. Das Auffallendste an W.s Sammlung ist die Vielgestaltigkeit und Altertümlichkeit der zugehörigen Wörter, ein Reichtum an ablautenden Bildungen, wie man ihn nicht sehr häufig wiederfinden wird. Und es ist ebenfalls wichtig, darauf zu verweisen, wie der sprachliche Reichtum einer Wortsippe doch auch an einem so spröden Material wie dem althochdeutschen Sprachschatz zutage tritt, sofern er da war. Auch hier wird man mit Schlüssen ex silentio und dem Ansatz nicht überlieferter Bildungen vorsichtig sein müssen. Umgekehrt wird man vermuten dürfen, daß dort, wo das W o r t unentfaltet ist, auch die S a c h e keine wesentliche Bedeutung gehabt haben wird.

Von Interesse sind auch hier die von W. S. 77 zusammengestellten lat. Lemmata. Nur fünf beziehen sich nicht auf *sors* und seine Ableitungen[41]). Sie betreffen:

auguriari	No. 6, 7.
ariolus	No. 8 a, 19.
magus	No. 32.

Die beiden Belege für *auguriari* (I, 300, 56; I, 315, 68) betreffen Gen. 44, 5, den Becher Josephs *in quo auguriari solet.* Rb und M verwenden hier das übliche *heilison.* Wenn hier die Sippe der Bibelgll. S (nach Steinmeyers Bezeichnung V, 110) und Ja das Verbum *leozzan* benutzen, so haben sie den Becher als *urna* — mehrfach wird *urna* mit *lozfaz* übersetzt —, das *auguriari* also als Losorakel aufgefaßt. Die zweimalige Wiedergabe von *ariolus* endlich durch *liezzo* (IV, 3, 23; V, 22, 13) betrifft eines der bedeutungsbreitesten und daher konturlosesten lat. Lemmata. Dementsprechend ist die deutsche Wiedergabe sehr bunt. Häufigste Interpretation ist *zoubrari,* das entsprechend allgemeinste deutsche Wortt. Daneben aber auch *goukalari, wizzago, leodarsezzo,* also mantisch-magische Nomina agentis speziellerer Art, denen sich hier also der *liezzo* anschließt. Weniger geprägte Übersetzungen sind dann *einlisteo, filulisteo* des Abr. (36. 35/37)[42]), *anabetari* (Ra 36, 35), *furistun* in M (I, 659, 16).

---

[41]) W. No. 10 fällt in diesem Zusammenhang fort. Es handelt sich um die oben S. 294 besprochene Stelle der Hildesheimer Canonesgll. zu *divinationes.* Dieses ist nicht, wie W. S. 78 meint, eine Fehlschreibung für *divinatores* und nicht durch *liezan* interpretiert. Vielmehr wird durch Verweisungszeichen *pizekon* als Interpretament festgelegt und durch die Frankfurter Can.-gll. bestätigt; *liezan* gehört allein zu *sortilegos.*

[42])

Ariolus	ainlisteo (PaK)	Ariolus anapetari (R)
uatis	filu	uatis poeta
qui et fariolus	anti (endi) filulisteo	uariolus uatis

also *filulisteo* glossiert *fariolus,* nicht *ariolus*; vgl. aber Thesaurus Linguae Latinae VI, 3, 2534, 23 ff. s. v. *hariolus*!

Am undurchsichtigsten ist No. 32: *magus quasi magis gnarus sahs luzzo* (St. Gallen 299) bzw. *sahluzzo* (Schlettstadt) in den Gregorgll. (II, 263, 17). Eine Deutung ist bisher nicht gefunden. Wesle und nach ihm W. Schröder[43]) erklären ohne nähere Begründung die Schlettstadter Form für die ältere; sie bauen aber keine Erklärung darauf auf. Wesche hält mit Grimm und Graff die Form *sahsluzzo* für die ältere. In Grimms Mythologie (III, 306) ist die Vermutung hingeworfen, es handle sich um ein Weissagen mit Schwert oder Messer; Graff knüpft an den Volksnamen *Sahso* an, scheint sich also einen Wahrsager aus Sachsenstamm darunter vorzustellen. Beide Erklärungen führt W. als möglich an.

Sie sind unmöglich. Alle Belege eines Nomen agentis, die durch ihr lat. Lemma auf magisch-mantische Tätigkeit verweisen (*ariolus, sortilegus, sortilega*) weisen die Vokalstufe *-ie-* auf (*liezzo, liozzari, liezza*). Es sind W.s Nummern 8 a. 8 c. 10. 19. 29 i. 30. 31. Dagegen bedeutet das Nomen agentis *hluzzo*, das früh ausstirbt und durch seinen Nachbarn *hlôzzo* beerbt wird, stets 'jemand, dem etwas zugelost ist'. So *epanhluzzo consors* (R I, 68, 23), *urhluzer exsors* (RB I, 559, 7), *ebanlozzon* (Benediktinerregel), *euanhloteri* (Düss. Prud.-gll.) *consortem, chilothzsson* (Is.) *consortibus*. Diese ganze Gruppe steht also ganz außerhalb der mantischen Sphäre. Wer dennoch *sah(s)luzzo* an die Sippe von 'Los' anknüpfen will, kann es nur über die Bedeutung 'einer, dem etwas zuteil geworden ist, der etwas besitzt'. Ich selber sehe keinen Weg zur Deutung, weder von *hluzzo* noch von den andern Stämmen her, an die man denken könnte (*sliozzan, lûzen*).

Für die Traumdeutung stellt W. die Belege in § 22, S. 72 ff. zusammen. Die lat. Lemmata gehen fast ausschließlich unmittelbar oder mittelbar auf Gen. 40, 22 zurück, wo der Traumdeuter Joseph als *conjector* bezeichnet wird. Damit wird die gesamte Gruppe *conjicere, conjectare* in die Betrachtung einbezogen. Ihre deutsche Glossierung erfolgt fast durchgängig durch *ratan* oder die zugehörigen Intensivbildungen *ratisson, ratiskon*. Dabei ist zunächst an die nicht mantische nhd. Bedeutung von 'raten' zu denken. Man sieht dies gut an einer Stelle, wo *ratan* ausnahmsweise einmal *prophetizare* wiedergibt. Es handelt sich um Matth. 26, 68, wo die Juden Jesum höhnen: *prophetiza nobis, Christe: quis est, qui te percussit?* Hier, wo *prophetizare* ja in der Tat uneigentlich verwendet ist und ein Erraten bedeutet, ist also die Glossierung *errat* (I, 718, 39) nicht schlecht gewählt. Die meisten Belegstellen für *conjicere, conjectare* fallen also für die Frage der Weissagung allgemein, der Traumdeutung insbesondere außer Betracht. Und Entsprechendes gilt für die Gruppe *ratan, ratisson*. Daß die lateinische wie die deutsche Sippe auch auf den Sonderfall der Traumdeutung ange-

[43]) C. Wesle, Die ahd. Glossen des Schlettstadter Codex, Straßburg 1913, S. 95, beschränkt sich auf die reine Gegenüberstellung der beiden Schreibungen und auf den Entscheid für Schlettstadt; W. Schröder, Beitr. 65 (1942), S. 80, übernimmt dies mit dem bloßen Hinweis auf Wesle.

wendet werden konnte, ist einleuchtend, doch muß man das in jedem einzelnen Fall erst sicherstellen. Deutlich wird es, wenn gelegentlich (W. No. 9 u. 10) *ratisson* zur Verdeutschung von *somniare* verwendet wird.

Entsprechend sind die Nomina agentis *conjector* bzw. *ratari, erratere, ratissari* zu beurteilen; auch sie haben allgemeine Bedeutung, und es ist von Fall zu Fall nachzuweisen, ob sie in mantischer Verwendung stehen. Wenn der Traumdeuter Joseph Gen. 40, 22 als *conjector* bezeichnet wird, so ist damit eine solche Verwendung des lateinischen Wortes bezeugt. Aber wenn dies gelegentlich, übrigens spät und selten, mit den eben genannten deutschen Wörtern übertragen wird, so ist damit natürlich noch nichts Entscheidendes gesagt; es kann sich um eine reine Wortinterpretation ohne Ansehen der Stelle handeln.

Sicherheit haben wir nur in den Fällen, wo schon der sprachliche Ausdruck klar auf den Traum Bezug nimmt. Und solche Belege liefert in erster Linie eben die Interpretation von Gen. 40, 22. Auf diese Genesisstelle spielt ferner Ps. 104 an, der die Belege aus Notker liefert. Endlich gelten einige Glossen Prov. 23, 7, wo *conjector* in einem in Urtext und Vulgata kaum verständlichen Zusammenhang erscheint, jedenfalls aber durch die Paarung mit *ariolus* als Ausüber magisch-mantischer Betätigung gekennzeichnet ist[44]).

Und hier ergibt sich nun die Eigentümlichkeit, daß in der Zusammensetzung mit *troum-* nicht die für *conjicere* so ungemein feste Wortsippe *ratan* verwendet wird, sondern ausschließlich *sceidan.* Joseph ist überall der *troumsceido* oder *-sceidari.* Von den zehn einschlägigen Glossenbelegen W.s geben neun eine dieser beiden Bildungen. Sechs von ihnen beziehen sich auf Joseph, davon zwei nicht auf Gen. 40, 22, sondern auf den *somniator* von Gen. 37, 15 (*Ecce somniator venit*), was vielleicht doch nicht mit W. als reine Fehlglossierung zu betrachten ist. Die restlichen drei, durch die alten Glossare Rb, Ja, M belegt, beziehen sich auf die eben erwähnte Stelle der Proverbia. Hinzu treten die drei Belege aus Notker[45]) zu Ps. 104. Der Psalmtext selber gibt das Wort nicht an die Hand; erst Notkers Auslegung spricht von Traumdeutung und Traumdeuter. Er selbst verwendet dafür lateinische Wendungen: *interpres* bzw. *interpretatio somniorum.* WPs. überträgt wörtlich, indem er die übliche Übertragung von *interpres, interpretatio* verwendet: *antfristare* bzw. *antfristunga dero trouma.* Der Glossator hingegen verdeutscht sachgemäß durch die Komposita *troumsceidere* bzw. *troumsceid.*

[44]) Die Stelle lautet in der Vulgata: *Quoniam in similitudinem arioli et conjectoris aestimat quod ignorat.* Luther übersetzt: „Denn wie ein Gespenst ist er inwendig." Mein alttestamentlicher Kollege bestätigte mir, daß auch der hebräische Urtext und die griechische Übersetzung keine Klärung bringen.

[45]) W. No. 10 a aus Martianus hat mit Traumdeutung nichts zu tun und ist auszuscheiden. Die dort mit *troumtrugenara* bezeichneten Wesen sind keine Traumdeuter, sondern göttliche Wesen, die dem Menschen trügerische Träume senden.

Dieser ungewöhnlich geschlossenen und einheitlichen Front steht ein einziger abweichender Beleg gegenüber, W. No. 5. Es sind spärliche deutsche Glossen zu dem Zweige Zf des lat. Glossars Rz, vertreten durch die späten Hss. Stuttgart 218 (12. Jh.) und Innsbruck 711 (13. Jh.). Stuttgart 218 überträgt *conjector* (zu Gen. 40, 22) mit *troumrechare.* Es wird gestützt durch die alte Glosse Jb-Rd *edisserat arsage, arreche* (zu Gen. 41, 15) als Ausdruck der Traumdeutung. Erst die Innsbrucker Hs. schreibt hier *trōrater.* Sie ist dürftiges Excerpt derselben deutschen Glossen, die auch Stuttgart zugrunde liegen. Da sie auch sonst Neigung zu Änderungen hat, ist ihr *troumrater* erst auf das Konto des Schreibers des 13. Jh.s zu setzen und also wertlos.

Bei solcher Gesamtlage ist Wesches Beurteilung der Gruppe nicht haltbar. Er betrachtet die Sippe *troumsceido* als jung: „vielleicht erst christlich", und hält die Bildung mit *ratan* für alt und einheimisch. Grund dafür ist die nordische Formel *ráða drauma.* Indessen war es ja eben deutsche Eigentümlichkeit, daß diese Form n i c h t vorkommt, obwohl die Sippe *ratan* die eigentliche Interpretation der Sippe *conjicere* ist. Gerade daß dem allgemeinen *ratan* auf dem Gebiet des Traumes ein so geschlossenes *sceidan* gegenübersteht, ist beweisend. Und in der Tat liefern nun die frühmhd. Denkmäler neben der Gruppe *troumsceide, troumsceidere* die in den Glossen nicht zu erwartende syntaktische Fügung *troume scheiden.* Ihr steht ein, wenn auch selteneres, nord. *skilja drauma* recht nahe. (Vgl. auch die Verwendung von *skilja* in der Mantik der Vogelweissagung S. 312.)

Über das Alter und die germanische Geltung des ganzen Bezirkes ist damit noch nichts ausgesagt. Daß der Traum dem Germanen als Zukunftsoffenbarung wichtig gewesen ist, darüber kann kein Zweifel bestehen, selbst wenn die Fülle der Saga-Träume bloßes literarisches Motiv sein mögen. Auch ein solches braucht den Hintergrund in der Wirklichkeit. Allein die Frage geht ja hier auf die durchgebildete mantische Technik; denn sie erst würde den *troumsceido* und sein Tun zu einer wesentlichen kulturellen und damit sprachlichen Erscheinung machen. Leider bleibt die alte Arbeit von Henzen[46]) ziemlich unfruchtbar und bietet nicht einmal eine geschlossene Materialsammlung. Doch scheint der Norden wenigstens Ansätze einer festen Terminologie der Traumdeutung besessen zu haben. Aus Am. 20, 3—4 (*opt er þat fyr øxnum, er ǫrno dreymir*) und Gudr. II, 39 (*þat er fyr eldi, er járn dreyma*) scheint sich eine feste Formel für die Beziehungssetzung von Traumbild und Ereignis zu ergeben. Für das verwandte *dreyma fyrir* finden sich Belege bei Henzen S. 22. Auch für die Rede des Auslegenden können sich vielleicht sehr einfache Formeln aus einer der bekanntesten Deutungsszenen der Saga, Gests Deutung von Gudruns vier Träumen (Laxd. 33), ergeben.

[46]) Wilhelm Henzen, Über die Träume in der altnordischen Sagaliteratur. Diss. Leipzig 1890.

Allein das sind sehr bescheidene Ansätze, und auch der Norden ist weit entfernt von einer festen Technik der Traumdeutung oder gar der sozialen und berufsmäßigen Sonderstellung des Traumdeuters. Träumer wie Traumdeuter sind überall Menschen des täglichen Lebens, der eine mehr, der andere weniger zukunftssichtig begabt, und nirgends tritt uns der Traumdeuter etwa mit der deutlichen Heraushebung der *völva* oder des *seiðmaðr* entgegen. Das wenige, was Henzen S. 49f. über die Technik der Traumdeutung zusammenstellt, ist ganz wertlos und bezieht sich zum größeren Teil nicht auf die Gabe, Träume zu deuten, sondern Träume zu haben. Und das scheint mir für die germanische Haltung als das eigentlich Bezeichnende. Es kommt auf die innere Begabung der Zukunftserfahrung an, nicht auf die Technik der Ausdeutung. Dafür hat der Norden das Adj. *berdreymr* gebildet 'fähig zu sinnvollen Träumen'. Und Snorri sagt in der Halfdanarsaga svarta von Königin Ragnild, daß sie große Träume träumte, w e i l sie gar weisen Sinnes war. Das ist die typische Größenordnung: die ungemeine innere Begabung ist nötig, um den bedeutsamen Traum haben zu können[47]). Er trägt seine Bedeutung in sich; sie braucht nicht erst durch eine handwerkliche Technik herausgeholt zu werden. Und dem Glauben an den Traum steht in der Saga eine sehr eigentümliche Neigung zur Skepsis gegen die Deutung gegenüber. Von hier aus ist es vielleicht doch möglich, einen Sinn in den deutschen Glossierungen zu finden, die *somniare* mit *ratisson* (vgl. S. 305 f.) und *somniator* mit *troumsceidari* (vgl. S. 306) wiedergeben. Es handelt sich keineswegs um Mißgriffe vereinzelter Hss., vielmehr geht *somniat* : *ratiscot* (II, 59, 63) durch alle drei Hss. dieses Zweiges der Boethiusgll., und *troumsceidari* ist Gemeingut von M. Für germanisches Denken liegt eben der Schwerpunkt der Traumweissagung so sehr in der Empfängnis und nicht in der Auslegung des Traumes, daß mit dem Traum auch die Deutung, das 'Scheiden' gegeben ist. Aus dieser Einheitlichkeit des Traumerlebnisses erwachsen dann die terminologischen Vertauschungen.

So scheint es mir zweifelhaft, ob es vorkirchlich eine deutsche Terminologie der technischen Traumauslegung gegeben hat. Dagegen scheint mir auch die Hilflosigkeit zu sprechen, mit der die älteste deutsche Übersetzung, der Abrogans, der Wortsippe *conjicere* gegenübersteht. Das lateinische Glossar gibt an drei Stellen Anlaß zur Übertragung: unter *conitio* (I, 62, 13), *coniectura* (I, 88, 35) und *Interpres, coniector* (I, 190, 37). An keiner der drei Stellen ergibt sich auch nur der Schatten einer festen, auf Traumdeutung oder auf eine Deutungstechnik überhaupt gerichteten Terminologie.

---

[47]) Die bei Maurer (Bekehrung des norwegischen Stammes zum Christentume II, 27) aufgeführten Beispiele für künstliche Herbeiführung von zukunftsweisenden Träumen dürften sicherlich zu spät sein. Im ganzen dürfte B. Kummer recht haben, wenn er die Ausbildung der Traumdeutung nach der technischen Seite hin, überhaupt das eigentliche Abhängigwerden des menschlichen Entschlusses und das Übermaß der Traumbeachtung, für eine spätere nordische Sonderentwicklung hält.

Im ersten Fall (*conitio* mit der Synonymenkette: *estimo, arbitror, reor, opinor)* ist *conitio* durch *hukkiu* (PaKRa) genau so ohne mantisch-technischen Gehalt wiedergegeben wie die Synonyma durch *uuaniu, ana uuan pim, hriusu. Coniectura* (mit der Synonymenkette *suspicio uel argumentatio)* erhält die Verdeutschung *cauuarf* (Pa), *kiuuerf* (K), also eine Fehlübertragung, die vom Wortsinn *jacere* ausgeht. Die Synonymen sind mit *uuan, edo carehtuuanida* wieder ganz unmantisch verdeutscht. Die alte Fehlübertragung schleppt auch R *(karechida ł kauuerf)* mit. *Interpres, coniector* endlich erhält die Verdeutschung *farscangenti, faruuerfanti* (Pa), *firslenkendi* (KRa), *firuuerfandi* (R), wiederum also vom Wortsinn *jacere* ausgehende Übertragungen. Man sieht, daß sich an die Sippe *conicere* keine deutsche Vorstellung unmittelbar anknüpfen und damit eine deutsche Übertragung leicht finden ließ.

Somit scheint es mir sicher, daß es über die feste syntaktische Fügung *trouma sceidan* nur Augenblicksbildungen mit geläufigen Suffixen gegeben hat. Eine solche ist *troumsceido* oder *-sceidari,* die sich einstellte, als es galt, den *coniector* Joseph der Genesisstelle zu übersetzen. Eher wirkt schon die erst bei Notker belegte Abstraktbildung *troumskeid* altertümlich. Im ganzen ist doch die Gruppe ungemein steril und formenarm, ein deutliches Zeichen, daß sie keinen breiten Boden im lebendigen Leben hatte.

Dies ist dagegen bei der Vogelweissagung der Fall. Hier bieten die lat. Lemmata *augurium, auspicium, oscen* und ihre Sippen glossatorische Möglichkeiten, die freilich, wie dargelegt, gutenteils durch die allgemeinste Wortsippe für mantische Technik, *heilison,* abgefangen sind. Allein daneben gibt es eine deutlich an den Vogel und seine mantische Bedeutung anknüpfende Sonderterminologie.

Aus den Zusammenstellungen bei Wesche § 21, S. 68 ergeben sich deutlich zwei Gruppen. Die eine (6—9) mit neun Belegen enthält die Sippe *fogalrarton,* die andere (No. 1, 3, 4, 5) mit vier Belegen andere Zusammensetzungen mit *fogal*[48]). Zuvor ist aber eine Sondergruppe zu besprechen, die durch zwei Abr.-Belege als hochaltertümlich erwiesen wird.

I, 10, 30: *Auxpicia souuarida* (Pa), *souuaridha* (K), *suarida* (Ra).
I, 10, 35: *Auxpicati sunt arsuar&e sint* (Pa), *arsouuarre sint* (K), *arsuar& sint* (Ra).

Beide Glossen sind nicht in R übergegangen; die erste ist ausgelassen, die zweite durch *fogalonte sint* ersetzt.

Die Glosse ist unerklärt. Graff hat sie unter der Wurzel 'schwer' eingeordnet[49]), Schenck in seiner Heidelberger Diss. mit üblicher Unergiebigkeit stellt sie mit *swarida ius iurandum* (I, 152, 34) zusammen; Wesche bringt nichts Neues.

[48]) W. No. 2 gehört nicht hierher, sondern zu den Belegen für *heilison.* Die Fehlglossierung *aucupes heilisari* (II, 479, 66) bezeugt nur, daß der Glossator, übrigens erst des 11. Jh.s, *aucupes* und *aruspex* verwechselt hat.

[49]) Steinmeyer hat in seinen Sammlungen nur Graffs Ansatz notiert, Eigenes nicht hinzugefügt.

Falk-Torp (Norw.-dän. Et. Wb.) setzen s. v. *sverge, svar, surre* eine gemeinsame Wurzel **sver-* an, deren Grundbedeutung gewesen sei, 'einen Laut von sich geben'. Von hier aus geht *svar, svara* (eigentlich 'Rede, reden') durch Verengung zur Bedeutung 'Antwort' über. Die Gruppe 'schwören' ist eine germ. Sonderentwicklung aus einer Formel des anord. Typus *sverja eiðom*, also 'mit Eiden reden'. Der Tiefstufe **sur-* entspringen die Lautworte der Gruppe *surren*. Zur Hochstufe ziehen sie außergerm. lat. *sermo*, osk. *sverrunei* 'dem Redner', ind. *svarati* 'tönt'. Zur Tiefstufe namentlich lat. *susurrare*.

Demgegenüber setzt Walde-Pokorny (II, 527f.) in Aufnahme der Ansicht von Fick zwei Wurzeln **suer-* an. Die eine, mit der Grundbedeutung 'sprechen, reden', umfaßt die germanischen Wörter für schwören und antworten, ferner *sermo* und *sverrunei*. Die andere, mit der Grundbedeutung 'surren u. dgl.', umfaßt neben einer Masse von Lautworten aus Hoch- und Tiefstufe doch auch lat. *surdus* (eigentlich 'dumpf, undeutlich redend bzw. hörend'), *absurdus* (eigentlich 'mißtönend') u. a., sowie ind. *svarati*.

Ob man hier zwei Wurzeln scheidet oder nicht, jedenfalls lassen sich die ahd. Glossenwörter ohne den Umweg über die Bedeutung '(be)schwören' unmittelbar an die Grundbedeutung 'tönen' anknüpfen. Es wird sich ergeben, daß die germ. Form der Vogelweissagung die ausdeutende Beobachtung der Vogel*stimme* ist; die Sippe *fogalrarton* bedeutet ja nichts anderes als 'sich mit der Vogelstimme beschäftigen'. Dazu wäre *swarên* eine genaue Parallelbildung: 'sich mit dem Laut, der Stimme (vgl. lat. *sermo*) beschäftigen', *arswarên:* 'aus der Beschäftigung mit der Stimme erfahren'. Wir haben also eine sehr altertümliche Bezeichnung der Vogelmantik vor uns, die schon R nicht mehr verstanden, sondern ausgeschieden oder ausgewechselt hat.

Die R-Glosse *fogalonte sint* führt zugleich zu der zweiten der oben geschiedenen Gruppen hinüber, die Zusammensetzungen mit *fogal-* verwenden. Das Verbum *fogalôn* bedeutet zunächst ganz allgemein 'sich mit Vögeln abgeben'. Meist ist es ahd. schon auf den Vogel*fang* eingeschränkt und verdeutscht in den Glossen daher *aucupari*. Entsprechend wird das Nomen agentis *auceps* oder *aucupator* mit *fogalari* verdeutscht. Dasselbe Wort aber benutzt die schon mehrfach erwähnte interpolierte Londoner Hs. der Gll. Sal. zur Wiedergabe von *augur* (IV, 132, 26). Es ist also eine späte Parallele zu der R-Glosse und wie jene bairisch-österreichisch. Beide Male erhält *fogalon* einen Sondersinn, der ihm sonst nicht eignet.

Die beiden anderen Belege dieser Gruppe liefern andere Ableitungen von *fogal*; beide aus den Melker Vergilll.:

> *augur uogiluuiso. heilisare. augurium heilisod* (II, 694, 13).
> *Auspicibus, auspex uogil scouo* (II, 694, 18).

Beide Glossen sind Lehnübersetzungen; namentlich bei *auspex* ist das deutlich. Im Falle *augur(ium)* hat sie zugleich erklärende Aufgaben. Die Hs. des 12. Jh.s hat die alten Glosseme *heilisari, heilisod* übernommen, aber nicht mehr gekannt. Daher wurde eine an den Sinn von *augur* anknüpfende Verdeutlichung zugefügt.

Beide Glossen gehören nur diesem einen Zweige der Vergilgll. an, müssen also nicht notwendig in ältere Schichten zurückreichen. Allein *heilisari, heilisod* sind keine Wörter des 12./13. Jh.s (vgl. S. 298 f.); sie müssen mindestens jener deutlich spürbaren fränkischen Vorstufe angehören, die Steinmeyer[50]) nachgewiesen hat. Hingegen gehört dann eben die Zufügung *uogiluuiso,* die ihre nächsten Verwandten in mhd. Bildungen hat[51]), aber keine Parallele im Ahd., erst der letzten, österreichischen Hand. Und dann ist es wahrscheinlich, daß auch die Nachbarglosse *auspicibus* derselben gelehrten Hand ihr Dasein verdankt.

Somit sind alle vier Belege, der frühe von R und die drei jungen, auf bairisch-österreichisches Gebiet verwiesen.

Von der Sippe *fogalrarton* stehen vier Belege bei Notker; da sind wir also auf sicherstem alemannischen Boden. Ein fünfter Beleg, *auguriari vogalrarton* aus Rd-Jb, gehört ebenfalls nach Alemannien. In seiner Beziehung auf Gen. 44, 5 ist es ein typischer Fall reiner Wortübertragung ohne Rücksicht auf den Sinnzusammenhang. Ein sechster Fall betrifft die Glosse *auspicium fogalrartod* der Schlettstadter Canonesgll. (II, 93, 15). Sie ist Sondergut der Schlettstadter Hs. und fehlt sogar der Schwesterhs. St. Gallen 299. Damit wird man wohl anzunehmen haben, daß sie erst in dieser Hs. entstanden und also mit Fasbender und Wesle ins Bodensee-Schwaben, vielleicht nach Reichenau zu setzen ist. Aber auch wenn man das Wort dem 12. Jh. nicht mehr zutraut und daher geneigt wäre, die Glosse in die Vorstufe von Schlettstadt zurückzuverlegen, würde man im alemannischen Bezirk verbleiben.

So bleibt noch Wesches No. 8, das dreimalige Auftreten des Wortes in den Pariser Prudentiusglossen, davon zweimal auch im Schwestercodex Clm. 14395. Schatz (Altbairische Grammatik) möchte sie ins östliche Schwaben setzen; jedenfalls findet er schwäbische Elemente darin und lehnt ihre Verwendung als bairisches Sprachdenkmal ab. Dagegen behandeln sowohl Steinmeyer wie Braune diese Glossen unbedenklich als bairisch. Eine Entscheidung kann ich natürlich ohne erneute eingehende Untersuchung der ganzen Hss. nicht wagen, und diese müßte zugleich, über Steinmeyers alten Aufsatz ZfdA 16 (1873), S. 1 ff. hinaus, die Filiationsfrage der Glossen erneut aufnehmen und damit zugleich klarzustellen suchen, wie viel von dem Sondergut der Pariser Gll., der umfassendsten unserer Prudentiusglossen, in die ältere Schicht hinübergenommen werden muß und wo diese anzusiedeln wäre. Bis zu einer solchen neuen Untersuchung wird jede Einzel-

[50]) Steinmeyers Nachweis (ZfdA 16/1873, S. 110 f.), daß den Melker Vergilgll. letztlich eine alemannische Fassung zugrunde liegt, hat für unsere junge Sonderglosse natürlich nichts zu sagen.

[51]) Vgl. Lexer s. v. *vogelwîse,* Dieffenbach s. v. *augur, augurium.*

frage, wie dieses dreimalige, auf engstem Raum zusammengedrängte *fogalrarton* (II, 471, 52. 54; 472, 65), nicht sicher zu behandeln sein.

Soviel wird man Schatz' sicherem Sprachgefühl zubilligen müssen, daß die Vorlage von Par. und St. Gallen 299 an der schwäbisch-bairischen Grenze anzusiedeln ist. Und damit ergibt sich für die Sippe *fogalrarton* ein ganz bestimmter landschaftlicher Herd; es ist alemannisch mit möglicher Ausstrahlung in die bairische Nachbarschaft, während in bairischen Kerngebieten statt dessen andere Bildungen mit *fogal-* auftreten.

rarton ist Ableitung zu ahd. *rarta*, got. *razda*, nord. *rödd*, ags. *reord; fogalrarton* bedeutet mithin: 'sich mit der Vogelstimme beschäftigen'. Ist das ein altes Wort oder junge Lehnübersetzung von *augurium*, die dann später auf alle Vogelbefragung, also auch auf das an sich sprachlich so leicht durchschaubare *auspicium* übertragen wurde? Hier entscheidet der Norden für das Alter.

Die nicht wenigen nordischen Belege zeigen, daß *fugla rödd* im mantischen Bereich eine feste Prägung ist. Fáfnismál berichtet, wie Sigurd durch den Genuß des Drachenblutes Kenntnis der Vogelsprache erhält: *ok skildi hann fugla rödd.* Alsbald wird ihm Warnung und Zukunftsweisung durch die Vögel zuteil. Von hier aus ist die Prosa zu Gudr. I ausgegangen, der zufolge Gudrun durch den Genuß vom Fleisch des Drachen an Sigurds Kenntnis Teil erhielt: *ok hon skildi því fugla rödd.*

Ohne unmittelbaren Zusammenhang mit Fáfnismál weiß auch jene preisende Beschreibung Sigurds, die in der Thidrekssaga steht und aus der der Verfasser der Vǫlsungasaga cap. 23 entlehnt hat, von seiner Kenntnis der Vogelsprache. Sie sagt nichts von der märchenhaften Erwerbung aus dem Drachenblut, hebt vielmehr Sigurds eingeborene allgemeine Zukunftssichtigkeit hervor, von der ihr die Kenntnis der Vogelsprache nur ein Sonderfall ist: Ths. I, 346: *hann er sua vitr maðr, at suma luti veit han firir þa er eigi eru fram komnir. oc hann kann oc skilr rœdd fugla.* Und Vǫlsungasaga (cap. 23): *hann var vitr madr, sva at hann visse fyrir uordna lute. Hann skilldi fuglsraudd.*

Ein sehr alter Beleg ist das Haraldskvæði: *Vitr þóttisk valkyria, es fugls rǫdd kunni* (str. 2). Ferner führe ich aus der Prosa Snorris Angabe in der Ynglingasaga cap. 18 über König Dag an: *hann var maðr svá spakr at hann skilði fugls rǫdd.* Und im Frissbok wird eine schwankhafte Geschichte erzählt, wie Olaf kyrri einen zukunftskundigen Bauern auf die Probe stellt. Von diesem sagen die Gefolgsleute des Königs: *ok þat hyggiom ver at hann kvnni fugls rarddo* (ed. Meyer S. 259).

Aus allen Belegen geht hervor, daß es eine feste Terminologie der Vogelmantik gab: *fugls* (oder *fugla*) *rödd skilja* oder *kunna; skilja* war uns als mantisches Verbum schon bei der Traumdeutung begegnet, und *fugls rödd* stellt sich unmittelbar neben ahd. *fogalrarton.* Auch *vitr* erscheint übrigens als festes Glied dieses terminologischen Kreises.

Schon Tacitus wußte um die Bedeutung der Vogelmantik für die Germanen. Dabei handelt es sich aber so wenig wie bei der Traumdeutung um eine durchgeformte Technik geschulter Zeichendeuter. Die nordischen Quellen zeigen aufs schönste, daß es sich um ein Wissen des Begabten, die eingeborene Gabe des hervorragenden Mannes handelt. Die Geschichte von Sigurds magisch-märchenhafter Erwerbung der Gabe ist ein Sonderfall und bekanntlich nicht germanischen Ursprungs. Wie alle übernatürlichen Gaben ist Kenntnis der Vogelsprache Zeichen des Führers und Königs.

In der Rigthula erweist der junge Konr seine Berufung zum Herrscher und Erben durch magische Begabungen und Kenntnisse, darunter die Kenntnis der Vogelsprache (*klǫk nam fugla* 44, 1), und gerade diese wird alsbald handlungsmäßig ausgenutzt: eine Krähe ruftt ihn, vom Baume krächzend, zu neuen Taten. Im Bruchstück des alten Sigurdliedes hört Gunnar — er, der König allein! — nach Sigurds Ermordung, was Adler und Krähe im Baume reden, und während die andern den unbekümmerten Rausch des Siegesmahles ausschlafen, liegt er allein sorgend und sinnend wach. In der Ragnarssaga ist Aslaug, Sigurds und Brynhilds Tochter, der Vogelsprache kundig, nicht wie Gudrun durch magische Übertragung, sondern offensichtlich als eingeborenes Erbe. Drei Vögel verraten ihr das Geheimnis des unbekannt fahrenden Königs Ragnar, und diese Tatsache allein schon ist Enthüllung ihrer Abstammung. Unmittelbar anschließend gibt sie sich zu erkennen: nicht Kraka, das Bauernmädchen, sondern Aslaug, die Heldentochter, steht nun da.

Als willkommener außernordischer Beleg tritt Procops Bericht vom Warnerkönig Ermengisklos hinzu. Dieser ritt mit Gefolge über Feld, als er auf einem Baum einen stark krächzenden Vogel bemerkte. Er — und er, der König, allein — versteht, was der Vogel sagt, und er tut seinen Begleitern kund, daß er nach der Aussage des Vogels in vierzig Tagen an einer Krankheit sterben werde (Grimm, Myth. II, 945).

Erst in der Verfallszeit germanischer Wertungen sinkt auch die Kenntnis der Vogelstimme zu bloßem Aberglauben und zur sozialen Unterschicht herab. In der Saga von Olaf kyrri ist der Held ein beliebiger *buandkarl*, und der ganze Ton ist auf scherzhafte Novellistik gestellt; ein unbedeutenderes Seitenstück zum Völsathattr und Gunnarsthattr Helmings. Auf deutschem Boden ist im Indiculus superstitionum die Erforschung der Vogelstimme zum bloßen Angang bei der Reise herabgesunken (Grimm, Myth. II, 945). Diese Stelle, wie so vieles im Kampf der Kirche gegen germanische Vorstellungen, sieht vermutlich nicht nur überhaupt mit stumpfem Blick, sondern sie hat die trüben Erfahrungen vor Augen, die sie im gallisch-merovingischen Bereich mit den unsauberen germanisch-römischen Mischbildungen gemacht hat.

Damit endlich auch die Stimme des germanischen Skeptikers nicht fehle, ist auf Hávamál 85 zu verweisen, auf jene Priamel, die vor nicht vertrauenswürdigen Dingen warnt. Unter ihnen erscheint die „krächzende Krähe", auch hier also wieder nicht Flug, sondern Stimme.

Aus allen Belegen geht hervor, daß die germanische Vogelmantik auf Beobachtung der Vogel s t i m m e beruht hat, also ein wirkliches *fogalrarton* gewesen ist[52]). Sehr wenig erfahren wir dagegen über die Beachtung des Vogel f l u g e s bei den Germanen. Denn wenn Tacitus neben *voces avium* auch *volatus* erwähnt, so dürfte er dabei die römischen *auspicia* im Sinne haben. Im Norden wüßte ich keinen zwingenden Fall[53]). Die Schilderungen von Olaf Tryggvasons verdächtigtem Interesse für alles Orakelwesen bei Adam von Bremen und darauf gestützt bei Saxo ertrinken völlig in lateinischen Formulierungen[54]). Am ersten deutet noch Reginsmál 20 auf Beachtung des Vogelfluges; unter den Angangslehren des Hnikarr heißt es: *dyggva fylgio hygg ek ins døkkva vera at hrottmeiði hrafns.* Doch selbst hier ist nicht eigentlich ausgesprochen, daß das günstige Omen im bloßen Erscheinen oder gar dem Flug des Vogels liegt; und die nächste, dem Wolf gewidmete Strophe spricht ausdrücklich von der Stimme des heulenden Wolfs.

Damit ist *fogalrarton* sachlich und terminologisch germanisch unterbaut; es ist eine alte, wohlbezeugte Form germ. Zukunftserfahrung. Auf deutschem Gebiet ist Notker der letzte, der Wort und Sache kennt; weder die jüngeren Glossare (Dieffenbach), noch die spätere Literatur haben einen Nachklang von *fogalrarton* bewahrt[55]).

Der letzte Paragraph trägt bei Wesche die Überschrift: Totenlocklieder — *hliodarsazzo.* Damit legt er sofort die Bedeutung der Sippe *hliodarsazzo, hliodarsaza* fest. Er sieht darin den Terminus mantischer Totenbefragung. Von den vier Glossenbelegen führt nur einer, freilich der älteste, durch das lateinische Lemma auf diese Bedeutung.

Im Abr. (I, 215, 33 ff.) wird in der Stichwortkette: *negromanticus, evocatur umbrarum divinatio* das erste Wort durch *hleotharsazzo* (K), *hleodarsaz* (Ra) wiedergegeben und in der Form *Negroan hleodarsizzeo* nach R übernommen.

---

[52]) Noch neunordisch entspricht unserer Redewendung: 'etwas läuten hören' die Wendung: 'einen Vogel singen hören'.

[53]) Maurer a. a. O. II, 407 Anm. 61 teilt die Übersetzung der kleinen Geschichte von Olaf kyrri nach der mir nicht zugänglichen Ausgabe der Fornmannasögur mit; danach könnte es an einer Stelle so aussehen, als sei dort auf den Vogel f l u g wert gelegt; eine der drei Fragen des Königs lautet dort: „Scheint es dir beachtenswert, wo die Krähe fliegt?" Nach dem Frissbok lautet die entsprechende Frage nur: *þicki þér nockvrs vm vert?*

[54]) Adam von Bremen: *peritum auguriorum, servatorem sortium, et in avium prognosticis omnem spem suam posuisse.* Saxo: *Cuius regi Olauo tanta sumendorum auspiciorum annotandorumque omnium cura acta est, ut ... nullius auctoritate doctrine, quominus augur(i)um monitus consectaretur futuraque per pullarios disceret, vetari posset.* Vgl. dazu Maurer, Bekehrung I, 320 Anm. 13.

[55]) Allenfalls könnte *augur vogelzwitzer, augurium vogelzwitzern* im Nürnberger Vocab. von 1482 eine jüngere Parallelbildung sein.

Die drei anderen Belege bestätigen dies nicht. Clm. 14747 gibt zur Passio Simonis et Judae die schon oben S. 293 besprochene Glosse *arioli uuizagun ł leodarsezzun*. Es ist dort ausgeführt, daß *leodarsezzun* vermutlich ursprünglich zu dem Worte *magi* gehört hat. Jedenfalls aber ist auch bei Beziehung auf *arioli* kein spezifischer Hinweis auf Totenbefragung gegeben. Die Schlettstadter Gll. bieten (II, 365, 35) *coragios liodarsâzo* in der Glossierung eines Pönitentials, wozu Koegel (Lit. Gesch. I, 1, 30) die Korrektur *coragos* vornimmt und dies mit 'Zeichendeuter' übersetzt. Wesche S. 103, daselbst weitere Literatur, behandelt es als synonym mit *incantator*. Dicht daneben, hier auch durch St. Gallen 299 bestätigt, steht *in cervulo in liodarsaza*, eine viel behandelte Stelle, zu der hier die vorsichtige Feststellung genügt, daß es sich jedenfalls n i c h t um Totenbefragung handelt[56]).

Ist somit von den vier Belegen nur einer auf Totenbefragung gerichtet, so fehlt andrerseits dort, wo die lateinische Stelle nach Sinn oder Ausdruck Totenbefragung meint, die deutsche Interpretation mit der Sippe *hleodarsazzo*. Einmal übersetzt Notker (Boeth. I cap. 20 = Nb 35, 3) *sacrilegio .i. nicromantia* durch *mit kalstre*. Im alten Affatimglossar Jc (IV, 8, 26 f.) stellt sich, was nicht übersehen werden darf, gar keine deutsche Interpretation zu *nicromantia* ein, sondern nur eine Erklärung: *sela ƒ hello kihalota*, eine Übertragung der lateinischen Erklärung: *quotiens anima ab inferis revocata*[57]). Die Fälle, wo unter einer anderen Bezeichnung von Totenweckung die Rede ist, stellt W. S. 102 zusammen. Nirgends ist dabei die Sippe *hliodarsazzo* verwendet worden, sondern Wörter aus dem Bereich allgemeinen Zaubers. Wenn ein deutsches Wort Anspruch darauf hat, als echte Interpretation für *necromantia* zu gelten, so ist es *helliruna*. Dieses allein ist stets durch lat. *necromantia* gedeckt; W. stellt die vier Belege, die wir besitzen, S. 48 zusammen. Freilich ist No. 4 unsicher; W. selbst bemerkt, daß das Zitat bei Ducange auf eine der bekannten Stellen zurückgehen kann. Auch bilden No. 1 und 2 zusammen nur einen Beleg; denn auch Clm. 23 486 ist für die gemeinsamen Glossen nur ein Zweig von Rz, dem No. 1 angehört. Dafür ist dies aber das dem Abr. an Alter ebenbürtige Aldhelmglossar Rz, das unserem Wort und der Glosse hohes Alter verbürgt[58]). In

---

[56]) Ein bei Grimm, Myth. III, 306, angeführtes *vaticinium hleodarsâza* finde ich an der angegebenen Stelle bei Graff (6, 302. 304) nicht. Weder E. H. Meyer S. 74 f. noch Mogk, Reallex. s. v. *Weissagung* erwähnen bei der Behandlung der Totenbefragung den ahd. Terminus. In seiner Mythologie (Grdr.² III, 252) sagt Mogk: „In Deutschland können wir den Brauch (der Totenweckung) aus alter Zeit nicht belegen."

[57]) Vgl. auch Corp. gloss. lat. 5, 313, 12: *Necromantia mortuorum diuinatio et quotiens animae ab inferis euocantur* (Gloss. Ampl. sec. [Cod. Ampl. in fol. 42 3. IX]) und 4, 261, 19: *Negromantia quotiens hanimam ab inferis reuocatur uel diuinatio monstrorum* (Gloss. cod. Sangall. 912).

[58]) Clm. 23486 (Steinmeyer Nr. DXVI^b^) geht, soweit die Glossierung in Par. 16668 reicht, mehrfach gerade mit dieser ältesten Hs. der Gruppe zusammen

Clm. 23486 ist ein zweites Aldhelmglossar verarbeitet, dem eine Reihe von Doppelglossierungen zu verdanken ist. Hierher gehört auch die Doppelglosse: *nicromantia dot dohotrunu ł helliruna.* Auch diese zweite Glosse ist sicher altertümlich; denn erstens hat sie der Schreiber des 11. Jh.s nicht verstanden, und zweitens zeigt die Dativform noch die Flexion des Originals, in dem *necromantia* Ablativ ist.

Auf die Erklärung von *helliruna* und *dothruna,* deren Zusammenhang mit den gotischen *haliorunae* mir nicht so sicher ist und die vielleicht nur sehr alte Lehnübersetzungen von *necromantia* sind, gehe ich nicht weiter ein. Wesentlich ist mir, daß W.s unbedenkliche Beziehung von *hleodarsazzo* auf Totenmantik nicht Stich hält. Die Wortbedeutung erklärt er richtig: ‘niedersitzen, um etwas anzuhören’ — besser noch: ‘um auf etwas zu lauschen’. Das kann natürlich auch heißen: ‘auf einen erweckten Toten lauschen’, wie der Abr. zeigt, muß es aber nicht. Keinesfalls darf man die Sippe auf diesen Bezirk einschränken.

Nach Art und Form steht der *hleodarsazza* die nord. *útiseta* am nächsten. Beides bezeichnet ein magisches ‘sitzen’, wobei der deutsche Ausdruck mehr das Ziel, der nordische mehr den Ort des ‘Sitzens’ betont. Wir kennen das Wort namentlich aus westnordischen Rechtsquellen, doch kommt es auch in der Literatur vor[59]). Auch die *útiseta* kann als Totenbefragung erscheinen, am deutlichsten in der Übersetzung von *sepulcrorum violator* durch *hinn frægazti al uttisetum* (Heilagra manna sögur II, 411 aus Vita Patrum). Ferner gehört in diese Art Zukunftsbefragung, doch ohne den Terminus *útiseta,* Odins Tun in Baldrs draumar. Schon in der Formel norwegischer Christenrechte: *útiseta at vekja troll upp* u. ä. ist Totenweckung höchstens noch inbegriffen, keinesfalls mehr alleiniger Inhalt. Es handelt sich allgemein um Geisterbeschwörung. Noch weiter ab liegt die Formel des jüngeren Gulathing-Christenrechtes: *útisetar at spyrja ørlaga* und der ähnlichen einer isländischen Bußordnung: *sitr maðr úti til fróðleiks* (Diplomata Islandica I, 240). Solche *útiseta* war es, die Hakons des Breitschultrigen Pflegemutter Gunnhild vor seinem Kampf mit König Ingi durch das Zauberweib Thordis Skeggja vornehmen ließ, worüber Snorri in der Heimskringla berichtet. Und solcher Art ist auch die berühmteste, zeitlich älteste *útiseta* gewesen, von der wir wissen: die der Völuspá. Str. 28 sagt von der Völva: *ein sat hon úti.* Es ist der dunkle Abschnitt der Begegnung Odins mit der Völva. Diese Begegnung fällt, worauf m. W. bisher nicht genügend geachtet worden ist, genau in den Augenblick, da die Völva von dem Bericht über die Vergangenheit der Welt zur Zukunftsschau übergeht. Jene weiß sie aus

(etwa II, 18, 40. 44. 49), beruht also auf einem guten Zweig von Rz. Das Lemma *nicromantia* fällt außerhalb der Reichweite von Par. 16668, ist aber durch 4 Hss. für die Urform gesichert.

[59]) Zusammenstellungen etwa bei Dag Strömbäck, Sejd. Lund 1935, S. 127 f., und in Gerings Eddakommentar zu Völuspá 28. In ostnordischen Quellen, auch in den Rechtsquellen, scheint das Wort zu fehlen.

uraltem Miterleben[60]); diese erfährt sie durch *útiseta*. Und da die Begegnung mit Odin in diesem Augenblick erfolgt, dürfte sie mit der Zukunftsbefragung durch *útiseta* unmittelbar zusammenhängen — hat sie dem Gott das Zukunftswissen magisch abgezwungen? Die Schwierigkeiten der Stelle stehen hier nicht zur Debatte; nur soviel geht uns hier an, daß es sich bei dieser *útiseta* nicht um Totenerweckung handelt. Denn weder ist die Völva wie jene von Baldrs draumar selbst eine erweckte Tote, noch erfährt sie ihr Wissen durch eine Totenerweckung. Es ist eine nach ihrer Technik nicht näher beschriebene *útiseta at spyrja ørlaga*.

Danach ist auch die Bedeutungsbreite des deutschen *hleodarsazza* abzumessen. Auch sie ist eine Zukunftsbefragung, bei der der Befrager seine Kenntnis durch einsames Lauschen im Freien erhält, ohne daß an eine bestimmte technische Enge gedacht werden darf. Darin hat die Unbestimmtheit der lateinischen Lemmata ihren Grund. Wie in den Gll. des Clm. 14747 das magisch-mantische Allerweltswort *ariolus* oder das ebenfalls bedeutungsbreite *magi* durch *leodorsezzun* verdeutscht wird, so kann im Norden der Stjórn, die kommentierende Übersetzung des Alten Testamentes, in der Stelle 4. Kön. 23, 24 das *pythones* oder *ariolos* der Vulgata durch *útisetumaðr* wiedergeben, wo er ebensogut *seiðmaðr* hätte wählen können.

[60]) Siehe darüber zuletzt Fr. Ranke, Der Altersspruch der Seherin. (Zu Vǫluspá Str. 2), ZfdA 78 (1941), S. 51 ff.